ЭФРАИМ СЕВЕЛА

Собрание сочинений

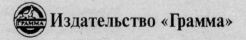 Издательство «Грамма»

1996

Э. Севела
Собрание   сочинений.   Том   второй.   —
М., «Грамма», 1996 — 480 с.

Во второй том Собрания сочинений классика современной литературы Э. Севелы включены три произведения: «Моня Цацкес — знаменосец», «Остановите самолет — я слезу» и «Продай твою мать».

ISBN 5-86061-016-5

ЭФРАИМ СЕВЕЛА

Собрание сочинений

ТОМ ВТОРОЙ

МОНЯ ЦАЦКЕС — ЗНАМЕНОСЕЦ

ОСТАНОВИТЕ САМОЛЕТ — Я СЛЕЗУ

ПРОДАЙ ТВОЮ МАТЬ

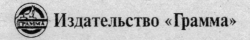 Издательство «Грамма»

1996

*Эфраим Севела — писатель небольшого наро-
да, разговаривает со своим читателем-сопле-
менником с той строгостью, взыскательностью
и. . любовью, какие может себе позволить лишь
писатель очень большого народа.*

Газета «Aachener Zeitung»,
Германия

МОНЯ ЦАЦКЕС — ЗНАМЕНОСЕЦ

«*Воинское знамя состоит из двух-
стороннего полотнища алого цвета,
древка и шнура с кистями. На одной
стороне полотнища, в центре, нашиты
серп и молот, по верхнему и нижнему
краям полотнища слова: «За нашу Советскую Родину». На другой стороне
полотнища, в центре, — пятиконечная
звезда из шелка. Над звездой золоти-
стым шелком вышиты номер и наиме-
нование части».*

(Из Устава Внутренней службы
Вооруженных Сил Союза ССР)

ПРОЛОГ

В простенке между двух окон, забранных железными решетками, стояло полковое знамя. Стояло, упираясь свежеокрашенным в красный цвет древком в пол и прислонившись к стене бронзовой макушкой с пятиконечной звездочкой на острие.

Само знамя из алого бархата с золотыми витыми шнурами и толстыми бахромчатыми кистями было тщательно укрыто от постороннего глаза парусиновым чехлом защитного цвета, и потому этот символ воинской чести, доблести и славы выглядел неподобающе скромно и сиротливо, как большой зонтик, свернутый за ненадобностью.

Но почести ему были возданы, какие полагаются по уставу. Охраняя палку с чехлом, замер часовой с автоматом на груди, в шапке и шинели и густо надраенных гуталином огромных ботинках. Сдвинув пятки и разведя на ширину ружейного приклада тупые носки.

Часовой был ростом невысок, но скроен крепко: что в плечах, что в груди широк больше, чем надо, и потому напоминал куб, чуть вытянутый вверх, или, точнее, железный несгораемый шкаф, где хранились все полковые документы.

На этом шкафу стоял гипсовый бюст генералиссимуса И. В. Сталина, со слоем пыли на плечах и фуражке, и пыль эту не вытирали, боясь уронить и разбить бюст вождя, за что неминуемо упекли бы под военный трибунал.

В отличие от сейфа, кубическое тело часового венчала

его собственная голова без шеи, в шапке, надвинутой на самые глаза. Брови у часового были густые и черные и шли от переносицы почти прямо вверх, загибаясь полукружьями, словно обладатель их раз в жизни очень удивился да так и не пришел в себя. А под ними круглые, как у птицы, глазки, живые, как ртуть, и даже здесь, на скучном посту, бурлящие от неудовлетворенного любопытства.

Одним словом, ничего особенного... если бы не нос. Таких размеров носа во всей шестнадцатой дивизии (а уж эта дивизия во всей славной советской армии отличалась наибольшим скоплением больших носов, потому что почти все солдаты и даже офицеры были евреями) не было такого калибра. Нос был мясист и хрящеват, выдавался далеко вперед, затем, сломленный семитской горбинкой, падал мягкой сливой на самые губы, которые, как бы под тяжестью носа, прогнулись полумесяцем, концами вверх, отпечатав навечно улыбку на лице часового. Удивленную улыбку, если учесть взлет мохнатых бровей.

Такой нос даже у самого миролюбивого нееврея вызывал отчаянный зуд в ладонях: очень уж тянуло влепить по этому носу наотмашь, а потом посмотреть, что из этого получится.

Но этого носа никто в жизни пальцем не касался — останавливала кубическая форма хозяина. Потому и сохранился нос не сплюснутым и не уменьшенным, а в самом натуральном первозданном виде, каким заложили его, не сглазить бы, еврейские родители часового — благочестивые и тихие Мендл-Янкл и Сарра Цацкес из маленького местечка на севере Литвы.

Даже в самом кошмарном сне им не могло привидеться, что их старшего сына Моню судьба занесет к черту на рога, в самую глубину таинственной России, и он из парикмахера превратится в солдата и будет часовым у зачехленного знамени полка. И радоваться при этом, что он хоть пребывает в тепле, а его товарищи, такие же евреи, как и он, мерзнут на жутком морозе, тонут в глубоком снегу на берегу застывшей реки Волги, отрабатывая приемы рукопашного боя перед отправкой на фронт.

О чем думает солдат на посту?

В первую очередь о еде. И во вторую очередь о ней же.

Моня Цацкес не был исключением. Он даже и в третью очередь думал тоже о еде.

Потому что в Красной Армии была славная традиция: кормить солдат как можно меньше, чтоб были злее. А эта злость, полагало начальство, превратится при встрече с врагом в священный гнев, то есть в подлинный советский патриотизм.

Ибо со времен царя Гороха на Руси повелось:

«Тяжело в ученье — легко в бою».

«Чем чаще нас бьют, тем злее мы будем».

Этого мудрого правила аккуратно придерживаются и по сию пору. И не без успеха.

Моня же был на Руси чужим человеком, залетной птицей, и эта мудрость на него не распространялась. Даже голод не сделал его злым. Такой уж у него был кроткий нрав, доставшийся по наследству от предков вместе с носом, переходившим из поколения в поколение, как эстафета, в том же виде и того же размера, какой теперь красовался от бровей и чуть не до подбородка на лице часового.

ЧТО ТАКОЕ ЗНАМЯ

— Одно из двух, — сказал старший политрук Кац. — Или вы освоите Устав Красной Армии... или... одно из двух!..

У Каца были рыжие волосы. Волос этих было очень много, и каждый волос завивался спиралью. Поэтому политрук смахивал на медный одуванчик.

В казарменном бараке, с опушенными морозным инеем окнами, шли занятия по политической подготовке. Стриженные наголо солдаты разных возрастов, но с одинаково торчащими ушами сидели в недавно полученном, еще необношенном обмундировании за тесными школьными партами и смотрели не на лектора, а чуточку левее.

Чуточку левее от старшего политрука Каца, порой отвлекая его самого, стояла, нагнувшись, больших размеров русская баба по имени Глафира и тряпкой из мешковины мыла дощатые полы, гоняя перед собой темные лужи с грязной пеной. Ее широкий зад был направлен на слушателей, глаза которых были, естественно, прикованы к этому заду. Юбка задралась, высоко оголив белые толстые ноги со вздутыми синими венами. При каждом движении край юбки уползал все

выше, и стриженные солдатские головы склонялись все ниже, чтобы еще глубже заглянуть под юбку.

На побеленной известью стене висел длинный плакат
с большими красными буквами:

БОЙЦЫ КРАСНОЙ АРМИИ!
ВНУКИ СУВОРОВА И КУТУЗОВА!
РОССИЯ СМОТРИТ НА ВАС!
ГРУДЬЮ ПРИКРОЕМ РОДИНУ-МАТЬ!

Все бойцы в этой казарме и даже старший политрук Кац
никак не могли приходиться внуками русским дворянам Су-
ворову и Кутузову, потому что были евреями. Да еще из Литвы. О том, что их зачислили во внуки Суворова и Кутузова,
они и представления не имели. И по очень простой причине — не умели читать по-русски.

Одна лишь уборщица Глафира могла претендовать на
кровную связь с великими полководцами, но тогда бы ее следовало называть не внуком, а внучкой.

— Не отвлекаться! — строго предупредил солдат старший
политрук Кац. — Одно из двух. Или вы будете смотреть на
Глафиру... или...

— Одно из двух, — услужливо подсказал политруку рядовой Мотл Канович.

Кац проходил с солдатами-новобранцами Шестнадцатой Литовской дивизии раздел Устава Внутренней службы
Рабоче-крестьянской Красной Армии, посвященный боево-
му знамени.

— Канович! Встать! Повтори, что такое знамя.

Мотл Канович, бывший портной из местечка Ионава, вылез из-за парты и, сутулясь, свесил руки по швам.

— Можно отвечать на идише? — спросил он по-еврейски.

— Нет. Только на русском. Мы, Канович, не в вашем местечке Ионава, а в России, и здесь протекает не река Неманас,
а Волга-матюшка река.

Уборщица Глафира, которая, кроме русского, других языков не знала и до того, как попала вольнонаемной в Литовскую дивизию, даже не предполагала об их наличии, не разгибаясь, поправила политрука:

— Не матюшка, а матушка. Господи, политрук, а чего
лопочет!

— Глафира! — стал строгим Кац. — Одно из двух. Или вы
замолчите и не будете мешать... или...

— Да мне-то что?.. — повернула к нему почти заголенный зад Глафира и сильным толчком тряпки погнала пену по доскам. — Ты — командир, ты и учи.

— Ну так все-таки, что такое знамя, Канович?

— Знамя?.. Вас интересует, что такое знамя?..

— Да, меня интересует.

— Хорошо... Это... это... Ну, флаг.

— Знамя, Канович, — это символ.

— Что такое символ? — спросил Канович.

— Что такое символ? — переспросил Кац и задумался. — Символ... Это... это... Символ.

— Может быть, на идиш? — попробовал выручить политрука бывший портной.

— Никаких идиш! — рассердился Кац.— Устав Красной Армии написан по-русски. Еврейского Устава пока еще нет... и не будет.

— Кто знает? — пожал плечами рядовой Моня Цацкес.

— Цацкес, встать! Идите, Цацкес, ко мне. Вот здесь, на плакате, нарисовано наше Красное знамя. Объясните мне и своим товарищам, из чего оно состоит.

— А чего объяснять-то? — заметила, выкручивая тряпку, Глафира. — Переливать из пустого в порожнее...

Моня Цацкес, невысокого роста, но широкий в кости новобранец пошел к политруку, ступая по свежевымытому полу на носках своих красных больших ботинок, и сделал круг, обходя обширный Глафирин зад.

Моня был похож на пингвина, которого солдаты видели в Каунасском зоопарке до войны. Сходство с пингвином придавал ему большой, как клюв, нос, нависавший над губами. И даже над нижней челюстью, выступавшей вперед по причине неправильного прикуса. И еще это сходство усиливали абсолютно круглые черные, как ягоды черной смородины, глаза и брови над ними — полукружиями.

— Знамья, — взглянув на плакат, почесал стриженый затылок Цацкес, — составлено... из...

— Господи! Не знамья, а знамя, — вмешалась Глафира, не разгибаясь и с ожесточением гоняя тряпкой мутную лужу.

— Не перебивать! — одернул Глафиру старший политрук. — Продолжайте, Цацкес.

— Знамья состоит из... красной материи...

— Не материи, а полотнища, — качнул рыжим одуванчиком Кац. — Дальше.

— Из палки...

— Не палки, а древка.

— Что такое древко? — удивился Цацкес.

— Палка. Но говорить надо — древко.

— Надо так надо.

— Солдатская доля, — вздохнула Глафира, — хочешь не хочешь, говори, что прикажут.

— Дальше, Цацкес.

— На конец палки, то есть... этого самого... как его... надет, ну, этот... как его... Можно сказать на идише?

— Нет. По-русски, Цацкес, это называется наконечник. То есть то, что надето на конец.

— Объяснил! — хмыкнула Глафира. — Мало ли что надевают на конец?

— А что мы видим в наконечнике? — спросил Кац.

— Мы видим... — задумался Цацкес, вперившись своими круглыми черными глазами в плакат. — Мы видим... этот... ну, как его... Молоток!

— Молот, — поправил Кац. — И...

— И... — повторил за ним Цацкес. — Что это, я знаю, а выговорить не могу.

— Серп, батюшки! — вставила Глафира. — Чего тут выговаривать?

— Серп, — сказал Цацкес.

— Значит, серп и молот, — подвел итог старший политрук Кац.

— Правильно, — согласился Цацкес.

— А что означают серп и молот? — подумав, спросил старший политрук.

— Не знаю... — простодушно сознался рядовой Цацкес.

— Много упомнишь... на таком пайке... — сочувственно вздохнула Глафира, повернув зад к аудитории, и солдаты все как один снова пригнули стриженые головы к партам, силясь разглядеть что-то под ее задравшейся юбкой.

— Серп и молот — это символ, — сказал Кац и строго посмотрел на зад уборщицы, остервенело шуровавшей замызганный пол казармы.

— Дожила Россия, — сокрушенно вздохнула Глафира. —

Докатилась, матушка... защитников понабирали.. Много
они навоюют.

Моня, возвращаясь на место, не сумел разминуться с Гла-
фириным задом.

— Уйди, нехристь! — разогнулась Глафира, показав свое
плоское, изрытое оспой лицо, и беззлобно замахнулась
тряпкой.

Моня вприпрыжку добежал до своей парты и плюхнулся
рядом со Шлэйме Гахом, который в мирное время был шамесом в синагоге.

Старший политрук Кац уставился в книжку Устава и стал
зачитывать вслух, раскачиваясь, с подвывом, как молитву:

— Знамя — символ воинской чести, доблести и славы, оно
является напоминанием каждому солдату, сержанту, офицеру
и генералу об их священном долге преданно служить Советской Родине, защищать ее мужественно и умело, отстаивать
от врага каждую пядь родной земли, не щадя своей крови и
самой жизни...

Моня наморщил лоб, силясь уловить что-нибудь, и, не
добившись успеха, шепнул соседу:

— Вы что-нибудь понимаете?

Шлэйме Гах скосил на него большой, навыкате, грустный глаз:

— Рэб Цацкес, запомните. Я — глухой на оба уха. За два
метра уже не слышу. Делайте, как я. Смотрите ему в рот.

— Знамя всегда находится со своей частью, а на поле
боя — в районе боевых действий части, — уже чуть не пел
старший политрук Кац. — При утрате знамени командир части и непосредственные виновники подлежат суду военного
трибунала, а воинская часть — расформированию...

ПЕРЕХОДЯЩАЯ КРАСНАЯ ВОШЬ

В самый разгар войны с немцами Сталин дал приказ
прочесать все уголки России и найти литовцев, чтоб создать
национальную литовскую дивизию. Как ни старались воен-
коматы, кроме литовских евреев, бежавших от Гитлера,
ничего не смогли набрать. Пришлось довольствоваться этим
«материалом». Литовских евреев извлекали отовсюду: из Таш-
кента и Ашхабада, из Новосибирска и Читы, отрывали от

причитающих жен и детей и гнали в товарных поездах к покрытой толстым льдом реке Волге.

Здесь, в грязном и нищем русском городке, до крыш заваленном снегом, их повели с вокзала в расположение дивизии штатской толпой, укутанной в разноцветное тряпье, в непривычных для этих мест фетровых шляпах и беретах. Они шагали по середине улицы, как арестанты, и толпа глазела с тротуаров, принимая их за пойманных шпионов.

— Гля, братцы, фрицы! — дивился народ на тротуарах.

Впереди этой блеющей на непонятном языке колонны шел старшина Степан Качура и, не сбиваясь с ноги, терпеливо объяснял местному населению:

— То не фрицы, а евреи. Заграничные, с Литвы. Погуляли в Ташкенте? Годи! Самый раз кровь проливать за власть трудящихся.

Старшина Степан Качура был кадровый служака довоенной выучки, щеголял в командирском обмундировании, и только знаки различия в петлицах указывали на то, что он еще не совсем офицер. Сапоги носил хромовые, каких не было у командиров рот, а брюки-галифе из синей диагонали были сшиты в полковой швальне с такими широкими крыльями, что старшину по силуэту можно было опознать за километр. В полевой бинокль.

Первый вопрос, который старшина задал евреям-новобранцам, приведенным в казарму со свертками постельного белья под мышкой, был такой:

— Кто мочится у сне — признавайся сразу!

Евреи стояли перед двухэтажными деревянными нарами, где вместо матрасов горбились мешки, набитые сеном, и никак не реагировали на слова старшины. Большинство — из-за незнания русского языка.

— Ладно. — Старшина с нехорошей ухмылкой на широком лице прошелся перед строем, поскрипывая сапогами и покачивая крыльями своих галифе. — Правда все равно выплывет. И придется ходить с подбитым глазом.

Нары распределялись по жребию. Моне Цацкесу повезло — ему достались нижние нары и близко от железной печки. Но удача, как известно, ходит в обнимку с неудачей.

Верхние нары, прямо над Моней, занял долговязый худющий парень с узким смешным лицом. Вернее, лицо имело печальное, страдальческое выражение, но выглядело смешно

Из-за того, что оно было выпукло-вогнутым. Левая щека запала, как будто с этого боку нет зубов, а правая выпирала — как от опухоли. Нос тоже был изогнут. Рыжеватые бровки заломились острым углом над переносицей и совсем пропали над грустными, как у недоёной козы, глазами.

Этого малого звали Фима Шляпентох. Армейская судьба свела с ним Моню Цацкеса надолго, почти до самого конца второй мировой войны. И дружба эта началась с того, что рядовой Цацкес, как и предрекал старшина, подбил глаз рядовому Шляпентоху в первую же ночь, проведенную в казарме.

Моня только уснул, поудобнее умяв своим телом мешок с сеном и согревшись сухим жаром натопленной на ночь железной печки, как вдруг не только проснулся, но и вскочил в страхе: с верхних нар, сквозь щели в досках, Моне в лицо потекла теплая струйка.

От его крика всполошилась вся казарма. Дневальный включил свет. Солдаты в белых кальсонах и рубахах столпились в проходе. С верхних нар робко свесилось искривленное мучительной гримасой лицо рядового Шляпентоха.

Моня Цацкес заехал ему в глаз, и вся левая, вогнутая, сторона лица заплыла синим кровоподтеком. Шляпентох в голос, содрогаясь худыми плечами, заплакал на верхних нарах.

Моне стало неловко, и он сказал ему на идише:

— Ладно, брось. Чего же ты не отозвался, когда старшина спросил?

— Мне... было... стыдно... — рыдал Шляпентох. — Мне всю... жизнь стыдно.

Шляпентоху велели снять с нар свой сенник и положить возле печки, — к утру будет сухим, — а самому подстелить шинель и лечь спать, потому что скоро подъем и никто не успеет выспаться.

Моня тщательно вымыл лицо, перевернул свой сенник и уснул, как и положено здоровому человеку. Фима Шляпентох еще долго вздыхал и всхлипывал у себя наверху и только на рассвете успокоился, затих.

И тогда на нижних нарах с ревом вскочил Моня Цацкес. Снова теплая струйка оросила его. Фима Шляпентох в эту ночь обмочился дважды, и соответственно дважды вымок внизу рядовой Цацкес.

Утром старшина Качура не без удовлетворения обозрел синий с багровым отливом «фонарь» под глазом у рядового

Шляпентоха и приказал ему поменяться местами с рядовым Цацкесом.

— Такому не место наверху, — назидательно сказал старшина Качура. — Бо там он не только создает неудобства для себя, но и затрагивает личность нижележащего бойца Красной Армии. Кто еще забыл про свою слабость — прошу поменяться местами.

Несколько человек понуро слезли с верхних нар. Старшина дал указание ночным дежурным будить этих солдат, чтоб они могли сходить до ветру, вместо того чтобы позорить честь советского воина и портить казенное имущество.

Дежурные по ночам орали «подъем!» и будили всю казарму. Иван Будрайтис, литовец из Сибири, решил повеселиться в свое дежурство. Он воткнул спящему Шляпентоху между пальцами ноги полоску газетной бумаги, разбудил своих дружков, чтобы они посмотрели на потеху, и поджег бумагу. Огонь пополз к пальцам, и Шляпентох во сне стал быстро-быстро дергать ногами, словно крутя педаль, отчего эта забава и носит название «велосипед».

Цацкес проснулся от криков Шляпентоха. У Фимы от ожогов вздулись пузыри на ноге. Иван Будрайтис помирал со смеху. Моня, злой спросонья, двинул Ивану Будрайтису кулаком в широкую монгольскую скулу, и у того засветился «фонарь» такого же размера и цвета, как и у Фимы Шляпентоха.

Утром, когда вышли на строевые занятия, старшина Качура, обнаружив синяк под глазом у Будрайтиса, решил, что и он напрудил во сне, и занес его в список подлежащих побудке по ночам. Всех, кто попал в этот список, старшина с воспитательной целью усиленно гонял на строевой подготовке, и они к концу дня замертво валились на свои пропахшие мочой сенники. Так что, когда дежурный их будил, они никак не могли продрать глаза, и их поднимали с уже мокрых сенников.

От занятий строевой подготовкой валились с ног не только бойцы этой категории, но и вся рота. Даже такой дуб, как Иван Будрайтис, исходивший не одну сотню верст по сибирской тайге, к вечеру заметно сдавал. Евреи к тому времени уже ползали как сонные мухи. И от усталости. И от голодных спазм в желудке. Потому что кормили новобранцев по самой низкой норме, а при такой физической нагрузке пустое брюхо хлопало о позвоночник, как парус о мачту.

Евреи диву давались: зачем нужно столько топать строевым шагом, отрабатывать повороты налево, направо и кругом, как будто их готовят для парада, а не для отправки на фронт, где это, как известно, ни к чему — лежи себе в мокром окопе и жди, когда предназначенная тебе пуля разыщет адресата, не заглядывая в номер полевой почты.

Кроме отработки строевого шага, они учились ползать по-пластунски, наступать перебежками по пересеченной местности, окапываться, рыть траншеи полного профиля. И все это в снегу, на ветру, при сильном морозе, от которого слипались ноздри, и брови становились седыми от инея. Да еще таскать на себе противогаз, винтовку с патронами, а если особенно «повезет», то навьючат тебе на горб ящик с минами для батальонного миномета.

Не учили лишь одному — стрелять. Евреям стало казаться, что на войне не стреляют, а только ползают, утопая в снегу, с непосильным грузом на спине, и едят как можно меньше, чтобы, должно быть, не прибавить в весе.

Даже такой крепыш, как Моня Цацкес, после отбоя лежал пластом на своих нарах. Он мучительно шевелил мозгами в поисках способа хоть немного сбавить физическую нагрузку, не нарушая при этом Устава Красной Армии. Старшина Качура был стреляный воробей. Нужно было напрячь всю еврейскую смекалку, чтоб перехитрить этого хохла.

Моня напряг. И нашел слабое место старшины.

— Вошь, — наставлял новобранцев старшина Качура, — не меньший враг для советского человека, чем германский фашист.

И если у кого-нибудь обнаруживали эту самую вошь, то объявлялось ЧП — чрезвычайное происшествие. Сразу троих солдат гнали в баню, а их обмундирование и постельные принадлежности прожаривали до вони в дезкамере, именуемой в казарме «вошебойкой». Почему гнали троих? Для верности. Санитарной обработке подвергались и сам виновник, на котором нашли вошь, и его соседи по нарам, слева и справа. Все трое целый день ходили именинниками.

Ни один еврей не откажется лишний раз помыться в бане. А до срока сменить пропотевшее насквозь белье — это и вовсе подарок судьбы. Но главный выигрыш был в ином. Три счастливчика, попавшие в зону поражения вошью, целый день кантовались в казарме. Их освобождали от занятий, и они, распаренные после баньки, похлебав баланды, в чистом исподнем, валялись на нарах двадцать четыре часа — отсыпались на неделю вперед. И вся рота завидовала им черной завистью.

Моня Цацкес решил действовать. Нужна была вошь. Закаленная, выносливая. И такая вошь нашлась. На ком вы думаете? Точно. На Фиме Шляпентохе.

Моня, узнав об этом, кинулся на Шляпентоха, как тигр, бережно снял с него вошь, завернул в бумажку и помчался к старшине.

— Троих в санобработку, — приказал Качура.

Вошь была ему показана, но не ликвидирована. И в этом был секрет рядового Цацкеса. Пока Шляпентох и два его соседа кейфовали на нарах после баньки, Моня раздобыл у бывшего портного Мотла Кановича наперсток, посадил туда вошь, а отверстие залепил хлебным мякишем.

Назавтра та же вошь была обнаружена на Монином соседе слева, и еще одна троица, включая Моню, была на весь день освобождена от учений в поле.

Сама вошь была осторожно водворена в наперсток, запечатана мякишем и спрятана в щель под нарами. А Моня и два других счастливчика попарились на славу, натянули на себя сухое и горячее после прожарки обмундирование и, румяные, сияющие, направились по тропинке в снегу к столовой за своими пайками. Моня раскрыл своим спутникам секрет, и они, как люди догадливые, поняли, что всем обязаны ему, рядовому Цацкесу, и его волшебной вошке, которая отныне будет передаваться как приз по нарам. Наподобие переходящего красного флага, которым в советской стране награждают победителя в социалистическом соревновании.

Оба солдата задохнулись от восторга. И смотрели на Моню, как на фокусника из цирка. Моня снисходительно принимал их восхищение, сидя за деревянным столом в пустой столовке и поедая из жестяной мисочки жидкую перловую кашу, именуемую в казарме «шрапнелью» за специфические качества, которые она весьма громогласно проявляет спустя некоторое время после приема пищи. Батальонный хлеборез положил перед каждым по три ломтика черного ржаного хлеба, весом в триста граммов, и Моня сгреб все девять ломтиков к своей миске. Озадаченным товарищам он объяснил, что это — плата за удовольствие, полученное ими благодаря Моне. Как-никак, он все придумал, а кроме того, у него есть и производственные издержки: содержание вошки, уход за ней, кормление. Моня уверял, что кормит ее своей кровью, другой пищи, каналья, не принимает, и потому приходится выпускать ее время от времени пастись на собственный живот. Конечно, когда рядом нет начальства.

Солдаты не усомнились в правдивости его слов и слушали, раскрыв рты и даже перестав чавкать. Свою обеденную пайку они без споров отдали Моне и пошли отлеживаться на нарах до вечера, когда, замерзшие и еле живые, вернутся в казарму те, кого еще не облагодетельствовал рядовой Цацкес. Переходящая красная вошь отныне распределялась по строгому графику: ее обнаруживали два раза в неделю, и каждый раз — в противоположном конце казармы. Два раза в неделю новая троица парилась и отсыпалась, а Моня уплетал честно заработанный гонорар — шестьсот граммов черного ржаного хлеба. Он поправился, запавшие было щеки снова округлились, и на них пробился намек на румянец.

А старшина Качура спал с лица. Он потерял аппетит от расстройства, и сколько ни силился, никак не мог понять, откуда такое наваждение в казарме. Тогда он вызвал санитарную комиссию во главе с доктором Копеляном. Комиссия под наблюдением доктора ползала по нарам, трясла сенники, просмотрела по швам нижнее белье на каждом солдате и ничего не обнаружила. Весь личный состав был найден стерильно чистым.

Старшина Качура был польщен выводами комиссии, но полного удовлетворения не получил. В душе осталась тревога. Поэтому он охотно поддержал предложение доктора Копеляна — освободить всю роту на один день от занятий, пропарить в бане и пропустить через «вошебойку», а помещение подвергнуть дезинфекции.

Это было уже опасно. От дезинфекции вошь могла задохнуться в своем убежище под нарами. Поэтому наперсток с нею перекочевал в карман Мониной шинели. Рота наслаждалась отдыхом и возводила Моне хвалу. О вошке-благодетельнице говорили с трогательной нежностью, как говорят о любимом существе. И даже имя ей дали — Нина.

Правда, Фима Шляпентох усомнился, верно ли солдаты определили пол. А вдруг это не самка, а самец? Моня предложил Фиме попросить у лейтенанта Брохеса очки и заглянуть Нине под юбку.

Рота славно провела весь этот день. Моня Цацкес великодушно отказался от обычного гонорара, и каждый съел свою пайку полностью, до последней крошки, что еще больше подняло настроение.

На следующей неделе у старшины Качуры чуть не сделался нервный припадок. Нина вновь объявилась. И три солдата со свертками белья под мышкой ждали приказа отправляться в баню.

— Дай-ка мне ее, суку, — попросил вдруг старшина Качура и, взяв бумажку с вошью, поднес ее ближе к глазам. — Кажись, я уже раз ее видел, а? Или мне мерещится? — Старшина медленно оглядел евреев. — Ну, народ! Погодите! Скоро на фронт пойдем. Там я вас быстро в православную веру переведу.

С выражением решимости на широком лице и брезгливо поджав губы, старшина Качура положил бедную Нину, беспомощно шевелившую ножками, на плоский ноготь своего большого пальца и таким же плоским ногтем другого большого пальца раздавил. С легким треском.

У рядового Цацкеса при этом кольнуло в сердце, как будто он присутствовал при публичной казни. Другие солдаты потом признались, что и они испытали нечто подобное.

ПАРИКМАХЕРЫ — ТРИ ШАГА ВПЕРЕД!

С трехлинейной винтовкой образца 1891—1930 годов на плече Моня стоял на плацу в карауле по случаю прибытия командира полка. Подполковник Штанько сам принимал очередное пополнение. И не ради праздного любопытства, а с конкретной целью. Ему понадобился личный парикмахер. И чтобы не советское барахло, а высший класс. Заграничной выучки.

Петр Трофимович Штанько почти всю свою жизнь провел в армии и, кроме казенного обмундирования, другой одежды не признавал. Он был, что называется, военная косточка. До капитанского звания стригся «под бокс», а в последующих чинах стал бриться наголо, подражая своему старшему командиру. Его бритая голова сверкала, как бильярдный шар, над складками красной от избытка крови бычьей шеи, туго

стянутой кромкой подворотничка. Свежий белый подворот-
ничок ежедневно подшивала командиру полка его боевая
подруга и верная жена Маруся, Мария Антоновна, скромная
служащая местного военторга.

Старшина Качура выстроил перед командиром полка новое пополнение. Евреи стояли на морозе, переминаясь в лег-
кой изношенной обуви, одетые, как на карнавале, в шубы с
лисьими дамскими воротниками, в плащи-дождевики и даже
в крестьянские домотканые армяки. Шеи были замотаны
шарфами всех цветов и размеров. Шарфы натянуты на носы и
покрыты седым инеем от дыхания.

Старшина Качура, в комсоставской шинели до пят, пере-
тянутый крест-накрест скрипучими ремнями портупеи, про-
хаживался перед шеренгой евреев. Он ступал кошачьим упру-
гим шагом в своих сапогах из черного хрома и напоминал кота перед строем мышей, отданных ему на съедение.

Моня стоял в карауле и не думал ни о чем. Кроме обеда.
До которого еще было два часа стояния на морозе.

— Здравствуйте, товарищи бойцы! — гаркнул командир
полка. Вместо положенного громкого приветствия евреи про-
стужено закашляли, окутавшись облачками пара.

Старшина Качура, видя непорядок, уставился на начальство, готовый немедленно принять меры. Но командир полка
движением руки отказался от его услуг:

— Новенькие. Не знают порядка. Научим! А сейчас...
Строй, слушай мою команду! Кто парикмахер, — он с наслаждением помедлил, — три шага вперед!

Разноцветная, застывшая на морозе шеренга колыхну-
лась, выталкивая в разных концах замотанные фигурки. Примерно половина строя вышли вперед. Остальные топтались
на прежнем месте.

Подполковник Штанько раскрыл рот, что означало высшую степень удивления.

— Столько парикмахеров? Га? А остальные кто?

— Остальные, товарищ подполковник, — взял под козырек старшина Качура, — по-нашему, по-русски, не понимают.

— Перевести остальным, что я сказал!

Несколько евреев из тех, что вышли на три шага вперед,
обернулись назад и по-литовски и по-еврейски разъяснили
суть сказанного командиром. И тогда товарищ Штанько застыл надолго. Все до единого евреи, еще остававшиеся на ме-

сте, торопливо догнали своих товарищей, проделав положенных три шага.

— Так, — только и мог сказать потрясенный командир полка и после тяжкого раздумья произнес: — Значит, все — парикмахеры? Все хотят брить командира? А кто будет Родину защищать? Га? Кто будет кровь проливать за родное социалистическое отечество? Кто, мать вашу... Пушкин?

Евреи, неровно вытянувшиеся в новую шеренгу, пристыженно молчали. Во-первых, потому что они, иностранцы, совершенно не знали имени классика русской литературы Александра Сергеевича Пушкина, а во-вторых, из-за того, что они, к великому неудовольствию подполковника Штанько, все поголовно оказались людьми одной профессии.

— Не нужен мне личный парикмахер. Обойдусь, — обиженно, словно ему плюнули в душу, сказал командир полка. — А этот табор — в минометную роту! Всех подряд! Пускай плиту в два пуда на горбу потаскают!

Он со скрипом повернулся на снегу, и опечаленный взор его упал на часового, застывшего в карауле. То был рядовой Моня Цацкес. Его длинный нос покраснел на морозе и делал солдата еще более похожим на заморскую птицу. Недобрые огоньки зажглись в очах командира.

— Скажи мне, боец, — спросил он тихим вкрадчивым голосом и скосил глаза на свою свиту, как бы готовя ей сюрприз. — Кем ты был на гражданке? До войны?

— Парикмахером, — со струей пара выдохнул Моня Цацкес.

Свита замерла. Старшина Качура напрягся до скрипа в ремнях портупеи. Подполковник Штанько грозно шагнул к часовому, хлопнул его рукой в овчинной рукавице по плечу и заржал как конь. Рассыпалась в смехе свита. Оттаяли, съехали к ушам каменные скулы старшины Качуры.

— Как звать? — подобрев, спросил Штанько.

— Цацкес.

— Что за цацки-шмацки? Я фамилию спрашиваю!

— Цацкес, — повторил, округлив глаза, Моня.

— Ну, после всего, что было, я ничему не удивляюсь, — сказал подполковник. — Значит, ты тоже парикмахер, Шмацкес?

— Так точно, товарищ подполковник!

— Хороший парикмахер?

— Лучших нет.

Запас русских слов у рядового Цацкеса был ограничен, и большую часть их он позаимствовал из лексикона старшины Качуры. Поэтому в подробности не вдавался, отвечал коротко и ясно.

— Диплом есть?

— В рамке.

— В рамке? Ну и сукин сын! Хвалю за находчивость! Беру! Старшина, направить в мое распоряжение рядового... э-э-э...

— Цацкес, — подсказал ему Моня.

— Правильно, — согласился командир. — А этих... строем в «вошебойку»! Прожарить, отмыть коросту, чтоб блестели, как пятаки! И постричь парикмахеров... Наголо! Под нулевую машинку.

Вспомнив, что не все понимают по-русски, он для убедительности снял меховую шапку и продемонстрировал новобранцам свой бритый череп.

— Полезно для здоровья и гигиены: мозгам — доступ кислорода, вшам — укрытия нет.

В заключение командир полка обогатил солдатские умы афоризмом собственного производства:

— Не волос красит человека, а любовь к родине! Ясно?

Евреи дружно кивнули.

ПОЛКОВОЙ ЗНАМЕНОСЕЦ

Подполковник Штанько не любил терять времени зря и, слушая доклады подчиненных, одновременно брился. Вернее, не брился, а его брили. И делал это рядовой Моня Цацкес, обладатель заграничного бритвенного прибора и диплома (в рамке) известной школы фрау Тиссельгоф в городе Клайпеде (Мемель).

Моня брил подполковнику Штанько голову, взбив кисточкой горку пены и обмотав ему шею вафельным полотенцем. Все участники совещания: и командиры батальонов и рот, и начальник обозно-вещевого снабжения, и начфин, и помпохим — как дети, водили глазами за бритвой, гулявшей по начальственной голове, снимая пласты мыла и обнажая сверкающий череп.

Обсуждался вопрос первостепенной важности: предстоящее вручение полку боевого знамени и подготовка подразделений к параду, который состоится по случаю столь торжественного события.

— Гонять строевой с утра до ночи! — давал указания товарищ Штанько. — Не хватит дня — полные сутки! Двадцать четыре часа! Кровь из носу — держи равнение направо! Ясно? Политрукам провести работу с рядовым составом, чтоб каждый осознал политическую важность момента.

Загудела зеленая коробка полевого телефона, и солдатик-связист, сидевший на корточках в углу, несмело протянул командиру трубку.

— Да, да, — подполковник Штанько закивал недобритой головой, обрамленной кружевами из мыльной пены.

Моня Цацкес задержал бритву в воздухе, чтобы нечаянно не порезать своего клиента, и все совещание затаило дух, силясь угадать, с кем и о чем таком разговаривает их непосредственный начальник.

— Хрен с ними! — рявкнул в трубку Штанько. — Решай сама!

И, скосив глаз на почтительно замерших подчиненных, пояснил:

— Жена... Кошка родила — как быть с котятами?

И снова в трубку, деловито хмуря лоб:

— Как там со знаменем? Отпустили в военторге? Панбархат? Лучшего качества? Смотри! Нам говно не нужно. Знамя — лицо полка, понимаешь... Все буквы золотом? Порядок. Так слушай, мать, чтоб к вечеру было готово. Я к тебе солдата подошлю. Упакуешь и отдашь... Как зеницу ока... Понятно? Под расписку... Все!

Он, не глядя, отдал связисту трубку.

— Хорошая новость, товарищи. Знамя готово. Панбархат высшего сорта. И золотом расписано. Все как надо! Вот что значит своя рука в военторге!

Моня быстро соскреб пену с головы подполковника, достал из сумки пузатую бутылочку «Тройного» одеколона и стал заправлять в горлышко трубку пульверизатора.

— Не переводи продукт, дурень! — Подполковник Штанько отнял у него бутылку одеколона и с бульканьем опорожнил ее в стакан. — Такой дефицит в стране, каждая капля, понимаешь, на учете, а он, нерусская душа, голову этим добром мажет.

Подполковник откинулся на спинку кресла и выплеснул в

разинутый рот почти полный стакан «Тройного» одеколона. Бритая голова его стала краснеть, наливаясь кровью, и остатки мыльной пены на ней заблестели особенно отчетливо. Он крякнул, шумно выдохнул, содрал с шеи вафельное полотенце, протер голову, как после бани, и, бросив Моне смятое полотенце, сказал, как отрубил:

— Поедешь к моей жене — знамя привезешь. И коньячку у Марьи Антоновны захвати. Понял? Шагом марш! Выполняй приказ!

В ранних сумерках зимнего дня рядовой Цацкес в полной выкладке — с винтовкой на плече, противогазом на боку и пустым вещевым мешком за спиной — шагал мимо сугробов по узкой протоптанной дорожке. В вещевом мешке он должен был доставить в полк бархатное знамя с золотой вышивкой и бутылку коньяка для командира.

— Не довезешь — ответишь головой, — сказал на прощанье подполковник Штанько, помахав желтым прокуренным пальцем перед Мониным носом, и имел в виду, конечно, знамя. Но и коньяк тоже.

Рядовому Цацкесу велели быть при оружии — взять винтовку и обойму с пятью боевыми патронами, чтобы в случае надобности применить не колеблясь, ориентируясь по обстановке. Ходить с винтовкой без противогаза — не положено. Комендантский патруль заберет. Так что Моню нагрузили на полную катушку, и через будку контрольно-пропускного пункта он вышел в заснеженный город.

Одет был Моня в обмундирование б/у (бывшее в употреблении), и на левой стороне его короткой потертой шинели суровой ниткой был грубо заштопан рваный кусок сукна — след от попадания осколка прямо в сердце. По этой причине прежний владелец больше не нуждался в своей шинели. И после дезинфекции и мелкого ремонта ее вручили новому пополнению Красной Армии в лице рядового Цацкеса.

Конечно, носить эту штопку, как мишень, на своем сердце было не очень приятно. Но, с другой стороны, был и добрый знак — вроде талисмана: как известно, пуля не попадает дважды в одно и то же место. Это — почти закон. А если бывает исключение, то почему это обязательно должно случиться с Моней Цацкесом?

Зато ботинки были хоть куда. Американские. Толстой кожи и с твердой, как камень, подошвой. Красного пожарного

цвета. Новенькие, никем не ношенные. И если бы не грязно-
серые армейские обмотки, спирально обвившие ноги до колен, Моня в своей обуви выглядел бы франтом.

Прохожие первым делом смотрели на его ботинки, а потом уж выше, на него самого. А Моня между тем думал, что
эта командировка в город за знаменем оборачивается печально для его желудка. Ужин в казарме он прозевает, пайку хлеба
умнет дежурный по столовой, вернется он, дай Бог, к полуночи и свалится на нары с пустым брюхом.

Рассчитывать на то, что жена командира полка догадается
накормить его, было смешно. Моня не был советским человеком, он был из буржуазной Литвы, и ни минуты не сомневался, что жена подполковника дальше прихожей его не пустит
и, не дав даже погреться с дороги, отправит назад, как поступают с любым посыльным.

Моня ошибся. Жена командира полка коммуниста
Штанько преподала ему чудный урок советской демократии,
социалистического отношения к человеку и, если хотите,
сталинской дружбы народов СССР. Потому что рядовой
Цацкес был еврей по национальности, а Марья Антоновна —
чистокровная русская, и это нисколько не помешало особым
отношениям, которые сложились у них, можно сказать, с
первого взгляда.

Марья Антоновна Штанько была крепкой бабенкой, лет
под сорок, с ямочками на румяных щеках и еще более аппе-
титными ямочками на пухлых локтях. Светлая расплетенная
коса перекинута через круглое плечо на высокую грудь. Под
белой прозрачной кофточкой просвечивал черный бюстгаль-
тер. При ходьбе она двигала бедрами так, что черная юбка, казалось, вот-вот лопнет, но выручало высокое качество и
прочность военторговского сукна.

Марья Антоновна как самого дорогого гостя ввела Моню
в дом. Сняла с него шинель и повесила в шкаф, рядом со своим отороченным черно-бурой лисой зимним пальто. Винтовку и противогаз аккуратно поставила в угол за шкафом. Сама
согрела на примусе кастрюлю с борщом, положила ему в тарелку мозговую кость, облепленную мясом, и у Мони голова
закружилась от запахов. В спину дышало уютным теплом от
черного бока круглой голландской печи. Моне хотелось плакать. Из резного буфета Марья Антоновна достала початую

поллитровку и нетронутую, запечатанную сургучом темную бутылку коньяка.

— Это — супругу, — отодвинула она коньяк в сторонку. — А мы с вами, Моня... не знаю вашего отчества, по-простецки, по-нашему, разольем водочки.

Моня залпом выпил первую стопку. Он ел, как голодный пес, судорожно глотая и давясь. Марья Антоновна отпила два глотка и сказала:

— Мне хватит.

Моня выхлебал весь суп и почистил тарелку корочкой хлеба, впитывая приставшие к фаянсу капли жира. Корочку, естественно, тут же проглотил.

Марья Антоновна сидела против Мони за столом и любовалась им, положив подбородок на ладони.

— Уважаю мужчин, у которых аппетит, — сказала она томно. — Такой и в бою не подведет, и... Хотите добавки? Или потом?

— Когда — потом? — Моня вытер рукавом гимнастерки испарину со лба.

— У тебя увольнительная до скольких?

— До двенадцати ноль-ноль.

— Батюшки, — всполошилась Марья Антоновна, — времени-то в обрез. Скидай обмундирование, ложись — отдыхай.

И, как мать сыночка, повела за руку обмякшего от водки и еды рядового Моню Цацкеса в спальню командира полка. Первое, что увидел мутным оком Моня, был портрет подполковника Штанько над изголовьем широкой железной кровати с никелированными шишками и пирамидой из подушек. На овальном портрете у подполковника были в петлицах не шпалы, как теперь, а жалкие треугольники сержанта, и выглядел он лет на двадцать моложе. Рядом, в такой же фигурной раме, улыбалась совсем юная и худенькая Марья Антоновна — с шестимесячной завивкой и в берете набекрень.

Моня с трудом подавил желание встать навытяжку и прокричать:

— Здравия желаю, товарищ подполковник!

Но воздержался. От сытой неги не ворочался во рту язык.

Марья Антоновна привела отдохнуть Цацкеса, но сама первой сняла с ног обувь. Они раздевались безмолвно, повернувшись друг к другу спинами, на чем настояла Марья Антоновна, у которой был незыблемый кодекс целомудрия. Когда Моня стащил с ног красные ботинки и размотал с занемевших пальцев портянки, спальню заполнила удушливая вонь, поглотившая аромат духов «Красная Москва», которыми Марья Антоновна старательно надушилась под мышками и между грудей, прежде чем лечь в кровать, под одеяло. Трусы и лифчик она так и не сняла.

Моня с другой стороны кровати приподнял край одеяла и лег, зазвенев пружинами матраса, точно под портретом командира полка. Они лежали без движения, уставясь в потолок, пока Марья Антоновна — натура активная, памятуя, что увольнительная у солдата истекает в двенадцать ноль-ноль, — не просунула под его крепкую шею свою пухлую руку.

— Ух, зараза! — с чувством прошептала она и прижала его голову к своей стянутой лифчиком груди, что было высшим проявлением чувств у жены командира полка товарища Штанько. Она с придыханием повторяла это слово, стаскивая с бедер трусы, которые остались висеть на одной ноге у ступни.

— Ух, зараза, — цедила Марья Антоновна, удобнее располагаясь под Монеи и раздвигая тяжелые бедра.

Дальше текст изменился.

Учуяв в себе горячее инородное тело, со скрипом проникавшее глубже и глубже, Марья Антоновна пойманной рыбкой забила задом по гулким пружинам и взвыла в голос совсем не так, как подобает жене коммуниста и командира Красной Армии.

— Батюшки-светы! — заголосила она. — Святые угодники! Мать пресвятая богородица!

Войдя в раж, Марья Антоновна сделала «мостик», как цирковой акробат, выгнулась полукругом, упершись в кровать пятками ног и темечком. Моня взлетел в воздух, беспомощно болтая тесемками кальсон.

Затем последовал истошный вопль, совсем уже не похожий на голос Марьи Антоновны.

— Ка-ра-у-у-ул! — вскричала она низким мужским басом и рухнула на матрас.

Вместе с ней рухнул и рядовой Цацкес. Жалобно взвизгнули пружины.

— Зараза... — чуть слышно прошептала Марья Антоновна.

Моне полагалось бы что-то сказать или сделать, дабы Марья Антоновна не подумала, что имеет дело с неотесанным парнем, у которого нет понятия о деликатном обращении со слабым полом.

Но Моне не дали проявить тонкость натуры. Раздался громкий стук в дверь. Кто-то ломился в квартиру.

Обстановка складывалась явно неблагоприятная для рядового Мони Цацкеса, откомандированного за полковым знаменем и обнаруженного на супружеском ложе командира полка. Квартира находилась на четвертом этаже, но даже если бы Моня и вздумал прыгнуть с такой высоты, то ему пришлось бы сперва взломать двойные оконные рамы, намертво закрепленные с наступлением зимы.

Моня одеревенел и даже не шевельнулся в кровати.

Другое дело — Марья Антоновна. Долголетний стаж офицерской жены и немалый личный опыт побудил ее к действиям быстрым и решительным. Она выскочила пулей из-под одеяла, в одно касание напялила на себя халат, взбила прическу и командирским тоном, не терпящим возражений, распорядилась:

— Собирай свои манатки! Живо! И — в шкаф!

Моня сгреб в охапку гимнастерку, галифе, портянки, ботинки.

— Вещи в шкаф?

— И сам тоже.

Она распахнула резные створки большого платяного шкафа и толкнула Моню с вещами в его темное удушливое нутро. Дверцы шкафа с треском захлопнулись за ним. Он ткнулся лицом в мягкий мех чернобурки, потянул носом казарменный дух своей шинели. Но сильнее всего оказался невыносимо острый запах нафталина, пропитавший шкаф насквозь. При такой концентрации нафталин несомненно уничтожил всю моль. Сейчас он обрушил свою силу на рядового Цацкеса, как бы проверяя стойкость и выдержку советского солдата. Моня несколько раз вздохнул, захлебнулся, стал кашлять надсадно и долго и понял, что здесь, в шкафу, он примет свой бесславный конец.

Поток света хлынул в шкаф, и в открывшемся проеме дверей возникло, как потустороннее видение, решительное и строгое лицо Марьи Антоновны Штанько:

— Бери остальное барахло!

В его живот уткнулась винтовка, а на руки свалилась

увесистая сумка противогаза. Дверцы захлопнулись, свет исчез. Моня вновь остался в кромешной тьме и густом настое нафталина.

Рядовой Цацкес терпеть не мог противогаза. Напялить его на свою голову и бегать с этой свиной мордой он считал мукой и нетерпеливо срывал резиновую маску с круглыми стеклянными очками, как только слышал команду «отбой!». Но сейчас противогаз наконец сослужит свою службу и спасет бойца Красной Армии от смертельной опасности, которых так много в изменчивой солдатской судьбе.

Одним рывком, как учили на занятиях по химической защите, Моня вытащил из сумки маску, засунул в нее свой выдающийся вперед подбородок и, натянув ее на макушку, глубоко вдохнул чистый, процеженный через активированный уголь, воздух.

Моня дышал полной грудью. И при каждом вдохе и выдохе щеки резиновой маски то западали, то раздувались. Уши оставались открытыми, и поэтому он слышал все, что делалось вне шкафа.

— Кого я вижу? — с неподдельной радостью встретила нежданного гостя Марья Антоновна. — Товарищ политрук!

И тут Моня услышал мурлыканье старшего политрука Каца, игриво оправдывавшегося перед хозяйкой дома за позднее вторжение. Он, мол, сегодня назначен в комендантский патруль, битых три часа мерзнет на улицах, и, когда дошел до ее дома, сердце не выдержало, и он во имя своего глубокого чувства пошел на явное нарушение устава караульной службы.

— У, зараза! — восхитилась Марья Антоновна. — А как же твой патруль?

— Обойдется, — засмеялся политрук. — Сержант — толковый парень. Знает свое дело.

— Ладно, иди греться, — проворковала Марья Антоновна.

Моня Цацкес не верил своим ушам, торчавшим по краям резиновой маски противогаза.

Надсадно заныли пружины матраса, и под портретом еще совсем молоденького командира полка, на его семейном ложе, место рядового солдата занял старший политрук.

— От, зараза... — Марья Антоновна, как безошибочно определил Моня, сбрасывала с себя халат, стоя спиной к кровати. — Я-то думала, что муж тебя послал за полковым знаменем.

— Нет-нет, — проблеял политрук из-под одеяла. — За знаменем товарищ подполковник послал солдата.

— Надо же... — удивилась Марья Антоновна и, судя по звону пружин, рухнула в кровать.

Без всякой паузы, как говорится с ходу, завела она уже знакомое слуху Мони:

— Батюшки-светы! Святые угодники! Мать пресвятая богородица!

Моня Цацкес снова удивился тому, что советская женщина, жена коммуниста и командира Красной Армии в минуты душевного подъема возвращается к своему темному прошлому и все ее высказывания носят такой откровенно религиозный характер. Еще Моня подумал о том, что Марья Антоновна повторяется.

«Сейчас сделает мостик», — раздувая резиновые щеки, прикинул в уме Моня и испытал острый приступ ревности, когда утробно, как пароходный гудок, поплыло по квартире:

— Ка-ра-у-у-ул!

Наступила тишина. И обостренный слух Мони улавливал частое, но уже успокаивающееся дыхание двух уставших, расслабленных людей.

Из прихожей послышался прокуренный мужской кашель и стук каблука о каблук, какой производят сапоги, с которых сбивают налипший снег.

— Муж! — простонала Марья Антоновна. — У него свой ключ. Бегите, Кац.

— Ку-уда?

— В шкаф, куда же еще? Если он вас застанет в постели, пристрелит и меня, и вас.

Простоволосая и совсем голая, в одном черном лифчике, Марья Антоновна рванула на себя дверцы шкафа и взвизгнула сдавленным голосом. Белое привидение в кальсонах и рубахе глядело на нее сквозь круглые стекла на черной резиновой маске. Гофрированный хобот змеился по животу.

— Не дрейфь, Кац, — опомнилась наконец Марья Антоновна. — Тут все свои.

И втолкнула лишившегося дара речи политрука в шкаф, плотно придавив его дверцами к Мониному телу. Политрука колотила дрожь.

— Маруся, — басовито рокотал в квартире голос подполковника Штанько, — почему в таком виде?

— Новый лифчик примеряла, — кокетливо отозвалась жена, — тебя дожидаючись...

— Порадовать хотела?

Жена охнула. Штанько, видать, ущипнул ее тугое тело.

— Ну, хозяйка, докладывай. Отправила знамя?

— Вот оно лежит, запаковано...

— Я ж солдата посылал... Что, не приходил? Сукин сын! В
самоволку подался. Сгною на гауптвахте. Не забыть бы звяк-
нуть в комендатуру... Наш офицер сегодня в патруле... политрук... опознает стервеца.

— Позвонишь, позвонишь... — ласково смиряла гнев супруга Марья Антоновна. — Отдохни сначала... Все служба да
служба... Нешто не соскучился по своей Марусе?.. Я тут глаза
проглядела... Все жду-жду...

— Ладно, — нехотя уступил подполковник. — Сними с
меня, Маруся, сапоги... Заждалась ты меня, боевая подруга...

Подполковник Штанько опустился на край кровати, и в
шкаф снова проник стон пружин.

Старший политрук Кац и рядовой Цацкес стояли нос к
носу. Оба в нижнем белье. Но Цацкес сохранял спокойст-
вие, политрук же все не мог унять дрожь в коленках. То, что
перед ним не привидение, а человек, и не морда чудовища,
а маска противогаза, политрук постепенно осознал. Более
того, слегка поднатужась, он сделал умозаключение, что
человек этот проделал тот же путь из кровати Маруси в
шкаф, что и он. И это еще не все. По нательному белью и
противогазу Кац опознал в нем военнослужащего. И не из
командного состава.

— Фамилия? — окончательно придя в себя, прошептал
политрук Кац в круглые стекла маски. — Звание?

— Рядовой Цацкес, товарищ политрук, — глухо забухало
под резиной, вздувая маску по бокам.

— Цацкес? Вот ты где? Тебя, кажется, послали за знаменем?

— А вас, кажется, послали в патруль?

— Маруся, — проник в шкаф голос подполковника
Штанько, — кто-то шепчется тут, а? Или мне мерещится?

— Мерещится, мерещится. Замотался, бедный, на службе.
Обними свою Марусю.

Пружины матраса жалобно заныли.

Старший политрук Кац, надышавшись нафталина, замотал головой, готовый чихнуть. Моня зажал ему рот ладонью.

— Дай противогаз, — пускал пузыри политрук. — Уступи на минутку, я погибаю.

Моня не отвечал и сильнее сдавливал Кацу рот.

— Дай противогаз, — заскулил политрук. — Я требую... Как офицер у солдата.

Моня был нем как стена.

— Я прошу... как советский человек советского человека...

Моня не шелохнулся.

Крупные слезы струились из глаз Каца.

— Прошу тебя, Цацкес, как еврей еврея... — старший политрук перешел с русского на идиш.

Тут Монино сердце не выдержало. Он стянул со своей вспотевшей головы очкастую маску. Кац напялил маску на себя, задышал часто и глубоко, вспучивая резину на щеках.

Политрук отдышался, пришел в себя.

— Рядовой Цацкес, — строго бухнул он из-под резины. — Ты таки попадешь на гауптвахту.

Моня сдавил рукой гофрированную трубку противогаза, и доступ воздуха в маску прекратился. Лицо политрука за круглыми стеклами побледнело, вместо воздуха он всасывал в рот резину. Политрук сорвал с головы маску, обнажив рыжий одуванчик. И Бог знает, как бы дальше разыгрались события в шкафу, если бы снаружи не послышался низкий пронзительный вой.

Поначалу и Кац и Цацкес приписали этот вой Марье Антоновне, ее неистощимому темпераменту, но вой усиливался, нарастал, вызывая холодок на спине, и они безошибочно определили его происхождение. Это выла сирена. По радио передавали сигнал воздушной тревоги.

— Воздушная тревога! — ворвался в шкаф голос диктора. — Вражеская авиация прорвалась к городу! Граждане! Спускайтесь в укрытия и бомбоубежища! Повторяю...

Подполковнику Штанько и его супруге Марье Антоновне не нужно было повторять. Они выскочили из кровати и, поспешно натягивая на себя одежду, ринулись на лестницу, по которой с воплями и плачем мчались вниз полуодетые соседи.

— Партийный билет при мне? — похлопал себя по нагрудным карманам подполковник Штанько. — Маруся, за мной!

Они покатились по ступеням, и топот десятков ног утонул в сухих ударах зенитных орудий. Осколки гулко застучали по железной крыше. Где-то поблизости ухнула бомба, тряхнув стены.

Цацкес и Кац вывалились из шкафа.

Взрыв повторился. Из оконной рамы со звоном посыпались осколки стекла. Холодный воздух полоснул их по ногам.

— Где убежище? Я вас спрашиваю, Цацкес! — старший политрук путался в штанинах галифе. — Ведите меня в убежище!

— Пусть вас черти ведут, — лениво отмахнулся Моня Цацкес, деловито напяливая на себя обмундирование.

Косо подпоясав шинель ремнем, он сгреб винтовку и двинулся к выходу.

— Постойте, не оставляйте командира, — бросился за ним всклокоченный политрук, прижав к груди сапоги с портянками.

Рванула еще одна бомба. Им в спину ударила воздушная волна и под звон стекла вымела обоих из квартиры.

Они не вошли, а ввалились в душный, набитый людьми подвал. И стали осторожно протискиваться подальше от входа.

— Политрук! — послышался удивленный голос подполковника Штанько. — Вас бомбежка застала возле моего дома?

— Так точно, — пролепетал Кац.

— А это кто? — уставился командир на Моню. — Вот ты где, голубчик, ошиваешься? Тебя за знаменем послали... оказали честь... А ты? Куда отлучился? Небось у бабы застрял? В нашем доме? Га? Ботинки не зашнурованы, воротник расстегнут. Что за вид? Под трибунал пойдешь! Политрук, взять его под арест.

От нового взрыва посыпалась штукатурка с потолка, и лампы в подвале робко замигали.

— Батюшки-светы, — пролепетала Марья Антоновна, прижимаясь к мужу. Ее слова не выражали сочувствия рядовому Цацкесу. Они выражали только страх. — Все пропало, — тихо причитала Марья Антоновна. — Сгорит дом, имущество... Всю жизнь копили...

— Молчать, — оборвал ее подполковник Штанько. — Наживем, Маруся. Были б кости, мясо нарастет.

И вдруг его осенило:

— Знамя! Где полковое знамя? Оставила наверху, курва? Все — загубила меня! Подвела под трибунал!..

Моня Цацкес в этот момент тоже вспомнил, что не только знамя осталось наверху, в квартире, но и его противогаз валялся на полу в спальне, а за потерю казенного имущества...

— Товарищ подполковник, — сказал Моня проникновенно, — разрешите мне... Принесу знамя!..

— Ты? Молодец! Ступай! Спасешь знамя! Родина!..

Моня не слушал, что дальше нес подполковник Штанько, впавший в слишком возбужденное состояние, а протолкался к выходу и поскакал по ступеням на четвертый этаж.

Двери квартиры Штанько были распахнуты настежь, и холодный ветер из разбитых окон шевелил простыни на смятой кровати. Моня надел на себя противогазную сумку, сунул под мышку пакет со знаменем и уже в прихожей споткнулся о ремень с кобурой, откуда торчала рукоятка пистолета. Это, вне всякого сомнения, было личное оружие подполковника Штанько. Моня прихватил с собой и ремень с пистолетом.

Подполковник Штанько чуть не прослезился, бережно принимая у Мони пакет со знаменем. И сидевшие в подвале жильцы дома, штатские люди, тоже растрогались при виде этой сцены.

— От лица службы — благодарю!

— Служу Советскому Союзу! — неуверенно произнес Моня Цацкес, и несколько женщин вокруг них заплакали.

Марья Антоновна при всех обняла Моню и поцеловала в губы.

Моня протянул подполковнику его пистолет с ремнем и вытянул руки по швам.

— Рядовой Цацкес готов идти под арест.

— Отставить, рядовой! — Командир озарился отеческой улыбкой. — Ты искупил свою вину перед Родиной. Ты спас знамя полка. И на торжественном параде, в воскресенье, я тебя назначаю знаменосцем. Понял? Все. Дай мне пожать твою мужественную руку.

Их руки соединились в крепком мужском пожатии, исторгнув слезы у женщин.

Новый взрыв обрушил с потолка облако штукатурки, припудрив командира полка и рядового, не разжимавших рук.

— Батюшки-светы! Святые угодники! Мать пресвятая богородица, — скороговоркой бормотала Марья Антоновна, жена командира Красной Армии и коммуниста. Эти слова приходили ей на ум каждый раз, когда она слишком возбуждалась.

ПОЛКОВОЙ МАРШ

Старшина Качура был большой любитель хорового пения. А из всех видов этого искусства отдавал предпочтение строевой песне.

— Без песни — нет строя, — любил философствовать старшина и многозначительно поднимал при этом палец. — Значит, строевая подготовка хромает на обе ноги... и политическая тоже.

Недостатка в людях с хорошим музыкальным слухом рота не испытывала. В наличии имелись два скрипача и один виолончелист. Правда, без инструментов и без понятия, что такое строевая песня. Сам старшина играл на гармошке тульского производства и повсюду таскал эту гармонь с собой, отводя душу в своей каморке при казарме, когда рота засыпала и со старшинских плеч спадало бремя дневных забот.

Любимой строевой песней старшины была та, под которую прошла вся его многолетняя служба в рядах Красной Армии. Песня эта называлась «Школа красных командиров» и имела четкий маршевый ритм. И слова, берущие за душу.

Шагая по утоптанному снегу рядом с ротной колонной, старшина отрывистой командой «ать-два, ать-два!» подравнивал строй и сам, за отсутствием запевалы, выводил сочным украинским баритоном:

Школа кра-а-асных команди-и-и-ров
Комсостав стране лихой кует.

Последние три слова он выстреливал каждое отдельно, чтоб рота под них чеканила шаг:

Стране!
Лихой!
Кует!

Дальше, по замыслу, рота должна была дружно, с молодецким гиканьем подхватить:

Смертный бой принять готовы
За трудящийся народ.

Но тут начинался разнобой. Евреи никак не могли преодолеть новые для них русские слова и несли такую околесицу, что у старшины кровь приливала к голове.

— Отставить! — рявкнул Качура. — Черти не нашего Бога! Вам же русским языком объясняют, чего тут не понять?

Но именно потому, что им объясняли русским языком, евреи испытывали большие затруднения.

Одно радовало сердце старшины: в роте объявился кандидат в запевалы, каких во всей дивизии не сыскать. Бывший кантор Шауляйской синагоги рэб Фишман, получивший вокальное образование, правда незаконченное, в Италии.

Старшина лично стал заниматься с Фишманом, готовя его в запевалы. И все шло хорошо. О мелодии и говорить нечего — Фишман схватывал ее на лету. И слова выучил быстро. Правда, старшине пришлось попотеть, шлифуя произношение, от чего кантор Фишман, человек восприимчивый, очень скоро заговорил с украинским акцентом.

Беда была в ином. Что бы Фишман ни пел, он по профессиональной привычке вытягивал на синагогальный манер со сложными фиоритурами и знойным восточным колоритом. В его исполнении такие простые, казалось бы, слова, как:

Школа красных командиров
Комсостав стране лихой кует.
Смертный бой принять готовы
За трудящийся народ, —

превращались в молитву. И под эти самые слова, пропетые по-русски с украинским акцентом бывшим кантором, а ныне ротным запевалой, хотелось раскачиваться, как в синагоге, и вторить ему на священном языке древних иудеев — лошенкойдеш.

Это понимал даже старшина Степан Качура — убежденный атеист и не менее убежденный юдофоб. Занятия с евреями по освоению советской строевой песни не прибавили старшине любви к этой нации.

Но старшина Качура был упрям. Следуя мудрому изречению «повторение — мать учения», он гонял роту до седьмого пота, надеясь не мытьем, так катаньем приучить евреев петь по-русски в строю.

После изнурительных полевых учений, когда не только евреи, но и полулитовец-полумонгол из Сибири Иван Будрайтис еле волокли свои пудовые ноги, мечтая лишь о том, как доползти до столовой, старшина начинал хоровые занятия в строю.

— Ать-два! Ать-два! — соловьем заливался Качура, потому

что в поле, когда солдаты ползали на карачках, он не переутомлялся, только наблюдая за ними. — Шире шаг! Грудь развернуть! По-нашему, по-русски!

Это было легко сказать — развернуть грудь. Личный состав роты отличался профессиональной сутулостью портных, сапожников и парикмахеров, которым в прошлом приходилось сгибаться и горбиться за работой. А после полевых учений на пересеченной местности, когда каждый мускул ныл от усталости, требование молодецки развернуть грудь смахивало на издевательство над сутулыми людьми.

— Третий слева... — с оттяжкой командовал старшина, а третьим слева плелся Фишман. — Запе-е-евай!

Фишман плачущим тенорком заводил:

> Школа красных командиров
> Комсостав стране лихой кует.

— Рота... Хором... Дружно! — взвивался голос старшины.

И евреи, бубня под нос, нечленораздельно подхватывали, как на похоронах:

> Смертный бой принять готовы
> За трудящийся народ.

— От-ста-вить, — чуть не плакал старшина.

Страдания старшины можно было понять. Полк готовился к важному событию — торжественному вручению знамени. После вручения, под развернутым знаменем, которое понесет рядовой Моня Цацкес, полк пройдет церемониальным маршем перед трибунами. А на трибунах будет стоять все начальство — и военное, и партийное. Без хорошей строевой песни как ни шагай — эффекта никакого.

Старшина, известный в полку как трезвенник, даже запил с расстройства. В одиночку нализался в своей каморке и с кирпично-багровым лицом появился в дверях казармы, покачивая крыльями галифе.

— Хвишмана — до мене!

Выпив, Качура перешел на украинский. Фишман, на ходу доматывая обмотку, побежал на зов. Старшина пропустил его вперед и плотно притворил за собой дверь.

Вся казарма напряженно прислушивалась. В каморке рыдала тульская гармонь, и баритон Качуры выводил слова незнакомой, но хватавшей евреев за душу, песни:

> Повив витрэ на Вкраину,
> Дэ покынув я-а-а-а дивчи-и-ну,
> Дэ покынув ка-а-а-ари очи-и...

Потом песня оборвалась. Звучали переборы гармошки, мягкий расслабленный голос старшины что-то внушал своему собеседнику.

Песня повторилась сначала.

> Повив витрэ на Вкраину... —

затянули в два голоса рядовой Фишман и старшина Качура. Высоко взвился синагогальный тенор, придавая украинской тоске еврейскую печаль.

> Дэ покынув я-а-а-а дивчи-и-ину... —

жаловались в два голоса еврей и украинец, оба оторванные от своего дома, от родных, и заброшенные в глубь России на скованную льдом реку Волгу.

> Дэ покынув ка-а-а-ри очи-и-и...

Каждый покинул далеко-далеко глаза любимой, и глаза эти, несомненно, были карими, как водится у евреек и украинок.

Дуэт Фишман — Качура заливался навзрыд, позабыв о времени, и казарма не спала и назавтра еле поднялась по команде «подъем».

— Старшина — человек! — перешептывались евреи, выравнивая строй и отчаянно зевая.

— Он — человек, хотя и украинец, — поправил кто-то, и никто в строю ему не возразил. Шептались на идише, а кругом — все свои, можно и пошутить.

Всем в этот день хотелось выручить старшину, и решение нашел Моня Цацкес.

— Есть строевая песня, которая каждому под силу, — сказал он. — Это песня на идише.

И вполголоса пропел:

> Марш, марш, марш!
> Их гей ин бод,
> Крац мир ойс ди плэйцэ,
> Нэйн, нэйн, нэйн,
> Их вил нит гейн.
> А данк дир фар дэр эйцэ*.

---

* Марш, марш, марш!
  Я иду в баню,
Почеши мне спину,

Это сразу понравилось роте. Фишман помчался к старшине, пошептался с ним, и старшина отменил строевые занятия в поле. Рота, позавтракав, гурьбой вернулась в теплую казарму, расселась на скамьях и под управлением Фишмана стала разучивать песню. Старшина Качура сидел на табурете и начищенным до блеска сапогом отбивал такт, с радостью нащупывая нормальный строевой ритм. Подбритый затылок старшины розовел от удовольствия.

Рота пела дружно, смакуя каждое слово. Текст заучили в пять минут.

— Ну как? — спросил бывший кантор Фишман, отпустив певцов на перекур.

— Сойдет, — стараясь не перехвалить, удовлетворенно кивнул старшина. — Тут что важно? Дивизия у нас литовская, и песня литовская. Политическая линия выдержана. Вот только, хоть я слов не понимаю, но чую, мало заострено на современном моменте. Например, ни разу не услышал имени нашего вождя товарища Сталина. А? Может, добавим чего?

Фишман переглянулся с Цацкесом, они пошептались, затем попросили у старшины полчаса времени и вскоре принесли дополнительный текст.

Там упоминался и Сталин. Старшина остался доволен. Во дворе казармы началась отработка строевого шага под новую песню.

Моня Цацкес от этих занятий был освобожден. Он сидел в штабе полка, и командир лично инструктировал знаменосца.

— Слухай сюда! Я тебе оказал доверие, ты — парень со смекалкой и крепкий, протащишь знамя на параде, как положено. Для этого большого ума не нужно. Но вот поедем на фронт, и тут моя голова в твоих руках.

— Я вас хоть раз побеспокоил или порезал? — не понял Цацкес.

— Слухай, Цацкес, ты хоть и еврей, а дурак. Я не за бритье! Сам знаешь: порезал бы меня — загремел бы на фронт с первой же маршевой ротой. Я за другое. Читал Устав Красной Армии? Что в Уставе про знамя сказано — не помнишь? А политрук учил вас. Так вот, слухай сюда! Знамя... священное... дело чести... славы... Это все чепуха. Главное вот тут: за поте-

---

Нет, нет, нет,
Я не хочу идти.
Спасибо тебе за совет *(идиш)*.

рю знамени подразделение расформировывается, а командир — отдается под военный трибунал. Понял? Вот где собака зарыта. Командир идет под военный трибунал. А что такое военный трибунал? Расстрел без права обжалования... Вот так, рядовой Цацкес.

Командир полка доверительно заглянул Моне в глаза:

— Ты хочешь моей смерти?

— Что вы, товарищ командир, да я...

— Отставить! Верю. Значит, будешь беречь знамя как зеницу ока, а соответственно, и голову командира...

— О чем речь, товарищ командир! Да разве я...

— Верю! А теперь отвечай, знаменосец, на такой вопрос. Полк идет, скажем, в бой, а ты куда?

— Вперед, товарищ командир!

— Не вперед, а назад. Еврей, а дурак. Заруби на носу: как только начался бой и запахло жареным, твоя задача — намотать знамя на тело и, дай Бог, ноги подальше от боя. Главное — спасти знамя, а все остальное не твоего ума дело, понял?

Моня долго смотрел на командира и не выдержал, расплылся в улыбке:

— Смеетесь надо мной, товарищ командир, а?

— Я тебе посмеюсь. А ну, скидай гимнастерку, поучись наматывать знамя на голое тело, я посмотрю, как ты управляешься.

Моня пожал плечами, стащил через голову гимнастерку и остался в несвежей бязевой рубашке.

— Белье тоже снимать?

— Не к бабе пришел. А ну, наматывай!

Он протянул Моне мягкое алое полотнище из бархата с нашитыми буквами из золотой парчи и такой же парчовой бахромой по краям. Моня, поворачиваясь на месте, обмотал этой тканью свой торс, а командир помогал ему, поддерживая край. Два витых золотых шнура с кистями свесились на брюки.

— А их куда? — спросил Моня, покачивая в ладони кисти.

— Расстегивай брюки, — приказал подполковник.

Моня неохотно расстегнул пояс, и брюки поползли вниз.

— В штаны запихай шнуры, — дал приказание командир. — А кисти между ног пусти. Потопчись на месте, чтоб удобно легли. Вот так. Теперь застегни штаны и надевай гимнастерку.

Моня послушно все выполнил и сразу почувствовал себя потолстевшим и неуклюжим. Особенно донимали его жесткие кисти в штанах. Моня расставил ноги пошире.

— Вот сейчас ты и есть знаменосец, — подытожил удовлетворенный командир полка, отступив назад и любуясь Моней. — В боевой обстановке придется бежать не один километр... Не подкачаешь?

— Буду стараться, товарищ командир, только вот неудобно... в штанах... эти самые...

— Знаешь поговорку: плохому танцору яйца мешают? Так и с тобой. Да, у тебя там хозяйство крупного калибра. К кому это ты подвалился в нашем доме, когда была бомбежка? А? У, шельмец! Даешь! Правильно поступаешь, Цацкес. Русский солдат не должен теряться ни в какой обстановке. Это нам Суворов завещал. А теперь — разматывай знамя, на древко цеплять будем. Завтра — парад.

Парад состоялся на городской площади. На сколоченной из свежих досок трибуне столпилось начальство, на тротуарах — женщины и дети. Играл духовой оркестр. Говорили речи, пуская клубы морозного пара. Подполковник Штанько, принимая знамя, опустился в снег на одно колено и поцеловал край алого бархата.

Потом пошли маршем роты и батальоны Литовской дивизии. Как пушинку, нес Моня на вытянутых руках полковое знамя, и алый бархат трепетал над его головой. Отдохнувшие за день отгула солдаты шагали бодро. Впереди их ждал праздничный обед с двойной пайкой хлеба и по сто граммов водки на брата.

Особенно тронула начальственные сердца рота под командованием старшины Качуры. Поравнявшись с трибуной, серые шеренги рванули:

> Марш, марш, марш!
> Их гей ин бод
> Крац мир ойс ди плэйцэ.
> Нэйн, нэйн, нэйн,
> Их вил нит гейн.
> Сталин вет мир фирн*.

У старшего политрука Каца потемнело в глазах. Он-то

___
* Сталин меня поведет (*идиш*).

знал идиш. Но старшина Качура, не чуя подвоха, упругой по́-
ходочкой печатал шаг впереди роты и, сияя, как начищенный
пятак, ел глазами начальство.

Военное начальство на трибуне, генеральского звания, в
шапке серого каракуля, сказало одобрительно:

— Молодцы, литовцы! Славно поют.

А партийное начальство, в шапке черного каракуля, доба-
вило растроганно:

— Национальное, понимаешь, по форме, социалистическое — по содержанию...

И приветственно помахало с трибуны старшине Качуре.
Старший политрук Кац прикусил язык.

РЭБ МОЙШЕ И РЭБ ШЛЭЙМЕ

Эта пара появилась в дивизии с очередным пополнением.
И отличалась от других евреев тем, что у обоих были бороды.
Холеные с проседью бороды, нарушавшие общий солдатский
вид, и посему подлежавшие ликвидации как можно скорее,
пока они не попались на глаза высокому начальству.

Оба были духовного звания. Так определил старшина
Качура. Мойше Берелович, или просто рэб Мойше, был раввином в маленьком местечке, а Шлэйме Гах при той же синагоге состоял шамесом, служкой. Во всей Литовской дивизии
был еще один человек из их местечка, и этот человек был их
заклятый враг. Старший политрук Кац.

Шамес ходил за раввином как тень и, если их разлучали
на время, начинал беспокойно метаться по всему расположению части и спрашивать каждого встречного — еврея, русского или литовца:

— Ву из рэб Мойше?*

И русский боец или литовец без перевода научились понимать шамеса и, если знали, говорили ему, где видели раввина.

У раввина борода была пошире, погуще, представитель-
нее. А у шамеса, по определению старшины Качуры, — труба
пониже и дым пожиже. Вот на этих-то бородах Красная Армия и показала служителям культа свои зубы, а раввин Берелович — свой характер, за что его зауважали не только атеи-
сты, но и антисемиты.

Постричь наголо свои головы они позволили безропотно,

---

* Где рэб Мойше? (идиш).

но бороды категорически отказались подставить под ножницы. Старшина Качура пригрозил военно-полевым судом. И заранее предвкушал, как затрясутся оба от страха. Рэб Моійше посмотрел на старшину, как на неодушевленный предмет, и, старательно выговаривая русские слова, пояснил, что все в руках Божьих, а военно-полевого суда он не боится, так как с такой войны он в любом случае навряд ли живым вернется. Лишиться же бороды — для раввина все равно что потерять лицо. Честь. Достоинство. И никакой армейский устав не принудит его добровольно уступить хоть один волосок.

Степан Качура, нутром чуявший, что от евреев ему кроме беды ждать нечего, проявил украинскую смекалку и рапортом передал дело по инстанции: пускай старшие званием расхлебывают. Дело о раввинской бороде дошло до командира полка. И коммунист товарищ Штанько, посоветовавшись где надо, принял соломоново решение.

Рядовому составу растительность на лице не положена. Но раввин, как руководящий состав синагоги, может быть приравнен к старшему командному составу армии. А посему — бороду раввину сохранить. Проведя при этом среди рядового и сержантского состава политико-воспитательную работу о вреде религии вообще и иудаизма, в частности. Одновременно разъяснить бойцам, что все нации в СССР равны. И евреи тоже. Можно сослаться на положительные примеры: Карла Маркса, вождя мирового пролетариата, и Лазаря Моисеевича Кагановича, народного комиссара путей сообщений СССР, — евреев по национальности.

Что касается рядового Гаха, то служка в синагоге, так называемый шамес, может быть приравнен, с большой натяжкой, к сержантскому составу, что лишает его права на ношение бороды. Посему — бороду снять. В случае невыполнения приказа применить меры дисциплинарного воздействия.

Шамес был так благодарен Всевышнему, сумевшему отвести оскверняющую руку от бороды раввина, что свою дал состричь безропотно. Моня Цацкес, которому было приказано это сделать, потом рассказывал, что по лицу шамеса текли слезы величиной с фасоль.

Без бороды и остриженный наголо, шамес стал похож на ощипанного воробья. И ходил, как рано постаревший мальчик, по пятам за рэб Моійше, любуясь на его бороду, единственную в полку.

Рэб Мойше строго соблюдал кошер и был готов умереть с голоду, но не прикоснуться к чему-нибудь трефному. В Красной Армии паек был полуголодный, а что такое кошер, даже генералы понятия не имели. Солдатские котлы — перловая каша и щи из гнилой капусты — заправлялись крохотными порциями свиного сала — лярда — из американской помощи. Раввин отказался от приварка. Остался на сухом пайке. Худел на глазах, дошел до острого гастрита, но не сдавался. На занятия выходил как все, таскал на спине минометную плиту в два пуда, которую старшина на длинных переходах непременно вручал именно ему.

Солдаты, даже не евреи, сочувствовали раввину, и каждый как мог старался облегчить его страдания. То головку лука, раздобытого на стороне, отдадут ему, то сушеных фруктов из посылки.

И смотрели на него с почтением. Как на святого. По их понятиям, только святой в голодное время мог добровольно отказаться от своей продовольственной нормы.

Старшина писал рапорты по инстанциям и получал ответ: разобраться на месте, о принятых мерах доложить. Старшина понимал, что начальство спихивает ответственность на него, а так как дураком себя не считал, то не принимал к раввину никаких мер, а был с ним только строже, чем с другими, и искал подходящего случая, чтобы сломать его, унизить и подчинить.

Такой случай скоро представился. На стрельбище. Роты проходили учебные стрельбы. По мишеням. На дистанции в двести метров. Пять мишеней, пять солдат, пять патронов на каждого.

Мишень рэб Мойше, ко всеобщему удивлению, была поражена со снайперской точностью. Все пять попаданий — кучно в центре. Соседи слева и справа не попали даже в край своих мишеней: палили в небо.

Старшина Качура долго скреб подбритый затылок, заподозрив в этом еврейские штучки.

— Меня не проведешь! — Он взял у рэб Мойше его винтовку и долго смотрел в дуло на свет. — Не бывает снайперов среди лиц духовного звания. Где тебя учили стрельбе?

Раввин не удостоил старшину ответом и только поднял глаза к небу. Солдаты, озадаченные не меньше старшины, сгрудились вокруг них.

— Мы, советские люди, — громко, на весь полигон сказал старшина Качура, — не верим ни в Бога, ни в черта. Не может человек без тренировки вложить все пять штук в яблочко. Я тебя, рэбе, выведу на чистую воду. Сменить мишень! Повторить стрельбу!

Старшина взял у шамеса, промазавшего все пять выстрелов, его винтовку и передал ее рэб Мойше, а винтовку раввина дал шамесу.

— По мишеням! Пять выстрелов! Беглым! Пли!

Захлопали, застучали, догоняя друг друга, выстрелы. Качура стоял в ногах у раввина, зорко следя за каждым его движением. Свободные от стрельб солдаты толпились за спиной старшины.

Когда треск выстрелов умолк, Качура сам пробежал двести метров к стенду, сорвал мишень раввина, долго рассматривал и побежал назад.

— Осечка вышла, товарищ раввин, — ехидно сказал он, тыча в лицо рэб Мойше исколотую дырками мишень. — Куда пятый выстрел девали? В небо? К Богу послали?

В мишени зияли четыре дырки. Все — в центре. Пятой не было. Пятый выстрел раввин промазал.

— Отвечай, рэбе. Народ ждет.

Раввин пожевал губами, даже бороду забрал в рот.

— Посмотрите мишень моего соседа слева, — прикинув что-то в уме, сказал раввин. — Вы, товарищ старшина, стояли над моей душой, а я — не железный. Пятый выстрел я нечаянно положил не в свою мишень, а соседу.

Принесли мишень шамеса, и в ней действительно красовалась одна-единственная дырка. В самом центре. Шамес стрелял пять раз, и все пять раз — в небо. Это попадание было не его, а раввина.

— Слушай, рэбе, ты и вправду снайпер? — спросил ошеломленный старшина.

— С Божьей помощью, — под хохот солдат ответил рэб Мойше.

Громче и заливистее всех смеялся шамес. Старшина отвел душу на нем: влепил рядовому Гаху пять нарядов вне очереди.

В штабе полка, куда стекались сведения со стрелковых учений, обнаружили, что самый высокий показатель у рядового Мойше Береловича, и приказали выпустить специальный боевой листок. Два лютых врага раввина — старшина

Качура и старший политрук Кац — собственноручно вывесили на плацу у казармы боевой листок с большим заголовком-
призывом:

СТРЕЛЯТЬ МЕТКО,
КАК МОЙШЕ БЕРЕЛОВИЧ!

У этого боевого листка солдаты потешались весь день, а
назавтра в лозунге была обнаружена приписка. Перед именем
Мойше было добавлено краской другого цвета короткое слово «рэб», и лозунг зазвучал совсем аполитично:

СТРЕЛЯТЬ МЕТКО,
КАК РЭБ МОЙШЕ БЕРЕЛОВИЧ!

Боевой листок сняли. А старший политрук Кац, проходя
мимо бородатого солдата, шепнул ему на идише:

— Берегитесь, рэбе. Я вам этого не забуду.

Если старшина Качура зеленел, завидев раввина, — это
понятно и не вызывает удивления. Старшина Качура терпеть
не мог любого еврея. Тем более такого, который умудрился
получить разрешение начальства на ношение бороды, хотя
рядовому составу такое категорически возбраняется.

Политрук Кац при всем своем желании не мог записаться
в антисемиты. Он не терпел раввина по иной причине! Они
были врагами социальными.

И шамес, и рэб Мойше, и политрук Кац были земляки.
Больше ни одного еврея из их мест и днем с огнем было не
найти во всей Литовской дивизии, да и в самом местечке. Ибо
там их убили всех до единого, как об этом стало известно к
концу войны.

Раввин Берелович предсказал это несчастье еще в 1940 году, когда пришли Советы и Литва потеряла независимость.
Советы наводили свои порядки в Литве один только год, потом пришли немцы. Но за этот единственный год судьба евреев была предопределена. И этому во многом помогли такие
люди, как Кац.

Литовцы терпеть не могли советских оккупантов и за то,
что они русские, и за то, что коммунисты. На кого могла
опереться новая власть? На местных евреев, знавших с грехом пополам литовский язык. То были плохие евреи. Но
все-таки евреи.

У них в местечке таким оказался Кац. С приходом русских
он сразу вышел «в люди»: стал из подмастерьев сапожника
начальником волостной милиции и разгуливал по пыльным

улицам местечка в синих галифе, яловых сапогах и с барабанным револьвером системы «наган» на боку.

Литовцев и евреев в местечке было примерно поровну. Синагоги и костел стояли друг против друга на площади с незапамятных времен. И довольно мирно уживались. Ксендз Петкявичус захаживал к раввину Береловичу попить чайку. А раввин любил отдыхать в саду у ксендза, где оба они — два чудака — баловались стрельбой из духового ружья по самодельным мишеням.

Коммунисты в тот год стали чистить Литву от так называемого социально опасного элемента и отправлять этот элемент в холодную Сибирь. Ксендза Петкявичуса отправлял в Сибирь милиционер Кац. Он вез старого священнослужителя на ломовой подводе через все местечко на станцию, и литовцы, плача, смотрели из окон на ксендза и Каца. Кац зажег потаенную ненависть в душе каждого католика, и рэб Мойше тогда понял, что это ничтожество навлекло на евреев местечка большую беду. Он сказал об этом в синагоге и повторил самому Кацу на допросе.

Рэб Мойше как в воду глядел. Немцам даже рук пачкать не пришлось. Как только местечко было оккупировано германскими войсками, местные жители тут же вырезали всех евреев.

Сам рэб Мойше и шамес уцелели тоже не без помощи Каца. Перед самой войной он успел вдогонку за ксендзом отправить в Сибирь и раввина, и синагогального служку. Оттуда они уже попали в Литовскую дивизию и там снова встретились с Кацем. На сей раз не в милицейской форме, а с тремя кубиками старшего политрука в петлицах.

На фронте, когда солдаты рыли траншеи, старший политрук Кац вошел в открытое столкновение с раввином. Рэб Мойше отказался копать окопы. Потому что была суббота. И попросил старшину Качуру позволить ему выполнить эту работу после захода солнца. Это было уже явное нарушение воинской дисциплины. И старшина Качура помчался в штаб.

К склону холма, где роты копали окопы, явился старший политрук Кац с пистолетом в руке и, поигрывая им перед бородой раввина, спросил по-русски, на виду у всех солдат:

— Отказываешься копать, вражеский лазутчик?

Раввин молчал.

— Подрываешь оборонную мощь Красной Армии?

— Я не могу нарушить святость субботы.

— Я за него буду копать, — бросился к политруку шамес.

— Молчать! — взвизгнул Кац, отгоняя шамеса пистолетом. — Десять нарядов вне очереди! Слушай мою команду! Старшина! Расстрелять раввина на месте как собаку!

Старшина Качура втянул голову в плечи: такого оборота дела он не ожидал.

Старший политрук Кац как с цепи сорвался:

— Я сам его пристрелю! Ложись в яму!

Солдаты, копавшие траншеи, побросали лопаты и застыли вокруг немым кольцом.

Рэб Мойше побледнел, но в яму не лег, а продолжал стоять, не сводя напряженного взгляда с дула пистолета в дергающейся руке политрука.

— Люди! Что вы смотрите? — запричитал на идише шамес.

И тогда несколько солдат бросились к политруку и стали просить, чтобы он им позволил ради субботы сделать за раввина его норму. Даже полулитовец-полумонгол Иван Будрайтис не выдержал:

— Зачем человека стращать? — сказал он, оттолкнув плечом рэб Мойше, так что тот очутился за спинами солдат. — Раз вера не позволяет — надо уважать.

— Марш по местам! — заорал Кац, бегая глазами по лицам окруживших его солдат. — Всех под трибунал пущу!

Солдаты оробели, стали пятиться, отводя глаза. На куче выброшенной из траншеи земли остался лишь рэб Мойше в пилотке на стриженой седеющей голове — ветер трепал его бороду и надувал пузырем гимнастерку на широкой сутулой спине. Он стоял над недорытым окопом, как над могилой. Старший политрук Кац направил пистолет ему в лицо.

— Рэбе, я вам говорю в последний раз. Одно из двух... Или вы будете копать, или...

Раввин беззвучно шевелил губами, читая молитву. За спиной Каца в голос, по-бабьи всхлипывал шамес.

— Вам осталось жить очень мало, рэбе... Считаю до трех... Раз... Два...

Старший политрук Кац почувствовал, что перегнул палку. Он стал озираться по сторонам, словно ища поддержки. Солдаты отворачивались. Никто не хотел встретиться с ним взглядом. А старшина Качура вообще исчез, предусмотрительно убравшись подальше от места происшествия.

— Два... с половиной... — неуверенно протянул старший
политрук Кац, потом громко и неправильно выматерился по-
русски, сунул пистолет в кобуру и побежал по кучам земли,
увязая в них сапогами, мимо солдат, расступившихся перед
ним, как перед прокаженным.

Кто-то сокрушенно вздохнул ему вслед:

— И такого человека родила еврейская мать?!

Раввин не прикоснулся к лопате до появления первых
звезд, а потом работал один в опустевших траншеях, пока
не стало совсем темно и трудно было различить, куда вты-
кать лопату. Помогал ему, как мог, шамес. Он не столько
копал, как любовался раввином. Шамес молился за него.
Он его обожал.

До смешного.

Если ему случалось потерять из виду раввина, он
начинал метаться, заглядывая во все углы, и не успокаивался, пока не находил. Однажды, когда рота на занятиях по химической защите залегла в поле и по команде старшины
Качуры «газы!» нацепила очкастые маски на головы, шамес
чуть не сошел с ума. В противогазах все солдаты были на одно лицо. Единственная примета раввина — борода — полностью ушла под резиновую маску. Шамес бродил по полю, пе-
решагивая через лежащих, щурился на каждую маску и
плачущим голосом повторял:

— Ву из рэб Мойше?

После занятий, когда маски были сложены в сумки про-
тивогазов, солдаты долго смеялись над шамесом. А он сидел
рядом с раввином и с обожанием смотрел на его бороду.

Потом все это повторилось. Но никто больше не смеялся.
Некому было смеяться.

Под Орлом, после страшного боя, когда немцы распотро-
шили их так, что, не спаси Моня Цацкес полковое знамя,
полк расформировали бы и забыли, что он когда-то сущест-
вовал.

По изрытому снарядами полю, где догорали подбитые
танки и люди в шинелях валялись везде, куда ни кинешь
взгляд, бродил, еле переставляя ноги, солдатик без шапки, в
изорванной гимнастерке, со жгуче-белой марлевой повязкой
на руке до локтя. Он заглядывал в лица убитым, поворачивая
тела на спину. И шел дальше. К другим кучам тел.

— Ву из рэб Мойше? — тихо и безнадежно повторял он.

Догоравшие танки удушливо чадили. Глаза шамеса слезились. Он кашлял и опять заунывно тянул:

— Ву из рэб Мойше?

АХ, ЛЮБОВЬ, КАК ТЫ ЗЛА!

Не было бы счастья, да несчастье помогло.

Рядовой Шляпентох окончательно излечился от своего
постыдного недуга и перестал мочиться во сне, как только
прибыл на фронт. А если точнее, то это случилось после первого артиллерийского налета, когда позиции полка были про-
утюжены немецким огневым валом. Многие блиндажи обрушились, и солдат, оглушенных, контуженных, пришлось вы-
капывать из-под земли. Откопали и Фиму Шляпентоха. На
нем не было телесных повреждений, он только слегка заикался. Но это скоро прошло. Как прошло и другое, то, что
мучило и унижало его с самых пеленок. Отныне он, как и все
взрослые люди, просыпался на сухой простыне, если была
простыня. А так как чаще всего он спал на своей шинели, то
и шинель оставалась совершенно сухой.

Рядовой Шляпентох ожил и расправил согбенную спину.
В нем проснулся мужчина. А до той поры он пребывал в дре-
мучих девственниках и в сторону прекрасного пола даже не
поглядывал, справедливо полагая, что его ночная слабость
абсолютно исключает возможность контакта с женщинами.
По своей наивности он даже был убежден, что никогда не
сможет стать отцом и иметь собственных детей из-за проклятой немочи. О чем доверительно посетовал Моне Цацкесу,
которого почитал своим другом и покровителем.

Моня Цацкес дружески, как товарищ товарища, разубе-
дил его, присовокупив, что у него еще будут маленькие шля-
пентохи, и, на худой конец, они смогут мочиться по ночам
вместе, в одной широкой семейной кровати. А если к ним еще
присоединится мамаша, то, возможно, это и будет тем цементом, который скрепляет здоровую советскую семью.

Шутки в сторону, но Фиме Шляпентоху предстояло с
большим опозданием вступить в пору половой зрелости. И он
вступил. С ходу. Без оглядки.

В его душе запели соловьи и распустились розы. Суровой
русской зимой, среди снежных сугробов на брустверах окопов
и ходов сообщения, Шляпентох наполнился любовным том-

лением до отказу, его глазки под заломленными бровями за-
струились коровьей печалью, и Моня Цацкес всерьез опасал-
ся, что он вот-вот страстно замычит на всю передовую.

Страсть требовала выхода. Страсть нуждалась в конкрет-
ном адресе. А с адресом на фронте дело обстояло туго. В армии
как назло служили мужчины, женщин насчитывалось всего
несколько штук, но и те были прочно распределены между высшим командным составом, сочетая свои армейские обязан-
ности телефонисток и машинисток с завидным положением
офицерских наложниц. Злые солдатские языки окрестили их
ППЖ, то есть походно-полевыми женами.

Фима Шляпентох устремил тоскующий взор на ту, кого
видел чаще других перед собой. На начальника штабного узла
связи, старшего сержанта Цилю Пизмантер, делившую ложе с
самим командиром полка.

Вся эта затея была заранее обречена на неудачу. И не только потому, что Циля Пизмантер принадлежала командиру
полка и, естественно, доступ к ее телу возбранялся под угрозой штрафного батальона. Фима Шляпентох и Циля Пизмантер были несоизмеримы. Она весила, по крайней мере, втрое
больше него, и ее две груди, под напором которых трещала су-
конная гимнастерка, были размером с пару крупных арбузов
и своим бурным колыханием вредно действовали на мораль-
ное состояние всего личного состава.

Циля была родом из Рокишкиса. В дивизии насчитывалось немало ее земляков, и все они знали Цилю по довоен-
ным временам. И рассказывали о ней одну и ту же историю,
которая постороннему человеку, никогда не видевшему Цилю
Пизмантер, могла бы показаться выдуманной.

Дело обстояло следующим образом. Циля никогда не слыла красавицей, и при ее размерах и весе рассчитывать на выход
замуж приходилось с большой натяжкой. К моменту установ-
ления советской власти в Литве Циля пребывала уже в пере-
зревших, засидевшихся невестах и коротала свое девичество у
пульта коммутатора на телефонной станции в Рокишкисе.

В 1940 году, с приходом Советов, Циля ринулась в обще-
ственную деятельность, чтоб занять голову чем-нибудь другим, а не постыдными мыслями, одолевавшими ее день и
ночь. Кроме того, она стала заядлой спортсменкой,
рассчитывая укротить бунтующую плоть тяжелой физической нагрузкой.

И вот однажды, рассказывали ее земляки, в местечке был устроен физкультурный парад. И гвоздем программы намечался проезд автомобильной платформы с огромным, сделанным из фанеры макетом спортивного значка ГТО — «Готов к труду и обороне». Этот значок состоял из пятиконечной звезды, вправленной в зубчатое колесо-шестеренку. А на звезде — выпуклый барельеф женщины-бегуньи, в полный рост, грудью разрывающей финишную ленту. Эту бегунью на макете изображала первая местная девушка-коммунист Циля Пизмантер. Ее обрядили в необъятных размеров спортивные трусы и майку, втиснули в макет, закрепили намертво ремнями, чтобы, упаси Бог, не вывалилась при движении. И платформа двинулась по направлению к главной улице, где, оттесненные канатами, толпились возбужденные евреи, составлявшие большинство населения местечка.

Организаторы парада учли все, кроме двух немаловажных обстоятельств — булыжников мостовой в Рокишкисе и объема и веса грудей славной дочери литовского народа, как ее называли в местной газете, Цили Пизмантер. А какая тут была взаимосвязь, и притом роковая, вы увидите очень скоро.

Сияла медь оркестров, изрыгая громы советских маршей, евреи рвались к канатам, как дети, и размахивали красными флажками с серпом и молотом. Они бурно ликовали в тот день, словно чуяли, что ликуют в последний раз, потому что через несколько недель началась война и в Рокишкис пришли немцы. А как это отразилось на евреях, известно всем. Но не об этом сейчас речь.

Автомобиль с макетом значка «Готов к труду и обороне» въехал на главную улицу, мощенную крупным булыжником. Машину затрясло, закачался макет на платформе, заколебалась Циля в макете, заколыхались ее груди, вырвавшиеся из лопнувшего бюстгальтера.

Груди Цили Пизмантер испортили весь парад в Рокишкисе. Сотрясаемые на булыжниках, они замотались влево и вправо, нанося сокрушительные удары по фанере макета. Фанера не выдержала. Макет развалился на глазах у обалдевшей публики и местного начальства, накрыв разноцветными обломками уездную знаменитость Цилю Пизмантер.

Рядовой Шляпентох, как и все в полку, знал об этой истории, но это не остудило его пыла. Он томно вздыхал, провожая коровьим взглядом проступавшие под суконной юбкой жернова зада старшего сержанта. Солдаты потешались над ним и предупреждали Фиму, что, если слух о его чувствах дойдет до командира полка, не миновать ему штрафного батальона.

Моня тоже вылил на друга ушат холодной воды, стараясь привести Фиму в чувство, и долго втолковывал ему, почему Циля не может быть предметом воздыханий. Если бы ему, Моне Цацкесу, предложили даже двойной паек, он бы и то не согласился лечь с ней в одну постель.

— Посмотри, на кого стал похож наш командир полка с тех пор, как спутался с ней, — объяснял Моня. — Ты думаешь, ей один мужчина нужен? Ей и десяти будет мало. Ты видел, какие у нее усики? А это что означает? Это означает, что она ненасытная особа. Что она любого в гроб загонит. И очень скоро нам назначат другого командира полка вместо нашего любимого подполковника товарища Штанько. И полковой писарь товарищ Шляпентох собственноручно заполнит на него похоронное извещение для безутешно скорбящей вдовы мадам Штанько.

Но и такие жуткие картины, нарисованные Моней, не остудили любовный пыл рядового Шляпентоха. Близилась развязка. И кризис разрешился. Разрешился он вмешательством самой Цили Пизмантер. Грубым, беспощадным вмешательством, от которого душа влюбленного обуглилась, как после пожара.

Циля, в шинели внакидку, с выпирающей грудью, пробегала по заснеженному ходу сообщения в штабной блиндаж и наткнулась на Шляпентоха, который, уступая ей дорогу, вдавился спиной в снег, чтобы дать ей возможность протиснуться. Она протиснулась, правда, с большим трудом, проехав при этом грудью по его лицу. Из Фиминых глаз брызнули слезы, и он стал губами ловить ускользающую грудь, больно царапаясь о металлические пуговицы гимнастерки. И тогда Циля, набрав побольше воздуха, придавила его лицо своей грудью так, что осталась торчать лишь шапка-ушанка, и процедила сквозь зубы:

— Прочь с дороги, Шляпентохес!

Это было сказано по-русски. Но фамилию Фимы Циля чеканно произнесла по-литовски. Как известно, по-литовски ко всем фамилиям прибавляется окончание «ес». Все нормально. Ни к чему не придерешься. Но дело в том, что фамилия Шляпентох, будучи произнесенной по-литовски, получала совершенно непристойное звучание на языке идиш — родном языке Литовской дивизии. *Тохес* на идише — это задница. И вся фамилия при таком окончании переводилась примерно так: «Шляпа на жопе». А без окончания «ес» фамилия Фимы звучала вполне пристойно: «Платок на шляпе». Даже ребенку понятно, что «платок на шляпе» — это совсем не то же самое, что «шляпа на жопе».

Когда Циля Пизмантер произнесла при всех фамилию Фимы по-литовски, его любовь улетучилась и в мгновенье ока перешла в свою противоположность — ненависть.

Ударить женщину было не в привычках Шляпентоха. Во-первых, потому, что он получил хорошее воспитание в приличной еврейской семье, а во-вторых, он до сих пор не имел общения с женщинами и потому не знал правил обращения с ними. И вообще, попробуй он тронуть Цилю пальцем, она бы просто оставила от него мокрое место. Они были в разных весовых категориях, и разница эта была не в Фимину пользу. А кроме всего прочего, над ним довлела ревнивая и грозная тень подполковника Штанько.

Растоптанное чувство, умирая в судорогах, взывало к мести. И на помощь поверженному в прах Шляпентоху пришел верный друг и фронтовой товарищ рядовой Моня Цацкес. Моня придумал план мести, и вполне безопасный для мстителя, и убийственный для объекта мщения. Фима выслушал в подробностях весь план, и в глазах его, уже совершенно угасших, снова затлелся огонек жизни.

На земляных брустверах вдоль ходов сообщения намело большие сугробы, и снег сверкал как сахарный. Ночью, при слабом свете луны, на коротком отрезке между блиндажом узла связи, где обитала старший сержант Циля Пизмантер, и штабным блиндажом, служившим одновременно квартирой командиру полка, вылезли из окопа не замеченные часовыми две тени: одна — высокая, другая — короче и шире. Фима Шляпентох и Моня Цацкес, расстегнув шинели и пошарив в ширинках, стали мочиться в две струи на гладкую сахарную поверхность сугроба, прожигая в нем удивительные рисунки. Так как незадолго до этого, по хитрому плану Цацкеса, они разжились в медсанбате и проглотили один — таблетку красного стрептоцида, а другой — еще какой-то гадости, то рисунки у Мони выходили кроваво-красного цвета, а у Фимы — ядовито-зеленого.

В результате на снегу остались выведенные аккуратным почерком полкового писаря зеленые слова: *Циля Пизмантер.* А чуть дальше горела красная стрелка с наконечником и оперением, указывающая на блиндаж командира полка. Чтобы всякому было ясно, где проводит свои ночи жестокосердная Циля.

Утром штабная команда и солдаты хозяйственного взвода потешались у этой надписи, закупорив ход сообщения. Циля Пизмантер, со свекольными от гнева щеками, выскочила на бруствер и стала истерично топтать снег сапогами. И едва не погибла. Немецкий снайпер выстрелил по этой крупной мишени и промазал всего на сантиметр. Циля рухнула в окоп на головы солдат, чуть не контузив сразу нескольких человек, и, под жеребячий гогот, исчезла в своем блиндаже, откуда не высунула носа даже во время раздачи пищи.

На следующее утро рядом с растоптанной надписью снова горели на сугробе два ядовито-зеленых слова: *Циля Пизмантер,* выведенных каллиграфически, с элегантным наклоном и завитушкой на конце. И красная указательная стрелка.

Циля не повторила своей оплошности и не вылезла на бруствер, но, растолкав солдат, принялась строчить по сугробу длинными очередями автомата ППД, сметая букву за буквой своего имени и фамилии.

Третьей ночью рядовые Цацкес и Шляпентох напоролись на засаду и были взяты с поличным, когда вылезли на бруствер. Их с незастегнутыми ширинками доставили в штаб полка.

Подполковник Штанько поначалу хотел придать делу политическую окраску и направить обоих в контрразведку к капитану Телятьеву, но, поостыв и прикинув, что его имя также может фигурировать в этом деле, решил провести дознание сам.

Без шинелей, в распоясанных гимнастерках — ремни у них отобрали при аресте, — стояли Цацкес и Шляпентох посреди штабного блиндажа. Прямо перед ними зловеще мерцал при свете фонаря «летучая мышь» бритый череп подполковника Штанько. Сбоку сидела на табурете пострадавшая — старший сержант Пизмантер — и тяжело вздыхала, глотая слезы, отчего грудь ее вздымалась и опадала, как морская волна. Протокол вел старший политрук Кац, присутствовало еще несколько штабных офицеров. Все — члены коммунистической партии. Беспартийные не были допущены в блиндаж. Если не считать самих обвиняемых.

И старший политрук Кац потом был очень доволен, что по его настоянию присутствовали только коммунисты, потому что обвиняемый, рядовой Шляпентох, в свою защиту выдвинул очень сомнительные политические аргументы, которые могли быть неверно истолкованы беспартийной массой.

На дознании Шляпентох вдруг проявил отчаянную агрессивность, полностью излечившись от недавнего почтения к старшим по званию. Он категорически потребовал, чтобы его называли и числили в документах Шляпентохом, а не Шляпентохесом. Потому что он — не литовец и не литовский еврей, а в Литовскую дивизию попал в качестве жертвы политических махинаций сильных мира сего. Он родился и провел всю свою жизнь в городе Вильно, который при его рождении был русским городом и входил в состав Российской Империи. Когда Шляпентоху исполнился один год, Вильно стал польским городом. Когда же ему, Шляпентоху, исполнилось двадцать лет, Сталин и Гитлер разделили Польшу. И Советский Союз передал Вильно литовцам, чтоб подсластить пилюлю грядущей оккупации. Не успел Фима стать литовским гражданином, как советские танки вошли в Ковно. А еще через год и Ковно, и Вильно были заняты немцами. И теперь он, рядовой Шляпентох, воюет за освобождение своего родного города, хотя точно не знает, в чьих руках окажется Вильно после войны. Посему он требует, чтобы его фамилия писалась и произносилась, как это принято по-русски и по-польски. Товарищ Шляпентох — пожалуйста, пан Шляпентох — с моим удовольствием, но ни в коем случае не драугас* Шляпентохес!

Когда Шляпентох умолк, в штабе наступила недобрая тишина. Циля Пизмантер перестала хлюпать носом. Где-то над крышей блиндажа чуть слышно, словно дятел, постреливал короткими очередями ручной пулемет.

— Высказался? — поднялся над столом командир полка и грозно уставился на Шляпентоха. — Вот кого мы пригрели при штабе! Слыхали, товарищи? Гитлер и Сталин поделили Польшу! Нашего любимого вождя и Верховного Главнокомандующего этот вражеский элемент поставил на одну доску с немецко-фашистским фюрером! Что за это полагается? По законам военного времени?

* Товарищ (*литовск.*).

И тут произошло то, чего никто не ожидал.

Фима Шляпентох, в распоясанной гимнастерке, рванулся к Циле Пизмантер, протянул к ней руки и, трагически заломив брови, сказал звонко и вдохновенно:

— Прощай, Циля! Я умираю за тебя... Прощай, моя любовь...

И рухнул перед ней на колени.

Такого в Цилиной жизни еще не было. Никто не говорил ей таких красивых слов, никто не собирался умирать за нее. Такое она видела один раз в жизни — в театре — и до слез завидовала героине спектакля. Теперь этой героиней стала она сама.

— Идиоты! — закричала Циля и тоже рухнула на колени, чуть не придавив Шляпентоха; обняла его стриженую голову, прижала к своей груди и запричитала в голос: — Кого вы судите? Этого невинного младенца? Этого ребенка с чистой душой? И кто судит? У вас когда-нибудь повернулся язык сказать женщине такие слова? Такие красивые слова? У вас на языке только мат, а на уме — одно и то же. Что, я не права?

Этот вопрос имел прямое отношение к подполковнику Штанько, и он решительно распорядился:

— Убрать из штаба эту дуру!

Циля поднялась с колен, тяжело дыша, подошла к подполковнику и сказала:

— От дурака и слышу!

И плюнула на его бритый череп.

Именно поэтому старший политрук Кац, хоть в душе и ликовал от злорадства, был очень доволен, что не допустил в блиндаж беспартийных. Он выхватил из кармана носовой платок и бросился к командиру полка, чтоб вытереть плевок с бритой макушки. Но Штанько оттолкнул его локтем:

— Отставить! Не касайся. Все вы — одно племя!

Он рукавом вытер голову и остановил свой тяжелый немигающий взгляд на распоясанных солдатах.

— В штрафной батальон обоих! Пусть кровью поплюют! — И добавил, подумав: — Во славу нашей Советской Родины.

ОХОТА ЗА «ЯЗЫКОМ"

Рядовые Цацкес и Шляпентох сидели в ожидании трибунала в своем собственном блиндаже, превращенном во временную гауптвахту. Там же, под нарами рядового Цацкеса, в вещевом мешке лежало свернутое в рулон знамя полка, о котором впопыхах забыли. А так как командир полка головой отвечал за сохранность знамени, то можно считать, что в вещевом мешке рядового Цацкеса дожидалась своей участи голова подполковника Штанько.

Как коммунист-интернационалист подполковник Штанько лично распорядился, чтобы охранять заключенных поставили не евреев, а исключительно литовцев или, еще лучше, русских. Во избежание панибратства по национальному признаку.

Это, однако, не помешало старшему сержанту Циле Пизмантер беспрепятственно войти в контакт с заключенными. Вернее, с одним из них — рядовым Шляпентохом. Часовые знали, какой властью обладает ППЖ, и не отважились ей перечить. После двух дней размолвки она снова ночевала у командира полка и наутро третьего дня с независимым видом прошла мимо часовых в блиндаж, где томились арестанты. Она принесла Шляпентоху гостинцы: бутерброд со сливовым повидлом и банку американского сгущенного молока. Циля запретила Шляпентоху делиться гостинцем со своим товарищем и велела ему съесть все при ней. Пока Фима, пряча глаза от Мони, уминал бутерброд, с бульканьем запивая сгущенным молоком, Циля Пизмантер, расставив толстые колени, сидела напротив и, подперев щеку ладонью, смотрела на него вдохновенными глазами мамы, получившей свидание с арестованным сыном.

Циля принесла новость: под ее нажимом командир полка отменил приказ. Но с одним условием: они должны либо кровью, либо героическим поступком смыть позор и восстановить свою честь. А заодно и честь старшего сержанта Пизмантер.

— Мальчики, послушайте меня, — со вспыхнувшим румянцем заговорила Циля, на сей раз обращаясь и к Цацкесу тоже, — вы совершите подвиг. Вы докажете этому антисемиту, что евреи тоже могут быть героями.

Циля еще больше зарделась, и прыщики у нее на лбу поблекли.

— Вы знаете, что вы сделаете? Вы захватите «языка»... Приведете живого немца! Желательно — с важными документами. И вас представят к правительственной награде... О вас узнает вся страна!

Арестанты, переглянувшись, загрустили. От лица обоих осторожное заявление сделал рядовой Цацкес:

— А если не выйдет? Ну, скажем, нам не удастся захватить живого немца! Ведь живые немцы на улице не валяются.

Гнев и презрение во взгляде старшего сержанта прожгли Моню:

— Тогда лучше не возвращайтесь. Вас отдадут под трибунал.

— Кто спорит? — пожал плечами Цацкес. — Раз родина требует подвига, будет подвиг.

— Вот это другой разговор, — сменила гнев на милость Циля и обратилась к Шляпентоху: — Ты меня не подведешь. Я за тебя поручилась.

— Конечно, — согласился Шляпентох, не сводя с Цили обожающих глаз и слизывая языком сгущенное молоко с губ и подбородка. — Я сделаю все, о чем ты просишь... Скажи, ты будешь ждать меня?

Циля горячо кивнула.

— Тогда дай слово, что с ним, — кого Шляпентох имел в виду, поняли и Цацкес, и Циля, — ты больше спать не будешь.

Циля опустила глаза:

— Я подумаю...

Не было никакого сомнения, что думать она будет в потных объятиях подполковника Штанько.

Получив сухим пайком продовольствие на два дня, рядовые Цацкес и Шляпентох надели поверх стеганых телогреек и ватных штанов белые маскировочные халаты и, когда стемнело, вылезли из окопов родной Литовской дивизии и по глубокому снегу поползли в сторону противника.

Партийный агитатор Циля Пизмантер с восторженно сияющими глазами проводила их на подвиг, после чего, озябнув на ветру в окопе, пошла отогреваться в теплый блиндаж командира полка.

«Двух мнений быть не может, мы ползем навстречу гибели, — думал Моня без особой радости. — И все из-за этого шлимазла, которого навязал Господь на мою голову».

Еще раньше, на формировании, когда Шляпентох с верхних нар искупал его в моче, рядовой Цацкес шестым чувством определил, что от этого малого ему так легко не отделаться и что впереди — куча неприятностей. Но такого печального конца даже он не предполагал.

О том, чтобы с таким напарником забраться в немецкий

окоп и скрутить живого немца, не могло быть и речи. Шляпентох еще до немецких окопов выбился из сил, барахтаясь в снегу. Назад придется волочить не «языка», а его самого. Кроме того, только идиот или злейший антисемит мог послать двух солдат с такими еврейскими физиономиями прогуляться по немецким тылам.

Старший политрук Кац явился к ним перед уходом на задание, как ксендз к умирающему, и изложил установку командира полка, как всегда ясно и недвусмысленно:

— Одно из двух. Или вы приведете «языка»,... или... одно из двух...

Вернуться с пустыми руками — означало позорно погибнуть в штрафном батальоне. Пытаться взять живьем и притащить в полк немца — означало тоже погибнуть или, что еще хуже, попасть в плен. Еврею попасть живьем в немецкие лапы. Б-р-р-р!

Между тем Фима, задыхаясь, с залепленным снегом, вспотевшим лицом, тоже размышлял:

«Она питает ко мне чувства. Иначе зачем ей было заступаться за меня? И не случайно она принесла такое вкусное сгущенное молоко... Вернусь с задания, категорически потребую, а я имею на это право: одно из двух! Или ты оставляешь командира полка... или...»

Рядовой Шляпентох от возбуждения стал мыслить в категориях старшего политрука Каца. О том, каким образом вернуться живым, он не размышлял, полностью полагаясь на своего боевого товарища Моню Цацкеса.

Рядовой Цацкес, как более опытный человек, рассудил, что суетиться им ни к чему, лезть на рожон — тоже. Продовольствия у них на двое суток, и этим временем, последними днями жизни, они могут распорядиться по собственному усмотрению. Но даже шлифованные еврейские мозги Мони Цацкеса не сразу придумали, как провести два дня между русскими и немецкими позициями, получив при этом хоть какое-то удовольствие.

К счастью, неподалеку от немецких окопов лежал опрокинувшийся танк, который, словно крышей, накрыл глубокую воронку. Туда не добирался колючий ветер, и было не так холодно, как снаружи. А главное, там они были укрыты от чужих глаз и также от шальной пули или осколка снаряда. От них, Цацкеса и Шляпентоха, требовалось лишь одно: постараться не замерзнуть, пока не кончится продовольствие. А тогда они обнимутся покрепче, зароются в снег и уснут вечным сном под вой русской вьюги.

Когда Моня выложил свой план, Фима Шляпентох ничего не возразил и только спросил:

— А как же Циля?

— Она будет рыдать всю жизнь, — сказал Цацкес и полез под гусеницы танка.

Фима съехал за ним в глубокую воронку, заметенную почти доверху мягким пушистым снегом. Они удобно, как в перину, погрузились в снег и, лежа на спинах, смотрели в нависший над ними ржавый борт танка.

Было тихо, как редко бывает на фронте. И лишь шипение взлетающих в мутное небо осветительных ракет нарушало могильный покой. Их неживой дрожащий свет, то усиливаясь, то выдыхаясь, делал все вокруг призрачным, нереальным. Ветер завывал в дырявом боку танка.

Моня Цацкес разрядил гнетущую обстановку, с треском выпустив пулеметную очередь кишечного газа.

— Умирать, так с музыкой, — оправдываясь за не слишком джентльменское поведение, сказал он Шляпентоху, надеясь вызвать хоть подобие улыбки на его бледном как смерть кривом лице.

Шляпентох почему-то отозвался на чистом немецком языке, и Моня, ни разу не слыхавший, чтобы друг изъяснялся по-немецки, был чрезвычайно удивлен. Он обернулся к Шляпентоху и снова услышал вопрос по-немецки, хотя Шляпентох при этом не шевелил губами:

— Кто здесь?

Было ясно как божий день, что не Фима задал этот вопрос. Во-первых, он рта не раскрыл, во-вторых, уж он-то знает, кто здесь, а в-третьих, он по-немецки ни в зуб ногой, в-четвертых...

Из открытого бортового люка танка высунулась рыжая голова в немецкой пилотке, натянутой на уши.

— Кто здесь? — в третий раз спросил немец.

Монии автомат лежал в стороне, и дотянуться до него не представлялось возможным. Шляпентох же просто не вспомнил об оружии, хотя автомат с полным диском покоился у него на груди.

— Вы — русские? — на ломаном русском языке спросила голова в пилотке, моргая рыжими, как у поросенка, ресницами.

— Мы — евреи, — по-немецки ответил Моня Цацкес, чтоб кончить этот дурацкий разговор и получить свою пулю сразу, без лишней болтовни.

— Евреи?! — не поверил немец. — Не может этого быть!

— Не веришь, — лениво огрызнулся Моня, — расстегни мне ширинку и увидишь там самый верный документ.

— Я тоже еврей, — сказал немец. И глупая улыбка растянула его толстые губы до самых ушей.

Моня на это никак не прореагировал, отметив в уме, что если уж не везет, так не везет: мало им, что попали в плен, так еще недостает, чтоб их захватил свихнувшийся немец, который, прежде чем убить их, как положено поступать с евреями, сначала откусит им уши, нос и так далее.

— Я — еврей, ребята! — на чистом идише заорал немец и, свалившись из танкового люка прямо на Шляпентоха, стал целовать его в выгнуто-вогнутое лицо, плача и смеясь.

«Сейчас он выплюнет на меня Фимин нос», — похолодел Моня, с прискорбием убедившись, что его прогноз оказался точным.

Ему пришла в голову мысль: прыгнуть немцу на спину и придушить его прямо на Шляпентохе. Но кто знает, сколько их еще в танке? Перед смертью Моне было лень двигаться. Зачем? Чтобы осталось на земле одним немцем меньше? На том свете этого Моне не зачтут, потому что он, Моня Цацкес, постоянно нарушал почти все десять заповедей: ел трефное, и большими порциями, не соблюдал субботу и в синагоге последний раз был года за три до войны. И сколько бы немцев он ни перебил, мнение о нем уже давно составлено и пересмотру не подлежит.

— Я — еврей! — орал на идише сумасшедший немец. — Не верите, могу сам расстегнуть ширинку! Боже милостивый, это же надо, так удачно встретить своих!

Не слезая со Шляпентоха, он задрал голову и завопил в ржавый борт танка, видимо, полагая, что за танком, в этих русских сугробах, пребывает еврейский Бог, который с отеческой улыбкой ему внимает:

— Шма, Исраэль! Адонай Элохейну, Адонай Эхад!*

Так истово произносить еврейскую молитву немец никог-

---

* Слушай, Израиль! Господь Бог наш, Господь единый (идиш).

да не научится Даже псих. А говорить на идише, как чистый
литвак, — тем более. В голове у Мони наступило прояснение
— Эй, ты, малохольный, — дернул он немца за рукав —
Во-первых, слезь с человека, ты его почти задушил Во-вторых, объясни толком, кто ты такой, как сюда попал и чему так
радуешься?

Немец слез со Шляпентоха, рукавом шинели вытер слезу
и продолжал на идише с такой скоростью и с таким приятным
акцентом, как будто они сидели где-нибудь в Жежморах или
в Тельшае после вечерней молитвы в синагоге и наслаждались
праздной беседой.

— Для начала разрешите представиться, — сказал немец,
стараясь успокоиться и делая глубокие вдохи и выдохи. —
Моя фамилия Зингер. Зовут Залман. По немецким документам я Зепп Зингер. Обер-ефрейтор пулеметного взвода 316
полка 43 моторизованной дивизии. Родом из литовского города Клайпеда, в 1939 году присоединенного к рейху под
своим немецким названием — Мемель. Гражданская профессия — кондитер. Мой отец, Генрих Зингер, владелец
лучшей в городе кондитерской, и фирму «Генрих Зингер и
сыновья» знали и в Литве, и в Восточной Пруссии за ее знаменитые штрудели и пончики с ежевичным вареньем...

Все это он выпалил единым духом, и Моня Цацкес прервал его, хлопнув от всей души по шее:

— Слушайте, Зингер, сейчас я вам верю, как своей собственной маме. Я же знаю кондитерскую «Генрих Зингер»! Я
бывал там сто раз и аромат пончиков с ежевичным вареньем
буду помнить до могилы. Меня зовут Моня Цацкес. Я сам из
Паневежиса, но прожил год в Клайпеде, где окончил школу
парикмахерского искусства фрау Тиссельгоф, а диплом ее,
вместе с рамкой, до сих пор таскаю с собой.

— Школа фрау Тиссельгоф! — вскричал рыжий Зингер, в
возбуждении переходя с идиша на немецкий. — Кто в Клайпеде не знал школу фрау Тиссельгоф? Вам очень повезло, герр
Цацкес, учиться в таком почтенном заведении. Я рад пожать
вашу руку. А этот еврей, — он кивнул на так и не шелохнувше-
гося Фиму Шляпентоха, — тоже из Клайпеды?

— Таких в Клайпеде не держали, — отмахнулся Моня —
Он — из Вильно. Из довольно приличной еврейской семьи
Шляпентох. Не слыхали?

— Виноват, не припомню, — вежливо улыбнулся Зингер

не подававшему признаков жизни Шляпентоху, — но не сомневаюсь, что это очень почтенная фамилия.

Воздав таким образом должное Шляпентоху, два нечаянных земляка продолжали беседу, и Моня наконец решился задать тот вопрос, который все время вертелся у него на кончике языка:

— Теперь скажите мне, уважаемый земляк, почему на вас немецкая форма и что вы делали в этом танке? Прежде, чем мы совсем замерзнем, я хотел бы удовлетворить свое любопытство.

— О, это история! — воскликнул Зепп-Залман Зингер и поведал им, под завывание вьюги, от которой их укрывал дырявый бок немецкого танка, свои удивительные похождения, способные приключиться только с евреем. Слушая его, Моня Цацкес окончательно убедился, что он никакой не сумасшедший, а, наоборот, абсолютно нормальный человек, если вообще уцелевшего еврея можно считать нормальным.

Когда Гитлер в 1939 году присоединил к рейху полунемецкую Клайпеду, молодой Зингер бежал оттуда в Каунас, а в 1940 году, когда Сталин захватил Каунас, он был призван в Красную Армию. В 1942 году, на реке Дон, немцы все же настигли Залмана Зингера — он попал в плен. В совершенстве владея немецким, на котором он лопотал с пеленок, и зная, как немцы поступают с евреями, Залман Зингер сменил свое имя на Зепп, как его звали в немецкой гимназии, и выдал себя за фольксдойче из республики немцев Поволжья. Он был рыжий и соответствовал всем признакам арийского нордического типа. Никому и в голову не пришло заглянуть к нему в штаны.

Зеппа Зингера выпустили из лагеря военнопленных и направили вольнонаемным рабочим в германскую армию. На кухне он удивил своих шефов мастерством кондитера и вскоре был назначен в штат поваров фельдмаршала Манштейна — командующего группой войск на Северном Кавказе.

Однажды Манштейн давал обед в честь высокопоставленных гостей из Берлина, и штрудели и пончики с ежевичным вареньем, изготовленные Зеппом Зингером, произвели неотразимое впечатление на берлинских гостей. Манштейн как большой сюрприз представил им фольксдойче из немцев Поволжья, изготовившего в полевых условиях это чудо кондитерского искусства. Гости наградили рыжего повара аплодисментами, а самый важный гость провозгласил тост в его честь, пояснив, что это прекрасный пример великой силы и явного превосходства германской расы. Подлинный германец, пусть даже в пятом поколении оторванный от фатерланда, сохранил среди славянских дикарей филигранный талант его предков.

С самыми лучшими рекомендациями Зепп Зингер был направлен в военную школу в Дрезден, откуда вернулся на Восточный фронт в звании обер-ефрейтора. Больше всего на свете он боялся встретить в армии какого-нибудь клайпедского немца, который, конечно, должен знать кондитерскую Генриха Зингера и легко опознает в обер-ефрейторе его сына Залмана. На прошлой неделе к ним в полк прибыл офицер, в котором Зингер, приглядевшись, узнал завсегдатая кондитерской своего отца. Тогда он решил бежать к русским, сдаться в плен и все рассказать начистоту. Он очень рад, что, выполняя свой план, попал к евреям, которые, несомненно, облегчат его участь. Потому что они, Цацкес и Шляпентох, смогут ходатайствовать за него перед русским командованием, подтвердив, что он — перебежчик и сдался им добровольно, без всякого сопротивления.

Зингер, в серо-зеленой немецкой шинели и пилотке, натянутой на зябнущие уши, волнуясь, ждал, что скажут эти два еврея в русской военной форме. Вернее, один. Шляпентох не участвовал в разговоре, однако именно он сумел оценить, какой подарок им послала судьба. У них в руках был «язык»! Живой и невредимый. И большой любитель поговорить. Какой и требовался начальству. Доставив его в расположение полка, Цацкес и Шляпентох спасали свою жизнь и вместо штрафного батальона попадали в герои. С последующим представлением к правительственным наградам.

Жизнь возвращалась к Шляпентоху, и он, развернув свой двухдневный паек, стал уминать его в один присест, справедливо полагая операцию законченной.

О том же самом думал Моня Цацкес, но к еде не притронулся. У него пропал аппетит, чего не случалось за всю войну. Моню Цацкеса грызла совесть. Он даже отвел глаза от этого еврея в немецкой форме, за счет которого им предстояло спасти свои жизни. В контрразведке не посмотрят, еврей он или турок, этот обер-ефрейтор Зепп Зингер, и, допросив с пристрастием, упекут в лагерь военнопленных куда-нибудь в Сибирь, где в окружении настоящих немцев и фашистов он вряд ли дотянет до конца войны.

· Моня должен был найти соломоново решение. Отпустить Зеппа Зингера на все четыре стороны, предварительно объяснив ему, как миновать советские передовые посты и скрыться в глубоком тылу, значило упустить единственный шанс выжить самим. Привести Залмана как «языка» — значило купить себе жизнь ценой жизни этого еврея. Сделать же так, чтобы обе стороны были довольны и остались в живых, не представлялось возможным. Кто-то должен пострадать.

Моня вспотел, несмотря на то, что с наступлением ночи мороз усилился. Шляпентох, глядя на его помрачневшее лицо, без слов понял, какие муки терзают Цацкеса, и сказал ему по-русски, что другого выхода у них нет и, пока не рассвело, надо успеть доставить «языка» в полк. На это Моня ответил, что в советах он не нуждается, что до утра еще далеко и что он, Цацкес, в жизни своей откровенных подлостей не делал и в дальнейшем намерен также придерживаться этого правила.

— Так что же делать? — страдальчески заломил свои бровки Шляпентох.

— Быть евреем, — посоветовал ему Цацкес.

— Пожалуйста, — согласился Шляпентох, — лишь бы не покойником.

Зепп-Залман Зингер переводил настороженный взгляд с одного на другого и стучал зубами от холода в своей тонкой немецкой шинели.

Быть евреем, по мнению Цацкеса, означало, в первую очередь, не быть дураком. По этому признаку старший политрук Кац, например, считаться евреем не мог. Шляпентох — с большой натяжкой.

Буря бушевала под черепной коробкой Мони Цацкеса. Мозговые извилины от натуги свернулись спиралями. А внешне он набычился, надулся, и Фиме Шляпентоху показалось, что он вот-вот снова испортит воздух.

— Который час? — вскричал Моня и, как после каторжного труда, смахнул рукавом маскхалата пот со своего лица.

Зингер оттянул рукав шинели и взглянул на часы:

— Половина первого ночи.

— Успеем, — сказал Моня. — Хочешь, Залман, жить? Возвращайся назад в свою часть.

Зингер застыл с раскрытым ртом.

— Да, возвращайся и не медля. Чтоб успеть до утра вернуться сюда с настоящим немцем. Желательно, офицером. Его мы возьмем как «языка», а тебя отправим в советский тыл, сменив предварительно твою форму на что-нибудь русское. Поболтаешься немного в тылу, а потом заявишь властям, что ты беженец из Литвы и у тебя украли документы. Понял? А теперь марш отсюда! И помни, мы ждем тебя назад не позже, чем через два часа.

Зингер оказался сообразительным малым. Ему не пришлось повторять два раза. Он полез наверх, под нависшие гусеницы, и бесшумно исчез.

— Он не вернется! — простонал Шляпентох. — А ты — идиот! Такой шанс упустил! Погубил и себя, и меня!.. Бедная Циля...

Зепп-Залман Зингер вернулся не через два часа, а через час двадцать минут. И приволок розовощекого упитанного капитана со связанными руками и кляпом во рту, который недоуменно таращил глаза на обер-ефрейтора Зингера и двух русских солдат с явно семитскими лицами.

Моня велел Залману и Шляпентоху раздеться до белья и поменяться одеждой. Шляпентох поломался, но подчинился и, приплясывая босыми ногами на снегу, стащил с себя русское барахло и поменялся с Зингером, облачившись в его немецкую серо-зеленую форму и сразу став похожим на пленного фрица, как их изображали карикатуристы в газетах. Взволнованный Зингер подарил Фиме свои часы — известной швейцарской фирмы «Лонжин». Моня при этом подумал, что Шляпентох такого подарка не заслуживает, но вслух своего мнения не выразил.

Потом они поползли втроем, волоча за собой четвертого. Помогли Зингеру незамеченным пересечь советские позиции и, надавав ему кучу советов, расстались.

Немецкого капитана они доставили прямехонько в штаб полка. И подняли с постели самого подполковника Штанько, заодно перебив сон старшему сержанту Циле Пизмантер. «Язык» превзошел все ожидания и дал такие важные сведения, что сверху прибыло распоряжение немедленно препроводить его в штаб фронта. А заодно прислать список участников этой блестящей операции для представления к правительственным наградам.

Список прислали. И очень быстро. Кроме рядовых Цацкеса и Шляпентоха, в нем фигурировали командир полка подполковник Штанько, старший политрук Кац и старший сержант Циля Пизмантер. Моню и Фиму представили к почетной медали «За отвагу», подполковника Штанько — к ордену Красной Звезды. Кац и Пизмантер довольствовались скромной медалью «За боевые заслуги».

Наверху список просмотрели и уточнили. Из него выпал рядовой Шляпентох, Цацкесу медаль «За отвагу» заменили на «За боевые заслуги». Награды Штанько, Кацу и Пизмантер утвердили без изменений.

Моня Цацкес хотел было возмутиться, устроить шум, подать рапорт начальству. Но тут его отвлекло другое событие. В полк прибыло новое пополнение, и с ним, в новенькой советской форме, рядовой Залман Зингерис, которого мобилизовал тыловой военкомат и направил, как беженца из Литвы, в Литовскую дивизию. Моня был так рад, увидев его живым и невредимым, что забыл про свои огорчения и целый день не разлучался с Залманом. Как будто близкого родственника встретил.

КТО ЗАКРОЕТ ГРУДЬЮ АМБРАЗУРУ?

В один не самый прекрасный день на советско-германском фронте, на том участке, который занимала совсем не Литовская дивизия, произошло событие, всколыхнувшее всю Советскую страну до Тихого океана. Ничем до этого не примечательный человек, молоденький солдатик по имени Александр Матросов, сразу превратился в знаменитость. Почти в святого. В икону. Правда, он об этом уже не знал, потому что погиб. Его портрет со стриженой головой и грустными глазами смотрел со всех газет, со стен домов, школ, квартир и с листовок, которые Политуправление СоветскойАрмии распространяло среди личного состава вооруженных сил.

Что сделал Александр Матросов? Он совершил подвиг. Правда, судя по газетам, подвиги на фронте совершались каждый день, и притом в массовом порядке. Тем не менее этот подвиг затмил все подвиги.

Александр Матросов закрыл своей грудью амбразуру вражеского дота. Не пустую амбразуру, а из которой торчал пулемет. И этот пулемет безостановочно стрелял, мешая наступать советской пехоте. Пехота залегла, не смея головы поднять. И тогда Александр Матросов подполз к доту, навалился грудью прямо на амбразуру, и пулемет захлебнулся, потому что все пули застряли в славной груди героя. Советская пехота воспользовалась передышкой, рванула вперед и с криком «ура!» водрузила Красное знамя на крыше дота.

Александра Матросова товарищи застали бездыханным. Вокруг его стриженой солдатской головы посвечивало слабое сияние. Военнослужащие старших возрастов, которые прежде, до советской власти, верили в Бога, вспомнили, что такое сияние бывает только вокруг голов святых и называется оно нимбом.

Александру Матросову было посмертно присвоено высокое звание Героя Советского Союза с вручением Золотой Звезды и ордена Ленина. Его имя загуляло по всем фронтам, партийные пропагандисты и агитаторы рвали глотки перед солдатами, призывая их повторить подвиг Александра Матросова.

В Н-ском подразделении Литовской дивизии, которым командовал подполковник товарищ Штанько, не отставали от всей страны и тоже рвали глотки. С еврейским акцентом.

Особенно усердствовали старший политрук Кац и партийный агитатор старший сержант Циля Пизмантер. Солдат собирали в блиндажах, под тремя накатами бревен, где не так был слышен грохот артиллерии, и втолковывали им, как это славно — умереть за Родину.

— Повторим подвиг Александра Матросова, — вбивал в стриженые солдатские макушки старший политрук Кац.

Циля Пизмантер повторяла то же самое, но у нее это получалось хуже. Она не выговаривала букву «р», а эта буква, как назло повторялась и в имени, и в фамилии героя.

Моня Цацкес вместе с другими отогревался в блиндаже, слушая вполуха, как его призывают повторить то, что сделал Александр Матросов, и со свойственной ему обстоятельностью думал, что толкать людей на подобные поступки, по крайней мере, бесхозяйственно. Ведь если все подряд солдаты повторят подвиг Александра Матросова, то Советский Союз останется без армии, и Германия выиграет войну. Правда, все амбразуры немецких дотов будут до отказа набиты русским мясом, но так ли уж это отравит немцам радость их победы?

Так думал Моня. Рядовой солдат. А в прошлом — рядовой парикмахер. Не гений и не полководец. Но начальство рассуждало иначе.

— Дадим своего Александра Матросова! — такой лозунг брошен был в каждом подразделении, и батальоны, и полки соревновались, кто раньше выставит своего самоубийцу.

Литовская дивизия тоже хотела не ударить в грязь лицом. Здесь занялись поиском своего, литовского Александра Матросова.

В Н-ской части, где командиром подполковник товарищ Штанько, этот вопрос обсуждался в штабе. Под председательством самого подполковника Штанько. В присутствии командиров рот и батальонов, старшего политрука Каца и партийного агитатора старшего сержанта Цили Пизмантер. Рядовые на совещание не были приглашены: их дело выполнять решение совещания — лечь грудью на амбразуру указанного начальством дота.

И все же один рядовой присутствовал на этом совещании. Моня Цацкес. Подполковник Штанько давал руководящие указания, а Моня Цацкес в это время брил подполковничью голову. Так как уши у него не были заткнуты, он все слышал и запомнил гораздо подробнее, чем это было зафиксировано в протоколе, который вела старший сержант Пизмантер.

После обязательного общего трепа с непременным упоминанием имени товарища Сталина и славной коммунистической партии большевиков перешли к делу. Кому оказать доверие прославить полк? Кого из личного состава послать умирать на амбразуре дота?

Подполковник Штанько сразу предупредил совещание, что хороший человеческий материал он на это дело не пустит.

— Для такого подвига, — сказал он, сидя в кресле в белой чалме из мыльной пены, — большого ума не нужно. — И, подумав, добавил: — Нужна лишь горячая любовь к Родине. Ясно? Поэтому отбирайте из слабосильной команды, кто к строевой не годен.

— Совершенно верно, товарищ командир, — подхватил старший политрук Кац. — Есть предложение: пусть амбразуру вражеского дота закроет писарь Шляпентох.

Партийный агитатор Циля Пизмантер поставила кляксу в протоколе и, забыв, что она на совещании, допустила вольность — громко расхохоталась, отвлекая участников совещания заколыхавшейся грудью.

— Что вы в этом видите смешного, старший сержант? — вспыхнул старший политрук Кац.

— Ой, ой, он меня доведет до истерики. — Циля Пизмантер вытерла выступившие слезы. С некоторых пор и по некоторым причинам она ни к кому из старших офицеров, кроме подполковника Штанько, не проявляла положенного по субординации уважения.

— По-вашему, этот шлимазл Шляпентох может закрыть амбразуру дота? — Циля Пизмантер прищурилась и посмотрела на старшего политрука как на идиота. — Да он же физически не способен это сделать. У него слишком узкая грудь.

— Ну, если исходить из размеров груди, — парировал старший политрук Кац, — то лучшего кандидата в герои, чем вы, не найти во всей дивизии. Вы, Пизмантер, можете заткнуть сразу две амбразуры.

В полку блюлась военная тайна. У личных отношений тайны не было. И офицеры, пряча улыбки, ждали, как поступит командир полка, чьей фаворитке публично бросили вызов.

Подполковник Штанько, с вафельным полотенцем на шее и с мылом на голове, как и все присутствующие, смотрел на распиравшую гимнастерку грудь старшего сержанта и, по глазам видать, тоже прикидывал, можно ли этой грудью заткнуть сразу две вражеские амбразуры.

Циля Пизмантер ждала от него мужского поступка.

— Разговорчики, понимаешь... — сказал Штанько совсем не по-мужски. — Дисциплина хромает. Ближе к делу, товарищи. Какие будут предложения?

Старший политрук Кац попросил слова:

— Не забывайте, товарищи, что наша кандидатура должна отвечать всем политическим требованиям, служить олицетворением, так сказать, нашего советского человека...

— Иметь чистую анкету? Верно я понял? — уточнил подполковник Штанько. — Тогда бери моего парикмахера. Жертвую для общего дела.

Рядовой Цацкес тем временем старательно скоблил бритый затылок подполковника. До него не сразу дошло, что в этот самый момент ему вынесли смертный приговор. А когда он осознал, что подполковник имел в виду его, Моню Цацкеса, бритва дрогнула в его руке, и подполковник поморщился от боли:

— Эй, Цацкес, не зарежь! Ты еще не Герой Советского Союза... посмертно.

— И не буду, — мрачно сказал Цацкес, нарушив субординацию.

— А если Родина попросит? — подполковник скосил глаза на своего парикмахера.

— Не попросит.

— Почему ты так уверен?

— По двум причинам.

— Каким?

— Политическим.

— Ух ты какой! — заиграл бровями подполковник Штанько. — Политически грамотный. Ну, растолкуй нам, дуракам,
почему тебя нельзя послать на героическую смерть, и какая из
этого выйдет политическая ошибка.

— Во-первых, — Моня спрятал свою бритву и указательным пальцем правой руки загнул левый мизинец, — у меня не
чистая пролетарская биография. Я был буржуй. Эксплуата-
тор, как справедливо говорит на политзанятиях наш агитатор
товарищ Пизмантер. У меня в парикмахерской были два под-
мастерья, и я их жестоко эксплуатировал. Я же не знал, что к
нам скоро придет советская власть, а то бы я с ними был помягче. Но что было, то было, и правду скрывать от советской
власти не хочу.

Участники совещания переглянулись, и лица их выразили
полное согласие с доводами рядового Цацкеса. Особенно
усердно кивал старший политрук Кац, который не мог допус-
тить, чтобы человеку с нечистой пролетарской биографией
доверили такую героическую смерть.

— Во-вторых, — с нарастающим воодушевлением загнул
Моня второй палец, — нашей дивизии нужен литовский герой. А не литовский еврей. В Литовской дивизии надо усту-
пать литовцам. Это будет политически правильно.

— Ай да Цацкес! — восхитился Штанько. — Мудер, брат.
Ничего не скажешь. А какого литовца ты посоветуешь? Их-то
у нас не густо.

— Я знаю! — вскочила Циля Пизмантер, и грудь подпрыг-
нула вместе с ней и еще долго колыхалась. — Почтальон Валюнас. Он — нестроевой, его любой заменит. И биография
чистая, что редко бывает. Из беднейших крестьян. Чистокровный литовец. Из Юрбаркаса. И хорошо будет выглядеть
на портрете.

Старший политрук Кац ничего не смог возразить. Остальные одобрительно закивали. Кандидатуру Йонаса Валюнаса в Герои Советского Союза посмертно утвердили.

Дальше все шло как по нотам. Почтальон Йонас Валюнас, человек простой и малоразговорчивый, принял новость без особой радости, но и прекословить не стал: надо так надо. Все равно погибать. Так уж лучше умереть, как начальство прикажет.

Но Йонас выставил одно условие: дать ему перед смертью отвести душу — попить спирта вволю.

Просьбу уважили. Кое-что выделил медсанбат, остальное добавил из своих личных запасов командир полка.

У Йонаса началась прекрасная жизнь. От несения службы его освободили. Полковые портные сшили ему по мерке новое обмундирование из офицерского сукна: предстояло делать фотографию для газеты — последний портрет героя перед совершением подвига. И потом это обмундирование будет хорошо выглядеть на похоронах. На кухне ему давали хлеба без нормы, отваливали тройную порцию супа и добавляли мяса из офицерского котла. Йонас разгуливал как именинник по расположению полка — сыт, пьян и нос в табаке. Пил он в одиночку, разбавляя спирт водой. Или на пару с подполковником Штанько, уже не разбавляя, а запивая спирт водой, чтобы уважить обычай командира.

Они запирались в штабном блиндаже, выставляя всех посторонних, и совсем на равных, как два закадычных друга, хлестали спирт и коротали время в задушевных разговорах.

— Вот я тебе, если честно сказать, завидую, — бил себя в грудь подполковник Штанько. — Я — командир полка, а звание Героя мне не светит. Ты — рядовой, извини меня, лапоть, а Золотая Звезда тебе обеспечена... Несправедливо это...

— Так точно... — соглашался почтальон.

— Тут, понимаешь, еврейчики норовили перехватить золотую звездочку. Забегали, запрыгали, а я им — стоп! А ну, кыш отсюда! Хер вам, а не звезду героя! Наш человек получит! И тебя, понимаешь, русского человека, назначил.

— Я... не совсем... русский... — пытался уточнить Йонас Валюнас.

— Ну, литовец... — нехотя уступал Штанько. — Какая разница? Лишь бы не еврей. Не люблю... ихнего брата...

— И я, — охотно соглашался почтальон.

— А вот родину — люблю!

— ...И я... — уже не так охотно соглашался почтальон

— Давай выпьем!

— Давай.

Кроме рядового Йонаса Валюнаса, литовца, из беднейшего крестьянства, беспартийного, но уже подавшего заявление в партию, для повторения подвига Александра Матросова нужен был еще и дот. Вражеский. С амбразурой, расположенной так, чтоб ее было удобно закрыть человеческой грудью. И чтоб оттуда стреляли в это время. Иначе как награждать Валюнаса посмертно?

На всей линии противника перед расположением полка даже в бинокль не просматривался ни один дот, подходящий для совершения такого подвига. Правда, стоял на нейтральной полосе подбитый танк. На одной гусенице, без движения. Немцы иногда заползали туда и постреливали из пулемета. На худой конец, можно было лечь на этот пулемет и заставить его замолчать.

В тот день, когда этот танк подбили, командир полка, который, бреясь, любил порассуждать со своим парикмахером, сказал Моне:

— Слушай сюда, Цацкес. На нашем участке подбит немецкий танк. Один. Запомни. А кто стрелял по танку? Мы — раз. И послали рапорт выше: мол, один подбитый танк на нашем счету. Артиллеристы — два. И они послали рапорт. Один подбитый танк, мол, на нашем счету. Дальше. Бронебойщики — три. Тоже себе записали этот танк. Авиация бомбила? Бомбила. Значит, четыре рапорта пошло в ставку. Там суммируют: подбито четыре немецких танка. А в сводке читаем: пять! Дали круглую цифру.

Повторить подвиг Александра Матросова Йонасу Валюнасу не довелось. Упился до белой горячки и едва не откусил ухо подполковнику Штанько. Командиру полка наложили повязку, и он из строя не выбыл. Рядового Валюнаса в связанном виде доставили в госпиталь, а оттуда быстренько спровадили подальше в тыл, в специальное лечебное заведение.

Старший политрук Кац собрался подыскивать замену Валюнасу среди полковых литовцев, но тут на одном из участков советско-германского фронта был совершен новый подвиг, затмивший прежний, и из Политуправления последовала команда сделать его примером для каждого советского солдата. Удостоенный посмертно звания Героя Советского Союза рядовой Юрий Смирнов, попав в плен к врагам, был распят ими на кресте, но не выдал военную тайну.

У начальства появились новые заботы — найти достойного кандидата из литовцев, готового повторить подвиг Юрия Смирнова и гордо умереть на кресте.

Рядовой Моня Цацкес в эти дни старался, на всякий случай, не попадаться на глаза начальству.

ПОГОНЫ

В последних боях полк понес большие потери, свежего пополнения не поступало, и командование выскребло резервы из всех щелей и отправило на передовую в поредевшие роты. Личный парикмахер командира полка и полковой знаменосец рядовой Моня Цацкес попал в минометную роту лейтенанта Брохеса. Туда же загремел и полковой писарь Фима Шляпентох.

Судьба не давала им разлучиться. А так как несчастья липли к Шляпентоху как мухи на мед, то Моня Цацкес уже не сомневался, что минометная рота лейтенанта Брохеса обречена.

Минометчики занимали позицию в самом неудобном месте — в болотистой низине, а противник сидел на господствующих высотах и расстреливал их по своему выбору, как на огневых учениях.

Стоял поздний февраль. Оттепель сменилась холодами. Зарыться глубоко в землю не позволяла вода, заполнявшая любую выемку ледяной болотной жижей. Окончательно добивал пронизывающий ветер.

Случись такое в мирное время, все евреи минометной роты во главе с лейтенантом Брохесом свалились бы с высокой температурой, захлебнулись от простудного кашля и соплей. Короче говоря, вышли бы из строя. А кое-кто отправился бы прямиком на кладбище.

На войне действуют свои законы. Они распространяются и на медицину тоже. Люди спали мокрые на пронизывающем ветру, и хоть бы один чихнул для приличия. Как деревянные. За исключением рядового Шляпентоха. На его вогнуто-выгнутом узком лице и на цыплячьей шее выскочили фурункулы фиолетового цвета, и в таком количестве, что их могло бы хватить на полроты.

Он тяжко страдал. Не меньше тех, кто был ранен немецкими осколками и оставался в строю, потому что эвакуировать раненых в тыл не представлялось возможным — противник держал все линии сообщения под постоянным огнем. Даже по ночам. Освещая мертвым дрожащим светом ракет болотистое пространство до самого штаба полка.

Минометчики остались без боеприпасов. Стволы ротных минометов сиротливо разевали в февральское небо голодные рты — на позиции не осталось ни одной мины. Израсходовали даже неприкосновенный запас. В винтовках — по обойме патронов. Курам на смех, если немцы вздумают атаковать. Да еще у лейтенанта Брохеса сохранилась граната-«лимонка», которую он приберег на случай безвыходного положения, чтоб взорвать себя и кто еще пожелает из евреев.

Несколько попыток доставить на позицию боеприпасы кончились плачевно. Солдаты, которые волокли из тыла ящики с минами, остались лежать в болоте, простроченные пулями, как стежками швейной машины.

Продовольствие кончилось еще раньше боеприпасов.

Небритые, грязные минометчики, продрогшие до костей в своих мокрых шинелях, заполняли желудки болотной гнилой водой. И тоже не болели. За исключением Шляпентоха.

Немцы могли бы взять позиции минометной роты голыми руками, но не решались на такую глупость: тогда они сами бы очутились под огнем.

Не видно было конца этой муке. Каждый божий день командир роты вычеркивал из списков новых убитых и умерших от ран и по привычке снимал их с довольствия, хотя довольствия давно не было. Ни вещевого, ни пищевого. Никакого.

Единственная ниточка связывала роту с миром: тоненький провод полевого телефона тянулся по топким кочкам и замерзшей воде до полкового узла связи. Эта нитка приносила мало утешения. В основном по ней передавался простуженный, охрипший мат. В оба конца.

Правда, в последние дни мат все больше уступал место иным словам. Близился праздник — День Красной Армии. И политотдел дивизии направлял в роту весь агитационный материал устно — по проводу.

Из штаба сытыми голосами зачитывались бесконечные приказы командования, которые надлежало записать на бумагу и зачитать затем всему личному составу. Телефонист

Мотл Канович по-русски писать не умел, а у лейтенанта Брохеса было достаточно других дел. Поэтому телефонная трубка лежала на бруствере окопа, скрипя и потрескивая. Из этих звуков можно было составить отдельные слова: Сталин... советской народ... во имя... до последней капли... торжества коммунизма...

Телефонист Мотл Канович сидел в сторонке и, чтобы отвлечься от мыслей о еде, штопал суровыми нитками дырку на рукаве шинели Мони Цацкеса. И Мотл, и Моня иногда косили скорбный еврейский глаз на шипящую трубку, потом друг на друга, и оба со вздохом пожимали плечами:

— А!..

Однажды к телефону потребовали Моню Цацкеса. Лично. Старший политрук Кац с того конца провода поздравил рядового Цацкеса с наступающим праздником и пожелал дальнейших успехов в боевой и политической подготовке.

Моне сразу стало не по себе. Как человек неглупый, он понимал: политрук Кац зря трепаться не станет, ему что-то нужно от Цацкеса. Предчувствие не обмануло Моню.

— Слушайте, Цацкес, — бодрым голосом сказал старший политрук Кац. — Мы решили оказать вам большую честь. И принять в славные ряды нашей коммунистической партии.

В трубке стало тихо. Только потрескивало слегка. Это политрук сопел в ожидании ответа.

— Больше ничего вы не решили?

— А что, этого мало? — удивился Кац. — Цацкес, вы должны радоваться и благодарить за доверие... Мы тут... в связи с обстановкой... ваша рота отрезана от штаба... решили принять вас заочно... И подготовили ваше заявление... Могу зачитать, если хотите.

— Читайте, — вздохнул Моня.

Его клонило в сон, и он не все слышал из того, что бубнил по проводу политрук:

— ... дело Ленина — Сталина... окончательную победу над врагом... если погибну в бою... прошу считать меня коммунистом...

— Постойте, Кац, — встрепенулся Моня. — Почему вы меня хороните? А если я останусь жив?

— Тем более! — воскликнул Кац. — Я сам пожму вам руку и вручу партийный билет.

— Так куда вы спешите? Если я выберусь из этой дыры, я сам к вам приду, и мы поговорим по душам. Зачем такая спешка?

— Двадцать третьего февраля — День Красной Армии, большой праздник всего советского народа... Разве вам непонятно, Цацкес?

— Послушайте, Кац, я не могу вас перекричать. Потому что я — голодный, а чтобы иметь силы кричать, надо хоть что-нибудь подержать во рту. Так вот... Еще через год снова будет двадцать третье февраля. И если, Бог даст, мы оба доживем до этого дня, вернемся к нашему разговору.

— С вами, Цацкес, будут разговаривать в другом месте...

— Вы имеете в виду на том свете?

— Нет, Цацкес, сперва еще с вами поговорят наши органы. Понятно?

— Понятно... Так как многих русских слов не знаю, то перейду на мамелошен*. Дорогой товарищ Кац, кус мир ин тохес**.

Рядовой Цацкес отважился на такую дерзость не потому, что был такой храбрый, а потому, что был уверен: живым ему отсюда не выйти, а мертвому ни политрук Кац, ни все его органы ничего сделать не могли. И просчитался. Ровно через сутки рядовой Цацкес стоял по стойке «смирно» перед старшим политруком Кацем и командиром полка подполковником Штанько.

А случилось вот что. Осколок немецкого снаряда перебил провод, связь со штабом прервалась, и телефон замолчал, как убитый. Лейтенант Брохес послал Мотла Кановича найти повреждение и наладить связь. Бывший портной из Йонавы не сказал в ответ ни слова. Он сразу постарел на двадцать лет, и Моня подумал, что так, наверное, бывает с осужденными, когда они выслушивают смертный приговор.

Мотл неуклюже вылез из окопа и, упираясь локтями в жидкую грязь, пополз, держась озябшими руками за провод. С немецкой стороны раздался одиночный выстрел, и этого оказалось достаточно. Мотл Канович воткнулся лицом в воду по самые уши и больше головы не поднял.

— Хороший был портной. — Моня пощупал пальцем аккуратную штопку на рукаве своей шинели. — Но зато он больше хоть голодать не будет.

Лейтенант Брохес, усохший до того, что на его небритом

<hr/>

* Родной язык (идиш)
** Поцелуй меня в зад (идиш)

лице остались одни близорукие глаза — очки разбились, — достал из нагрудного кармана почерневший лист со списком личного состава роты и к густым рядам прочерков добавил еще одну неровную карандашную линию

— Теперь совсем конец. — вздохнул он — Если даже подохнем, никто не узнает.

Моня поднял на него глаза.

— Хотите, я пойду?

— Твое дело... — равнодушно ответил лейтенант.

— Но с одним условием, — сказал Моня. — Если исправлю линию и останусь жить — назад не вернусь. Поползу в тыл, чтобы чего-нибудь пожрать.

Лейтенант Брохес не ответил. Он только судорожно глотнул набежавшую слюну, и кадык на его заросшей щетиной шее прыгнул вверх и вниз, как рукоятка затвора винтовки, когда ее ставят на боевой взвод.

Моня порылся в оставшемся от покойного телефониста хозяйстве, сунул в карман плоскогубцы, кусок провода, изоляционную ленту и вылез из окопа.

То ли немецкие наблюдатели проспали, то ли снайпер пулю пожалел, но Моня добрался до обрыва на линии, подтянул оба конца и соединил их, обмотав лентой.

Он приполз в распоряжение штаба грязный как черт, и его повели на кухню, где по личному приказу командира полка выдали недельный паек. Моня съел все, без остатка. И там же, на кухне, у теплого бока полевого котла, уснул как был, в мокрой шинели, с недельной щетиной на лице. Десятки солдат, гремя котелками, проходили на кухню, перешагивали через спящего и, галдя, уходили, а он ничего не слышал. Лишь дважды во сне звучно испортил воздух. Один раз при солдатах, и это ему сошло с рук. Во второй раз — в присутствии старшего политрука Каца. Политрук велел разбудить его. И доставить в штаб. К командиру полка.

Не прочухавшись после короткого сна, мучаясь изжогой, рядовой Цацкес вяло козырнул подполковнику Штанько, вышедшему ему навстречу. Всегда гладкая, бритая голова командира полка поросла седым ворсом — сказывалось отсутствие парикмахера.

— Виноват, товарищ командир, — покорно сказал Моня

— Чем это ты провинился? — вскинул брови подполковник Штанько

— У него спросите... — кивнул на политрука Моня.

— Мне нечего спрашивать. Ты — герой, Цацкес. В трудных условиях, под огнем противника, наладил связь. В честь Дня Красной Армии. Молодец!

Потом подошла начальник узла связи старший сержант Циля Пизмантер и от имени связистов полка с чувством пожала Моне руку, уперошись в него грудью. Но Моня этого не почувствовал. Он спал стоя. С открытыми глазами.

Моня видел все как во сне. У всех штабных почему-то были на плечах погоны. У подполковника — золотые, а у остальных — суконные, защитного цвета. Это было смешно. Потому что погон в Красной Армии никогда не носили. Погоны были только у противника.

Но чего человеку не приснится? Особенно, когда он спит стоя.

— Возвращайся в роту, — услышал он голос командира полка. — Отнесешь товарищам подарки к празднику.

На Моню навьючили тяжелый мешок и вытолкнули в озаренную ракетами холодную ночь.

Противник засек его на полдороге. Застрочил пулемет, подняв фонтанчики грязи у Мониного лица.. Ударил немецкий миномет, и Моню обдало холодной водой. Осколки мягко чавкали в болотной жиже.

— Моня! Цацкес! — орали осипшими голосами минометчики, словно они могли криком уберечь Моню и его драгоценную ношу от прямого попадания.

Моня не помнил, как свалился в свой окоп. Солдаты нетерпеливо сорвали с его плеч мешок, не стали развязывать, а вспороли ножами. Посыпались в грязь связки политических брошюр и разноцветных листовок. На дне мешка лежали связанные попарно мягкие зеленые погоны, которые предписывалось надеть на плечи всему личному составу в канун праздника — Дня Красной Армии.

Погонов прислали вдвое больше, чем в роте осталось плеч. В штабе не учли убыль личного состава.

Погоны парами сыпались из мешка в грязь. Никто их не поднимал. Из траншеи минометной роты, как салют наступающему празднику, устремился к небу многоголосый голодный вой. Чуткое ухо могло в нем различить нотки еврейского акцента. И литовского. И татарского. И других братских народов СССР.

Позвонили из штаба, и старший политрук Кац стал зачитывать праздничный приказ Верховного Главнокомандующего. Телефонная трубка валялась на бруствере, изрыгая в хмурое небо булькающие звуки. Немецкий снаряд угодил совсем близко, трубку вырвало с куском провода, как с корнем, и зашвырнуло далеко в болото. После чего стало тихо.

ПРЕДСКАЗАТЕЛЬ СУДЕБ

Знаете ли вы, что это такое, когда воинскую часть отводят с передовой на отдых и пополнение? Это значит, что от части остались ее номер и знамя, поредевший штаб да считанные единицы личного состава. Воинское подразделение в таких случаях почти полностью формируется заново, получает новую материальную часть, а уцелевшие ветераны знают все друг друга в лицо и по имени.

Н-скую часть под командованием подполковника Штанько отвели с позиции на отдых. Роты, насчитывавшие меньше бойцов, чем укомплектованные взводы, расположились в деревнях русской равнины, по которой прокатилась война и, подобрав последних мужчин, ушла на запад.

В деревнях остались бабы. Молодые, старые. И дети. Не по годам серьезные, угрюмые. Как маленькие старички. Босоногие. В странной одежде, перешитой из немецкого и русского обмундирования, которое матери по ночам стаскивали с убитых солдат.

Да и деревни только назывались деревнями на топографических картах. На самом деле это были сплошные пепелища: кирпичные фундаменты, несколько обгорелых бревен на земле и сиротливая русская печь с закопченными от пожара боками. И так целые улицы — одни печи под открытым небом.

Деревенские жители зарылись в землю. Ютились в погребах. В наспех вырытых землянках без окон и света. Пищу грели на кострах. В солдатских котелках, а иногда и в касках.

Солдаты Литовской дивизии разместились по всей округе, вызывая своим чудным коверканьем русских слов насмешливое любопытство местных вдов и девок. В деревнях запахло мужским духом, и бабий сон стал беспокоен, как в забытые девичьи годы.

Отведенных на отдых солдат кормили по самой последней норме. Так что долго в тылу не засидишься. Подведет брюхо — сам запросишься на фронт.

Между тем, как ни бедны были деревенские бабы, а все же у каждой, глядишь, найдется зарытая в землю картошечка, припрятанный мешок муки, под нарами, где спят вповалку дети, хрюкает молочный поросенок.

Вечно голодному, отощавшему до костей солдату трудно устоять перед таким соблазном и не поживиться у сердобольных баб.

Моня Цацкес не одобрял поведения своих шустрых однополчан, норовивших набить брюхо вареной картошечкой и тут же лезть к бабе под одеяло. Ведь у многих из этих баб мужья где-то тянули солдатскую лямку. А спать с женой фронтовика Моня считал самым последним делом.

Моня тоже был не ангел. Жрать ему хотелось не меньше, чем другим. И бабы на него поглядывали из-за уцелевших плетней с не меньшим интересом, а даже с большим. Состоя долгое время в личных парикмахерах командира полка, а также в полковых знаменосцах, Моня сохранил привилегию, отличавшую его от всего рядового состава, — у него была шевелюра. Густые черные волосы, чубом нависавшие на лоб. Это бабам очень нравилось. Да и скроен был Моня крепко, на деревенский вкус. Хоть и тоже отощал с голодухи, но костей в нем было много, и силы — не занимать.

Он нашел свой способ подкормиться у баб. Но способ не воровской, а честный. Во всяком случае, так ему казалось. И надоумили Моню сами бабы.

Шел он как-то по деревне. Возле погреба две бабы что-то варили на костре.

— Глянь-ка, цыган! — толкнула одна другую в бок. — Ну, чистый цыган!

Видно, баб сбили с толку жгучие черные волосы, спадавшие на его лоб. Евреев в этих краях отродясь не видывали.

— Эй, цыган! Гадать умеешь?

Моня остановился. Хотел было посмеяться вместе с бабами, но что-то удержало его.

— Как не уметь? — подхватил он. — Тот не цыган, кто гадать не умеет.

— И всю правду скажешь?

— Таким красавицам соврать — язык не повернется.

— Батюшки! — всплеснули руками бабы. — Так погадай

нам! За всю войну первый цыган попался. Погадай, добрый человек. Мы тебя не обидим. Покушаешь с нами.

— Я бы с удовольствием... — сказал Моня. — Да вот, служба... времени в обрез. И карт с собой нету... В другой раз.

— Ну гляди, не обмани. Мы ждать будем.

И Моня их не обманул. Обменял на станции запасную бритву на трофейные игральные карты, никому из солдат ни слова не сказал, опасаясь насмешек, и заявился снова в деревню.

Бабы узнали его.

В погребе, при керосиновой лампе, Моня раскидал карты на патронном ящике, служившем вместо стола. Бабы затаили дух.

— Предстоит дорога, — после долгого раздумья изрек он, радуясь, что здесь были одни бабы и нет мужиков. А то ведь и побить могли бы.

— Мне дорога? — удивилась молодая, в платочке, крестьянка. — Куда ж мне ехать? Я — дома.

— Не тебе ехать, — пояснил Моня, — а к тебе едут... Кто-то к тебе бьется...

— Кто? — пересохшими губами прошептала она.

— Тебе лучше знать... — осторожно намекнул Моня. — Одно вижу, он в военной форме... И... хромает.

Баба издала странный звук и грохнулась навзничь. Без памяти.

— Чего нагадал-то, чудило? — накинулись на Моню остальные бабы. — Муж ейный уже с год, как убитый. Похоронку получила.

У Мони на лбу выступил пот.

— Дайте ей воды... — смущенно сказал он. — И не мешайте мне гадать... раз позвали.

Бабу привели в чувство, и она залилась слезами.

Моня сделал строгое лицо.

— Не верь извещению, — авторитетно сказал он. — Врут они часто. А карта не врет... Бьется к тебе военный человек... — И ляпнул наугад: — Блондин.

— Бабоньки! Захар — живой! — закричала хозяйка, и на нарах в голос заплакали дети. — А почему хромает? Раненый небось?

— Точного ответа карта не дает, — наморщил лоб Моня. — Но... кое о чем можно догадаться... Лекарства... Бинты.. Точно! В госпитале он. Ранение в ногу... Не тяжелое.

Последние слова потонули в ликующем бабьем реве. Голосили все хором.

Моня сохранял невозмутимый вид. Его дело, мол, всю правду сказать, а их дело — переживать от этого.

Его не отпускали до поздней ночи. Затащили еще в две или три землянки. И там он гадал, вселяя в души женщин слабую, но все же надежду на благополучное возвращение мужчин. Одарили его по-царски: котелок вареной картошки в мундире, два ломтя соленого сала с прожилками мяса и краюху хлеба из овсяной муки пополам с отрубями.

Моня вернулся в полк Ротшильдом. Угостил салом и хлебом Фиму Шляпентоха, а полкотелка картошки отнес командиру роты лейтенанту Брохесу. Чтоб, когда понадобится, без лишних хлопот увольнение получить.

В увольнение Моня стал проситься чуть не каждый вечер. Спрос на его гадание был велик — слух о цыгане загулял по деревне. Деревенские бабы посылали за Моней седобородых стариков, чтоб начальство не думало, будто у Мони завелась краля. И Моня шел за стариками по размытым дорогам, мимо сожженных деревень, перебирался по взорванным мостам через весенние речушки. И гадал. Гадал. Никому не отказывал.

В его пророчествах, кроме скорого возвращения мужей, раненых, но не очень тяжело, бабам нравилось еще одно предсказание, которое он повторял во всех деревнях. Сытый, накормленный, в постиранной гимнастерке, он, сморщив лоб, глядел в свои замусоленные карты и уверенно предрекал очередной бабе:

— Богатство тебя ждет!

— С чего же мне богатеть? — недоверчиво хмыкала та. — На колхозный трудодень не больно разживешься. При немцах, как ни худо было, но землю разделили, хоть малость попользовались. А пришли наши — снова в колхоз загнали. Какое уж тут богатство! Не до жиру — быть бы живу.

— Глупая ты баба, — с укоризной смотрел на нее Моня Цацкес. — Болтаешь, чего не знаешь. Ты в карты посмотри.

Бабы дружно склонялись над картами, ища в них сокровенный смысл, и долго сопели, сойдясь лбами.

— Продолжаем, — возвращал Моня баб на свои места. — Вот эта карта нам что говорит? Быть большим переменам. А эта? Вернут тебе все твое, и быть тебе, баба, при больших деньгах.

— Колхозы распустят? — с затаенной надеждой шептали бабы.

— Я ничего не сказал, — обрывал их Моня и, выдержав солидную паузу, добавлял: — Карты говорят.

Бабы начинали сиять как самовары. Игриво прикладывали палец к губам: дескать, все и так понятно. А лишнего болтать не след. Пока не выйдет указ правительства.

Моня кормил всю роту. О том, каким путем он добывает продовольствие, скоро стало известно, но дальше роты разговоры не пошли: солдаты боялись лишиться такой щедрой прибавки к казенному пайку. Моню освободили от занятий по строевой подготовке, другие чистили его оружие, а когда он спал, похрапывая от сытости, солдаты ходили на цыпочках и разговаривали вполголоса. Лейтенант Брохес иногда посылал с ним Фиму Шляпентоха со строгим наказом не переться в землянки, а дожидаться цыгана Моню на дороге, чтобы помочь донести деревенские дары до расположения роты.

Моня не испытывал угрызений совести при виде светящихся от ложной надежды измученных женских лиц. Он приносил людям временную радость. А дальше — не его дело. Жизнь покажет. Вдруг что-нибудь из его предсказаний сбудется?

Моню Цацкеса как своего, близкого человека привечали в деревнях. Старики, завидев его, здоровались первыми. У этого цыгана была репутация человека серьезного, не бабника, что было редкостью.

Только раз за все время, что полк стоял на отдыхе, согрешил рядовой Цацкес. Но можно ли это назвать грехом?

В сумерках, покидая деревню, он на развилке повстречал женщину. Она стояла у обочины, словно поджидая его. Одета была в стеганый ватник и немецкие сапоги. Должно, с убитого сняла. На голове платок. Выглядела лет за тридцать, если б не глаза на курносом скуластом лице. Совсем молодые глаза. По всему видать, из тех девчат, что выскочили замуж перед самой войной и сразу стали вдовами.

Когда Моня поравнялся с ней, она несмело окликнула:

— Солдатик, а солдатик...

Моня остановился и глянул на нее. На ее лице была жалкая улыбка, а подбородок, под которым был стянут узлом платок, дрожал, как от сдерживаемого плача. Ей, видать, было очень худо, этой молодой бабе. Моня сошел на обочину, сочувственно посмотрел ей в лицо.

Две слезы выкатились из ее глаз, побежали неровными бороздками вдоль короткого носа.

— Сделай милость, солдатик, — прошелестели ее обветренные губы. — Поеби меня...

У Мони остановилось сердце. Боже ты мой! Какая страшная тоска, какое жуткое одиночество толкнули эту деревенскую женщину выговорить такое незнакомому мужчине?!

— Пошли, — только и сказал Моня.

Они отошли к кустам, молча постелили на холодную землю его шинель, в изголовье скатали ее ватник. Она отдалась ему, закрыв ладонью глаза, и слезы одна за другой текли из-под ее пальцев.

— Спасибо тебе, человек, — сказала она, поднимаясь с земли, и подала ему шинель, сперва отряхнув ее. — Может, сына рожу. Чего не бывает? И вырастет в нашей деревне мужик. А то ведь одни бабы остались.

Она не спросила его имени. Он ее тоже не спросил. Расстались без слов и растворились оба в быстро густеющей тьме...

Скоро кончилась солдатская малина. И полк, дождавшись пополнения, зашагал на фронт. Была весна, дороги раскисли, солдаты с чавканьем вытаскивали ноги из вязкой грязи. Хуже всех приходилось минометчикам. Тащи на горбу пудовый ствол или еще хуже — опорную плиту. Боеприпасы везли на подводах.

Колонны растянулись на марше. А по сторонам чернели пустые поля. Над ними с голодным криком носились грачи. Порой попадались пахари. Необычные пахари. Русской военной поры. Пять или шесть баб в лямках, как бурлаки, тащили плуг, за которым, вцепившись в рукоятки, семенил негнущимися ногами древний, седой дед.

Завидев колонну, бабья упряжка останавливалась, женщины, приложив ладони к глазам, шарили по солдатским рядам.

— Цыган! — узнали они Моню. И закричали в несколько голосов: — Цыган! Бабы, гляди, кто нас покидает! Эге-ге-гей! До свиданьичка! Слышь? Не лезь на рожон! Вертайся до нас!

ТАЙНЫЙ АГЕНТ

Рано или поздно это должно было случиться. Он все-таки добрался до него. Он — это капитан Телятьев, начальник дивизионной контрразведки. До него — это до рядового Цацкеса.

Капитан Телятьев носил форму артиллериста. Личный состав того рода войск, где он числился, никогда не афишировал своей принадлежности к НКВД. Они щеголяли отличительными знаками летчиков, танкистов, моряков; лишь обмундирование пехотинцев они не надевали. Все пренебрегали пехотой. Даже стукачи из контрразведки.

Моня давно знал, в чем заключается деятельность артиллерийского капитана Телятьева — здоровенного детины с широким сплюснутым носом, так что обе ноздри зияли не вниз, а вперед, и в них можно было заглянуть, не нагибаясь. Такой нос придавал начальнику контрразведки положенную ему по должности свирепость, а большие пудовые кулаки довершали его портрет. Одного не наблюдалось в облике капитана Телятьева. Признаков аналитического ума. А как известно даже детям, деятельность контрразведки иногда сопряжена с некоторыми умственными усилиями.

В Литовскую дивизию капитан Телятьев попал потому, что сам он был русским, а объектом его деятельности были почти сплошь евреи. Таким образом, по мнению вышестоящего начальства, удавалось избежать притупления бдительности: у русского человека к инородцу доверия нет.

Все хлопоты капитана Телятьева развивались в двух направлениях. Первое: неустанно вербовать среди личного состава дивизии сексотов и собирать урожай тайных доносов. Второе: не спускать глаз со своей машинистки, сержанта Зои К. У сержанта Зои К. было мягкое сердце: не могла отказать, если кто-либо просит. А капитан Телятьев был в высшей степени ревнив.

Как известно, двигаться сразу в двух направлениях не каждому под силу. В том числе и капитану Телятьеву. Поэтому одна сторона его деятельности всегда хромала. То сокращалось поступление доносов, то обнаруживался засос от поцелуя на шее у Зои К. Сам капитан Телятьев поцелуев не признавал. С женщинами он придерживался одной формы отношений: спать, спать и еще раз спать.

Из солдат, что окружали Моню, почти все уже перебывали у капитана Телятьева, и некоторые по-дружески предупре-

ждали Моню, чтоб не болтал лишнего в их присутствии — они
дали капитану Телятьеву подписку обо всем доносить.

Рядовой Цацкес ждал со дня на день, что капитан Телятьев вспомнит и о нем. И дождался.

Однажды, когда на фронте установилось затишье и тем,
кто не числился в списках убитых и раненых, представилась
наконец возможность немного перевести дух, рука капитана
Телятьева дотянулась до него. В тот день Моня, не чуя беды,
отправился искать каптерку, чтоб поменять изорванное и
вшивое обмундирование. Завидев сержанта Зою К., он без
слов догадался, что она пришла по его душу. Зоя К. вихляла
худыми бедрами под юбкой из офицерского сукна, и на кост-
лявых ее ногах болтались летние брезентовые сапожки, сши-
тые по заказу из трофейного материала полковыми сапожни-
ками. В точно таких сапожках щеголяла и старший сержант
Циля Пизмантер. Это наводило на мысль, что капитан контрразведки на равной ноге с командиром полка.

Из-под Зоиной пилотки торчали белесые лохмы, и Моня
Цацкес машинально подумал, что тому, кто ее стриг, надо руки отрубить. Она кокетливо прищурила на Моню свои бес-
цветные глазки. Это она делала, приближаясь ко всем без различия мужчинам.

— Рядовой! — игриво окликнула она Моню. — Можно вас
на пару слов?

У Цацкеса упало сердце. Он затравленно огляделся по
сторонам: слава Богу, никого не было рядом.

— Не хотите ли пройтись? — показала неровные мелкие
зубки сержант Зоя К. И они зашагали рядом, словно прогули-
ваясь по пыльной проселочной дороге.

— Рядовой, вами интересуется капитан Телятьев.

— Какой интерес ко мне может быть у капитана? — пожал
плечами Моня Цацкес.

— Много знать будете, скоро состаритесь. Короче, рядовой. На этом самом месте вам надлежит быть в семнадцать
ноль-ноль. Товарищ капитан приедут на машине и вас захва-
тят с собой.

Моня был настолько контужен этой новостью, что никуда
с проселка так и не ушел и битых три часа околачивался
там, пока не подкатил в облаке пыли новенький «виллис» с
брезентовым верхом, притормозил, и капитан Телятьев из-за

руля только глазом показал Моне: быстро вскарабкаться и разместиться на заднем сиденье. Что Моня и выполнил.

Они помчались на крайней скорости. Въехали в лесок. «Виллис» затормозил у разрушенного каменного дома с торчащей к небу закопченной трубой.

Капитан Телятьев знаком велел ему следовать за собой. По обломкам кирпича, скользя и спотыкаясь, пробрались они в середину развалин и по ступеням каменной лестницы спустились вниз, под нависшие железные балки. Из-под ног вспорхнула тяжелая птица, оказавшаяся совой, и Моню прошиб холодный пот. Становилось все более таинственно и жутко, как в детективных романах, которые до войны парикмахер Цацкес почитывал в «мертвые часы» — когда не было клиентов.

Капитан отпер ключом какую-то дверь, и они очутились в жилой комнате, но без окон. Свет проникал сквозь узкое отверстие в потолке. По ночам, должно быть, зажигали закопченный фонарь «летучая мышь», который стоял в изголовье широкого дивана. К деревянной спинке дивана кнопками была прикреплена старая пожелтевшая фотография полной, простоватого вида женщины с тремя малышами на коленях.

— Семья, — стараясь придать непринужденный тон предстоящей беседе, сказал капитан, кивнув на фотографию. — Ждут не дождутся папашу с победой домой.

На фотографии у супруги капитана Телятьева не было глаз. Кто-то булавкой проколол на их месте дырки. На полу, под столом, Цацкес заметил женский лифчик настолько малого размера, что он мог принадлежать только плоскогрудому сержанту Зое К. Хозяин конспиративной квартиры гостеприимно предложил Моне сесть на диван и протянул раскрытую, но непочатую коробку «Казбека».

— Не курю, — скромно отказался Цацкес.

— Молодец, — похвалил капитан и спрятал папиросы в стол, — я тоже не курю. Итак, приступим. Ты родину любишь?

Моня слегка опешил от такого вопроса, но быстро совладал с собой:

— Так точно, товарищ капитан.

— Готов на подвиг во имя родины и товарища Сталина?

— Так точно, товарищ капитан.

— Готов помогать мне?

— Как прикажете, товарищ капитан.

— Это — не приказ. Мы — патриоты, русские люди... Э-э-э... Представители многонациональной советской семьи... должны неустанно бороться с коварным врагом всеми доступными средствами.

Капитан умолк, пытливо глядя Моне в глаза, и Моня на всякий случай кивнул.

— Как по-твоему, Цацкес, враг дремлет?

Моня наугад сказал:

— Никак нет, товарищ капитан.

— Правильно, товарищ Цацкес, враг не дремлет! Но и мы, — он стукнул себя кулаком в гулкую грудь, — ушами не хлопаем. Верно я говорю?

— Так точно, товарищ капитан.

— Враг проникает в наши ряды...

— Вам лучше знать, товарищ капитан.

— Так вот, Цацкес, проникает... и очень даже глубоко.

— Ай-яй-яй... — на всякий случай сочувственно вздохнул Моня.

— Будем вместе работать, дорогой товарищ, вместе выявлять врага. Доверять нельзя никому, даже лучшему другу... Под овечьей шкурой может скрываться волк. Понял?

— Ну, а вот, скажем, наш командир полка, — спросил Моня, — или политрук товарищ Кац... Им можно доверять?

Капитан Телятьев сделал стойку, как охотничий пес:

— Имеешь на них материал?

— Нет. Но... на всякий случай... интересно... Таким людям, к примеру, все же можно доверять?

— Доверяй, но проверяй. Так говорят у нас в органах. А органы, Цацкес, не ошибаются. Бдительность — наше оружие.

Моне хотелось сказать капитану Телятьеву, что и органы иногда ошибаются и даже сверхбдительность не всегда помогает. И привести живой пример. Капитан Телятьев, скажем, в отличие от многих мужчин в подразделении полагал, что его машинистка сержант Зоя К. спит только с ним... Но рядовой Цацкес счел за благо промолчать и преданно смотрел капитану Телятьеву прямо в ноздри, сжимавшиеся и разжимавшиеся от служебного рвения.

— Итак, — капитан Телятьев стукнул ладонью по столу, подводя итог сказанному. — Всякий подозрительный разговор, всякий косой взгляд... брать на карандаш — и мне. В письменном виде, желательно подробней.

— Не сумею, товарищ капитан...

— Дрейфишь? Помогать советским органам не хочешь?

— Письменно помогать... не сумею. По-русски не пишу.

— А-а, иностранец-засранец, — облегченно рассмеялся капитан. — Будешь доносить устно. По пятницам и воскресеньям сюда являться. Запомни дорогу, я здесь принимаю в эти дни. А если что-нибудь экстренное — дуй ко мне в блиндаж. Постучи в дверь пять раз — условный сигнал, понял? Скажешь пароль, подождешь ответа и тогда — входи.

— Какой пароль? — оживился Моня, все еще не утративший интерес к детективному жанру.

— Сейчас состряпаем, надо что-нибудь позаковыристей, чтоб, если народ рядом, ничего не разобрали... Вот такой подойдет... Ты по железной дороге ездил? Какую надпись видишь, когда подъезжаешь к станции?

Моня задумался, даже сморщил лоб.

— Кипяток, товарищ капитан..

— Нет. Еще подумай.

— Уборная?

— Цацкес, запомни: на каждой станции, там, где останавливается паровоз, написано: «Открой сифон, закрой поддувало». Понял? Наш пароль будет: «Открой сифон» — это говоришь ты. И получаешь отзыв: «Закрой поддувало». Повтори.

— Открой... поддувало...

— Наоборот!

— Закрой... сифон... Не получается, товарищ капитан... Трудные слова... Дайте что-нибудь полегче.

— А еще говорят: евреи — способный народ, — покачал головой капитан. — Ладно, облегчим тебе задачу. Фамилию Шапиро слыхал? Вот и скажешь у моей двери: «Шапиро!» Я спрошу: «Вам какой Шапиро? Абрам или Иосиф?» И открою. Все! Договорились, товарищ Цацкес! За работу! Жду в пятницу!

Он высадил Моню из «виллиса», не доезжая до расположения части, и Моня побрел к своей землянке в подавленном состоянии. До пятницы оставалось четыре дня.

Ходить и подслушивать чужие разговоры, а потом бежать, высунув язык, к капитану Телятьеву и подводить людей под военный трибунал — такой жизни Моня и своим врагам не пожелал бы. Но вовсе не явиться в пятницу или прийти с пустыми руками, без доноса, тоже сулило мало радости. Капитан Телятьев такого не простит.

Моня не стал дожидаться пятницы. Во все другие дни начальник контрразведки находился при штабе, и, как было условлено, в экстренных случаях следовало являться к нему туда. Моня разыскал блиндаж капитана Телятьева и, не нарушая правил конспирации, стал беззаботно прогуливаться возле входа.

— Шапиро-о-о! — не очень громко произнес он пароль.

Ответа не последовало, и Моня повторил громче:

— Шапиро-о-о!

— Вам какой Шапиро? — остановился пробегавший мимо офицер с козлиным профилем. — Абрам Шапиро?

— Нет... — замотал головой сбитый с толку Цацкес. — Мне нужен Иосиф...

— Иосиф Шапиро? — остановился офицер. — Вы не родственник ему?

— Нет... Мы... Э-э-э... земляки...

— Должен сообщить вам грустную весть, — со скорбью в голосе сказал офицер, оказавшийся на редкость словоохотливым. — Ваш земляк Иосиф Шапиро получил тяжелое ранение и отправлен в госпиталь для прохождения лечения. Если у вас найдется немного времени, то я могу узнать адрес госпиталя. Это для меня не составит особого труда, и тогда...

— Рядовой Цацкес! — нетерпеливо окликнул из дверей блиндажа капитан Телятьев. — Пройдите ко мне!

Моня юркнул в блиндаж.

— Конспиратор! — зашипел капитан Телятьев, когда дверь за Моней закрылась. — Вся работа — псу под хвост. Забыл пароль?

— Нет, товарищ капитан... — оправдывался Цацкес, а про себя отметил, что, как он и предполагал, сержанта Зои К. в блиндаже не оказалось. — Я дважды звал Шапиро... И вот этот офицер ответил вместо вас. Он знает и Абрама Шапиро, и Иосифа. Иосиф, между прочим, ранен...

— Откуда он узнал эти имена? Это же пароль!

— Спросите у него... Хотя я вам могу сам объяснить, товарищ капитан. В дивизии, где столько евреев, обязательно найдется десяток Шапиро, а в десятке найдется не меньше одного по имени Абрам или Иосиф... Не годится этот пароль в Литовской дивизии.

— Зря я с тобой связался, — отмахнулся капитан Телятьев. — Подведешь ты меня под монастырь.

— Между прочим, я по делу... — напомнил Цацкес огорченному капитану. Тот сразу ожил, и лицо его приняло выражение, какое бывает у гончей, почуявшей дичь.

— Докладывай, Цацкес. Подробно. Имена, воинские звания, место происшествия — я все запишу.

— Не надо записывать, товарищ капитан, — перешел на шепот Моня, и капитан Телятьев придвинулся к нему. — Надо действовать. Они сейчас все в сборе...

— Кто они? — нервно глотнул слюну капитан.

— Группа... И с ними офицер... Он им читает вслух листовку... Вражескую.

— Где?

— Могу показать. Это неблизко.

— Рядовой Цацкес, личное оружие при себе?

— Никак нет, товарищ капитан.

— Возьмешь мой автомат.

Когда капитан Телятьев, на ходу загоняя в пистолет обойму, поспешно покидал блиндаж, а за ним еле поспевал Моня Цацкес с трофейным автоматом на спине, их попытался остановить офицер с козлиным профилем:

— Я достал адрес госпиталя... Иосиф Шапиро лежит...

— Засунь этот адрес в жопу! — капитан Телятьев отстранил его с дороги.

«Виллис» взревел, и они понеслись по проселочной дороге.

Моня указывал путь, тот самый, по которому его недавно вез капитан, и возле разрушенного дома в лесочке велел остановиться.

— Здесь? — удивился капитан. — Рядом с моей секретной оперативной квартирой?

— Не рядом, — поправил Моня, — а прямо в ней.

На цыпочках, стараясь не выдать своего присутствия, капитан Телятьев и Моня Цацкес пробрались по развалинам к лестнице. Снизу действительно доносились голоса.

Капитан Телятьев подобрался, как тигр перед прыжком, поставил пистолет на боевой взвод и ударом ноги вышиб дверь:

— Руки вверх!

На широком диване конспиративной квартиры в самой неожиданной позе застыли голые, как Адам и Ева, старший политрук Кац и сержант Зоя К. — походно-полевая жена капитана Телятьева. Над ними, на спинке дивана, висела семейная фотография капитана, где у его законной жены были выколоты булавкой глаза.

Как расправился с голой парочкой разъяренный капитан Телятьев, знают только единственный свидетель — рядовой Цацкес и следственная комиссия из штаба фронта, выезжавшая на место разбирать дело.

За нанесение телесных повреждений начальник дивизионной контрразведки капитан Телятьев был снят с должности и отозван в распоряжение штаба фронта.

Старший политрук Кац и сержант Зоя К. были госпитализированы. Медицинский осмотр обнаружил переломы ключицы и переносицы у старшего политрука Каца. У сержанта Зои К., помимо телесных повреждений, была обнаружена пятимесячная беременность. За что она была демобилизована из рядов Красной Армии и отправлена по месту прежнего жительства в город Великий Устюг Архангельской области.

Рядовой Цацкес получил поощрение в приказе и трое суток отпуска за дачу свидетельских показаний комиссии. За неимением куда ехать, он проболтался эти дни в расположении своей части, но никаких обязанностей по службе не нес.

Спустя полгода начальник полкового узла связи старший сержант Циля Пизмантер получила от Зои К. письмо, в котором сообщалось о благополучном рождении ребенка. У малыша был широкий с вывернутыми ноздрями нос, как у капитана Телятьева, и рыжие вьющиеся волосы, как у старшего политрука Каца.

На должность начальника дивизионной контрразведки прислали нового офицера, по фамилии Коровьев.

ПОСЫЛКА

Если Моне Цацкесу суждено дожить до старости и он будет хоть иногда вспоминать вторую мировую войну, которая в России называлась Великой Отечественной, то во всех его воспоминаниях будет преобладать одно чувство. Не чувство гордости за проявленный героизм и не чувство страха за свою жизнь, которой цена в ту пору была грош. А постоянное чувство голода. И днем, и ночью. На марше и на привале. Сосет, сосет под ложечкой — с ума сойти можно. Голодные слюни набегают в рот, и приходится все время отплевываться.

Скудного армейского пайка — сухого и не сухого, с приварком и без приварка — хватало Моне на один зуб Остальным зубам кое-что перепадало лишь осенью. Когда падали листья и начинались дожди. Наступало время подножного корма. На полях, пустых и, брошенных, голодный солдат мог поживиться картошкой или репой, натрясти из колосьев горсть овса и жевать, как лошадь.

Сейчас же была весна, конец апреля. Самая бескормица.

По ночам, когда утихал занудный грохот артиллерии и фронт успокаивался, истратив положенный комплект боеприпасов, вступали в свои права совсем другие звуки. В покалеченных снарядами березовых рощицах, опушившихся нежной салатной зеленью, запевали, как по команде, соловьи, и их нежные трели перекликались с голодным урчанием солдатских животов.

Вот в такой весенний вечер на Моню обрушилась огромная удача, которая чуть не стоила ему головы. Впервые за всю свою солдатскую жизнь Моня Цацкес получил на фронте посылку. Полковой почтальон Йонас Валюнас, благополучно вернувшийся из специального лечебного заведения, где он кантовался полгода, влез в Монину землянку и вручил ему почтовое уведомление на посылку. Продуктовую Как было написано черным по белому на четвертушке серой почтовой бумаги.

Моня чуть не захлебнулся от голодной слюны, закапавшей на извещение, и чернильные буквы в отдельных местах расплылись, как ежи, угрожая лишить документ подлинности, а адресата — посылки.

Моня поспешно спрятал извещение в карман гимнастерки, оставив неутоленным голодное любопытство соседа по нарам — Фимы Шляпентоха.

— От кого? — взмолился Шляпентох.

— Обратного адреса нет, — отрезал Моня, прикрыв карман гимнастерки ладонью.

Упираясь головой в потолок землянки, почтальон Йонас Валюнас сказал:

— Зато почерк знакомый.

Валюнас перед этим доставил извещение на посылку самому подполковнику Штанько. И почерк на извещении был тот же самый. Правда, там был и обратный адрес: город Балахна Горьковской области, М. Штанько. А кто такая М. Штанько? Любой солдат вам скажет, не задумываясь: жена командира полка. Рядовой Цацкес и подполковник товарищ Штанько получили посылки из одних и тех же ручек. Ха-ха-ха! Го-го-го! Тут пахло жареным.

И, самое меньшее, штрафным батальоном для обладателя длинного языка.

Йонас, Моня и Фима прикусили языки, потому что и стены имеют уши, и переговаривались только глазами, закатывая их, кося, округляя, потупляясь. Они разобрали по косточкам всю семейную жизнь командира полка и пропели хвалебную оду своему фронтовому товарищу, который оказался малый не промах и в поте лица заслужил такую награду — продовольственную посылку. И все это обсуждалось без единого слова.

Первым обрел дар речи почтальон Валюнас.

— Если пойдешь на полевую почту сейчас, — заботливо посоветовал он Моне, — то успеешь получить посылку сегодня. А мы с товарищем Шляпентохом тебя здесь подождем.

— Да! — выкрикнул Фима Шляпентох и тотчас захлопнул рот, чтобы сдержать поток слюны.

— Иди, иди, — почтальон нежно обнял за плечи Моню Цацкеса и вывел его из землянки в траншею, где Моня утонул с головой, а Валюнас по плечи высился над бруствером.

— Пойдешь прямо... — напутствовал Валюнас Моню. — Потом возьмешь налево... Потом снова прямо... До позиций артиллеристов. А оттуда полевая почта — рукой подать. В березовой роще. Увидишь указатель «Хозяйство Цукермана» — это и есть! Понял? Обратно тащи посылку тем же путем, только все наоборот. Смотри, не сбейся с дороги!..

Противник был рядом, через поле. И такой противник, что хуже не придумаешь. Согласно показаниям пленных (рядовой Цацкес был использован в качестве переводчика при допросе), враг стянул на этот участок большие силы, готовя прорыв. И как раз перед позициями Н-ской части, которой командовал подполковник тов. Штанько, занял исходный рубеж танковый полк дивизии СС «Мертвая голова». Противников разделяло голое поле шириной в триста метров. И больше ничего.

Валюнас по-отечески оглядел Моню с ног до головы, поправил на животе ремень, оттянул сзади гимнастерку, словно отправлял его к невесте на смотрины, и ласково подтолкнул:

— Иди, Моня, иди, дорогой... И помни — мы тебя ждем.

Моня пошел по ходу сообщения, не сгибаясь даже на миллиметр, потому что траншеи были вырыты в полный профиль, и для его роста хватало глубины. Над головой синело апрельское небо. День клонился к вечеру, и проступила первая яркая звезда. Она посветила, потом замигала и, оставляя ниточку дыма, покатилась вниз. То была не звезда, а ракета. Вечер еще не наступил.

Моня шел, посвистывая, в самом добром расположении духа, какое только может быть у солдата в предвкушении сытного ужина. Правда, вместо свиста порой раздавалось булканье от набегавшей слюны, но Моня продолжал высвистывать мелодию строевой песни «Марш, марш, марш, их гей ин бод» и умолкал лишь тогда, когда навстречу попадался офицер. Тут он вытягивался во фронт, брал под козырек и давал офицеру протиснуться мимо его молодецки выгнутой груди, позвякивающей тремя медалями. Разминувшись, Моня снова заливался булькающим свистом и двигался дальше по маршруту, указанному почтальоном. Он перебирал в уме знакомых, соображая, не подкинуть ли им кусочек из того, что ему предстояло получить.

Но знакомых было слишком много, и Моня стал мысленно отбирать только друзей, но и таких насчитал больше, чем пальцев на руках и ногах. На всех посылки не хватит, а дать одному, а другого обойти — неприлично.

Моня со вздохом сократил число едоков до троих: он, почтальон Валюнас и Фима Шляпентох. Почему он — даже спрашивать глупо. Посылка адресована ему. Почтальон — за то, что принес извещение. А Шляпентох — потому что делит с Моней одну землянку. Но важнее всего было другое обстоятельство. Только они трое знали, от кого посылка. И эта тайна связывала их больше, чем военная присяга.

«Если Йонас не совсем дурак, — прикидывал в уме Моня, — он достанет в медсанбате спирту, и тогда мы забаррикадируемся в землянке и будем есть и пить. Пить и есть! Только внезапная немецкая атака сможет оторвать нас от еды... Или прямое попадание бомбы. Но тогда... Ой-ой-ой... сколько хороших продуктов пропадет... если мы не успеем все проглотить... До прямого попадания».

Даже мысль о прямом попадании бомбы в разгар трапезы не испортила Моне настроения. Наоборот. От этой мысли удовольствие становилось еще острее... Как если бы пищу приправили острым перцем, чесноком и уксусом.

Моня — не жлоб. Моня — не деревенский лапоть. Он — из приличной семьи и, не дрогнув, разделит посылку на троих. Он же не Иван Будрайтис.

Иван Будрайтис... Какой он литовец — один Бог знает. Имя — русское, фамилия — литовская, а рожа — вылитый китаец. Скулы — шире ушей. Глаза — две щелочки. Возможно, его прадед был сослан царем из Литвы в Сибирь. Взял себе в жены этот прадед монголку. И его сын, и внук женились исключительно на монгольских женщинах. Поэтому не удивительно, что таким уродился Иван Будрайтис, которого за фамилию запихнули в Литовскую дивизию. Он ни слова не понимал по-литовски и, когда кто-нибудь в полку заговаривал на этом языке, заливался дурным смехом, будто это не язык, а черт знает что.

— Чудно каляют, — совсем прятал в косые щели свои глаза Иван Будрайтис. — Как татары!

Однажды Иван Будрайтис получил от своих монгольских родителей из родной сибирской деревни посылку, в которой было восемь кило сала и больше ничего. Никому в казарме он не отрезал и ломтика. Правда, в казарме обитали одни евреи, и при свете Божьего дня вряд ли кто-нибудь бы отважился сунуть в рот кусок свинины. Но Будрайтис ел ночью, в темноте, на своих нарах. Жевал громко, давясь и причмокивая. И даже икая от сытости. Ел свиное сало без хлеба. И без соли. Рвал зубами, как хищный зверь из сибирской тайги, и этим пробудил зверя в голодных соседях по казарме. С подведенными животами, они взвыли, как стая волков на лугу, и в темноте ринулись к нарам Будрайтиса.

Чем это кончилось? От сала не осталось и запаха. Даже бывший кантор Шауляйской синагоги, ефрейтор Фишман, нажрался трефного так, что сало текло по губам и по шее.

У Ивана Будрайтиса было обнаружено два перелома ребер, и его отвели в медсанбат. Туда же в полном составе вскоре прибыли и остальные обитатели казармы. Еврейские желудки не переварили проклятой Богом пищи. Они лежали в одной палате с Иваном Будрайтисом, и он даже не ругался с ними, потому что всем было не до того — все стонали от боли...

Моня Цацкес бодро миновал позиции артиллеристов и, приняв влево, дунул по прямой к березовой рощице. Вот и указатель «Хозяйство Цукермана», хотя никакого хозяйства и в помине нет: между редких березок с побитыми ветками — пустые снарядные гильзы, втоптанные в мягкую землю, обрывки газет.

Грудастые, с раскормленными боками девки из полевой почты, избалованные офицерами, всякого, кто ниже лейтенанта, за человека не считали. Рядового Цацкеса, заявившегося к концу дня, они лениво покрыли матом в три глотки, но так как он не отлаивался, а стоял навытяжку и пялил на них свои круглые глазки, они смягчились, как и подобает истинно русским душам, и бросили ему на вытянутые руки ящик, тянувший на ощупь не меньше чем пять килограммов.

Ящик был аккуратный, из новой фанеры. И на верхнем боку химическим карандашом были проставлены номер полевой почты и его, Мони, фамилия. Моня нес посылку на вытянутых руках, как мать ребеночка, и возле «Хозяйства Цукермана», где не было свидетелей, присел на поваленную березу и бережно отодрал с гвоздями верхнюю фанерку.

Взору его предстало несметное богатство, упакованное заботливыми ручками Маруси в газетную бумагу: три круга сухой колбасы («Каждому по кружочку», — честно решил Моня), две банки рыбных консервов «Судак в томате» («Шляпентоху дам одну, литовец обойдется»), два розовых бруска сала с копченой корочкой («Йонасу один — он католик. Шляпентоху сала не полагается»), кулек репчатого лука и не меньше чем кило конфет «подушечки» в бумажном мешке.

Только солдатская закалка и высокие моральные качества бойца Красной Армии удержали Моню от того, чтобы, урча по-звериному, не вцепиться зубами в пахучие кульки и глотать их, не жуя, вместе с бумагой.

На дне под кульками лежал листок бумаги, исписанный женской рукой. Письмо Моне. От Марьи Антоновны. Без фамилии. Умница баба. Конспиратор.

«Здравствуйте, Моня, не знаю вашего отчества, — читал он по складам, вытянув губы трубочкой, словно дул на го-

рячий чай. — *Добрый вечер или день. Как протекает ваша фронтовая жизнь? У меня все по-старому. Посылаю, что смогла, кушайте на здоровье и бейте врага без промаха. Я по вас крепко скучаю. И, чтоб не так скучать, много работаю на благо Родины. Если есть возможность, пришлите ваше фото, чтоб мертвая копия напоминала мне живой оригинал. На этом кончаю, жду ответа, как соловей лета. Поздравляю с наступающим праздником Первое Мая — Днем международной солидарности трудящихся».*

У Мони голова пошла кругом. Он увидел перед собой белую грудь мадам Штанько и свою пятерню, сгребающую эту грудь, разинутый рот Марьи Антоновны с темными точками пломб на зубах, откуда рвется страстный вопль: «Ка-ра-у-у-ул!»

— Ах, зараза! — тепло сказал Моня.

Верхнюю крышку с адресом он предусмотрительно бросил в «Хозяйстве Цукермана», чтоб и следа от Марусиного почерка не осталось. Вечер наступал стремительно. В роще за спиной защелкал соловей, в небе изредка вспыхивали и гасли осветительные ракеты.

Он благополучно добрался до артиллерийских батарей, обогнул их справа и стал в темноте искать траншею, чтобы дальше пробираться по ходу сообщения.

Траншею Моня долго не находил. Попадались углубления в земле, но это были воронки от снарядов. Прижимая открытую посылку к груди, Моня взял левее, потом правее. Как назло ни одна ракета не зажигала «люстру» над головой, а то бы он легко отыскал ход сообщения. Не слышно было и солдатских голосов — будто они тут все вымерли, пока он бегал за посылкой.

Моня свалился в траншею. Удачно. На ноги, а не головой вниз. А то бы рассыпал все из ящика, и поди собери в темноте. У него отлегло от сердца. Еще минуту назад казалось, что он заблудился и идет совсем не туда. Сейчас он с закрытыми глазами доберется до своих, войдет в землянку, и там взвоют от радости голодные, как волки, Валюнас и Шляпентох. Йонасу он кинет небрежно брусок копченого сала, Фиме — банку рыбных консервов «Судак в томате», а все остальное высыпет горкой на одеяло и крикнет как радушный хозяин:

— А ну, братва, навались!

На него навалились спереди и сзади, дурно пахнущей рукой зажали рот, оторвали от земли и понесли боком по ходу сообщения, тяжело дыша с обеих сторон и не говоря ни слова.

Он сидел на чьих-то скрещенных руках, как на скамеечке, и у переднего солдата каска на голове формой напоминала немецкий стальной шлем. Этого Моня никак не мог понять. Но вспыхнувшая над головой ракета прояснила обстановку. Моня Цацкес был в немецком окопе, волокли его по ходу сообщения немецкие солдаты, и на их касках поблескивал алюминиевый череп с костями, неумолимо подтверждая худшую из догадок: заблудившись, он пересек нейтральную полосу и угодил в расположение танкового полка дивизии СС «Мертвая голова». Его захватили в плен. С еврейским носом. С дурацкой посылкой от жены командира полка. И он эту посылку почему-то не выпускает из рук, а два дюжих эсэсовца волокут его с этой посылкой в темноте. И волокут куда следует. Откуда назад не возвращаются. Особенно, если учесть его нос, который доставит эсэсовцам массу удовольствия.

Его пронесли мимо часовых, застывших с примкнутыми штыками у входа в глубокий блиндаж, долго спускались вниз по ступеням, потом его ослепил яркий свет, и Моня обнаружил, что он уже стоит на своих собственных ногах посреди блиндажа, и солдат докладывает офицеру, сидевшему за длинным столом. Другой солдат аккуратно поставил на стол Монину посылку.

Моня чуть не всхлипнул, как мальчик. И стал мысленно прощаться со всеми, чьи лица всплывали в памяти. С почтальоном Валюнасом и писарем Шляпентохом, которые так и не дождутся посылки и лягут спать натощак, проклиная его, Моню Цацкеса, за жадность, а он в это время будет валяться с проломленным носом и отрезанными во время допроса ушами. Он ведь не выдаст военной тайны. Под любой пыткой. Потому что никакой тайны он не знает.

Он попрощался с Марьей Антоновной Штанько, женой командира полка, пожалев, что не успел отведать ее гостинцев, и все это богатство попало в руки к врагу. Он вспомнил ее письмо и горько осознал, что не дожить ему до Первого мая — Дня международной солидарности трудящихся...

В его затуманенный мозг проникали звуки немецкой речи, и понемногу он стал понимать, о чем говорят офицеры. Немцы недоумевали по поводу содержимого ящика, который солдат противника тащил по их траншее. Кривые усмешечки вызывала его несомненно еврейская физиономия. Солдат был без личного оружия. Немцы силились понять, что за этим крылось.

И тут словно молния внезапно сверкнула под черепом Мони Цацкеса. Помимо воли он выгнул грудь колесом и лихо, как учил старшина, взял под козырек.

Немцы уставились на него.

— Господин полковник, господа офицеры, — на немецком языке, с клайпедским произношением и еврейским акцентом, затараторил рядовой Моня Цацкес, понимая, что это его последний шанс — один на тысячу. — Разрешите доложить. Мой командир полка подполковник товарищ Штанько поздравляет вас с наступающим праздником Первого мая — Днем международной солидарности трудящихся! И посылает вам подарок: русское сало... и прочее.

Моня даже прищелкнул каблуками и замер, пожирая круглыми глазами немецкое начальство.

Немцы, вертевшие в руках колбасу и сало, завернутые в газетную бумагу со смятым портретом генералиссимуса И. В. Сталина, переглянулись между собой, зашептались. Полковник кивком головы послал в заднее помещение солдата, и он вернулся оттуда с картонной коробкой, доверху набитой консервными банками. Полковник снова кивнул солдату, и тот с каменным лицом поднес коробку к Моне, поставил на его вытянутые руки, щелкнул каблуками и тренированным шагом вернулся на прежнее место.

— Передайте мою благодарность за поздравление и подарок вашему командиру полка, — лающим голосом отчеканил немецкий полковник из дивизии СС «Мертвая голова». — Это мой презент ему. Хайль Гитлер!

Немцы вскинули правую руку в нацистском приветствии, и это было адресовано советскому солдату с еврейским носом из Шестнадцатой Литовской дивизии. Моня хотел было гаркнуть в ответ, как его учили в Балахне на формировании: «Служу Советскому Союзу!»

Но промолчал.

Потому что сразу не смог перевести эти слова на немецкий, а кроме того, нутром почуял, что это было не совсем уместно.

Те же два солдата, встав по бокам, повернули его кругом, подтолкнули в спину и повели с коробкой в руках из блиндажа в темноту. Втроем они преодолели земляные ступени, поднялись в окоп, прошли метров сто, и солдаты, подхватив Моню сзади, раскачали его и перебросили через песчаный бруствер.

Моня скатился в траву на нейтральную полосу. Картонная коробка упала рядом. Он подтянул ее к себе, вполз в воронку от снаряда и, когда зажглась ракета и стала описывать над головой дымную дугу, успел прочитать несколько цветных ярлыков на консервных банках. Тут были португальские сардины, норвежская сельдь в винном соусе, французский паштет из гусиной печенки. Короче говоря, это был набор деликатесов, каких подполковник Штанько не только на войне, но и в мирное время не нюхал и даже не подозревал, что такое вообще существует на белом свете. У него, с его грубым желудком, привыкшим к перловой каше и борщу, от таких кушаний сделается понос и, возможно, даже хронический. Сам Моня, выросший почти в Европе, тоже не пробовал многого из того, что немцы послали подполковнику Штанько в подарок, и лишь понаслышке знал о таких деликатесах.

Подполковник Штанько, таким образом, отпадал. Моня ему ничего не передаст. Это ясно как божий день. Потому что сразу откроется, что рядовой Цацкес больше часа пребывал в немецком плену, но вместо того, чтобы быть зверски убитым, как и полагается советскому солдату, да еще в придачу еврею, отпущен фашистами целым и невредимым и снабжен на дорожку продуктами самого высокого класса.

Тут, естественно, возникнет законный вопрос: за что немцы сделали Моне исключение? Почему осыпали своими милостями? Какой ценой куплена их отеческая любовь к рядовому Моне Цацкесу?

Ответ на это знает каждый советский человек и даже выходец из глухой сибирской тайги Иван Будрайтис. Ценой гнусного предательства, измены социалистической родине, выдачи врагу важнейших секретов оборонного значения.

Что за это полагается по законам военного времени?

Высшая мера наказания — расстрел. Приговор окончательный и обжалованию не подлежит. Приводится в исполнение немедленно.

Сам Моня уже давно не хотел есть. У него начисто пропал аппетит, и вид консервных банок с цветными наклейками вызывал тошноту. Подполковнику Штанько эти гостинцы тоже не достанутся. Не станет же Моня сам себе подписывать смертный приговор? Значит, надо избавиться от этой коробки. И как можно скорее.

Опустившись на четвереньки, Моня по-собачьи стал рыть руками землю на дне воронки, и взлетавшие в небо ракеты озаряли его согнутую спину глубоко в яме на ничьей полосе между передовыми линиями советской и немецкой армий. Засыпав картонную коробку с консервами рыхлой землей и утрамбовав землю локтями, Моня с грустью посидел над ней, как над могилой, и, сказав со вздохом: «Бог дал, Бог взял», — выполз наружу. И на сей раз в правильном направлении. Незамеченный наблюдателями, он прошмыгнул в родной окоп, добрался до землянки и с убитым видом предстал перед лицом своих товарищей. Вернее, товарища. Почтальон Валюнас не дождался гостинцев и, матерясь и сплевывая набегавшую слюну, ушел.

Фима Шляпентох, уже забравшийся на нары, долго смотрел на виноватое лицо Мони, на его пустые руки.

— Что? — жалко улыбнувшись, спросил Моня.

— Ты — свинья.

— Да, я — свинья, — поспешно согласился Моня, радуясь, что после этого уже ничего не нужно объяснять.

— Ты — последний человек.

— Я — последний человек.

— Тебе не место среди советских людей.

— Верно. Мне не место среди... А где мне место?

— Я бы тебе не доверил знамя полка.

— Ты хочешь стать знаменосцем?

— В полку найдут достойного человека. Не жмота. Не скупердяя, который лопнуть готов, но с товарищами не поделится. Говорить я с тобой больше не желаю и спать под одной крышей не хочу.

— Хорошо, — кратко согласился Моня. — Я могу взять шинель и переночевать снаружи... Там даже лучше: свежий воздух и соловьи...

Моня выбрался из землянки, постелил на ее бревенчатой крыше шинель и забылся беспокойным сном. Он уснул под яркими весенними звездами, под шипящими траекториями осветительных ракет, а проснулся от артиллерийского грохота и едва продрал глаза, как их тут же запорошило пылью от ближнего взрыва.

Немцы на рассвете начали артиллерийскую подготовку, за которой должна была последовать танковая атака.

— Знамя! Где знаменосец? — вопили в траншее посыльные штаба полка. — Приказ командира: знамя — назад!

Через несколько минут Моня Цацкес, голый по пояс, стоял под сотрясавшейся от взрывов кровлей землянки, и рядовой Фима Шляпентох пеленал его мускулистый торс алым бархатом полкового знамени. Золотые кисти на витых шнурах Моня сам затолкал в свои галифе и, поерзав бедрами, уложил удобнее между ног. Затем натянул сверху гимнастерку, шлепнул на голову пилотку.

Знаменосец и Шляпентох побежали по ходу сообщения в тыл, подальше от передовой линии, чтобы даже в случае прорыва вражеских танков знамя не досталось противнику. Они улепетывали во весь дух, как и наставлял Моню подполковник Штанько, спасая честь полка и бритую голову его командира.

— Свинья, — хрипел, задыхаясь от бега, Шляпентох, — тебе эта посылка выйдет боком. Ты подавишься ею...

Снаряды рвались за их спиной, поднимая к бледному рассветному небу тучи земли. В ответ ударила русская артиллерия, застучали пулеметы. Где-то рядом по-щенячьи взвыл человеческий голос, открывая длинный список потерь.

Начинался веселенький день. Канун Первого мая — праздника международной солидарности трудящихся.

ТРУП ЗНАМЕНОСЦА

— Товарищ подполковник, — держа трясущуюся руку у козырька фуражки, докладывал старший политрук Кац, — обыскали все тылы — знаменосец не обнаружен.

— Все! — горестно вздохнул подполковник Штанько, и его мужественное лицо побледнело, а в глазах навернулась скупая мужская слеза. — Выиграл бой, а голову потерял...

За бруствером траншеи дымили подбитые танки. Санитары уносили раненых.

— За потерю знамени полк расформируют, — шептал пересохшими губами командир полка. — Вас... евреев, раскидают по разным частям, а меня, русского человека, поставят к стенке.

— Ух, этот Цацкес, — сочувственно вздохнул старший политрук Кац, — я никогда не питал к нему политического доверия... Даже труп не обнаружен.

— Ищите его труп! Не могло же его разорвать на куски! — с надеждой в голосе распорядился командир полка. — Знамя на его теле — голова на моих плечах!

Подполковник Штанько снял фуражку и носовым платком вытер вспотевшую голову. Вытер нежно, словно проделывал это в последний раз.

С обеих сторон лениво, напоминая лай уставших собак, постреливала артиллерия, и для опытного солдатского уха это было верным признаком, что бой, слава Богу, идет к концу.

* * *

— Ну, что там, еще стреляют? — разморенным, сонным голосом спросил Моня.

Он лежал на широкой деревянной кровати, а сын Божий со старой иконы смущенно глядел на него. Ибо Моня лежал бесстыдно голым. Как мать родила. Слегка прикрыв срам уголком простыни.

Дородная баба, босая, полуодетая, с распущенной косой и болтающимися под рубашкой огромными грудями, выглянула в окошко и певуче подтвердила:

— Стреляют, милый, стреляют. А чего им не стрелять? Снаряды, чай, не свои, а казенные.

— Ну, тогда, баба, иди ко мне, — великодушно позвал Моня. — Еще разок успеем.

— И то дело, — охотно согласилась баба, снимая через голову юбку. — Это ведь, как в народе сказано? Солдат спит — служба идет.

На большой русской печи, в чей побеленный известью кирпичный бок уперлась спинкой кровать, за ситцевой занавеской замерли с открытыми ртами дети, а сивый дед приложил ладошку к уху:

— Чего, чего солдатик сказал?

Пятилетняя девочка неохотно оторвалась от дыры в занавеске и шепотом пояснила деду:

— Иди, говорит, баба ко мне. Еще разок успеем.

* * *

Окуляры бинокля, многократно сократив расстояние, прощупывают окрестность: сельский плетень, на кольях которого сушатся глиняные горшки и кувшины, веревка с бельем... На белье движение бинокля замедляется. На веревке висят постиранные солдатские кальсоны и рубаха, безжизненно свесила вниз рукава гимнастерка защитного цвета, за нею брюки-галифе и... алое полотнище с золотой бахромой полощет на слабом ветру, приколотое к веревке деревянными бельевыми прищепками. С мокрого бархата стекает вода красного цвета. Как кровь.

— Знамя! — не своим .голосом заорал подполковник Штанько, отрывая от глаз бинокль. Он стоял во весь рост в «виллисе». На дороге позади — грузовик с солдатами.

Через поле к деревне мчится другой «виллис», качаясь и кренясь, как от морской качки. Держась за ветровое стекло, пытается устоять на ногах старший политрук Кац.

— Знамя! — вопит он. — Я первым обнаружил знамя!

Под колесами «виллиса» вспыхивает пламя. Гремит оглушительный взрыв. «Виллис» наехал на мину. Фуражка политрука отлетела далеко в поле.

К краю мокрого бархата приникли губы подполковника Штанько. Стоя на одном колене, как на торжественном параде, целует он знамя. Целует с большим чувством. Вдоль бельевой веревки, на которой подсыхает выстиранное бабьими руками обмундирование знаменосца Цацкеса, как почетный караул, застыли солдаты с автоматами на груди.

Подполковник, счастливый до одурения, облобызал еще и витые шнуры и золотые кисти знамени, и только напоровшись губами на тесемки Мониных кальсон, поднялся с колена во весь свой могучий рост.

— Рядовой Цацкес! Дай я тебя поцелую!

Моня стоял перед ним голый, каким его вытащили из постели, и лишь бедра его были стыдливо прикрыты сельским, расшитым петухами полотенцем, которое он придерживал обеими руками.

Командир полка на радостях не придал значения, что рядовой Цацкес одет не по форме, и, схватив его руками за уши, пригнул голову к себе и влепил поцелуй в губы, сначала несколько раз пристрелявшись, чтобы разминуться с его вислым большим носом.

— Да тебя, стервеца такого, к награде представить! Сохранил знамя! Наградить немедленно! Сейчас же! Не сходя с места! Я отдаю тебе свою медаль!

Он поспешно стал отвинчивать со своей груди медаль.

Старший политрук Кац, обожженный взрывом, чумазый, в изорванном обмундировании, приковылял, хромая, и вперил завистливый взгляд в медаль, отвинченную подполковником Штанько.

— Носи с честью!

Подполковник поднес медаль к волосатой груди Мони и тут сообразил, что привинчивать ее некуда. Разве лишь к волосам. Пыл его при этом быстро остыл, и он не без удовлетворения спрятал медаль в нагрудный карман своей гимнастерки. Вместо награды Моня довольствовался словесным поощрением.

— Благодарю за службу! — тепло сказал командир и пожал ему руку. При этом Моня был вынужден отпустить край полотенца, и оно плавно легло на землю, обнажив срам.

Комсорг полка Циля Пизмантер при виде открывшегося ей зрелища глубоко задышала и ладошкой скромно прикрыла глаза. Но пальцы не сомкнула, и в образовавшейся между ними щели пылали яростным любопытством ее карие глаза.

ТУАЛЕТНАЯ БУМАГА

На фронте, как и в жизни, ничто не стоит на месте. Фортуна то улыбается одной стороне, то другой. Противник иногда отступает тоже. И порой даже весьма поспешно. Бросая материальную часть и не успев вывести из строя то, что строжайше предписывалось уничтожить, дабы не попало в руки врагу.

В таких случаях другой стороне доставались немалые трофеи. И среди них наиболее ценными, на солдатский вкус, считались невиданные доселе аккордеоны, а также специальный порошок, если посыпаться каким, на неделю вперед гарантирован от блох и вшей. Ну и, конечно же, спирт. Даже древесный. Употребление коего приводило к слепоте. Временной. Но иногда и вечной.

Порой в захваченных блиндажах, где еще дымился в чашках недопитый кофе, приводилось натыкаться на диковинные предметы, ставшие в тупик даже таких бывалых людей, как старшина Качура.

Осматривая офицерский блиндаж, старшина Качура обнаружил за кокетливой, в горошек, ширмой туалет. Белый фаянсовый унитаз и на нем подковой черное пластмассовое сиденье.

Такого баловства Советская Армия себе не позволяла и потому была выносливей, нежели ее изнеженный противник. В Советской Армии по большой нужде ходили «до ветру», куда-нибудь недалече от окопа или блиндажа, и большой удачей считалось забраться для этого дела в воронку от снаряда. Там, как говорится, полная лафа: тепло, светло и мухи не кусают. То есть почти нет намека схлопотать пулю или осколок в оголенный зад.

А нет воронки поблизости — садились на открытом месте, продуваемом всеми ветрами. И огнем противника тоже. В таком месте долго не засидишься. Но это на пользу делу: солдат быстрее возвращается на боевой пост.

Но не белый унитаз с черным сиденьем озадачил старшину. А прибитый к стене рулон розовой бумаги, намотанной на валик. Если потянуть рулон за конец, он разматывается бесконечной лентой. Бумага мягкая, ласкает грубую ладонь.

Старшина заскреб в затылке:

— Эй, Цацкес! Ходи сюда!

Моня заглянул за ширму.

— Ты же с Литвы. Так? А это — почти что Европа. Вот и растолкуй мне, что мы тут видим?

— Туалет, товарищ старшина. Уборная!

— Без тебя знаю. Грамотный. А вот на кой хрен они тут такую ценную бумагу хранят? А? С какой целью?

И хитро скосил глаз на Моню.

— Это, товарищ старшина, специальная бумага.

— Для какой надобности?

— Чтоб задницу вытирать.

Старшина сдержался и не рассмеялся такой шутке — он не позволял себе вольностей при подчиненных.

Насколько он знал, а уж он на своем веку всего повидал, задницу вытирают газетой, оторвав от нее кусок и крепко размяв его в ладони. А ежели нет под рукой газеты, то пользуются указательным пальцем, после чего палец вытирают об траву, если таковая произрастает на дистанции вытянутой руки, или же об стенку.

— Значит, задницу вытирают таким дефицитным материалом? — прищурился на Моню старшина.

— Так точно! — уверенно подтвердил рядовой Цацкес.

— Умный ты, я погляжу, — насмешливо покачал головой
Качура. — А для чего, скажи на милость, тогда газета?

Моня задумался и уже не совсем уверенно ответил:

— Читать...

— Все ясно, — посуровел старшина и даже перестал раз-
матывать рулон. Розовая бумажная лента, как змея, кольцами
обвилась вокруг его хромовых сапог. — Выходит, мы — дура-
ки, газетой задницу подтираем, а они... культурные... на это
дело такое добро переводят. Так вот, запомни! Мы хоть газетой подтираемся, а побеждаем в бою, а они со своей туалет-
ной бумагой... бегут. Значит, кто прав? За кем, так сказать, историческая правда? То-то!

Моня молчал, сраженный убийственной логикой старшины. А Качура, ехидно посмеиваясь, оторвал от розовой ленты
клочок, насыпал в него махорки, скрутил цигарку и пустил
Моне в лицо струю едкого дыма.

— Европа...

СУББОТНЯЯ МОЛИТВА

Старший политрук Кац рьяно искоренял в полку любые
проявления чуждых советскому человеку влияний. Особенно
настойчиво боролся он с религиозным дурманом. В Литовской дивизии главной мишенью пропагандистов и агитаторов
был, естественно, иудаизм и его тлетворное влияние на тру-
дящиеся массы. Любую молитву Кац рассматривал как преступление, равное чтению вражеских листовок.

А когда евреев больше обычного тянет беседовать с Богом? В канун субботы, в пятницу вечером. Старший политрук
отлично знал это, потому что происходил из религиозной семьи и вплоть до вступления в коммунистическую партию исправно посещал синагогу.

Именно поэтому в пятницу вечером во всех подразделе-
ниях проводились политбеседы, и агитаторы из штаба полка
заводили нудный разговор о вреде религии — опиума для народа — как раз тогда, когда на небе загоралась первая звезда и
во всем мире евреи зажигали субботние свечи.

Бывшего шамеса Шлэйме Гаха сам Бог избавил от такого
кощунства. Не сидеть на такой беседе он не имел права, но зато он не слышал богохульных слов, потому что был глух. Он
закрывал глаза, и ему становилось совсем хорошо. Можно

было молиться в уме. Но Боже упаси шевелить при этом губами. Да еще покачиваться всем телом. Политрук Кац поймал его однажды за этим занятием, и рядовой Гах схлопотал пять нарядов вне очереди.

После гибели раввина Береловича, за которым шамес ходил как тень, он потерял всякий интерес к жизни и молился при любом удобном случае, когда рядом не было посторонних. Шамеса потряс не столько сам факт смерти раввина, сколько то, как его похоронили. В Красной Армии был обычай: всех убитых сбрасывать в одну яму, предварительно содрав с них обувь, а иногда и штаны. И всю эту кучу изуродованных тел, где один втыкался носом в зад другому, засыпали сверху землей и вгоняли деревянный кол, на котором красовалась прибитая гвоздями пятиконечная звезда, вырезанная из жестяной банки от американской свиной тушенки. И — все. Это называется в России братской могилой. Пойди потом объясни людям, где нашел вечное успокоение такой благочестивый человек, каким был при жизни раввин Мойше Берелович.

Шамесу хотелось самому умереть. Но его страшила перспектива быть похороненным, как падаль, в братской могиле.

Минометная рота занимала высотку, глубоко окопавшись и построив прочные блиндажи. В тыл, к штабу полка, вел извилистый ход сообщения в человеческий рост, и по этому ходу в пятницу вечером, как раввин на субботнюю молитву, отправлялся на позицию старший политрук Кац, что доставляло жестокие страдания шамесу. Не приносили особой радости эти визиты и другим евреям.

Командир роты лейтенант Брохес был коммунистом и не видел разницы между субботой и воскресеньем. И вообще, ему было не до Бога, потому что у него обострилась довоенная язва желудка. Но человек он был мягкий, и к своим подчиненным относился не по-казенному. Поэтому никто не удивился, когда в пятницу после обеда он сказал, как бы между прочим, что старшего политрука Каца вызвали в дивизию и, возможно, политбеседа нынче не состоится. У шамеса Гаха заблестели глаза. Удивительнее всего, что лейтенант Брохес говорил не так уж громко, а шамес расслышал каждое слово. Бывает.

Евреи оживились. Стали шептаться, таинственно оглядываясь. От одного к другому ходил, как маятник, шамес Гах, очень возбужденный, но разговаривал на удивление тихо. Хотя, как известно, глухие разговаривают слишком громко, чем и славился шамес до этого случая.

Одним словом, евреи собирали миньян — десять человек, необходимых для молитвы, и готовились всласть отвести душу в канун субботы.

На немецкой стороне было тихо. За весь вечер раздалось два-три выстрела, и все. В тылу, в штабе, тоже не заметно было особого движения. По всем признакам канун субботы обещал быть спокойным.

С приближением вечера шамес занервничал. Не собирался миньян. Девять евреев, не забывших, что пятница — это пятница, он нашел. Не хватало десятого. Без десятого все шло насмарку, и молитва срывалась.

Лейтенант Брохес спросил шамеса, чем он так озабочен, и когда тот объяснил, в чем дело, даже рассмеялся и сказал, что это все формальности и если им так уж нужен десятый, то он, лейтенант Брохес, может посидеть за компанию. Правда, если это ненадолго. Потому что он роту не может оставить без присмотра. Шамес просиял и попросил командира роты явиться на молитву с покрытой головой. Можно в пилотке. Или в каске.

Близились летние сумерки, и весь миньян собрался в блиндаже, в касках и с личным оружием. На этом настоял лейтенант Брохес, на случай огневого налета противника. На ящик из-под мин поставили две свечи: две латунных стреляных гильзы от снаряда 45-миллиметровой пушки. В гильзы налили керосин, сплющили концы, откуда торчали фитили из брезентового солдатского ремня. Такие светильники на фронте назывались «катюшами». В этот вечер «катюши» должны были послужить евреям субботними свечами.

— Где тут восток? — вдруг забеспокоился шамес. — Мы должны повернуться лицом к Иерусалиму.

— Хорошенькое дело, — сказал Моня Цацкес. — Из-под русского города Орла увидеть Иерусалим.

— Слушайте, евреи, нет таких крепостей, которых бы не могли взять большевики, — пошутил лейтенант Брохес, который был здесь единственным коммунистом.

Он снял с руки свой компас, положил на ящик, прищурился на мечущуюся стрелку и сказал:

— Вон там — юг, а Иерусалим к юго-западу от нас... Как

раз там, где вход в блиндаж. Значит, можно стать лицом сюда, и вы не промахнетесь.

— Там — Иерусалим? — посмотрел в проем хода шамес Гах, и глаза его увлажнились. — Подумать только, там — Иерусалим.

Евреи стали в тесноте перестраиваться лицом к Иерусалиму, и со стороны можно было подумать, что они готовятся к выходу на боевое задание.

— Время! — зловеще шептал шамес Гах, хлопотавший возле свечей. — Кто следит за небом? Не упустите появление первой звезды.

Моня Цацкес не мог удержаться и не вставить свой совет:

— Только не перепутайте, чтоб не вышло греха: не примите сигнальную ракету за первую звезду.

Шамес неодобрительно посмотрел на него, и Моня заткнулся.

— Ну, есть звезда? — нетерпеливо спросил шамес.

— Звезды еще нет, — ответил голос снаружи, — но бежит к нам Иван Будрайтис.

— Что тут нужно этому гою Будрайтису? — возмутился шамес.

— Должно быть, ко мне, — сказал командир роты, — я его оставил у телефона.

— Ребята! — влетел в блиндаж скуластый Иван Будрайтис. — Кончай базар! Товарищ политрук Кац звонили, они идут к нам проводить политбеседу.

Иван Будрайтис выпалил это и сам был не рад — так он испортил всем настроение.

— Надо расходиться... — вздохнул лейтенант Брохес. — Может быть, в другой раз...

— И ничего нельзя придумать? — с тоской взглянул на него шамес.

Остальные евреи тоже выжидающе смотрели.

— А что я могу придумать?

— Я придумал, — сказал Моня Цацкес, и все головы, как по команде, повернулись к нему. — Старший политрук Кац не самый храбрый человек в Литовской дивизии. Верно?

Евреи нетерпеливо кивнули, а Иван Будрайтис сказал:

— Это уж точно.

— Значит, — продолжал Цацкес, — если немцы сейчас откроют сильный артиллерийско-минометный огонь, то старший политрук Кац, уверяю вас, и носа не высунет из своего укрытия при штабе полка.

— Хорошенькое дело! — всплеснул руками шамес. — Цацкес, вы, должно быть, родились недоношенным. Кто же это немцам передаст, что евреи просят их об одолжении — открыть огонь? Не вы ли?

— Могу и я, но только, рэбе, я приму на себя грех — поработаю в субботу, что еврейским законом возбраняется... Хотя стойте! У нас же есть шабес-гой! Иван Будрайтис. Для него это не грех. Ваня, ты можешь сделать одолжение своим однополчанам?

— Смотря какое... — осклабился Будрайтис.

— Пустяк. Возьмешь мину и опустишь ее в миномет. Немцам не понравится, что их потревожили перед ужином. И они ответят. Так, что чертям станет тошно. Тем более старшему политруку Кацу. Можете не волноваться — его здесь не будет.

Никто ничего не сказал. Все думали. И на лицах у всех появилась хитрая ухмылка. Монина идея явно, нравилась миньяну.

— Я — что? — сказал Иван Будрайтис. — Мне — раз плюнуть.

— Так за чем остановка? — нетерпеливо спросил шамес.

— А вот как товарищ командир роты скажут, — показал глазами на лейтенанта Брохеса Иван Будрайтис, — так и будет.

Теперь все смотрели на Брохеса.

— Добро, — сдался лейтенант. — Но не больше одного выстрела. Боеприпасов мало.

— Будет сделано! — козырнул Иван Будрайтис. — А вам, товарищи, счастливо помолиться.

И исчез в быстро сгущавшихся сумерках.

— Как там? — нервничал шамес. — Звезды еще нет?

Вместо ответа хлопнул минометный выстрел. И взрыв донесся с немецкой стороны. Это сработал шабес-гой Иван Будрайтис.

Немцы с минуту недоумевали, чего это русские их побеспокоили без видимой причины, затем грянули залпом из восьми минометов. Вслед ударила артиллерия.

Грохот прокатился по всей высотке. Взрывы распустили пыльные бутоны от вершины до подножия и дальше, в расположении штаба полка.

— Звезда! Звезда! — этот крик прорвался сквозь адский шум огневого налета.

Шамес трясущимися руками зажег спичкой обе «катюши», коптящее пламя колыхалось при каждом разрыве.

Шамес воздел руки над свечами, сощурил глаза, потому что сверху на него сыпался песок, и на древнем языке — лошенкойдеш — провозгласил молитву, стараясь перекрыть грохот над головой.

— Барух ата адонай... элохейну мелех хаолам, ашер кидшану бемицвотав ве циману лэадлик нер шел шабат...

И весь миньян, за исключением лейтенанта Брохеса, вдохновенно подхватил, повторяя за шамесом начало субботней молитвы:

— Благословен Ты, Превечный, Боже наш, Царь вселенной, который освятил нас законами Своими и заповедал нам зажигать субботние свечи.

Сотрясалась земля. Трещали бревна перекрытия над головами. Со стен струился песок. Едкий дым из хода сообщения вползал в блиндаж. В девять глоток, при одном воздержавшемся, неистово молились евреи Богу на древнем языке своих предков в летний пятничный вечер 1943 года на русской равнине, отмеченной на военных картах как Орловско-Курская дуга.

— Барух ата адонай... элохейну мелех хаолам, ашер кидшану...

ЕВРЕЙСКОЕ РАНЕНИЕ

У еврея свое еврейское счастье. Если его ранят, то обязательно в такое место, что потом не оберешься хлопот. А больно так же, как и всем остальным, и кровь, которую ты потерял, такого же красного цвета.

Когда Моня Цацкес лежал в госпитале, там находился на излечении еще один еврей — летчик, капитан. Вся грудь в орденах. Боевого Красного Знамени — две штуки. А это почти что Герой Советского Союза.

Этот еврей не снимал с головы летную фуражку с голубым околышем и кокардой с крылышками. Можно было подумать, что он очень набожный и, потеряв в бою ермолку, заменил ее фуражкой. Или, может быть, он ранен в голову, и его безобразит шрам от ранения.

Он был ранен в совершенно противоположную часть тела. В зад. Немцы аккуратно всадили ему по пуле в каждую ягодицу.

Возникает законный вопрос: зачем же тогда носить день и ночь фуражку на голове?

Оказывается, надо.

Такое ранение считается позорным. Получить пулю в зад можно, только убегая от противника, и такая рана — клеймо труса и дезертира.

Но этот еврей был летчиком, и ему влепили две пули из зенитного пулемета, который, как известно, стреляет снизу вверх, а летчик сидит в кабине задницей вниз. Если не считать тех редких случаев, когда самолет делает «мертвую петлю». Так что про этого летчика можно было смело сказать, что он принял удар грудью и у него действительно боевое ранение.

С этим согласится любой фронтовик. Если, конечно, знает, что раненый — летчик. А как вы определите род войск в госпитале, где все пациенты в одинаковых пижамах?

Вот почему он не снимал с головы летной фуражки. И все раненые относились к нему с уважением. Хоть и знали, что он еврей.

Моне Цацкесу тоже не повезло с ранением. Осколок немецкого снаряда летел ему прямо в шею, но Монин подбородок, выступавший вперед из-за неправильного прикуса, преградил путь осколку, приняв удар на себя. После этого, как вы догадываетесь, и подбородок, и челюсть с неправильным прикусом и со всеми зубами и пломбами превратились в кашу. В кипящую кашу. Потому что Моня остался жив и дышал, пуская кровавые пузыри.

В палатке медсанбата родной Литовской дивизии, где ему оказали первую помощь, Моне сразу улыбнулось еврейское счастье. Именно в тот момент, когда его, еле живого, шлепнули на операционный стол, кончился запас хлороформа. А так как откладывать операцию было опасно, то ее сделали без наркоза, прямо по живому мясу, и Моня даже кричать не мог, потому что вместо рта у него была каша.

Потом этот случай расписали во фронтовой газете как проявление необычайного мужества русского солдата, а фамилию героя обозначали только буквой Ц., видимо, для секретности. Чтобы ни один враг не догадался, кто же такой этот мужественный русский солдат. Правда, нельзя сказать, что

Моня был в трезвом уме и ясной памяти, когда его резали и
зашивали на операционном столе. Доктор Ступялис — в прошлом знаменитый гинеколог в Пасвалисе, ставший в войну
майором медицинской службы, — распорядился, чтобы па-
циенту дали спирту для поддержания духа. Это легко сказать:
дать рядовому Цацкесу спирту. Куда? Рта у него нет.

Для кормления пациентов с челюстным ранением им
протыкают отверстие в боку и по резиновой трубке вводят пищу прямо в желудок. Как говорится, кратчайшим путем.

Вот в это отверстие, по указанию доктора Ступялиса, санитары вставили воронку и влили сто граммов слегка разбав-
ленного спирта. Моня Цацкес захмелел, как от доброго стакана коньяка, и настолько развеселился, что хотел рассказать
хирургу, что он, Моня Цацкес, — знаменосец, и теперь знамя
полка осталось без присмотра и может запросто попасть в руки к врагу. Тогда полк расформируют, командира товарища
Штанько расстреляет военный трибунал, а Марья Антоновна
Штанько останется вдовой.

Моня ничего этого не сказал хирургу. Сами догадываетесь
почему. Рта не было.

Вместо рта и всей нижней части лица на нем был белый
гипсовый хомут. Моня был заживо замурован в нем. А чтобы
он не задохнулся, сверху выдолбили в гипсе желобок, откуда
свисал Монин нос — внушительных размеров и к тому же
слегка загнутый вниз.

В этом наряде он стал особенно похож на пингвина. И
был рад, что кроме нянечек и медицинских сестер никакие
другие женщины его не видят.

Хотя ему, конечно, было в ту пору не до женщин. Но если
бы он был даже в состоянии ухаживать за ними, то не стал бы
этим заниматься после того, что увидел своими глазами в
этом госпитале.

Госпиталь находился далеко от фронта, в провинциальном русском городе. Кроме корпусов челюстного, брюш-
ной полости, конечностей и других, там имелся еще один,
закрытый от остального госпиталя высокими тополями
парка, и к этому корпусу было приковано любопытное внимание всех раненых. Даже тех, кто готовился вот-вот пере-
браться в морг.

Это был венерологический корпус.

Там лечили славное русское воинство, пострадавшее не

на поле брани, а в постели или в кустах от случайных связей. И подцепивших триппер, именуемый для приличия гонореей.

В каждом корпусе на стенах висели зловещие лозунги-призывы: «Опасайтесь случайных связей». Но такая пропаганда была совершенно лишней при наличии в госпитале своего венерологического корпуса. Наглядная агитация — куда доходчивей. И у многих раненых надолго отбило интерес к случайным связям. И не к случайным тоже.

Начальником этого госпиталя был хороший мужик. Генерал медицинской службы. Большой шутник.

Во всех корпусах солдаты и офицеры размещались в разных палатах, и офицеры получали что полагалось командному составу, а солдаты — по норме рядовых. Венериков же сбили в одно стадо. Им не выдали ни пижам, ни тапочек, а оставили в своем армейском обмундировании. Со знаками отличия. Но, конечно, без орденов и медалей. Солдаты и сержанты ходили вперемежку с майорами и полковниками, связанные одним несчастьем, и поэтому начисто забыли о субординации.

А лечили их по тем временам вернейшим способом: догоняли температуру тела до сорока градусов, доводили почти до беспамятства, рассчитывая, что гонококк такого жару не выдержит. А если сам венерик опередит гонококка и загнется от такой температуры, так тоже не беда. По крайней мере, другим наука. Опасайтесь, мол, случайных связей.

Высокой температуры достигали с помощью скипидара. Лошадиную дозу этой вонючей жидкости вводили шприцем в ягодицу. Только русский человек мог выдержать такое лечение. Он даже зла не держал против врачей. А вот к бабам, виновницам его страданий, проникался лютой злобой, и им потом долго отливались его слезки.

Даже после того как температура спадала, страдания больного не кончались. Опухало проскипидаренное бедро, и больной долго хромал.

Начальник госпиталя за это и ухватился. Всем выздоравливающим он прописывал усиленную строевую подготовку без различия чинов и званий. Венериков разбили на сотни и строили по десять человек в шеренге. Эти сотни начальник госпиталя прозвал «черными сотнями», и они друг от друга ничем не отличались за исключением одного.

Когда вводили скипидар, укол доставался одним в левую ягодицу, другим — в правую. Соответственно этому они потом и хромали. В каждую сотню брали уколотых только в одну сторону. Гоняли венериков строевой на футбольном поле за госпитальным парком. Поднимая тучи пыли, шагала, припадая только на правую ногу, одна сотня, за ней, хромая на левую, пылила следующая.

Это было почище цирка. И раненые из других корпусов, волоча костыли, выставив перед собой загипсованные руки, рассаживались на траве вокруг футбольного поля, и представление начиналось.

Тучные полковники, поджарые капитаны, мордастые старшины и пучеглазые рядовые становились в строй, смущенно пряча глаза от гогочущей публики. Сам начальник госпиталя отдавал команду:

— Равнение направо! Бабники! Юбочники! Бесстыжие скоты! Нарушители армейского устава и супружеской верности! Правое плечо вперед! Шагом... марш!

И, хромая на правую ногу, вся сотня делала первый шаг. За ней трогалась следующая сотня, дружно припадая на левую ногу.

Зрители выли от восторга. Один Моня Цацкес был нем в своем гипсовом хомуте, хотя ему тоже становилось весело, и он на время забывал о своем несчастье. Но ненадолго.

Из-за этого намордника у него чуть не вышла большая неприятность. Он уже понемногу выздоравливал, хотя и оставался с закрытым ртом, потому что нижняя часть лица все еще была плотно замурована гипсом. Пищу он получал, как и раньше, через вставленную в бок трубку, не чувствуя ни вкуса ее, ни запаха. В декабре отмечали день рождения Сталина — великого вождя народов, отца и учителя, корифея и главнокомандующего. И по всей России, на фронте и даже в госпиталях, этот день считался государственным праздником. С выпивкой, с закуской и нескончаемыми речами и тостами в честь дорогого юбиляра.

Раненых, которые могли двигаться, согнали в столовую в пижамах и ночных туфлях, в повязках и на костылях. И один из раненых, пренеприятнейший тип из контрразведки, имевший позорное ранение в задницу, полученное, очевидно, от своих же солдат, прокричал тост за здоровье генералиссимуса Сталина, и все инвалиды, как по команде, вскинули стаканы с разведенным спиртом и опрокинули их в разинутые рты.

У Мони не было рта. Вернее, был, но не добраться к нему — закрыт гипсом. Зато под пижамой в боку у него торчала эмалированная воронка, и он просунул стакан под пижаму и опорожнил его в воронку. Контрразведчик заметил это. И закричал:

— Смотрите, товарищи! Этот еврей не стал пить за здоровье товарища Сталина и вылил водку под стол!

Ему тут же растолковали, что никуда Моня водку не выливал, что у него трубка в боку и водка пошла по назначению за здоровье дорогого генералиссимуса.

Тогда этот тип, с раной в заду, подошел к Моне и сказал проникновенно:

— Прошу прощения, товарищ. Хоть ты и еврей, но наш человек.

Моня Цацкес хотел ему плюнуть в рожу, но плевать было тоже неоткуда. Тогда он ударил его здоровой ногой в здоровый живот, а тот хлопнулся на свой покалеченный зад и поднял страшный гвалт.

Моне чуть не пришили политическое дело: покушение на офицера контрразведки и срыв такого мероприятия, как празднование дня рождения великого вождя и учителя. Но следователь особого отдела, пришедший в палату снять допрос, не смог снять показания. По той причине, что рот подследственного был запечатан, а через трубку в боку он мог пить спирт, но не разговаривать.

Следователь особого отдела захлопнул пустой блокнот и даже пожал Моне руку на прощанье:

— Желаю скорейшего выздоровления!

Стукача из контрразведки перевели в другой госпиталь, и в этом остался только один раненный в зад. Летчик-еврей, не расстававшийся со своей фуражкой.

Когда Моня окончательно пошел на поправку и с него сняли гипс и вставили зубы, он довольно близко сошелся с летчиком, не без удовольствия обнаружив, что образованный еврей из Москвы знает даже несколько слов на идише.

Например, слово «тохес» он произносил очень вкусно, без всякого акцента, словно он — не москвич, а чистокровный литвак.

Потом они даже переписывались и обменялись двумя-тремя открытками. Связь прервалась не потому, что Моне было лень писать — за него писал Фима Шляпентох. А потому, что летчик погиб. На сей раз пуля попала, как у всех нормальных людей, не куда-нибудь, а в голову.

А после этого обычно уже не пишут.

ФИРОЧКА-КОЗОЧКА

Это случилось в госпитале. Когда Моня еще был закован в гипсовый хомут с желобком для носа и не мог произнести ни слова, потому что вся его челюсть была раздроблена на куски, а потом из этих кусков была собрана заново. В этом хомуте Монина голова была похожа на кадку, в которой растет кактус. Кадкой служила толстая гипсовая повязка, вдвое шире головы, а кактусом были остаток лица и макушка, торчавшие из этой кадки. Для пущего сходства с кактусом остриженный в госпитале Моня порос короткой колючей щетиной.

Но Моня был молод. И, как потом справедливо говорила Роза Григорьевна — а кто такая Роза Григорьевна вы скоро узнаете, — у товарища Цацкеса разбита только челюсть, все остальное — будь здоров, не кашляй. Так что для невинной еврейской девушки из приличной семьи он представляет серьезную опасность.

Обитатели госпиталя на весь город славились своими амурными похождениями. Без рук, без ног, а главное, без одежды, в госпитальных халатах или просто в нижнем белье, они умудрялись на связанных простынях спускаться по ночам с любого этажа, преодолевать высокий забор и до утра нежиться под лоскутными одеялами у своих зазноб.

Моня не мог разговаривать, но был в состоянии слушать. И в изобилии выслушивал исповеди инвалидов, вернувшихся из ночных вылазок. Они избирали Моню для своих восторженных излияний потому, что рот у него был запечатан гипсом, и он никогда не перебивал рассказчика.

Особенно грозным ходоком слыл в госпитале сержант Паша Кашкин. Правда, назвать ходоком его можно было в одном смысле — ходок по бабам. Потому что в прямом смысле — Паша ходок был слабый: правую ногу ему оттяпали до колена — осталась короткая культя, обмотанная марлей, и он не ходил, а скакал на костылях, выставив эту культю, как укороченный минометный ствол.

Культя и была его главным инструментом в делах любовных.

— Понимаешь, друг, — говорил он Моне, обняв его за гипсовый хомут и задушевно глядя в глаза, — с этой культей я любую бабу беру. Никуда от меня не денется. Не веришь? Мне бы только завалить ее на кровать... Или... в траву... Дальше культя сама все сделает. Я — скок на бабу, культей упрусь в живот — попробуй скинь меня. Русская баба, она жалостливая. Ну, куда инвалида сбрасывать — я же убиться могу! Значит, она резких движений себе позволить не может. А я времени зря не теряю: шурую, шурую под юбкой, и — в дамки. Куда ей теперь деваться? Я — тама. Остается только помогать инвалиду Отечественной войны — подмахивать как следует.

Паша Кашкин дошуровался до триппера и надолго исчез из поля зрения. Его перевели в тот самый корпус, который был отделен от остальных корпусов госпитальным парком.

Моня был лишен дара речи. Но у Мони остались глаза. И уши. И это открыло ему мир в алмазах: Моню посетила любовь.

У госпиталя были свои шефы — рабочие местного завода. Какие в войну рабочие? Сплошные женщины. Эти шефы приезжали к раненым и давали концерты художественной самодеятельности. Они пели и танцевали, молодые и старые женщины. В одиночку — соло, парами — дуэтом, и все сразу — хором. Чтобы хоть немножко скрасить унылую жизнь искалеченных солдат, отвлечь их на время болей и тяжких дум.

Концерты давались в столовой. Столы сдвигали к стене и превращали в эстраду, а стулья ставили рядами. На них сидели безногие и безрукие, с ранениями в грудную и брюшную полости, и такие, как Моня, с покалеченной головой. Не сидела на стульях только одна категория инвалидов — с ранением в задницу. Те стояли у стены друг за дружкой, с интервалами, чтоб случайно не задеть больное место.

На одном из таких концертов Моня увидел ее. Худенькую — в чем душа держится? — девушку на тонких ножках и с тонкой шейкой. Лет восемнадцати, не больше. Моня поначалу и лица-то ее не разглядел. Его ослепили ее волосы. Эти волосы вызвали у Мони профессиональное восхищение. Роскошные натуральные волосы медного цвета, того самого цвета, ради которого щеголихи всего мира изводят пуды краски, а лучшие парикмахеры трудятся до седьмого пота. При таких волосах обязательно бывает белая-белая кожа. И веснушки. Бледные-бледные. Намек на веснушки.

И еще у этой девушки были зеленые глаза. Это Моня разглядел потом и был окончательно сражен.

Она стояла на сцене, тоненькая — вот-вот переломится, — и ждала, когда аккомпаниатор даст вступление, а Моня смотрел на ее волосы и думал о том, что он с наслаждением поработал бы над ними и сделал бы из нее такую куклу — хоть на выставку дамских причесок посылай.

Она — единственная из всех на этом концерте — пела на идише. Еврейскую колыбельную. У Мони засвербило в носу, как только аккомпаниатор взял первый аккорд. Кровь прилила к голове, глаза увлажнились. Что-то родное и теплое нахлынуло на Моню — аромат его детства, что ли...

Тоненьким, неровным голоском девушка запела, и каждый звук обжигал его сердце:

> Унтер Идэлес вигелэ
> Штейт а клор вайсэ цыгелэ...*

Бог ты мой! С тех пор как Моня себя помнит на земле, эта песня вмещала для него маму, всю семью, родной дом и город Паневежис на севере Литвы.

> Унтер Идэлес вигелэ
> Штейт а клор вайсэ цыгелэ, —

пела ему мама, когда он был в колыбели. Потом он слышал ту же песенку, когда в этой колыбели лежали его младшие сестренки и братик, которые остались у немцев в Паневежисе, и он ничего не знал об их судьбе.

> Дос цыгелэ из гефорн гандлэн, —
> Дос вет зайн дайн баруф.
> Рожинкес унд мандлэн...**

Когда песня кончилась и стихли аплодисменты, Моня зарыдал. Первый раз за всю войну. В госпитале человек слабеет, оттаивает.

Он плакал навзрыд, но беззвучно, потому что гипс залепил ему рот, слезы текли и текли из глаз и проложили мутные дорожки на бугристом гипсе. К Моне кинулись медицинские

---

* Под колыбелькой у Идэлэ
  Стоит белоснежная козочка... (*идиш*).
** Козочка ездила торговать, —
  Этим и ты будешь промышлять.
  Изюм да миндаль... (*идиш*).

сестры. Ему даже дали понюхать нашатырного спирта. А потом подошла она, и Моня увидел ее зеленые глаза.

Она взяла Моню за руку, как ребенка, и отвела его в палату. Моня шел рядом с ней и ног под собой не чуял. У него выросли за спиной крылья, прорвав госпитальный халат. И ему сразу стало мучительно стыдно за свою гипсовую повязку, в которой он выглядел как идиот, засунувший голову в ведро и не сумевший вытащить...

Ее звали Фира. Моня про себя назвал ее Фирочка-Козочка. Но ей этого сказать не мог. Она разговаривала с ним на идише. Задавала вопросы, а он кивком соглашался или не соглашался. Тогда она задавала новые вопросы, все ближе к истине, пока он не кивал утвердительно.

Фирочка-Козочка стала навещать его. Не потому что влюбилась. Разве можно влюбиться в человека, у которого голова торчит из гипсового ведра? Она была родом из Бессарабии, а он — из Литвы. Этого вполне достаточно. Здесь, в чужом краю, в глубине России, он был для нее как родственник.

Моня считался ходячим больным, и ему разрешалось передвигаться. Даже за пределы госпиталя. С провожатым. Этим провожатым стала Фирочка-Козочка.

После работы она заходила за Моней, нетерпеливо ждавшим ее с самого утра, и они отправлялись в город. Одет был Моня не для любовных прогулок — в выцветший байковый халат и мягкие тапочки, над которыми болтались тесемки казенных кальсон. Для большей красы, по указанию начальника отделения, на гипсе под Мониным носом вывели химическим карандашом: «Я из госпиталя такого-то и не могу разговаривать. В случае какого-либо происшествия просьба доставить меня по указанному адресу».

Фирочка-Козочка водила его по улице, и прохожие останавливались, чтобы прочитать надпись на гипсе. В России все поголовно грамотные.

В стороне от госпиталя темнел толстыми кирпичными стенами старый монастырь. Монахов оттуда убрали давным-давно, сразу после революции, кресты на куполах сбили. Из госпиталя сюда сплавили обрубки людей, которым больше некуда было податься. У кого семьи не было, а кого семья отказалась принять за ненадобностью.

Обитателей монастыря в городе называли «самоварами с краником». Потому что у большинства не было ни рук, ни ног, а только туловище, напоминавшее самовар. А что касается краника, то под этим подразумевалось известно что. Ведь не все, что выступает на теле, срезала с этих людей война.

В погожие дни «самовары» выводили гулять. Вернее, не выводили, а вывешивали за монастырские окна проветриться, потому что передвигаться они не могли. Они висели завернутыми в байковые одеяла, и, если б из этих узлов не торчали человечьи головы, можно было подумать, что это расторопные хозяйки за неимением холодильников вывесили за окна скоропортящиеся продукты.

Из узлов глазели на мир мужские головы: безусые и усатые, стриженные наголо, а то и с лихим чубом, выпущенным на лоб. И все эти головы дымили папиросами, которые из окон втыкали им во рты проворные руки невидимых нянек, и те же руки подносили горящие спички.

«Самовары» проветривались на солнышке, окутанные табачным дымом, и вели задушевные разговоры, словно они сидели в родной деревне на скамеечке, беспечно обмениваясь впечатлениями.

Когда внизу, под монастырскими стенами, появлялся Моня в своем гипсовом хомуте и в синем байковом госпитальном халате, из-под которого виднелись белые кальсоны, ведомый за руку Фирочкой-Козочкой, «самовары» встречали их градом дружеских приветствий, перемешанных с таким же дружелюбным матом. Краники «самоварам» не поотрывало, и они в этом деле понимали толк.

— Эй, друг! Не подкачай, слышь!

— Не посрами русское воинство!

— За нас постарайся!

— Не дрейфь, пехота! Бери штурмом!

И сыпали советы, косвенные и прямые, общие и конкретные. Искренне желая своему брату-инвалиду удачи.

Они уходили в парк, забирались подальше от людей и сидели там на скамейке. Моня изнемогал от любви. Но выразить это он мог лишь глазами. Даже поцеловаться было невозможно. Фирочка-Козочка, которая умела читать по глазам, брала его руку и приникала к ней губами.

Потом она привела Моню к себе домой. И тогда он познакомился с Розой Григорьевной. Ее мамой. Галицианской еврейкой. А хуже галицианских евреев — только гои. Раньше Моня не хотел этому верить, думал, это — еврейский юмор.

Теперь он убедился, что в каждой шутке есть доля правды. И очень большая доля.

Конечно, можно понять и Розу Григорьевну. Что может сказать еврейская мама, когда видит, что ее дочь приводит в дом черт знает кого — в халате и кальсонах, а вместо головы у него на шее какое-то ведро белого цвета? Она может сказать, что лучшего подарка дочь ей придумать не могла. И предложит поставить гостя на огороде — ворон отпугивать.

Еврейская мама подумала бы так, но не сказала. Роза Григорьевна была галицианской еврейкой и поэтому сказала эти слова, уперев руки в бока и загородив собою вход.

Моня не обиделся. Он быстро сориентировался в обстановке и сообразил, чем можно взять Розу Григорьевну. Одна, без мужа, с тремя детьми. В чужом городе. Без добра, оставленного в Бессарабии. Бьется как рыба об лед, чтобы как-то выжить, дотянуть с детьми до конца войны и вернуться в Бессарабию, где, должно быть, все разграблено и сожжено. Кто нужен Розе Григорьевне? Помощник. Который хоть немножечко снимет бремя с ее плеч, позволит ей разогнуть спину, вздохнуть и подумать о чем-нибудь еще, кроме куска хлеба.

Гуляя с Фирочкой-Козочкой по городу, Моня приметил парикмахерскую на два кресла. За одним работала женщина в застиранном халате, другое кресло всегда пустовало. Умница Фирочка объяснила все вместо Мони этой женщине, и та для пробы согласилась взять инвалида в напарники. Дала ему инструмент — плохой инструмент. До войны такому инструменту было место на помойке. Он усадил в кресло Фирочку и... стал колдовать. Фирочка смотрела своими зелеными глазами в мутное, с трещинами зеркало и видела, как рождалось чудо. Видела это и женщина в застиранном халате за соседним креслом. Она даже перестала работать и не сводила удивленных глаз с Мониных рук. У окна останавливались прохожие, привлеченные сначала видом диковинного мастера с гипсовым хомутом вокруг головы, а затем — делом его рук. Скоро у окна выросла толпа.

Когда Фирочка-Козочка встала с кресла, это была уже не бедно одетая Золушка, а принцесса из сказки. И женщины за окном устроили Моне овацию. Такого мастера видели в этом городе впервые.

Женщины всех возрастов бросились в парикмахерскую

На тротуаре вытянулась очередь длиннее, чем за хлебом. С Монеей, с его руками волшебника, к женщинам вернулась забытая за войну тяга к красоте. Особенно рвались к нему те кому привалила радость: муж извещал в письме, что приедет с фронта на побывку. Этим бабам до смерти хотелось стать немножечко красивей, хоть чуточку желанней, чтоб напомнить мужьям, что их жены не так уж состарились за войну и что лучше их им нигде не найти.

Таких Моня обслуживал без очереди, не обращая внимания на гневные выкрики в толпе. Ответить на ругань Моня не мог — повязка не давала. Он только брови сдвигал сурово. И очередь стихала, боясь, что мастер рассердится и совсем уйдет. Ведь раненый инвалид. Каково ему стоять у кресла? Его место в госпитале, на койке. И так спасибо, что делает одолжение для женщин.

Моня никому не делал одолжения. Он работал и за работу брал плату. А что превращал зачуханных дурнушек в красоток, так это была его профессия, и работать плохо он просто не умел. Ему платили деньгами и натурой. Натурой было продовольствие: яйца, мука, сахар. Одна женщина отдала кофточку. Почти новую. И Моня подарил эту кофточку Фирочке-Козочке. Пришлось немножко ушить.

Деньги и натуру от отдавал Розе Григорьевне. Потом она сама стала приходить в парикмахерскую и все забирала, будто так и полагалось. Но таким путем, как Моня и думал, он смягчил ее суровое сердце и стал своим в доме. Правда, Роза Григорьевна никак не могла привыкнуть к тому, что он только говорить не может, а слышит все. И прямо при нем вслух разбирала его достоинства и недостатки, не стесняясь в выражениях. Моня скоро к этому привык, и они с Фирочкой-Козочкой не обращали на маму внимания — только посмеивались, обмениваясь взглядами.

Иногда, если было поздно, его оставляли ночевать. Вот тогда Роза Григорьевна и сказала:

— У товарища Цацкеса разбита только челюсть, а все остальное у него — будь здоров, не кашляй. Так что для невинной еврейской девушки из приличной семьи он представляет серьезную опасность.

Они ютились вчетвером в одной комнатке. Моня был пятым. Спали все на полу — кроватей не было, да если бы и были, то для них не нашлось бы места.

Роза Григорьевна укладывала свое семейство, как командир солдат, каждому определяя его место. Моню загоняла к стене, за ним ложилась сама, потом шли двое детей и крайней — подальше от соблазна — Фирочка-Козочка.

Розе Григорьевне еще не было сорока лет, три года она в глаза не видела своего мужа, и спать, прижавшись к мужской спине, было для нее нелегким испытанием. Утром у нее раскалывалась голова, и она проклинала Монин гипс, который натер ей щеку, и запах лекарств, от которых ломило в висках.

Но Монеи она дорожила и даже огорчалась, что не может накормить его хорошим еврейским обедом — благо, в доме появились продукты, — потому что Моня не может есть как нормальный человек. И его кормят в госпитале через специальную трубку какими-то растворами, от чего она, Роза Григорьевна, приключись с ней такое, сошла бы с ума или наложила на себя руки. С другой стороны, от того, что у него гипс там, где положено быть рту, в доме была экономия, и все продовольствие распределялось на четверых, а не на пятерых.

Одно вызывало у Розы Григорьевны тревогу: дочь явно влюбилась в этого получеловека и смотрит на него такими глазами, что Розе Григорьевне уже не нужно других доказательств. И вот тут в душе галицианской еврейки наступало раздвоение. С одной стороны, чтобы спасти дочь от непоправимой глупости, его надо было всеми средствами отвадить от дома и навсегда покончить с этим делом. Но с другой стороны... Он — кормилец. Без него ее деточкам не видать бы как своих ушей ни яичек, ни молочка, ни сдобных булочек, которые она пекла из заработанной Монеи муки. Надо быть ненормальной, чтобы самой взять и отказаться от такой удачи. И Роза Григорьевна не предпринимала никаких шагов.

Она выжидала. Чего? Она же не дура. Пройдет еще немного времени, и все кончится само собой. Моня поправится, с него снимут гипс, и тогда — будь здоров, пиши открытки — загремит опять на фронт. И Фирочка будет свободна. А иметь ее свободной у Розы Григорьевны были веские основания.

Если прежде один только Моня Цацкес разглядел в Фирочке-Козочке принцессу, то сейчас, с прической, сделанной руками влюбленного мастера, она стала такой красавицей, что люди, раньше не замечавшие ее, останавливались на улице как вкопанные и долго смотрели ей вслед. Даже при том дефиците женихов, какой может быть только на четвертом году кровопролитной войны, претендентов на Фирочкину руку было хоть отбавляй. Эти претенденты робели приблизиться к Фирочке, особенно если рядом было это огородное пугало в гипсе, а обращались со своими предложениями к Розе Григорьевне. И она вела переговоры с женихами с трезвой и холодной головой, при этом жеманясь и томно закатывая глаза, словно не дочь, а себя пыталась пристроить в жизни.

А Фирочка-Козочка и Моня Цацкес были на седьмом небе. Такого он еще не испытывал. И она — тоже. Они бродили по укромным местам, держась за руки, и он ни разу не позволил себе ни одного движения, способного ее обидеть. И все время они болтали. Фирочка-Козочка говорила за обоих, а он лишь кивал и улыбался глазами.

Они говорили о будущем. Но это будущее рисовалось далеко не радужным. Скоро Моню выпишут из госпиталя и отправят на фронт. И что будет с Фирочкой-Козочкой? Она же умрет от горя, если больше не увидит его. А что же делать, чтоб не расставаться? Поступить на курсы санитарок и вслед за Моней поехать на фронт и попроситься там в Литовскую дивизию.

Фирочка-Козочка стала ходить на курсы, ничего не сказав маме. Роза Григорьевна узнала об этом, когда было уже поздно, потому что Фирочку-Козочку поставили на военный учет. И сыграть обратный ход — значило зачислить дочку в дезертиры. Со всеми вытекающими последствиями. Роза Григорьевна чуть с ума не сошла.

Они поцеловались, когда с Мони сняли гипс, открыв бледные-бледные губы с неровными следами швов и шрамами на подбородке — гуще, чем паутина. Фирочка-Козочка легонько водила губками по шрамам, и Монино сердце замирало. Прикосновение ее губ отзывалось сладким звоном в голове, и в глазах начинало щипать, как перед слезами.

Поцелуй этот был первым и последним. Потому что снятый гипс означал: лечение окончено. И Моню незамедлительно выписали на фронт.

На вокзале Фирочка-Козочка рыдала, как маленький ребенок. Даже Роза Григорьевна пролила слезу. Моня крепился и не плакал.

Курсы санитарок Фирочка-Козочка закончила через два месяца и подала прошение на фронт, в Литовскую дивизию. Ее просьбу удовлетворили, и она написала Моне, что выезжает и будет писать ему с дороги каждый день.

Он получил два письма, полные любви и нетерпения Больше писем не было Моня даже грозился набить морду полковому почтальону Йонасу Валюнасу, но тот божился, что это не его вина, просто нет больше писем рядовому Цацкесу

Фима Шляпентох под диктовку дважды писал Розе Григорьевне, но ответа не получил. Тогда они стали запрашивать разные инстанции, ведущие учет потерям, и получили казенный ответ, что их Фирочка-Козочка в списках убитых, раненых и пропавших без вести не числится. Вот и все.

А потом были тяжелые бои под Шауляем. И Моня несколько раз прощался с жизнью, но — уцелел. А потом подошли к Восточной Пруссии, к самому логову зверя, и война вступила в решающую фазу.

За это время Моня Цацкес пережил столько потерь, что боль от одной потери постепенно притупилась и ушла на самое дно души.

СЕМЬЯ

Сыпал мокрый, быстро таявший снег, но улицы прусского городка оставались белыми. Пух перин и подушек летал в воздухе, оседая на развороченной мостовой, на подоконниках пустых, выбитых окон. Пух облепил черепичную островерхую крышу кирхи и труп убитой лошади с задранными к небу копытами.

Горели дома. Никто не бежал от пожара, не спасал пожитки. Уцелевшие жители, как клопы в щели, забились в подвалы и оттуда со страхом провожали глазами двух русских солдат, которые брели по улице, чавкая ботинками. В мятых, прожженных шинелях, в обмотках, в зимних ушанках и с тощими вещевыми мешками на спинах.

Один солдат был худой и высокий, другой — пониже и плотный. Это были рядовые Моня Цацкес и Фима Шляпентох. Дотянувшие наконец до Германии в поредевших рядах Шестнадцатой Литовской дивизии.

У Шляпентоха висела на кончике сизого носа мутная капля Он глубоко вздыхал:

— Я бы не мог..

— То — ты, а то — я, — резко отвечал Цацкес со строгим лицом и непривычно холодными глазами — Око за око

— Я бы не мог.

— Ну и заткнись!

Задолго до того, как дивизия ворвалась в Восточную Пруссию, еще когда бои шли в Литве, Моня Цацкес, в очередной раз контуженный, отпросился у начальства на два дня. На попутных армейских «студебекерах» он добрался до Паневежиса посмотреть, что сталось с его семьей. Смотреть было нечего. Дом сгорел. А семью убили, как и всех евреев, не успевших бежать из Паневежиса. Убили мать и отца Мони, двух сестричек-подростков — Ципору и Малку и младшего брата Пиню. Где они похоронены, никто сказать не мог: стреляли евреев в разных местах, в противотанковых рвах, которые опоясывали Паневежис. Литовцев не стреляли. И кое-кто из них изрядно поправил свои дела на еврейском добре.

Монин парикмахерский салон сохранился, и даже вывеска над входом была та же. Два кожаных кресла фирмы «Бельдам», купленные Моней незадолго до войны, стояли как новенькие. Словно его дожидались. Даже не потерлись на подлокотниках. Новый владелец салона Пранас Буткус, Монин сверстник и сосед, бледный, растерянный, предложил ему снова вступить во владение, а он, Пранас Буткус, выплатит компенсацию за пользование салоном и оборудованием.

Моня отказался. До лучших времен. До конца войны.

Он как потерянный бродил по чужим теперь улицам города, где родился и прожил все свои годы. Он не встретил в Паневежисе ни одного еврейского лица, не услышал звука еврейской речи. Это было страшно. Невероятно. В какой-то момент Моне показалось, что на свете больше нет евреев. Убили всех до единого. И только он один почему-то жив и переставляет ноги.

Двое суток, отпущенных начальством на поездку, истекали. На прощанье Моня выпил с белобрысым, все время моргающим Пранасом Буткусом литовского самогона. Пахучего, свекольного. Напился вдрызг. И сам не помнил, как на попутных машинах добрался до своего полка, снова принимавшего пополнение личного состава.

Потом Моню нередко видели пьяным, чего раньше за ним не замечалось. Фиме Шляпентоху, и больше никому, доверил он свой план, окончательно созревший в хмельной голове. В первом же немецком городе они пройдутся по домам и разведают, где обитает немецкая семья такого же состава, как семейство Цацкесов в Паневежисе. Чтоб были мама и папа — в летах, но не старые. Две дочки, желательно тринадцати и пятнадцати лет. Какие-нибудь Гретхен и Лизхен. И чтобы непременно был мальчик. Пининых лет. Скажем, Фриц или Ганс.

Моня раздобыл трофейный кинжал с наборной плексигласовой рукояткой и желобком посередине сверкающего плоского лезвия. Для стока крови.

Вот этим кинжалом он и вспорет животы немецкой семейке, которая совпадает по составу и возрасту с его погибшей семьей. А больше никого не тронет. Даже словом не обидит.

Он только восстановит справедливость. Око за око, зуб за зуб. И лишь тогда успокоится и перестанет пить. Потому что водку жрать до помутнения в мозгах — не лучшее занятие для еврейского парня. А он, Моня Цацкес, если ему суждено остаться в живых, непременно женится после войны, чтобы продолжить свой род.

Когда они заняли немецкий город, рядовой Цацкес выдул две бутылки трофейного ликера и послал непьющего Шляпентоха разыскать требуемую немецкую семью и указать ему, Цацкесу, ее координаты.

Шляпентох не посмел отказать другу и, побегав по улицам, заглядывая в десятки обитаемых домов, наконец нашел то, чего требовал Цацкес. Семью из пяти человек, в отдельном домике из темно-красного кирпича, с высокой черепичной крышей. Домик стоял в голом зимнем саду, и крики оттуда навряд ли будут слышны на улице.

Теперь он вел к этому месту своего мрачного друга и всю дорогу вздыхал:

— Я бы не мог...

— Потому что ты — баба, — Моня скрипнул зубами, задрал полу шинели и, вытащив из-за ремня кинжал, сунул его в карман. — Стой на улице как часовой. Если кто сунется выяснять, почему крики, — отгоняй автоматом! Понял? И жди, пока я выйду. Я живо справлюсь.

Нетвердым шагом, грузно покачиваясь из стороны в сторону, Моня направился через заснеженный голый сад к кирпичному домику, а кроткий долговязый Шляпентох оторопело смотрел ему вслед на его упрямо наклоненную голову, на тощий солдатский мешок на спине. Дверь домика Моня распахнул ударом ноги и исчез внутри, даже не оглянувшись. За окнами ничего не было видно: они чернели маскировочными шторами.

Шляпентох зябко топтался на тротуаре. Через улицу —

почти напротив — догорал двухэтажный дом, в котором, по всей видимости, прежде был большой магазин. У разбитых витрин, на тротуаре, грудой лежали голые манекены. Без париков, яйцеголовые, с бледно-розовыми телами из папье-маше. Одежду и меха с них, должно быть, содрали солдаты из проходивших через город колонн.

Трое русских солдат присели отдохнуть. Сели на манекены, потому что они были сухими, и, греясь у пожара, сняли ботинки, развернули коричневые от пота и сырости портянки и стали сушить их на вытянутых к огню руках.

У Шляпентоха тоже было сыро в ботинках, но присоединиться к солдатам он не решился. Нервничал. Беспокойно поглядывал на часы, озирался по сторонам: не идет ли патруль?

Прошло минут двадцать. Из домика под черепичной крышей не доносилось ни звука, и Моня все не выходил.

В сердце Шляпентоха зародилось недоброе предчувствие: эта семейка из пяти человек, поняв, что русский солдат пьян, могла навалиться на него и прирезать его же собственным кинжалом. О таких случаях предупреждали солдат армейские газеты. Фиме стало страшно за друга. Он снял с шеи автомат, щелкнул затвором и пошел по сырому, вязкому снегу через голый траурный сад. Затаив дыхание, поднялся по красным кирпичным ступеням, толкнул плечом незапертую дверь, ступил мокрыми ботинками на пушистый коврик в прихожей и прислушался.

Из дальних комнат слабо доносился чей-то голос. Фима узнал Моню и с облегчением перевел дух. Моня разговаривал с кем-то. И не по-немецки, а на чистом идише.

Шляпентох шагнул туда, все еще держа автомат наготове.

Монин автомат валялся на узорном ковре. А сам Моня, без шинели, сидел за столом под люстрой. Перед ним, окаменев, сидели хозяин и хозяйка, слушая несвязную пьяную речь. Справа и слева от Мони хозяйские дочки и мальчик с голодным нетерпением тянулись вилками к открытым консервным банкам. Это была американская свиная тушенка, вспоротая трофейным кинжалом с наборной рукояткой, который лежал на скатерти. И желобок для стока крови на клинке был забит белым салом. Дети глотали торопливо, не жуя.

— Малка... Ципора... — поглаживал Моня плечи девочек, а потом повернулся к мальчику: — Ты, Пиня, не спеши — подавишься... У меня еще две банки имеются в запасе... Мамаша..

и ты, папаша... Кушайте на здоровье... Почему не хотите? Это
же американская тушенка, первый сорт!.. Ой, я совсем забыл...
Ну, начисто забыл: вы же не едите свинину... Прошу прощения... Ну, что же делать? Где достать для вас кошерное?

И, увидев в дверях Шляпентоха, улыбнулся с извиняю-
щимся видом:

— Вот мой друг... Он может подтвердить... Во всем мире
теперь нет кошерной пищи.

ЭПИЛОГ

Последний раз мне довелось видеть Моню Цацкеса незадолго до конца второй мировой войны. Был март. Таял снег на
бетонных автобанах Померании. Аккуратные поля немецких
бауэров были под водой. В голых ветвях придорожных вязов
удивленно галдели прилетевшие с юга грачи.

На Запад по германским первоклассным дорогам двига-
лась азиатская орда. Русская армия-победительница. В дико-
винных шапках-ушанках, в измызганных серых шинелях, в
допотопных обмотках и кирзовых сапогах. На мохнатых монгольских лошадках. На трехосных американских «студебекерах». На исцарапанной осколками броне танков «Т-34». И
просто пешком — без строя, ватагой, — навьюченная пудовы-
ми плитами минометов, ручными пулеметами, трофейными
фаустпатронами. С противогазными сумками, набитыми шел-
ковым дамским бельем, с десятком немецких часов на каждой
руке — от запястья до локтя. На лафете артиллерийского ору-
дия дребезжало закрепленное цепями черное лакированное
пианино, оскалив белые клавиши. Скуластые солдаты с бла-
женной улыбкой растягивали меха перламутровых аккордео-
нов «Хоннер», и разудалые и тоскливые степные песни плыли
над готическими шпилями кирх, над островерхими кирпичными крышами, над ухоженной и сытой немецкой землей.

Моросил мелкий дождь, когда я остановил свой «виллис»
у развилки дорог, чтобы уточнить свой маршрут на КПП. Сол-
дат-часовой на этом узле дорог оказался малый не промах.
Чтобы укрыться от непогоды и при этом не нарушить устава
караульной службы, он приволок из ближайшего немецкого
фольварка дубовый шкаф с резными узорами на распахнутых
настежь дверцах, вышиб из него полки и перекладины, вышвырнул все барахло в придорожную грязь и забрался в шкаф

во весь рост, как в караульную будку. Большое зеркало на внутренней стороне дверцы давало ему широкий обзор в оба конца, и он не утруждал себя даже лишним поворотом головы

На часовом были красные американские ботинки, серые обмотки вились спиралью до колен, короткая шинель с черными подпалинами — следами ночлегов у костра — была косо подпоясана брезентовым ремнем, на боку болталась противогазная сумка, где, как ни странно, сохранился противогаз. Над выпущенным на лоб черным чубом с редкими прядями ранней седины торчала зимняя шапка на «поросячьем пуху», с одним ухом, задранным вверх, а другим — опущенным вниз. Эти два уха шапки-ушанки, поднятое и опущенное, словно захваченные врасплох на стыке времен года, напоминали о том, что зима уже прошла, а лето все еще не наступило.

На задней стенке шкафа висели на гвозде стенные часы с гирями на цепях и маятником. Каждые пятнадцать минут часы начинали простуженно кашлять, над цветным циферблатом отворялось окошко, откуда высовывалась деревянная птичка и издавала хриплое «ку-ку»

Да, это был он — рядовой Моня Цацкес. Он тоже обрадовался мне. И мы принялись болтать, пока рядом нет начальства. Я спрашивал о тех, кого знал еще со времен формирования Литовской дивизии на замерзшей русской реке Волге, а Моня отвечал. Как живой справочник.

— Лейтенант Брохес? Командир минометной роты? Убит. Под Шауляем...

— Рядовой Фима Шляпентох?.. Смешной парень был. Убили... Совсем недавно.

— Старшина Качура? Подорвался на мине. Даже сапог не нашли. Помните, какие у него были хромовые сапожки?

— И политрук Кац погиб... Война не разбирает.

— А помните почтальона? Валюнаса, которого начальство готовило закрыть грудью амбразуру дота, как это сделал Александр Матросов? Он еще в пьяном виде прокусил ухо нашему командиру полка и угодил в госпиталь для психов. Сейчас вспомнили? Вернулся через полгода и погиб... Так и не став Героем Советского Союза...

— И бывшего шамеса нет в живых... И бывшего кантора Фишмана тоже...

— А немец из Клайпеды? Зепп Зингер, урожденный Залман Зингерис? Который был поваром у фельдмаршала

Манштейна и продемонстрировал гостям из Берлина превосходство германской расы? Его взял в повара подполковник Штанько. И оба погибли. От одной бомбы...

И еще сказал Моня:

— Ветеранов, живых, можно по пальцам сосчитать. А дивизия по-прежнему в полном составе. Пополнение наскребли в Литве. Чистые литовцы. Евреев к нам больше не присылают. Кончился запас.

— Знамя полка? А что ему сделается? В целости и сохранности. Бархат почти новый...

Стенные часы за спиной у Мони закашляли, зашипели, и деревянная кукушка высунула головку из круглого отверстия и прохрипела свое «ку-ку», напомнив, что мне пора ехать дальше.

— Постойте, у меня к вам один вопрос... — задержал меня Моня. — Вы старше меня, может быть, вы знаете... — он смутился и стал подыскивать слова. — Допустим, женщина потеряла дар речи и слышит плохо... не от рождения — это несчастный случай... Так дети у нее не будут глухонемыми?

Я удивился, с чего это Моню Цацкеса интересуют такие проблемы. И он пояснил, застенчиво улыбаясь:

— Понимаете... есть один человек... У меня же никого не осталось... Фирочка-Козочка...

— Какая козочка? — не понял я.

— Есть такая. Тоненькая... с зелеными глазами... Она из-за меня пошла в санитарки и поехала на фронт. Но не доехала. Их разбомбило... От контузии она перестала говорить... И с ушами плохо... Фима Шляпентох, пока его не убило, писал за меня письма... Мы искали ее... И нашли... Так вы думаете, что это не отразится на детях?

Я заверил его, что ее контузия не имеет никакого отношения к будущим детям, потому что это не врожденное, а благоприобретенное...

— Спасибо на добром слове, — улыбнулся Моня, и белые шрамы на его подбородке порозовели. — Так уж, видать, нам на роду написано: раньше я молчал, она говорила. Теперь наоборот будет.

Мы обнялись с Моней. Я поехал к повороту шоссе, оставляя за собой шкаф, переделанный в караульную будку, и плотную фигуру солдата в нем с круглыми, как у пингвина, глазами.

До конца войны было еще полтора месяца.

Иерусалим, 1977г

ОСТАНОВИТЕ САМОЛЕТ — Я СЛЕЗУ

Красивая, 23 года, тугоухая, говорит
немножко на русском, грузинском
и иврите

ХОЧЕТ

познакомиться с подходящим молодым
человеком — тугоухим или глухонемым —
с целью замужества.

*Из объявлений в израильской газете
на русском языке «Наша страна»*

Международный аэропорт им. Дж. Ф
Кеннеди в Нью-Йорке. Борт самолета
ТУ-144 авиакомпании «Аэрофлот»
Температура воздуха за бортом +28°C

— Здравствуй, жопа новый год!

О, простите ради Бога! Я не хотел сказать это вслух. Я только подумал так. Внутренний голос, как говорят киношники.

Но слово — не воробей, вылетело — не поймаешь. Поэтому еще раз прошу прощения, не сердитесь, не будем портить себе нервы. Так уж получилось, что рядом со мной сели вы, а не вон та блондинка. Я держал это место для нее — думал, сядет. А сели вы...

Значит, мы с вами — соседи. И лететь нам вместе в этом прекрасном самолете отечественного производства четырнадцать часов от города Нью-Йорка до столицы нашей родины Москвы. Поэтому не будем ссориться с самого начала, а лучше скоротаем время за интересной беседой и, возможно, если повезет, услышим что-нибудь новенькое. Как сказал Сема Кац — пожарный при одном московском театре.

Вы не знаете эту историю? Слушайте, вы много потеряли Эта история с бородой, ей было сто лет еще до того, как я очертя голову покинул Москву, чтобы жить на исторической родине

Вы не знаете, что такое историческая родина? Сразу видно, не еврей Любой советский еврей — сионист или антисионист, коммунист и беспартийный, идеалист и спекулянт круглый дурак и почти гений — уж что-что, а что такое историческая родина, ответит вам даже в самом глубоком сне.

Но вы русский человек, это видно с первого взгляда, и зачем вам ломать голову: что такое историческая родина, когда родина у вас была, есть и будет, и это понятно и естественно, как то, что мы с вами дышим. А у евреев с этим вопросом не все гладко, и поэтому тоже понятно, почему им не нужно объяснять, что такое историческая родина.

Но не будем отвлекаться и забегать вперед. Вернемся к нашему пожарному Семе Кацу. Из московского театра. А насчет исторической родины мы успеем еще обменяться мнениями. Впереди долгий путь и много времени. Я, как видите, поговорить люблю, а вы, как я вижу, умеете слушать. Неплохая пара — гусь да гагара. Это и называется приятным обществом.

Все! Хватит трепаться, переходим к делу.

Евреи, как мы с вами знаем, народ крайностей, без золотой серединки. Если еврей умен, так это Альберт Эйнштейн или, на худой конец, Карл Маркс. Если же Бог обделил еврея мозговыми извилинами, то таких непроходимых идиотов ни в одном народе не найдешь, и Иванушка-дурачок по сравнению с ним — Михаил Ломоносов.

Пожарный Сема Кац, который каждый Божий вечер, когда шел спектакль в театре, дежурил за кулисами на случай пожара, чтоб без паники и желательно без смертельных ожогов эвакуировать публику из зала, если пожар все же случится, относился ко второй категории евреев, то есть не к тем, что дали миру Альберта Эйнштейна и основоположника научного марксизма. Сема Кац, хоть удачно выдал замуж двух дочерей и был дедушкой, отличался дремучим невежеством и наивностью новорожденного. Он знал только свою профессию и был без ума от театра. До того без ума, что мог в сотый раз с интересом смотреть одну и ту же пьесу. И стоило закрыться занавесу, как все начисто улетучивалось из его головы, и назавтра он с неменьшим увлечением слушал тот же текст, стоя за кулисами и разинув рот от удовольствия.

Так вот, как-то раз этот самый Сема Кац потряс всю театральную Москву. Актеры, зная преданность пожарного Каца театру, великодушно позволяли ему сопровождать их после спектакля до метро и молча слушать их треп. Сема Кац один-единственный раз вмешался в разговор, и этого ему было достаточно, чтобы прославиться на всю Москву. И ее окрестности

Актеры спорили о чем-то, шагая в сопровождении пожарного к метро, и кто-то, доказывая свою правоту, сказал:

— Это так же реально, как и то, что Земля круглая.

— Земля круглая? — не выдержал пожарный Кац и рассмеялся этому, как удачной шутке.

Оторопевшие актеры, которые никак не ожидали обнаружить в середине двадцатого столетия в столице державы, запускающей спутники, такого мамонта, стали популярно разъяснять ему все, что знает крошка-школьник. Сема Кац слушал, как волшебную сказку, и у входа в метро, когда прощался с актерами, сказал растроганно:

— Вот почему я люблю с вами гулять — от вас всегда узнаешь что-нибудь новенькое.

Прелестно! Я очень доволен, что удалось вас рассмешить. Значит, конфликт исчерпан, и мы можем познакомиться поближе.

Разрешите представиться. Рубинчик. Аркадий Соломонович. Сын, как говорится, собственных родителей. По профессии — увы! — парикмахер. Дамский и мужской. Не смотрите на меня так. Да, да. Парикмахер. И если вам показалось, что я кто-нибудь другой, то не вы первый ошибаетесь. Я — парикмахер высшего разряда. Гостиницу «Интурист» в Москве знаете? Там работал ваш покорный слуга и обслуживал исключительно высший свет — дипломатов, туристов, а главное, московский мир искусств. Все головы этого мира обработаны мною, и по закону сообщающихся сосудов кое-что оттуда перешло ко мне. Неплохо?

Каждый писатель из моих постоянных клиентов считал своим долгом обязательно дарить мне экземпляр только что вышедшей книги с соответствующей надписью и потом, приходя стричься или бриться, считал неменьшим долгом спрашивать, как мне понравилось прочитанное, а чтобы я не увиливал, выпытывал конкретно, по главам.

Воленс-неволенс, мне приходилось всю эту муру не только читать, но и запоминать, чтобы не лишиться постоянных клиентов, которые как инженеры человеческих душ знают что мастер тоже человек и ему надо оставлять на чай, иначе он протянет ноги, и некому будет работать над их талантливыми головами. Я не имею в виду идеологическую обработку. Это делали в другом месте.

Весь прочитанный мною винегрет и услышанные разго

воры деятелей искусств — ведь уши не заткнешь — застряли в моей голове, и когда я открываю рот и начинаю говорить, многие ошибаются и принимают меня за писателя. Средней руки Боже упаси! У меня есть моя профессия, и она меня пока еще кормит. И не место красит человека, а совсем наоборот человек — место. Поэтому я, в отличие от некоторых, никогда не скрываю, кто я в действительности такой.

Парикмахер И большой идиот. Потому как то, что я натворил, сдуру сунувшись куда не надо, мог наделать только набитый дурак.

Правда, меня утешает одно обстоятельство. То, что я не одинок в своем идиотизме. Добрая сотня тысяч советских евреев проделала то же самое, и, скажу вам откровенно, с не меньшим успехом. И ходят теперь все лысыми. Потому что потом рвали волосы у себя на голове.

Но об этом после. Времени у нас — уйма.

Посмотрите, пожалуйста, вот та блондинка, на три ряда впереди, не на нас с вами оглядывается? Да. Роскошные волосы. Скажу по совести, на каждую женщину, которая чего-нибудь стоит, я сперва кладу профессиональный взгляд. Волосы, косметика. У стоящей женщины это дело всегда на высоте.

Вот и на эту блондинку я еще в аэропорту Кеннеди обратил внимание из-за ее шикарных волос. Потом оказалось, что и фигурка не подкачала. И нос на месте. И глаза без бельма. Что еще мужчине надо?

Тогда я стал смотреть на нее в упор — это у меня такой метод с юности, когда я жил в городе Мелитополе, — и стал мысленно ей внушать:

«Ты сядешь в самолете рядом со мной... сядешь рядом со мной... это твой шанс... не проходи мимо своего счастья...»

Я сверлил взглядом ее затылок, пока у нас принимали ручную кладь, потом, когда мы спешили по длинному туннелю к самолету, и в самом самолете. Я повторял мое заклинание до тех пор, пока... рядом со мной не плюхнулись вы.

Тут-то я и сказал про себя, а вышло вслух:

— Здравствуй, жопа новый год!

Это относилось даже не столько к вам, сколько ко мне самому.

Но теперь я не жалею, что так вышло. Что бы я с этой женщиной делал, имея ее рядом четырнадцать часов и все это время абсолютно недосягаемую? Одно расстройство А в вашем лице я нашел прекрасного собеседника, который вдобавок и умеет слушать. Что еще нужно еврею для полного счастья?

Пожалуй, одно. Чтобы наш самолет, не дай Бог, не упал в океан, где мы бы с вами долго мучились в ледяной воде, пока нас бы не пожалели и не скушали акулы. Но это бывает по статистике только в одном полете из ста, и у нас с вами есть девяносто девять шансов благополучно приземлиться в Москве.

Лучше перейдем к более веселым темам, и пока вот та куколка-стюардессочка с таким милым русским личиком разносит ужин, я успею вам рассказать историю, которая произошла со мной тоже в самолете и где мой метод прожигать взглядом женщину имел успех.

Это было в Америке, с год назад. Я еще был там зеленым и не совсем устроенным. Только-только из Израиля выкарабкался и искал, как мне зацепиться за эту страну.

В Нью-Йорке я работы подходящей не нашел, и один местный еврей, из филантропов, посоветовал мне слетать в город Вилмингтон, штат Северная Каролина. Там его приятель держит салон красоты, и для такого мастера, как я, у него, большого сиониста, место всегда найдется. Он даже позвонил своему приятелю в Вилмингтон, и тот даже прислал билет на самолет. Правда, в один конец. Обратный я покупал за свой счет, потому что сионист из Вилмингтона посчитал меня за фраера и предложил мне плату — одну треть того, что он дает даже неграм. При этом он сказал, чуть ли не со слезой, что он всей душой с русским еврейством и мы с ним — братья. Я ему сказал, что таких братьев я видал в гробу в белых тапочках, наскреб последние доллары на билет и укатил в Нью-Йорк — город желтого дьявола, как обозвал его великий пролетарский писатель Максим Горький.

Но не об этом речь. Я не жалею, что так неудачно слетал в город Вилмингтон, штат Северная Каролина. Кроме того, удачно я слетал или неудачно, зависит, с какой стороны на это посмотреть. Должен вам признаться, что я таки очень удачно слетал и затраченные на обратный билет деньги не могу записать себе в убыток.

Еще в Нью-Йорке, в аэропорту Ла Гардия, я заметил ее. Вернее, волосы. Черные как смоль. С синеватым отливом. Натуральными волнами лежат на плечах и спине. И обрамляют эти волосы дивное личико волшебной восточной красоты. С чуть раскосыми глазками. Бровками вразлет. Губками, как роза. Кожа матовая. Ноздри трепещут, как у породистой лошади.

При этом миниатюрная, крошечная фигурка. Под стать моему росту. И одета со вкусом, и без претензий.

Одним словом, с ума сойти! И то мало.

Я стал жечь ее взглядом и внушать на расстоянии. Хотя, скажу откровенно, особой надежды не питал. Слишком хороша для меня.

Пассажиров в самолете было немного, неполный комплект, и свободных мест — сколько хочешь.

Сел я у окна, имея рядом свободное место, у прохода, и уставился на нее в упор, пока она продвигалась в глубь самолета с изящным чемоданчиком в руке. Смотрю на нее и внушаю Мысленно. «Сядь со мною рядом, рассказать мне надо...»

Вы думаете, я хвастаюсь? Клянусь вам, это правда. Она остановилась возле меня, вскинула свои реснички, и я кивнул ей, взял из рук чемоданчик и помог положить в багажную сетку.

Она сняла пальто, села, достала журнал и уткнулась в него, словно меня на свете не существует. Я понял, дело плохо. Лету часа полтора, она едва успеет дочитать журнал. Надо принимать меры. Сесть со мною рядом — это я мог внушить. Но влюбить в себя — моего внушения не хватало.

И тут меня выручила газета. Когда я был в Израиле и весь мир, а в особенности американцы, еще не потерял интереса к «мужественным советским евреям», меня сфотографировал корреспондент, и мой портрет появился в американской газете. Не потому, что я в действительности герой, а потому, что им нужен был еврей из Москвы, а не из Черновиц, и единственным москвичом среди черновицких и кишиневских евреев оказался я.

Портрет вышел что надо, а текст вокруг него расписали такой, что неловко было людям в глаза глядеть. Национальный герой... лидер крупнейший... У американцев, если уж они берутся вас похвалить, так вы непременно и лидер, и крупнейший, и самый-самый. Так у них принято. Я это потом узнал.

Один номер той газеты я приберег и в нужных случаях, скромно потупясь, показывал, что не раз сослужило мне хорошую службу.

Газета, как всегда, лежала у меня в портфеле, и я достал ее, развернул портретом поближе к соседке и даже краем наехал на ее журнал. От моей невежливости она нахмурила бровки и нечаянно глянула на портрет. Потом подняла глаза на меня и снова на портрет. Клюнула!

И тогда я увидел, как возникает на этом волшебном личике интерес к моей особе. Она вежливо попросила газету: нельзя ли посмотреть? Я тоже вежливо, без суеты, протянул газету. Она впилась, а я, зная, как там расписан, затаил дыхание, ожидая результата. Ждать пришлось недолго. Она снова подняла глаза — в них светился восторг. Еще бы! Она сидит рядом с героем борьбы за выезд советских евреев в Израиль, мужественным человеком.

Мой английский оставляет желать лучшего, но и ее английский недалеко ушел. Видать, тоже недавно в Америке. Иммигранточка. Стали болтать через пень-колоду. Я — грудь колесом, пускаю пыль в глаза. Она — ах да ах, не может успокоиться, с каким, мол, человеком познакомилась. Чую, дело на мази. Остается только не поскользнуться на апельсиновой корке. Что меня настораживало, так это плутоватый огонек в ее прекрасных глазках, когда она поглядывала на меня. Будто разыграть собиралась.

Наахавшись и наохавшись, она сказала мне, играя, как бес, глазами:

— Я очень рада познакомиться с героем Израиля, но, думаю, вы не очень обрадуетесь, когда узнаете, кто я. Ну, угадайте.

Я почувствовал подвох и окончательно растерял свой скудный запас английских слов. Вместо вразумительного ответа в башку лезли фразы из учебника английского языка, вроде: мистер и миссис Кларидж пошли в магазин делать покупки...

— Не напрягайтесь, — рассмеялась она, — все равно не угадаете. Я — арабка. И родилась на той же земле, куда вы теперь героически добрались из Москвы. Мы с вами оба вроде земляки. Только меня оттуда попросили, а вас — наоборот.

И смеется на все свои прекрасные тридцать два зуба, а я чувствую — мороз по спине ползет и брюки скоро отклеивать придется. Ничего себе, влип. Кого я приблизил к себе методом внушения? Арабскую террористку. Возможно, в чемоданчике, который я помог уложить в багажную сетку, мина с часовым механизмом? Я даже напряг слух, стараясь услышать тиканье.

Как бы угадав мои мысли, очаровательная террористка продолжала изводить меня:

— Два моих брата — бойцы «Народного фронта освобождения Палестины» Я тоже чуть не увлеклась этой романтикой, даже собиралась захватить израильский самолет, но.

— Что «но»? — спросил я пересохшими губами.

— Но, — рассмеялась она, — раздумала. Вспомнила, что я — женщина, что молодость быстро пройдет, послала к черту моих братьев и эмигрировала из Ливана сюда. У меня — американский паспорт.

Я перевел дух.

— Но это, право, очень занятно, — продолжала она, — что мы познакомились с вами. И если бы у нас завязался роман, то мы были бы современные Ромео и Джульетта из враждующих домов Монтекки и Капулетти.

Начитанная, должен сказать, была эта канашка из «Народного фронта освобождения Палестины». Я делаю вид, будто мне не впервой попадать в подобный переплет.

— Так за чем остановка? — как можно беспечней спрашиваю я. — Что может помешать нашему роману?

— Если вы не возражаете, — отвечает, — то я — за.

Поверьте мне, после этого случая я переменил свой взгляд на арабов. Вернее, на арабок.

Послушайте, что было дальше.

Мы прилетели в Вилмингтон поздно вечером и поехали вместе в гостиницу «Хилтон». Там в каждом городе есть гостиницы под этим названием. Приезжаем. Она заказывает комнату на двоих и в карточке для приезжающих пишет, что мы — супруги, мистер и миссис Палестайн, что по-русски означает «Палестина». Вот бестия! Я чуть не начал икать.

А что было в постели — это ни пером описать, ни в сказке сказать. Тысяча и одна ночь! Шахерезада!

Через каких-нибудь пару часов я был уже пустой и звонкий, меня можно было надувать, как шарик, и я бы взлетел, потому что стал легче воздуха.

Я ей потом сказал:

— С таким темпераментом вы испепелите Израиль в два счета.

А она мне в ответ отвалила комплимент, лестный для всего еврейского народа.

— Если все евреи такие мужчины, как ты, я готова признать право Израиля на существование

Это она сказала мне, который позорно сбежал с исторической родины в Америку. Но ведь она этого не знала. Так же, как и я не знал многого из ее, полагаю, не совсем монашеской жизни.

Уснул я как убитый, а проснулся в холодном поту.

В той комнате, где я ночевал, было окно во всю стену, и, открыв глаза, я увидел, как в кино, серый силуэт крейсера «Аврора». Исторический крейсер «Аврора» стоит на Неве в городе Ленинграде — колыбели революции.

«Значит, я в СССР, — заныло у меня в копчике, — меня усыпили и тайком переправили в Ленинград...» (Почему в Ленинград, а не в Москву? — об этом я даже не успел подумать.) «И прелестная арабка — не террористка, а агент КГБ! Сейчас пойдут допросы с пристрастием... и все из-за этого паршивого портрета в американской газете, где меня расписали черт знает кем».

Я лежал холодный, не смея шевельнуться, и, как кролик с удава, не сводил глаз с серой «Авроры» за окном.

Одно меня удивляло: что подо мной не тюремная койка, а мягкая кровать. А также то, что окно почему-то без железной решетки. Больше того, у окна — дорогой торшер и кресло.

В широкой кровати я лежал один, но вторая подушка была примята, и на ней чернел длинный женский волос. Ее волос. Прелестной террористки.

И был я не в Ленинграде, а в Америке. В городе Вилмингтон, штат Северная Каролина. Крейсер за окном стоял тоже на реке, но не на Неве. Это был тоже исторический крейсер, но из американской истории, и как две капли похожий на нашу «Аврору». Его тоже под музей пустили.

Скажу вам откровенно, это большое чудо, что я не стал тогда импотентом. Но заикался я довольно продолжительное время, правда, окружающие такой дефект объясняли слабым знанием английского языка.

Кстати, обратите внимание, блондинка-то поглядывает в нашу сторону. Значит, мое внушение на расстоянии не прошло бесследно, и она что-то чувствует. Кто знает, что могло бы получиться, если бы не вы, а она села рядом со мной?

Над районом острова Ньюфаундленд.
Высота — 27000 футов.

Ну, кажется, и нам несут ужин. Вот это я понимаю! По-царски! Ну, как тут не закричать на весь мир: «Летайте самолетами "Аэрофлота"!» Икра! Красная и черная! Где, в каком еще самолете вам подадут такую роскошь?

Я полетал немало. Разными авиакомпаниями. И «Эл-Ал», и «Пан-Америкен», и «Эр-Франс», и «Люфтганза»... и «Юнайтед Артистс»... Нет, что я говорю? Прошу прощения. «Юнайтед Артистс» — это не авиационная, а кинокомпания, снимает фильмы. Я уже начинаю заговариваться. Видно, действует запах русской кухни.

Нигде так не кормят, как в «Аэрофлоте»! У них там все малюсенькими дозами, все отмерено в миллиграммах, как в аптеке. И безо всякого вкуса, будто резину жуешь.

А у нас? В первом классе едят, а во втором голова кругом от запахов. Какой борщ! Какой аромат! Дымится! Клубится!

А девица-то... стюардессочка. Какие стати! Какой взгляд! Пава! Ей-Богу, пава! Как поется в известной песне: «Посмотрела, как будто рублем подарила, посмотре-е-ла, как будто огнем обожгла».

Что может быть лучше русской женщины?! Заграничные стюардессы тоже, канашки, неплохи. Но с нашими... никакого сравнения. Там стюардессы как из одного инкубатора. И улыбка не своя. Положено по службе, вот и скалит зубы. Без чувства, без души. Как манекен в витрине.

А наша? Никакой улыбки. Даже бровки хмурит соболиные. Строга, мать. Знает себе цену. А уж улыбнется, так персонально тебе, и никому другому. От всей души!

Боже мой, Боже! У меня сердце выпрыгнет. Я ведь не железный. Посмотрите, как она ходит! Как ногу ставит! Как бедром работает... левым... правым... Уй, глаза бы мои не глядели... можно схватить инфаркт. Естество... грация... врожденная. Такому не обучишь. Такой надо родиться... а это возможно только в России.

Ну, слава Богу, отошла. Поехала, мать, за новыми порциями. Теперь хоть остыну немножко, успокоюсь. Знаете, такая и мертвого подымет.

Уф-уф-уф. Остываем. Берем второе дыхание... Хотите верьте, хотите нет, но у меня была такая вот, и раз у нас разговор мужской, то и грех не поделиться. Тем более что ни имен, ни фамилий, поговорили — и забыли, все репутации в полной сохранности. А кое-что полезное осядет в памяти. И веселое тоже.

Значит, была у меня стюардессочка, и не простая, как, скажем, в нашем самолете, а из правительственного отряда, что возят по заграницам руководителей советского государства. Коллективное руководство. Святую троицу. Ха-ха. Ведь в Кремле как принято? Один летает, а двое других дома сидят, чтоб власть не отняли.

Вот она и летала стюардессой в этом самолете. То с одним вождем, то с другим, то с третьим. Там отбор строжайший. Самые красивые и самые проверенные политически и морально. Непременное условие — девичья невинность. После каждого полета — проверка. Их начальница в полковничьем звании кладет стюардессу на коечку, ножки и повыше и врозь, пальчиком на ощупь — девственность не нарушена?

Такой уговор был в коллективном руководстве, чтоб никто из троих не мог попользоваться, злоупотребить своей властью — все стюардессы невинные девицы. С комсомольским значком на юной груди.

Тут вы меня, по глазам вижу, поймали на слове. Как же, мол, уважаемый товарищ Рубинчик, заврались вы совсем. Живете с такой стюардессой из такого отряда, и ее что, не выгнали за потерю невинности? Что-то не сходятся концы с концами.

Вы абсолютно правы, дорогой. Но прав и я. Дело в том, что я с ней жил, когда она была уволена из отряда, по случаю замужества. Замужних там не держат. И все узнал, как говорится, постфактум.

Интересные, скажу я вам, подробности мадридского двора. Но это — строго между нами. Не каждому посчастливится спать с бывшей правительственной стюардессой, и не каждому повезет лететь рядом с этим счастливчиком. Поэтому вам — из первых рук, но дальше — рот на замок.

Летала моя красавица по всей планете, юная, сексуальная, кровь с молоком, только тронь — брызнет. Члены коллективного руководства, — каждый из трех вождей советского народа хоть и в преклонном возрасте, но все же живой, не из бронзы отлит, — шалеют, глядя на нее, да и на ее подружек. Но... партийная дисциплина, а главное — уговор. Нарушитель сразу выплывает. Не тюрьмой, полагаю, пахнет, но потерей доверия остальных из троицы. Раз в таком деле слово не держит, значит, и в более серьезном политическом акте может заложить коллег, подвести их под монастырь.

Любуются ею в полете, облизываются. По-отечески расспрашивают, нет ли в чем нужды, не надо ли помочь. Кобели в намордниках. Око видит — зуб неймет.

Один оказался самым находчивым, но имени не скажу Даже под пыткой. Зачем нам позорить свое родное правительство? Никакой нужды. Обойдемся без имен. А догадаетесь — на вашей совести.

Значит, один из них, когда ему предоставляют правительственный самолет для официального визита к какому-нибудь президенту или королеве, на высоте девять тысяч метров соберет в салоне своих советников для совещания: как, мол, будем решать судьбу такой-то страны — и ее, стюардессу, к себе зовет. Приучил ее всегда стоять рядом со своим креслом Спор идет, дым коромыслом: холодная война, десант, разрядка, посылать оружие, нотой протеста грозить, — а он, главный-то, при всех держит руку у нее на бедре.

Такой вот, греховодник. И уговор соблюдает, и свое удовольствие имеет. Она же молчит, не хочет места лишиться.

Так и летала. И с теми, кто потише, и с этим приходилось. Возбуждал он ее жутко, до мигрени доводил своей руководящей дланью Не выдержала, уволилась, выскочила замуж.

И как с цепи сорвалась девка. За все годы, что держала себя в узде. У мужа рога пробились гроздьями, целым букетом. Не человек, а стадо маралов. Через этого мужа и я к ней в постель попал и в паузах слушал ее истории, как служила в правительственном авиаотряде и летала в разные страны с нашими вождями.

Девка — первый сорт, не поддается описанию. Наша с вами стюардесса чем-то ее напоминает. Бывало, делаю ей прическу, дома, в роскошной спальне. Муж в отъезде. Она сидит нагая у зеркала, волосы распустит. Гляну на мраморные плечи, коснусь шелка волос и — готов. Приходится опять раздеваться и нырять в постель. Пока сделаешь ей прическу, полдня ухлопаешь и еле живой ползешь до метро.

Досталась она в жены скотине, и очень справедливо поступала, награждая его ветвистыми. Этот муж, я его имени тоже не стану называть, из писателей, что пишут детективы про героизм чекистов и деньги гребут лопатой. Толстый, с животом, без зеркала свой член не видит.

Никто из соседей по дому, из писателей, ему руки не подает. Официальный стукач. Едут писатели за границу, он к группе приставлен следить за поведением и потом куда следует рапорт писать.

И со мной вел себя по-свински. Другой писатель — насто-

ящий, почти классик, — за ручку здоровается, пострижешь
его — обедом угостит, бутылочку заграничного виски с тобой
раздавит. А уж заплатит не по прейскуранту, а с хорошим га-
ком. Этот же, чтоб от других писателей не отстать, тоже по телефону стал меня на дом вызывать. Словом не перекинется,
сидит как сыч в кресле, щурится в зеркало нехорошо, не любит он нашего брата, а как платить — требует квитанцию и
сдачи до единой копеечки.

Я б ему в харю плюнул, и пусть его черти стригут на том
свете. Но увидал жену...

Тут я взял реванш. Работаю с ней только в его отсутствие.
И платила она, должен вам сказать, не в пример супругу. И за
себя, и за него, и еще лишку. Не жалела его денежек, не оби-
жала мастера.

Я человек не мстительный. У меня мягкое отходчивое
сердце. Но вот этой свинье я на большом расстоянии отвесил
плюху. И, кажется, метко. Не мог простить ему антисемит-
ский взгляд маленьких поросячьих глазок. Вспомнил я этот
взгляд в Америке, когда гулял однажды по Нью-Йорку и в
витрине книжного магазина увидел что-то его очередное де-
тективное... В переводе на английский. Ах, думаю, гад, всю-
ду тебе дороги открыты, отыграюсь на тебе твоим же оружием, надо прикончить твою карьеру литературного вертухая. А
как это сделать? Лишить политического доверия.

Взял грех на душу. Пошел на почту и латинскими буквами
русскими словами отправил в Москву по его адресу телеграмму такого содержания:

«ГЛАДИОЛУСЫ ЦВЕТУТ ЗАПОЗДАНИЕМ»

И подпись: Стефан. Почему не Степан? Стефан не совсем
русское имя, больше подозрения.

Почта из заграницы в СССР читается где следует. Что за
текст? Какой подтекст? Чистейшая шифровка. Взять по-
лучателя на карандаш, установить наблюдение.

И я представляю, как он сам на полусогнутых понес в зубах компрометирующую телеграмму по начальству и стал
строчить объяснения. А ему не верят. Мол, посадить мы тебя
не посадим, а из доверия у нас ты вышел.

Больше его ни к одной делегации писателей не пристав-
ляли, безвыездно сидит в Москве, волком воет. В одиночестве. Жена-стюардессочка тю-тю — поминай как звали...

Мне об этом один писатель рассказал. Туристом был в

Америке. Случайно встретил. Хороший мужик. Из моих бывших клиентов. Я ему сотню долларов отвалил, у советского туриста — копейки, чтоб семье подарки привез. Приеду в Москву — и он меня не забудет. А к детективщику, той свинье, в гости обязательно загляну. Может, знает, куда жена ушла, адрес даст, да и мне удовольствие посмотреть на дело рук своих — отставного стукача, наказанного за нехороший взгляд в зеркало, когда мастер работает над его дурной головой.

Что? Курить? Не курю. Ради Бога. О-о! «Тройка»! Отличные сигареты. Отечественные. Дым? Не мешает. Наоборот, как это у наших классиков? «И дым отечества нам сладок и приятен».

Над Атлантическим океаном.
Высота — 28500 футов.

Знаете, мне кажется, я вас где-то видел. Знакомая голова. У меня ведь жуткая память на головы. Профессиональное. Возможно, вы у меня стриглись? Захаживали в «Интурист»? Нет?

Ну что ж, до конца пути, может быть, и вспомню. Лететь нам ой как долго, и я, с вашего разрешения, поболтаю. Вы услышите кое-что интересное. О еврейской судьбе. О еврейском счастье. Об умении евреев устраиваться в этом мире.

Нам же многие завидуют. Думают, мы самые хитрые. А вы, пожалуйста, слушайте и мотайте на ус. Если у вас возникнет зависть к нашим удачам, скажите мне откровенно, и я пойму, что летел всю дорогу с идиотом.

Когда все это началось? Как это случилось? Какая бешеная собака меня укусила в ягодицу, что во мне стали проявляться все признаки болезни. Знаете какой? Той самой, когда до зуда в ногах, до спазм в желудке хочется непременно вернуться через две тысячи лет на историческую родину. Мне захотелось своей, не чужой культуры, и чтоб дети мои непременно учились на моем родном древнееврейском языке, именуемом иврит. Замечу в скобках, что детей у меня нет и быть не может, по уверению врачей, а что до культуры, то советская средняя школа плюс ускоренный выпуск офицерского пехотного училища навсегда отбили у меня вкус к плодам просвещения.

Помню, еще осенью семидесятого года я, беды не чуя, успел съездить в отпуск в Гагру, на Черноморское побережье Кавказа. Без жены. На пляжах — плюнуть некуда. Сплошные куколки. С высшим образованием. Молодые специалистки.

Не знаю, как они зарекомендовали себя в народном хозяйстве СССР, но в вопросах... ну, сами догадываетесь, что я хочу сказать... они были специалистки высшего класса.

Ах, море в Гагре, ах, солнце в Гагре!
Кто побывал там, не забудет никогда...

Эту песню поют во всех ресторанах Черноморского побережья. Под дымный чад шашлыков и чебуреков. Под звон шкад. Дурея от запаха магнолий и олеандров. Млея от тепла круглой коленки в твоей ладони.

Призрак бродит по Европе, призрак коммунизма — так, насколько я помню, начинается «Коммунистический манифест» Карла Маркса и Фридриха Энгельса.

По пляжам Черноморья в ту осень прогуливался совсем другой призрак. Призрак сионизма.

У евреев, обгоравших на пляже, появился нездоровый блеск в глазах. Как лунатики, бродили они с транзисторами, прижатыми к уху, чтоб не подслушали православные соседи, и блаженно закатывали очи, внимая далекому «Голосу Израиля». До изнеможения, до хрипа разбирали они по косточкам всю Шестидневную войну и раздувались от гордости, словно сами первыми с крошечным автоматом «Узи» плюхнулись в воды Суэцкого канала. Они сравнивали Черное море со Средиземным, и Черное выглядело помойкой по сравнению с чистым, как слеза, бело-голубым еврейским морем.

Над пляжами Черного моря шелестел сладкий, как грезы, придушенный шепот: Петах-Тиква, Кирьят-Шмона, Ришон-Лецион, Аддис-Абеба. Нет. Аддис-Абеба — это уже из другой оперы. Хватил, как говорится, лишку.

Я, признаться, только посмеивался над всем этим и ни на йоту не сомневался, что, как и всякое модное увлечение, это умопомешательство временно и очень скоро пройдет и забудется, не оставив следа. Если не считать архивов КГБ.

Евреи не давали мне покоя.

— Ай-ай-ай, Рубинчик, Рубинчик, — качали они головами. — Что вы прикидываетесь, будто вам все равно? Еврейская кровь в вас еще проснется. Рано или поздно. Но смотрите, чтоб это было не слишком поздно.

А я их в ответ посылал, знаете куда? По известному русскому адресу. До мамы, с которой поступили не очень хорошо.

Почему-то мой жизненный опыт мне подсказывал: Аркадий, будь бдительным. Даже если еврей лезет к тебе в душу, не спеши с ответом — каждый советский человек, если к нему хорошенько присмотреться, может оказаться писателем, из тех, чье творчество всякий раз начинается со слова «доношу»...

Я даже покинул раньше срока Кавказ. Но в Москве мне легче не стало: эпидемия дошла до столицы и стала подряд косить евреев.

Сидит в кресле клиент, рожа — в мыле, один еврейский нос торчит из пены, но стоит мне наклониться к нему, и сразу начинает шепотом пускать мыльные пузыри: .

— Вы слушали, Рубинчик, «Голос Израиля»? Наши совершили рейд в Иорданию — пальчики оближешь. Никаких потерь, а пленных — десять штук.

Я прикидываюсь идиотом:

— Какие наши? Советские войска?

Из-под простыни мне в нос лезет указательный палец:

— Рубинчик, вы не такой идиот, каким стараетесь показаться. До сих пор я считал вас порядочным человеком. Вы что, хотите быть умнее всех?

Я не хотел быть умнее всех, я не хотел быть глупее всех. Я хотел, чтоб меня оставили в покое.

У меня был радиоприемник. Японский. «Сони». С диапазоном, каких в СССР нет, в шестнадцать и тринадцать метров на короткой волне. Туда советские глушилки не достают, и можно отчетливо слышать любую станцию мира на русском языке. Не только «Голос Израиля», но и «Свободу», «Би-Би-Си», «Немецкую волну» и «Голос Америки». Купил я его за жуткие деньги у одного спортсмена, вернувшегося с Олимпийских игр. И он еще считал, что сделал мне одолжение, потому что был моим клиентом. Купил для того, чтобы иметь ценную вещь в доме, а заодно и побаловаться, когда будет охота. Естественно, когда никого нет рядом и есть гарантия, что на тебя не стукнут.

Так вот. Я отнес этот приемник в комиссионку и загнал его по дешевке, не торгуясь, лишь бы подальше от греха. Потому что сердце — не камень, и когда все вокруг только и шепчутся про Израиль, рука может сама включить приемник, а ведь ухо ватой не заткнешь.

Я считал себя вполне застрахованным от того, чтобы попасть впросак и клюнуть на отравленную наживку, но тут последовал удар с самой неожиданной стороны.

Вы думаете, международный сионизм подослал ко мне тайных агентов и они большими деньгами заманили меня в лоно еврейства? Или свои доморощенные сионисты стали осаждать меня и так загнали в угол, что мне уже и деваться было некуда?

Ничего подобного Евреем, а заодно и ненормальным потерявшим контроль над собой, сделал меня сосед по коммунальной квартире, чистокровный русский человек, член КПСС Коля Мухин. Слесарь-водопроводчик нашего ЖЭКа, пьяница и дебошир, каких свет не видывал.

По вашим глазам я читаю, что вы уже знаете дальнейшее сукин сын и антисемит Коля Мухин жестоко задел мое национальное достоинство, обозвал жидом, да еще в придачу по уху съездил, так что я со всех ног помчался в Израиль.

Ничего подобного. Даже наоборот.

Из всех сорока жильцов нашей квартиры Коля Мухин был моим самым близким другом и, бывало, даже под самым высоким градусом сотворит, что угодно, но никак не обидит меня. Боже упаси! Любому морду расквасит за один косой взгляд в мою сторону. Мы с ним были, что называется, водой не разольешь.

Что нас сближало? Очень многое. Хотя я щупл и ростом мал, да еще еврей в придачу, а он славянин, косая сажень в плечах и с характером, более чем невоздержанным.

Хотите верьте, хотите нет, но сейчас я это понимаю абсолютно ясно: нас свела и накрепко связала одинаковость судьбы. Советское происхождение и советская жизнь. Со всеми ее фортелями.

Мы с Колей — ровесники, и учились оба, хоть в разных городах, но в одних и тех же советских школах. Оба воевали, и оба остались инвалидами. Даже в одном звании ходили: младший лейтенант, ванька-взводный. И он, и я не пошли в гору после войны, не кончали институтов, а взяли в руки ремесло, чтоб иметь кусок хлеба: он стал ржавые трубы чинить и замки в двери вставлять, а я волосы стричь и бороды брить. Пролетарии неумственного труда.

Оба получали, благодаря заботам советского правительства о рабочем классе — хозяине страны, такое жалованье, что если не жульничать и не мухлевать, то живо ноги протянешь Поэтому Коля слесарничает налево, не для плана, а для себя, и я стригу и брею тоже налево, в свой карман. С одной разницей, что я весь барыш волоку домой жене, а он — загадочная славянская душа — все до копейки пропивает.

И еще он отличается кое-чем. Коля — член КПСС, состоит в славных рядах коммунистической партии. Членские взносы из него клещами тащат, на собраниях клеймят как антиобщественный элемент, но из партии не выгоняют во избежание резкого сокращения рабочей прослойки. Я же — беспартийный. В войну, когда меня за волосы волокли в партию — была в ту пору мода каждому солдату и офицеру писать перед боем заявление: если погибну, прошу считать коммунистом, — я как-то умудрился увернуться. Позже, даже если бы я очень захотел, это бы мне вряд ли удалось — мешало еврейское происхождение.

В этом и состояло наше различие, хотя во всем остальном мы были более чем похожи. Потому-то Коля Мухин во мне души не чаял, и я его любил, как мог, хоть это совсем не нравилось моей жене.

Чтобы дать вам полное представление о моем друге Коле Мухине, я изображу одну сценку, и вы согласитесь со мной, что он был действительно славный парень, краса и гордость нашего старшего брата — великого русского народа.

По пьяной лавочке, а часто и натощак, с похмелья, Коля обожал съездить по уху своей жене Клаве, а при удачном попадании засветить ей фонарь под глазом. Делал он это не таясь, не в своей комнатке, а в общей кухне, принародно. Однажды соседи не стерпели — уж очень они жалели Клаву — и сбегали за участковым. Милиционер, увидев распростертую на полу кухни Клаву, грозно подступил к Коле. Соседи во всех дверях и углах замерли от сладкого предвкушения: ну, голубчик, не миновать тебе тюрьмы.

А Коля не только не струсил. Наоборот. Строгим стал, серьезным. Взял милиционера под локоток, подвел к газовой плите, поднял крышку над кипящей кастрюлей.

— Понюхай, — говорит, — чем она меня кормит.

Милиционер понюхал, и его перекосило.

— За такое, — говорит, — убить, и то мало. Правильно учишь, товарищ.

Вот он какой, мой лучший друг Коля Мухин. Он-то меня и наставил на путь сионизма, и все, что со мной приключилось потом, — отчасти и его заслуга.

У Коли тоже имелся транзисторный приемник. Не япон-

скші, конечно. А наш, советскші. «Спидола». Коля — мастер
на все руки — сам вмонтировал в него короткие диапазоны в
шестнадцать и тринадцать метров и на трезвую голову обожал
послушать заграничные радиостанции, вещающие по-русски.
Делал он это, в отличие от меня, довольно громко. Так что и соседям за тонкими стенами было неплохо слышно. Но никто на
него не доносил. Во-первых, потому, что знали: это не хулиган-
ство, а политическое преступление, контрреволюция, за такое
могут Колю упечь в Сибирь, и бедная Клава хоть и почувству-
ет облегчение поначалу, но потом хватится, да будет поздно. С
тоски зачахнет. Жалко женщину. Во-вторых, все знали Колин
буйный нрав и его тяжелую руку — боялись мести.

Когда я продал, подальше от греха, свой транзистор, заграничные радиоволны не покинули мою комнату, и ядовитая ан-
тисоветская пропаганда продолжала бушевать по всей ее куба-
туре. Стоило утихнуть соседским разговорам и скрипу пружин
за стенами нашей большой коммунальной квартиры, и только
сверчок в коридоре заводил свой концерт, как включалось за-
нудное, вроде бормашины у зубного врача, зудение и скрежет
советских заглушающих станций. Это значило, что Коля Мухин включил свою «Спидолу», беря разгон через глушители,
чтоб нащупать и настроиться на чистую, недосягаемую для помех волну. Потом раздавались мелодично и звонко позывные
«Би-Би-Си», и чистый женский голос задушевно сообщал всем
сорока затаившим дыхание обитателям двенадцати комнат:

— Говорит Лондон.

Или мужской голос:

— Слушайте передачу радиостанции «Свобода».

Или без никакого еврейского акцента:

— Говорит Иерусалим. Радиостанция «Голос Израиля»

Никуда не спрячешься. Да ведь и уши на то они и есть,
чтобы слушать. И мы с женой лежим под одеялом, высунув
носы, и слышим биение своих сердец и голос израильского
диктора из комнаты Коли Мухина.

Коля в последнее время из всех станций мира отдавал явное предпочтение израильской. И на то были серьезные основания. Оттуда читали полные тексты до жути откровенных и
отчаянных писем советских евреев, тайком, без цензуры, пе-
реправленных на Запад, с призывом помочь им уехать из
СССР в Израиль. Тогда-то я и услыхал впервые выражение
«историческая родина» и, прикинув в уме, согласился, что это

так и есть. Действительно, все евреи, вернее, наши дальние предки, родом из тех мест на Ближнем Востоке, и это абсолютная правда, что две тысячи лет мы скитаемся по свету и нигде нас не любят. Возразить было трудно. Да и некому. Слушали мы вдвоём с женой, лежа под одеялом, и мнениями не обменивались. Только выразительно косились друг на друга, а в некоторых патетических местах просто не дышали.

Самым захватывающим, до холодка по спине, было то, что люди, писавшие такие письма, где за каждую строчку, по советской норме, причиталось от трех до пятнадцати лет, не только не прятали своих имен, а совсем наоборот, приводили их полностью, даже с отчеством и, чтоб их легче было арестовать, добавляли домашний адрес.

Я в такое не мог поверить. Жена моя тоже. Хотя мы с ней и полсловом не обменивались.

Нарушил молчанку Коля Мухин. Мы с ним сидели как-то в скверике, глазели на баб. Так мы обычно с Колей на пару любили отдыхать без жен, если, конечно, не было левой работенки, на стороне, и отводили душу в мужских разговорах.

Коля первым заговорил про эти письма:

— Я тебе вот что скажу, Аркадий. Не верю я в них ни на грош. Чистейшая липа. Пропаганда! Ну, подумай своим еврейским умом, какой дурак, если он вырос в Советском Союзе и знает наши порядки, учудит такое? Да еще адрес добавит. Приходите, мол, и берите меня тепленьким в постельке. Чудаки там, в Израиле, насочиняют чепухи и дуют в эфир, и думают, мы, глупенькие, так им и поверим. Нет, братцы. Стреляного воробья на мякине не проведешь. Это я тебе говорю как партийный беспартийному. Понял?

И даже рассмеялся от злости.

— Русский человек, Аркадий, страхом насквозь пропитан. И даже глубже. Его от этого еще век не излечишь. Без дозволу начальства мы шагу не ступим, отучены раз и навсегда. Тем более, еврей. Ваш брат вообще нос боится высунуть.

Ну, чем ты от меня отличаешься? Что нос подлиньше да пьешь поменьше? А в остальном, порода одна — советская. Чем нас больше пинают, тем слаще сапог лижем.

Нет, не верю я в эти письма и призывы. Это все штучки-дрючки для дурачков. Вот поди проверь любой из адресов, что они назвали, и сразу обман откроется. Ручаюсь, и фамилии придуманы и адресов таких в помине нет.

Я с ним полностью согласился, и мы пошли в ближайшую забегаловку. Я заказал себе пива, Коля сто пятьдесят с прицепом. Сто пятьдесят грамм московской водки и бокал пива Коля смешивал это и пил мелкими глотками. Как горячий чай. Без закуски.

Коля и не такое умеет. Однажды, пропив всю получку, он покаялся перед Клавой и дал ей слово даже в праздники не пить. Клава за ним ходила, глаз не спускала, да и все соседи тоже стерегли. Однако Коля исхитрился.

Захожу в нашу общую кухню вечером. Коля сидит, как подопытный кролик, смирный, благостный, хлебает из тарелки. Клава, довольная, вертится у плиты, даже песенки под нос мурлычет.

Гляжу, Коля крошит в тарелку хлеб и все это уплетает. Соседи заглядывают на кухню, уважительно кивают ему. Держит человек слово.

Подошел я ближе, не пахнет борщом, хоть убей. Спиртным отдает. Коля на меня хитро так глаз прищурил, и по глазу вижу: уже косой. Тут и Клава хватилась — учуяла.

Оказалось, Коля всех вокруг пальца обвел. Втихаря налил полную тарелку водки, накрошил туда хлеба и ложкой, как суп, наворачивает. Ни крякнет, ни дух не переведет. Ест нормально, как куриный бульон. Это же какую глотку надо иметь?

Коля продолжал упорно не доверять вражеской пропаганде и с тем же упорством продолжал слушать, как пишут в газетах, ядовитый и лживый «Голос Израиля»

Наконец, его терпение истощилось:

— Послушай, Аркадий, — зашептал он мне, когда мы прогуливались по безлюдному скверику. — Есть шанс убить медведя. Я вчера еще одно письмо слушал. Страсти-мордасти Подписанты — все москвичи. Я нарочно один адресок засек Здесь рядом, на Первой Мещанской. Патлах Бенцион Самойлович. Давай сходим, завалимся в гости, проведаем голубчика. А? Что мы теряем? Зато убедимся раз и навсегда, что нет такого Патлаха Бенциона по данному адресу. И дома под этим номером на Первой Мещанской сроду не бывало А квартиры — никто слыхом не слыхал. Чего душу напрасно бередить? Сходим — и я это радио больше к уху не подпущу

И пошли мы. Благо, недалеко — рукой подать Действи

тельно, зачем нам нервничать, когда можно одним ударом все сомнения развеять.

Прём мы по Первой Мещанской, смотрим номера домов так, для блезиру, потому как на сто процентов уверены, что такого номера там нет и в помине. Вдруг видим... Вот он, этот самый номер! Трехэтажный дом. И квартира есть. На первом этаже. С табличкой на двери: Б. С. Патлах.

Мы чуть было не дали тягу. Да Коля удержал:

— Погоди, Аркаша. Очень мне необходимо этого Патлаха Бенциона Самойловича в личность увидеть. Непременно. Не могу я поверить, что такие бесстрашные чудаки живут среди нас. У меня, понимаешь, в голове полный заворот кишок. Не увижу его — совсем сопьюсь. А если обнаружится, что все это не липа, тем более надо выпить. За твой народ, Аркаша. Самый отчаянный. И великий.

Потоптавшись у двери и собравшись с духом, мы позвонили. Нам открыли сразу же, будто ждали звонка. На пороге стояла седенькая старушка с таким носом, что не приходилось сомневаться в ее национальной принадлежности.

— Беня, — слабым голосом позвала она. — Это за тобой.

В глубине квартиры послышались шаги, но старушка не стала дожидаться Бени и, как курица-наседка перед собакой, ощерилась на нас:

— Берите! Хватайте! Загоняйте иголки под ногти! Всех не передушите! Нас — миллионы.

Тихо, не очень повышая голос, кричала она эти слова в курносую Колину рожу. Меня за его спиной она даже не заметила.

— Успокойся, мама, — обнял ее сзади худющий еврей, довольно молодой, но лысый, как Ленин. — Не нужно истерик. Не доставляй им этой радости.

Он, как и его мама, ни на йоту не сомневался, что мы пришли за ним, и совершенно не оробел. Слегка побледнел, и все.

— Дай мне, мама, сумку с бельем. Я все приготовил, — сказал он и поцеловал старушку в лоб.

Мы с Колей так и приросли к полу. Потому что мы увидели то, во что ни за что не хотели верить. Мы увидели героя. Живого. Непридуманного. Советского человека, который не боится советской власти. Можно было схватить инфаркт на месте.

Первым вышел из столбняка Коля Мухин.

— Патлах! Сука! — взвыл он от избытка чувств и заключил в свои медвежьи лапы лысого, как Ленин, Патлаха. — Дай я тебя расцелую, Бенцион Самойлович, морда ты моя жидовская. Да ты же мне всю душу перевернул, да я отныне новую жизнь начинаю!

— Вы, собственно, кто такие? — растерялся хозяин.

— Аркаша, — догадался Мухин, все еще не выпуская Патлаха из объятий, — он нас за легавых принял. Чудило! Скидай, Аркадий, штаны. Покажи ему, что мы — евреи.

Все уладилось. Мамаша Патлаха нас потом чаем угощала с вареньем, а сам хозяин картины свои показывал. Он художником оказался. Из непризнанных. В СССР их формалистами зовут. Абстрактными.

Если честно признаться, я в этом ничего не смыслю. Мне приятно смотреть на картину, где все ясно и понятно. Где лошадь — лошадь, а трактор — это не аэроплан. А все эти штучки-дрючки, по-моему, на дураков рассчитаны.

Колины вкусы от моих не намного отличались. Мы из вежливости посмотрели несколько картинок, маслом писанных. Сплошная фаршированная рыба. Живая, но уже фаршированная. Плывет в воде, хвостом машет. И хвост — не хвост, а вроде пучка сельдерея. Дальше — рыбный скелет. Обглоданная рыба.

— Еврейская сюита, — с достоинством пояснил художник.

Мы это все проглотили без инцидентов. Потом допоздна слушали художника. Соловьем заливался — рассказывал нам о стране своей мечты. Таких чудес наговорил, как научная фантастика. Мы с Колей рты поразинули, как малые дети.

А художник как одержимый. Глаза сверкают, пена на губах. Настоящий сионист. Пламенный.

Вывалились на улицу в темноте. В голове гудит, сердце колотится. Вот когда меня одолела сладкая отрава сионизма. Да и Колю заодно.

По этому случаю мы завернули в забегаловку и такого дали газу — еле нашу коммунальную квартиру потом нашли. Коля озверел от уважения к евреям, которых он до этого не больно жаловал. Если не считать меня.

Главное представление разыгралось в нашей общей кухне. Коля приставил меня к стене, чтоб я не упал, и пошел по комнатам сзывать соседей. Люди уже спать легли, рабочий народ — он их из постелей выволок.

Первой притащил простоволосую, в ночной рубахе Клаву — жену свою. Ткнул ее к моим ногам.

— На колени, шкура вологодская!

Клава родом из-под Вологды.

— Стой на коленях перед ним! След его целуй!

Второй была наша дворничиха Сукильдеева.

— Становись, татарское иго! — приказал Коля. — Уважь
мудрейший народ.

Пенсионера Бабченко он швырнул к моим ногам так, что
косточки хрустнули:

— Кайся, хохол, за невинно пролитую кровь этой нации.
За Батьку Махно, за Петлюру. Гнись, сука! Придушу!

Дальше пошли жильцы русского происхождения. Им
Коля велел хором прокричать: «Слава великому еврейскому
народу!»

— Раз, два, три, — скомандовал Коля. — Начинай!

И осекся. Хмель дал утечку, мозги прояснились.

— Ладно, — вяло сказал он, — отбой. А ну, кыш отсюда по
своим углам! А что было — замнем для ясности.

А вы спрашиваете, как это началось? Вот так и началось.
И остановиться сил не хватило.

Я потом к этому художнику стал наведываться. Манило
послушать его речи. Иногда вместе с Колей заваливались. И
слушали-слушали — не надоедало. Пока он визу не получил и
не отбыл. Куда вы думаете? В Израиль? Малость ошиблись,
дорогой. Он, голубчик, дальше Вены не сдвинулся. Остался в
Австрии. Говорят, процветает. Его фаршированные рыбы нарасхват у немцев. Комплекс вины, как пишут в газетах.

«Ах, ах, ах, — скажете вы. — Как это такой пламенный сионист, который других сагитировал, сам улизнул, укрылся в
теплом местечке?»

И если вы думаете, что я его сейчас начну бичевать и оп-
левывать как дезертира и бесчестного человека, то глубоко заблуждаетесь.

Теперь-то, после всего, что я пережил, я глубоко уважаю
этого Патлаха Бенциона Самойловича, и понимаю, что он
был самым мудрым из нас. По крайней мере, логики у него
было больше, чем у всех нас вместе взятых.

Никого он не обманывал. Он действительно был без ума от
Израиля и все передачи оттуда на русском языке слушал с раннего утра до поздней ночи. Он был как заведенный будильник.

В разгар самого задушевного разговора он вдруг умолкнет, взглянет на часы и включает радио. Его мозг был настроен на «Голос Израиля» с точностью до одной секунды. Он включал рычажок, и без паузы раздавались позывные Иерусалима.

Я был у него в гостях и видел, как он сломался. У него сидел народ. Конечно, евреи. Стоял жуткий галдеж.

— Тихо! — крикнул он. — Слушаем Израиль.

Стало тихо, и он включил свой транзистор. Но и там тоже было тихо. Только легкое потрескивание. Художник глянул на свои часы и неуверенно спросил:

— Неужели мои часы врут?

Нет, часы не врали. Сверили с другими. Время было точное. На израильской волне продолжались слабые шорохи.

Художник перевел рычажок на «Би-Би-Си» — там вовсю гремели позывные Лондона. Он прыгнул на «Голос Америки» — и там позывные убывали, приближаясь к концу.

Все больше меняясь в лице и бледнея, художник вернулся к Иерусалиму. Тишина.

И так две с половиной минуты по часам. Потом дали позывные, и женский голос, как обычно, сообщил:

— Говорит Иерусалим. Радиостанция «Голос Израиля».

И ни слова извинения за опоздание.

Художник выключил радио, опустил свою лысую, как у Ленина, голову и так просидел какое-то время, пока мы не зашевелились, собираясь уходить.

Он поднял на нас глаза, и это были не его глаза. Огонь в них угас.

— Все, — сказал он. — Страна, в которой государственная радиостанция, вещающая на заграницу, может опоздать с передачей на две с половиной минуты и не извиниться, пусть даже по техническим причинам, — это не государство, а бардак. Мне там делать нечего.

И не поехал.

Он был самым прозорливым евреем в Москве. Он был провидцем. Недаром у него была лысина, как у Ленина.

Над Атлантическим океаном.
Высота — 30600 футов.

Стригся Коля Мухин, конечно, только у меня. И, как вы сами понимаете, бесплатно. У меня бы рука отсохла, если бы я взял с такого близкого кореша хоть одну копейку, и если вы подумали на минуточку, что я на такое способен, так это только оттого, что вы меня абсолютно не знаете.

То, что он стригся бесплатно, так это, как говорится, полбеды. Коля категорически воспротивился, чтоб мы это делали после работы, в моей комнате, где моя жена, а не его, будет потом выметать Колины лохмы. Он посчитал это унизительным для себя. Это оскорбляло его пролетарскую рабочую гордость.

Коля приходил стричься ко мне в парикмахерскую. А наше заведение, должен я вам сказать, совсем не для таких личностей, как Коля Мухин. То есть, не для слесарей-водопроводчиков. Я работал в одной из самых шикарных гостиниц Москвы. Сплошной мрамор и бронза. Хрустальные люстры с тонну весом. Среди гранитных колонн в нашем холле может заблудиться взрослый человек. Церковь, храм, а не отель. Люкс, чего тут рассказывать. И, как вы сами понимаете, в таком раю проживают знатные иностранцы, советские генералы, дипломаты со всех концов света. Иногда попадаются и личности с Кавказа. Они сыпят деньгами налево и направо и получают в нашем отеле любую комнату и в любое время, потому что платят не в кассу, а администрации в лапу. Иначе бы их и на порог не пустили. Со свиным, как говорится, рылом да в калашный ряд. Как, скажете вы, с советским паспортом? Да еще непроверенный простой человек? Точно. Но простой он с виду, а на самом деле — золотой. Сунет такой кавказский человек кругленькую сумму, и иностранца моментально переведут к черту на рога, куда-нибудь в Останкино, а ему, кавказскому человеку, пожалуйста, полулюкс с белым роялем.

Он на рояле не играет. Он увенчан другими лаврами. Он с Кавказа возит в Москву лавровый лист. Понятно? Миллионные барыши. То, что он имеет за день, я за пять лет не получу. И Святослав Рихтер, и Давид Ойстрах тоже.

Вот какой у нас клиент. Я имею в виду не кавказцев — их один процент, а иностранных туристов, генералов и дипломатов. Когда сидят, ожидая очереди, чтоб попасть ко мне в кресло, можно подумать, что это международный конгресс на самом высшем уровне. Фраки, ордена, аксельбанты. Дамы в невероятных мехах и бриллиантах. А кругом сверкает хрусталь, стены переливаются мраморными жилками, ноги тонут в мягких коврах. И все они, невзирая на чины и звания, терпеливо ждут, пока я приглашу в кресло. С французом — силь ву пле, с американцем — плиз, а с нашим иконостасом — милости просим, товарищ генерал.

Один Коля Мухин не признает очереди. Он вваливается ко мне, весь в мазуте и ржавчине, в рваном ватнике, из брезентовой сумки торчат гаечные ключи и ручная дрель, плюхается в кресло между фраками и мундирами и зычно, как в лесу, объявляет:

— Кто последний — я за вами.

Но это только так, для проформы. Стоит моему креслу освободиться, и он рвет ко мне, оттолкнув любого, кто подвернется под локоть.

Коля шокирует насмерть нашу клиентуру. И делает это нарочно и со смаком. Как же, мол, не пропустить вперед рабочего человека в рабоче-крестьянском государстве? Чья власть? Рабочих! Кому почет и уважение? Рабочему! Извольте расступиться, дать дорогу гегемону, то есть пролетариату.

Коля Мухин с виду прост, а на деле хитрее ста армян и еврея в придачу. Он знает всю правду, а прикидывается дурачком. Сами, мол, вопите про рабочую власть, ну так вот и ешьте: любуйтесь хозяином страны, как вы меня, пролетария, называете. Душу отводит.

Я хоть про себя и радуюсь, что он им в морду наплевал, но в то же время опасаюсь, как бы меня за его проделки не выставили без выходного пособия. Коля — русский и член КПСС. Он вытрезвителем отделается. У меня же нет его преимуществ. Сунут волчий билет в зубы — и гуляй как знаешь.

Многие за границей любят рассуждать о русском человеке. Пишут книги, спорят по телевизору, жалованье за это получают. Загадочный, говорят, сфинкс, тайны славянской души. Вот уж, погодите, проснется русский народ, он свое слово скажет.

Меня от всего этого смех берет. Или, думаю, идиоты, или притворяются, чтоб без куска хлеба не остаться. Я ученых книг на этот счет не читал и читать не стану. Я прожил пятнадцать лет, как один день, в общей квартире с Колей Мухиным и распил с ним не одно ведро водки. Поэтому выбросьте все книги и послушайте меня. Я вам нарисую конный портрет, как говорил один мой клиент, самого типичного русского человека, а вы себе делайте выводы.

Начнем с советской власти, которой русский народ, наконец, разобравшись, что к чему, покажет кузькину мать

Коля Мухин на советскую власть руку не поднимет. Можете не мечтать. Он давно знает её красную цену в базарный день Больше того, люто он ее не любит и честит на все корки, когда пьян. И при всем при том, когда войдет в раж, будет козырять этой властью как своей и даже гордиться, что он, мол, рабочий человек — хозяин всей страны.

Он уже сто лет стоит в очереди на отдельную квартиру, а достаются они другим: за взятки или за чин высокий. Ему же, рабочему человеку, со своей женой Клавой, тоже рабочим человеком, век прокисать на двенадцати квадратных метрах. Коля прекрасно понимает, что все вопли и лозунги о рабочем человеке — это туфта, для дураков. Потому и откалывает коленца, когда вваливается в роскошный отель для иностранцев и советских тузов — настоящих хозяев этой страны, чтоб дать им понять, что не такой уж он глупенький.

Но пусть попробует какой-нибудь иностранец при нем хаять советскую власть на понятном ему, Коле, языке, и Коля тут же морду ему набьет. И даже не поленится, отведет, куда следует.

Для Коли Мухина, для его поколения русских, советская власть и Россия — понятие одно и то же. Пусть будет такая-рассякая, лживая, кровавая и трижды проклятая, но все же наша, и потому не вашего ума дело в нашу советскую жизнь встревать.

Коля честен. Возьмет в долг, даже будучи в стельку пьяным, не забудет, вернет в срок. Есть у него лишняя копейка — даст взаймы, только намекни. Идет с компанией выпить — норовит первым за всех уплатить.

И при этом Коля — самый что ни на есть вор. У себя на работе тащит все, что под руку подвернется: болт — так болт, гайку — так гайку, кран, муфту, целую трубу, и продаст из-под полы за тройную цену или частным образом установит у заказчика и деньги положит себе в карман. А в магазине попробуй продавец обвесь его на сто грамм ветчинно-рубленой колбасы — такой устроит хипеш, все вверх дном перевернет: жулики, мол, советскую власть по кускам растаскиваете. Искренне так орет, книгу жалоб требует, еще немного — и зарыдает от стыда за то, что отдельные личности позорят высокое звание советского человека.

Поговори с Колей по душам — все понимает. Даже больше, чем надо И что в стране бардак, на словах — одно. на деле — другое, что свободой и не пахнет, а вопим на весь мир, мол, самые мы демократические, самые прогрессивные, самые передовые. Смеется Коля над этим вот шулера, вот мазурики, свернут когда-нибудь себе шею, поскользнутся на собственной лжи, как на блевотине. Но смеется беззлобно, даже с долей уважения за ловкость, с какой это все делается. Наши, мол, шулера, наши мазурики. А что обманывают-то не кого-нибудь, а его лично, Колю Мухина, не хочет принимать в расчет, а только отмахивается.

Коля — за справедливость. Прочитает в газете: в Греции террор, — кровью нальется, жалеет греческий народ. Или услышит по радио, как негров в Америке угнетают, весь побледнеет, кулаки сожмет, хоть сейчас готов в бой за освобождение своих черных братьев.

Но вот наши, советские, прихлопнули в 1968 году Чехословакию, когда этот шлимазл Дубчек хотел сделать социализм с человеческим лицом. Бросили на Прагу тысячи танков, Дубчеку коленом под зад, чехов — на колени.

В Москве, помню, кто поприличней, глаз от стыда поднять не мог. А спросил я Колю Мухина его мнение — правильно сделали, отвечает, так им, этим гадам-чехам, и надо. Ишь, чего надумали! Свободы им захотелось. А что, спрашиваю я невинно, ты против свободы? Нет, мотает головой. Зачем же ты чехов так поносишь? А за то я их, гадов, ненавижу, что против нас хвост подняли. Им, видишь ли, подавай свободу. А мы что, лысые? Если свобода, так для всех. Понял? А нет — так и сиди в дерьме и не чирикай. Правильно с ними расправились — чтоб другим не завидно было.

Интеллигенцию Коля еле терпит. Сам он недоучка, как и я, не может спокойно видеть человека с дипломом. А если у того лицо не хамское, а тонкое, воспитанное — это для Коли, как красная тряпка для быка. Он ненавидит их руки без мозолей и белые необветренные лица без следов запоя на чистой коже.

Коля, совсем неглупый парень, свято верит, что все беды на Руси от интеллигентов. Что они, паразиты, живут за его счет, да еще норовят продать Россию загранице. Членов правительства и весь партийный аппарат он не любит с такой же силой, причисляя их, за отсутствием видимых признаков физического труда, к интеллигенции. Поэтому, когда я слышал в Америке или в Израиле, что вот, мол, скоро, недолго ждать осталось, русский народ покажет свой характер и освободится от коммунизма, мне хотелось кричать, как при пожаре:

— Идиоты! Болваны! Ни хрена вы не смыслите. Упаси Бог, чтобы русский народ показал свой характер. Тогда уж точно никто костей не соберет. На всем земном шаре.

Такой кровавой бани еще история не знала, какая начнется, если в России рухнет режим и хоть на неделю воцарится безвластие. В гражданскую войну, когда русский мужик в Бога верил, море невинной крови было пролито. А теперь? Без Бога, без святынь, да при нынешней технике. Выйдет Коля Мухин с гаечным ключом вместо кистеня и начнет крошить черепа, а другой Коля, поглупее, доберется до атомных ракет и нажмет спьяну сразу на все кнопки. Вот будет компот! Так что лучше не надо. Не толкайте Колю Мухина на баррикады, не дразните Колю химерами. Пусть будет, как есть.

Я, честно говорю, люблю Колю. У него душа — нараспашку, и не надо слишком часто в эту душу плевать. Ведь Коля — дитя. Он может захлебнуться от восторга, если увидит смелый, отчаянный поступок. Так было, когда начались еврейские дела с выездом в Израиль, письма за границу, обращения в Генеральную Ассамблею Объединенных Наций за поддержкой против — кого? — советского правительства, которое не только на эту Ассамблею, а на весь мир начхать хотело. Коля ошалел и проникся глубочайшим почтением ко всем без различия евреям. Теперь они для него были первыми людьми, в каждом он видел героя

Заваливается как-то ко мне ночью, водкой разит от него

— Аркадий, чинил я давеча краны у одного еврея. Ох, и правильный мужик попался! Что, спрашиваю, в Израиль, небось, лыжи навострил? А он на меня: вон отсюда, провокатор! Выставил меня и денег за работу не уплатил. Вот сука! Я не стал артачиться, ушел по-доброму. Я же не глупенький. Правильно поступил человек, конспирацию соблюдает.

Потом — ленинградский процесс. Судили евреев за то, что хотели самолет захватить и улететь в Израиль. Двоих к смертной казни приговорили. Коля Мухин не отлипал от радиоприемника, ловил каждое слово из Лондона или Мюнхена, чтобы знать правду, что произошло на самом деле.

— Значит, не совсем в дерьме Россия, — заключил он, — если такие люди в ней еще водятся. Правда, они евреи. Но еврей теперь — вся надежда России, у своих-то, у славян, кишка тонка оказалась.

Окончательно был Коля добит, когда на суде в Ленинграде Сильва Залмансон, еврейская женщина, схлопотав десять лет лагерей, сказала в последнем слове русским судьям на древнееврейском языке:

— Пусть отсохнет моя правая рука, если я забуду тебя, Иерусалим!

Коля зарыдал у транзистора и не стал дальше слушать, что говорил лондонский диктор.

— Пусть отсохнет моя правая рука, — повторял он потом при каждом удобном случае, — если я забуду тебя, Иерусалим. Ах, мать твою за ногу, какой великий народ! А мы, суки, их жидами называли! — и глаза его блестели от слез.

Так воспринимал все это Коля Мухин, потому что был зрителем. Для евреев же это были черные дни. После ленинградского процесса и двух смертных приговоров активисты-сионисты хвост поджали, носы повесили. Стало немного жутко: советская власть показала коготки.

Что уж говорить о простых смертных, вроде меня. Честно признаюсь, я ждал погромов. Мне в троллейбусе одна пьяная харя плюнула в рожу, прямо на мой еврейский нос. И хоть бы кто вступился. Наоборот, очень многие вслух выразили свое одобрение. Будь там Коля Мухин, мы бы вдвоем разнесли весь троллейбус, а одному заводиться — гиблое дело при моем сложении. Да еще с ранением в голову.

Мои клиенты, из евреев, которые до ленинградского процесса очень бурно переболели сионизмом, излечились от этой болезни вмиг и теперь, садясь в мое кресло, больше не делились последними новостями «Голоса Израиля» и не выли от восторга при каждой удачной атаке «наших» против Ливана или Иордании. Они вжимались в кресло, чтобы никому не мозолить глаза, и их еврейские носы, казалось, норовят утонуть в мыльной пене.

А радио из заграницы пугало предсказаниями, что советская власть расправится с евреями, как Бог с черепахой, и сионистскому движению в России предрекали близкий конец.

Даже Коля Мухин приуныл:

— Ах, собаки, ах сучье племя! — сокрушался он с похмелья. — Ну, и сила же у них, если даже евреев смогли поставить на место. Все! Придушили! Поиграли, мол, и хватит. Запомни, Аркадий, цапаться с советской властью — это все равно что плевать против ветра. Себе дороже. И твои евреи ничем не лучше других. Теперь сиди смирно, молчи в тряпочку. Пошли, найдем кого-нибудь, сообразим на троих.

Была зима. Кажется, февраль. Конечно, февраль. Конец февраля. Москву пронизывал холодный ветер, так как снегу было мало, то казалось, что вот-вот из тебя выдует твою промерзшую душу, пока пробежишь от метро до своей работы.

В тот день я работал без особой нагрузки. По случаю холодов число иностранцев в гостинице заметно убавилось. Колю я никак не ожидал в гости, потому что он у меня стригся неделю назад, накануне банного дня, когда он заваливался в Сандуны от рассвета до ночной темноты и отпаривал, как он говорил, коросту за целый месяц.

Коля Мухин ворвался с морозу в наш парикмахерский салон, как буря, как смерч, и с порога позвал меня, добривавшего случайного клиента:

— Аркаша, на два слова!

Я глазами показываю, что, мол, занят, вот добрею этого плешивого — и тогда я ваш, Николай Иваныч.

— Да брось ты его, мудака! — рявкнул Коля. — Не подохнет! Валяй за мной! Твоя судьба сегодня решается.

Тут уж и я не утерпел, спихнул клиента с недобритой щекой напарнику и вышел к Коле. И, стоя на красном мягком ковре под стопудовой хрустальной люстрой, он сказал мне такое, отчего у меня волосы моментально встали дыбом. Сообщил он мне потрясающую новость на ухо и таким громовым шепотом, что не только швейцары у входа, но, я уверен, и пассажиры в троллейбусах на улице слышали каждое слово со всеми знаками препинания.

В двух словах могу подытожить сказанное. В этот морозный день двадцать четыре московских еврея совершили неслыханную дерзость: под носом у Кремля, на Манежной площади, захватили Приемную Президиума Верховного Совета СССР — высшего органа советской власти и, расположившись там, предъявили правительству ультиматум: не уйдут по своей воле до тех пор, покуда не будет дано высочайшее разрешение всем евреям, кто этого пожелает, уехать в Израиль.

Это было неслыханно. Это было невероятно!

Коля все узнал из заграничной радиопередачи и уже побывал на Манежной площади — там все оцеплено милицией и КГБ в форме и в штатском, публику не подпускают Даже иностранных корреспондентов гонят в шею Тогда он забежал ко мне — поделиться новостью, благо я работаю рядом

Как вы понимаете, работать в этот день я уже не мог. Не разумом, а всей утробой понимал, что в этот день решается и моя судьба. Хотя тогда еще о выезде в Израиль не помышлял. Я пошел к своему начальству и, сославшись на острые боли в животе, отпросился, будто бы для визита к врачу, а сам вместе с Колей сыпанул на Манежную площадь.

Вы думаете, только мы с Колей оказались такими умными? Слушать заграничное радио на русском языке категорически воспрещается под угрозой административного и даже судебного преследования. Это в СССР знает каждый. И тем не менее, вся Россия, у кого мозги хоть немножко работают, укрываясь от чужих глаз и ушей, липнет к своим транзисторам и портит себе нервную систему в неравной борьбе с советскими заглушающими станциями.

Сотни москвичей, и, кстати сказать, в основном неевреев, прогуливались с одинаковым безразличным видом вокруг Манежной площади, и их сгорающие от любопытства глаза выдавали своим мерцанием аккуратных слушателей «Би-Би-Си» и «Голоса Израиля». Мы с Колей присоединились к ним, потому что ближе подойти было невозможно. Типы в штатском, не церемонясь, выпроваживали каждого, кто делал лишний шаг, и еще проверяли документы и делали какие-то выписки себе в книжечку.

Мы с Колей не лезли на рожон, а наблюдали издали, стараясь угадать, что творится за зеркальными окнами Приемной Президиума, хотя там были наглухо опущены шторы и морозный иней покрыл все стекло. Эти двадцать четыре еврея, обложенные сейчас, как волки, охотниками, рисовались нам сказочными богатырями.

— Аркаша, вдумайся, — хрипел мне на ухо вконец очумевший Коля Мухин, — такого сроду не бывало за всю историю советской власти. Такое присниться не могло! Пойти в открытую против такой махины, которую весь мир боится. И кто? Двадцать четыре человека! И каких? Одни евреи! Нет, в голове не укладывается.

Он переводил дух и снова заводил

— Их, конечно, сотрут в порошок. Скоро поволокут вот в те фургоны. Гляди, сколько «воронов» пригнали. Но дело,

Аркаша, не в этом! Сам факт! Понял? Эти двадцать четыре всей России мозги прочистят. Мол, не так страшен черт, как его малюют. Ох, и дадут они пример советскому народу, ох, и пустят трещину по фасаду — век не залепить никаким цементом. Это, Аркаша, исторический день. Помни, мое слово, слово члена КПСС с 1942 года. Пойдем сообразим погреться.

Было холодно и ветрено. По Красной площади мело сухим снегом, и стук сапог часовых, сменявших почетный караул у Мавзолея Ленина, отдавался в сердце и даже в желудке. Становилось зябко и тошновато, словно голый стоишь и беззащитный. А уж что должны были чувствовать те двадцать четыре шальных, у меня в голове не укладывалось.

Мы бегали с Колей за угол и для сугреву принимали по сто грамм. И не хмелели. И снова возвращались на свой наблюдательный пункт, откуда видна вся Манежная площадь с кучами милиционеров и кагебистов и страшными крытыми автомобилями с большими радиоантеннами.

Чего долго рассказывать? Это был сумасшедший день. Мы мерзли час за часом, и водка уже не помогала, а никаких перемен не наступало. Власти ничего не предпринимали, должно быть, совещались весь день, как поступить.

Коля Мухин расценил это как победу забастовщиков, как начало никем не предвиденной капитуляции властей.

— Знаешь, Аркаша, — глубокомысленно заключил Коля Мухин, — тут одно из двух. Как говорят в народе, или хрен дубовый, или дуб хреновый. Пошли, чего-нибудь примем.

К вечеру Коля все-таки хорошо набрался. Я слегка обморозил ноги. Но зато мы дождались. Дождались результата и своими глазами видели тех самых героев, перед которыми отступило советское правительство.

В девять вечера забастовка кончилась. Сам Подгорный дал слово, что евреев начнут выпускать в Израиль и даже создадут специальную государственную комиссию, которая будет рассматривать каждую просьбу. А забастовщиков не только не тронули, но бережно, чуть не под белы рученьки, проводили домой. Почти сотня одинаково одетых в штатское «мальчиков» окружила эти две дюжины евреев и никого не подпускала к ним, пока не довела до станции метро.

Нам с Колей удалось поверх казенных шапок разглядеть кое-кого из этих ребят. Я был разочарован. Обычные еврейские лица. Даже несколько женщин. Средняя интеллигенция. Живущая на сухую зарплату. Неважно одетая. Таких в толпе не выделишь.

— Братцы! — крикнул им Коля через оцепление. — Так держать!

Я не успел оглянуться, как его скрутили «мальчики» в штатском и сунули в «черный ворон». Коля вернулся лишь на следующий день из вытрезвителя, схлопотав денежный штраф и уведомление в партийную организацию — обсудить недостойное поведение коммуниста Мухина Н. И.

Поэтому, когда в Колпачном переулке через денек-другой действительно заработала комиссия по выезду в Израиль, Коля не пошел со мной посмотреть, что там творится, а замаливал грехи перед Клавой, взяв на себя уборку комнаты и место общего пользования. Я пошел один.

То, что я там увидел, превзошло все мои ожидания. Я-то полагал, что в этот день явятся лишь те двадцать четыре, и их примет комиссия, и даже, чем черт не шутит, отпустит с Богом в Израиль. Мне ведь хотелось, собственно говоря, их поближе рассмотреть, только и всего. Ради этого я и пошел.

В Колпачном переулке бушевала толпа евреев, осатанелая, как перед ответственным футбольным матчем у ворот стадиона имени Ленина в Лужниках. Дамы в каракулевых шубах, мужчины с бобровыми воротниками. Бриллианты в ушах, дорогие перстни на пальцах. Откуда их столько набралось? Узнав по заграничному радио, что советская власть уступила, эти евреи выскребли из тайников пожелтевшие вызовы от израильской родни, которые прежде от детей своих хоронили, и, расхрабрившись, бросились на штурм ОВИРа, чтобы первыми предстать перед комиссией и без всяких страхов и усилий вырвать визу, пока наверху не передумали. Они бурлили и клокотали у подъезда, толкаясь локтями, потные и взъерошенные, словно в очереди за сахаром в голодные годы, и как ни старался я разглядеть в этом водовороте хоть одно лицо из тех двадцати четырех, что я запомнил на Манежной площади, это мне не удавалось.

А сверху, с лестничной площадки милиционеры выкликали в комиссию по фамилиям именно их, забастовщиков, но каракулевые дамы с воплями «Куда лезешь?», «Ты кто такой?» никого не пропускали вперед. Те, кто проложил дорогу евреям, чуть не были затоптаны своими соплеменниками.

учуявшими, что отныне нечего бояться и путь открыт. Я сам видел одного из них, узнал его по бородке, измятого, с вырванными на пальто пуговицами. Толпа выдавила его в сторону, и он стоял, растерянный и, ей-Богу, испуганный, привалившись спиной к стене, и никак не мог взять дыхания.

Смех и грех. Не зря говорится, от великого до смешного — один шаг. Немного погодя я там же наблюдал сцену, которую ни один писатель-юморист не сочинит, сколько бы ни напрягал мозги

Маленького роста еврей, пониже меня, привел за руку свою высокую, на две головы выше, жену, которая вдобавок ко всему была еще и беременна на последнем месяце, так что была втрое шире его. Держа ее за руку, как поводырь слона, маленький еврей, как и все вокруг, не в меру расхрабрившись, остановил проходившего с папкой документов начальника и громко, совершенно не желая сказать смешное, провозгласил на всю толпу:

— Если я сейчас же не получу визу в Израиль, то устрою на Красной площади самосожжение моей жены.

Так и сказал. Я запомнил дословно: «Устрою самосожжение моей жены»

Даже начальник ОВИРа, высокого звания офицер КГБ, не очень склонный к юмору, сумел оценить сказанное. Он не рассмеялся, а заржал, схватившись за живот и уронив папку с документами, отчего бумаги рассеялись по полу. Евреи же, которым в этот бурный день чувство юмора напрочь отказало, дружно бросились подбирать бумаги и услужливо, с заискивающими улыбками, подносили их начальнику, а он все еще хохотал и, как конь, мотал головой.

Кроме начальника, во всей толпе смеялся еще один человек. Это был я. Я смеялся не так громко, как он, но тоже от души. Потому что я обожаю смешные вещи, даже если случаются они в самом неподходящем месте

Над Атлантическим океаном.
Высота — 30600 футов

Дальше все покатилось, как — ну, видали в кино? — снежная лавина. Будто всем евреям поголовно воткнули шило в задницу

Подумать только, то в одном, то в другом городе потерявшие всякий страх евреи заявляются в здания, которые раньше стороной обегали — в Президиум Верховного Совета, в МВД, в обком партии, — рассаживаются по скамьям, а если нет скамей, так прямо на полу, и объявляют сбитым с толку милиционерам, что не уйдут, пока не получат положительный ответ на свои требования. Не просьбы, а требования! Учтите. Это в Советском-то Союзе, где еще совсем недавно любой бы лучше язык откусил, чем выговорить такое.

А особо ретивые рвались в Москву. Чтобы не где-нибудь, а только в столице, на виду у иностранцев, а значит, — и у всей мировой прессы, сунуть кукиш советской власти под нос.

Поездами, самолетами, в автобусах сотни евреев, побросав работу и свои семьи, перлись в Москву из Риги и Вильно, из Львова и Черновиц, из Киева и Одессы, из Кутаиси и Тбилиси. Забастовка за забастовкой. Голодные, полуголодные и совсем уж не голодные забастовки — с обильным приемом привезенной из дому снеди.

Советская власть растерялась. Приемную Президиума Верховного Совета СССР на Манежной площади, возле Кремля, которую в особенности облюбовали евреи для забастовок, с перепугу закрыли на ремонт. И тогда возмутители спокойствия перекочевали на Центральный телеграф, по соседству.

Власти отступали, как говорят военные, без заранее подготовленных позиций. Иногда огрызаясь. Но беззубо, вяло Выхватят из толпы двоих-троих, упрячут за решетку, а сотням выдают визы и даже с облегчением выпроваживают за станцию Чоп.

Иногда, словно на нервной почве, милиция совершит налет на поезда, идущие в Москву, ворвется в самолеты, готовые подняться в воздух, и каждого пассажира, чей профиль вызвал бы понос у Геббельса, хватанет за шкирку и вышвырнет наружу. А вслед летят чемоданы и узлы.

Часто хватали невинных евреев, ехавших в Москву по служебным делам, выталкивали армян за подозрительное сходство с евреями.

А сотни и сотни обалдевших евреев с визами в зубах и детьми под мышкой покидали СССР. И другие сотни, увидев, что от смелости не умирают, рвались в Москву, выпучив глаза, чтоб занять на Центральном телеграфе место уехавших и тоже объявить забастовку. Пока советская власть не опомнилась, не натянула поводья, не вонзила шпоры в бока. А как эти шпоры вонзаются и как при этом трещат косточки, было памятно каждому, если только он окончательно не лишился ума на радостях.

На Центральном телеграфе толпилось больше забастовщиков, чем нормальной публики, что нарушало работу этого учреждения, и милиция время от времени совершала профилактические облавы, очищая помещение от лиц с еврейской наружностью. Под жуткие вопли и стенания евреев всего мира, а также прогрессивной общественности, как это называется в газетах. На бедную советскую власть сыпалось не меньше проклятий, чем в 1917 году. Погромщики! Наследники Гитлера! Геноцид! Где права человека? Улю-лю-лю! Ату его!

Становилось смешно. А если народ смеется, то, как известно, для властей это уже совсем не смешно.

Послушайте, и вы сами посмеетесь.

Это история об одном грузине, не грузинском еврее, а чистокровном грузине, кавказском человеке, чуть-чуть не угодившем по ошибке в Израиль. Для удобства рассказа назовем его, скажем, Вахтанг. Договорились? Значит, поехали.

Жил Вахтанг, горя не знал. Возил зимой с Кавказа в Москву цветы. Обыкновенные цветы. Продавал на Центральном рынке. Барыши получал такие, что даже Рокфеллеру не снились. На Кавказе, где и зимой лето, цена одному цветку гроши, в Москве самое меньшее — рубль. Прибыль — стократная. Рейс самолетом Тбилиси — Москва и обратно — шестьдесят рублей. Вахтанг упакует, спрессует в два чемодана сорок тысяч единиц цветов. Это сорок тысяч рублей. Состояние. Расходы — билет в два конца, да сотня-другая на девиц и рестораны. Ну, еще пару сот милиции да инспектору, чтобы не лезли не в свое дело. Все остальное — прибыль. Можно, скажу я вам, с ума сойти. Академику, лауреату Ленинской премии, который годами сушит свои мозги, пытаясь что-нибудь изобрести, не хватит фантазии вообразить такие деньги, сделанные в один день.

Для такого Вахтанга советская власть — малина, сущий клад. Его никакими калачами за границу не выманишь. Тем более, в Израиль. Хотя, как утверждают знатоки, могила крупнейшего поэта Грузии, гордости грузинского народа — Шота Руставели находится в одном из монастырей Иерусалима, и даже спекулянту цветами, должно быть, не грех поклониться праху своего национального гения.

Привез Вахтанг в Москву два чемодана с прессованными цветами, на Центральном рынке оживил их, распушил, водичкой сбрызнул и продал по рублику штука. Набил один чемодан деньгами доверху — тоже спрессовать пришлось, чтоб влезли. Второй — пустой. Сдал чемодан в камеру хранения и сам по традиции в ресторан, а потом к девицам. Сразу три блондинки — натуральные, без краски. Комсомольского возраста. Поистощился на них Вахтанг. Не денежно, а сексуально. Видно, годы уже не те. Ослаб. Пока отсыпался да приходил в себя, прозевал свой рейс. Пришлось билет менять. А чтоб жена не умерла от страха, решив, что его, наконец, зацапала милиция, пошел на Центральный телеграф дать ей успокоительную депешу.

Входит, смотрит вокруг и глазам не верит. Одни грузины сидят на скамейках. Вернее, грузинские евреи. А чем такие евреи отличаются от грузин, только они сами и понимают. На мой взгляд, ничем. Те же лица, те же усики, тот же кавказский акцент. И даже шапки, знаменитые тбилисские кепки-блины, размером с аэродром, потому что если не самолет, то вертолет уж точно может совершить на них посадку, не боясь промахнуться, — и те у них на головах одни и те же.

Вахтанг, конечно, сразу отличил, что перед ним евреи. Дома, в Грузии, он их не очень жаловал, но здесь, в холодной, морозной Москве, грузинский еврей был для него земляком, а следовательно, самым желанным собеседником и собутыльником.

Был ранний час, и грузинские евреи на всех скамьях Центрального телеграфа приступили к завтраку. К солидной кавказской трапезе. Развязали узлы с пахучей снедью, заготовленной заботливыми женами в Кутаиси, откупорили бутылки с домашним вином. Запахи по телеграфу пошли такие, что белобрысые телеграфистки за стеклянными окошечками дружно пустили обильную слюну, перепортив немалое количество телеграфных бланков.

Ни с одним из этих евреев Вахтанг не был лично знаком, но, опознанный по шапке и усикам, был радушно приглашен разделить скромное угощение. Вахтанг пил и ел, наслаждался беседой на родном языке и забыл даже, зачем сюда пришел. Забыл он также спросить грузинских евреев, по какому случаю они в таком большом числе расположились на Центральном телеграфе.

Острые запахи кавказских специй довели до обморока одну московскую телеграфистку, которая на свою жалкую получку завтракала лишь стаканом кефира. Это дало милиции официальный повод вмешаться и очистить помещение от грузинских евреев. Подъехали автобусы-фургоны без окошек, всю кавказскую братию до единого, включая и Вахтанга, погрузили и увезли в участок.

Бедный Вахтанг никак не мог понять, за что задержан. Неужели за цветы? Ему и в голову не могло прийти, что он, сам того не ведая, оказался участником забастовки грузинских евреев, именно таким путем добивавшихся визы в Израиль. Об этой забастовке потом много писали в заграничной прессе. В отдельных газетах ее называли даже голодной забастовкой.

А писали о ней много потому, что оказалась она наиболее успешной. Разгневанное московское начальство всем задержанным в тот день на телеграфе предложило уматывать в Израиль без лишних формальностей, дав три дня на сборы.

Не еврей, а чистокровный грузин, Вахтанг тоже попал в этот список, и как ему удалось из этого дела выпутаться, я, честно говоря, не знаю. Может быть, за большую взятку он смог сохранить советское гражданство и право жительства, то есть прописку на родном Кавказе. А может быть, кукует в Израиле и как о чудном сне вспоминает свой цветочный рай в Советском Союзе и проклинает русское начальство и грузинских евреев, что подвели под монастырь его, безобидного, аполитичного человека, торговавшего всего-навсего цветами.

Но вся история рассказывается не для того, чтобы оплакивать бедного Вахтанга. Как-нибудь выкрутится. Я хочу вам снова поведать о Коле Мухине. Как он чуть не влип. И причиной был я. Как всегда, без всякого умысла сунувший свой нос, куда не надо. Должен вам честно сказать, что кто свяжется с таким шлимазлом, как я, удовольствия получит очень мало, а неприятностей — вагон.

Начнем с Коли. Как вы знаете, он не дурак выпить. А выпив, любит рукам волю давать. Это он называет: погулять. Кончается это гулянье чаще всего в вытрезвителе. Там Колю знают. Он там свой человек, завсегдатай. Усмирят, окатят холодным душем, уложат в чистую постельку, и назавтра он, уже свежий, как огурчик, дома. Пьет огуречный рассол и молча сносит нотации своей Клавы. До поры до времени. До очередного гулянья. И тогда отливаются кошке мышкины слезки. Коля так изукрасит ей физиономию, столько навесит фонарей — больше, чем при иллюминации на улице Горького в День Победы.

Что касается вытрезвителя, то с ним расчет всегда один и тот же. Двадцать пять рубчиков за обслуживание — присылают исполнительный лист по месту работы в бухгалтерию. Копию — в партийную организацию для обсуждения недостойного поведения члена КПСС Николая Ивановича Мухина.

Колю обсуждают на партийном собрании работников жилищно-эксплуатационной конторы, то есть ЖЭКа. Журят, взывают к партийной совести, ссылаются на наши успехи в космосе и на происки врагов за рубежом. Коля слушает внимательно и каждый раз клянется, что это в последний раз. Ему ставят на вид с занесением в личное дело. А когда в личном деле не осталось свободного места в графе «взыскания», стали ставить на вид без занесения в личное дело. И обсуждали его поведение не по каждой повестке из вытрезвителя, а когда соберется штук шесть-семь, тогда и скликали собрание, чтобы пропесочить Колю по совокупности проступков. Нянчатся с Колей по нескольким причинам. Первое, он русский, следовательно, национальный кадр. Второе, рабочий, а рабочих в партии и так мало, нужно беречь каждую единицу. К тому же, он в прошлом заслуженный боевой офицер и инвалид Отечественной войны. Он-то и в партию вступал перед боем и в заявлении писал: хочу умереть коммунистом. Коля не умер, остался жив, хотя и инвалидом. И, соответственно, до конца своих дней коммунистом. Разве можно такого исключать из партии? Бред.

Чтобы начать эту историю, я должен сразу сообщить: Коля Мухин по пьяному делу в очередной раз попал в вытрезвитель. А при чем тут я, Аркадий Рубинчик, ни разу не выпивший больше своей нормы?

Тут-то и начинаются происшествия, одно другого нелепее. Как вы догадываетесь, меня нельзя причислить к мужественным евреям, и ни к каким забастовщикам и демонстрантам я и на версту не приближался. Хоть уже хотел ехать в Израиль и подал документы в ОВИР. Есть авангард и есть обоз. Так я был в обозе. Авангард бился и нес потери, а я ждал своей очереди тише воды, ниже травы.

Ждал уже довольно долго, а результата никакого. Люди пачками летят в Израиль, обо мне же будто забыли. Стал я нервничать. Это и подвело меня.

Встречает меня у ОВИРа, где я обычно околачивался, ожидая, что вот-вот вызовут получать визу, один чудак из тех, что все знают, и шепчет на ухо: мол, не там торчишь, жми скорее к Генеральному Прокурору, он сейчас принимает по этому вопросу, и туда очень много народу пошло. Я сдуру и подался.

Тут я должен сделать отступление. У каждого нормального советского человека, куда бы он ни шел, в кармане всегда лежит авоська. Сетка. Плетенная из суровых ниток хозяйственная сумка, которая в пустом виде ничего не весит и никакого места не занимает. Поэтому ее очень удобно таскать в кармане. Авоська — советское изобретение, и изобретение гениальное. Я даже не знаю, как бы мы жили без авоськи. По какому бы делу ни шел, на работу или с работы, глядь — выбросили колбасу, ты — в очередь, и с полной авоськой — домой. Или на другом углу — болгарские помидоры, ты со своей авоськой тут как тут. Или на французских цыплят наткнулся, авоська при тебе, значит, не явишься домой пустым.

Если прикинуться дурачком и специально пойти по Москве охотиться за каким-нибудь продуктом, то останешься без ног и чаще всего ничего не принесешь. В СССР всегда дефицит с продуктами. Это, как говорят остряки, временные трудности, ставшие постоянным фактором. Если что и появится на прилавке, то поди угадай заранее, в каком магазине, а пока угадаешь, товар и кончился.

Авоська — палочка-выручалочка, лучший друг и помощник советского человека. Всегда имей ее при себе, как солдат винтовку, и что-нибудь непременно домой притащишь.

В тот раз, когда я послушал этого болвана и поперся к прокуратуре, в кармане у меня, натурально, лежала комочком авоська. И, должен вам сказать, это очень потом отразилось на моей судьбе. Казалось бы, мелочь, авоська, а какой поворот фортуны!

По улице Горького из Елисеевского магазина народ тащит огурцы. Свежие огурцы в Москве зимой — это явление. Длинные такие, импортные, как оказалось, из Египта, Ближний Восток — как бы привет с исторической родины! Авоська в кармане, я, конечно, в магазин. Кто последний — я за вами.

Очередь была смешная, человек полста, не больше. Набрал я полную авоську этих здоровенных, как поленья, огурцов. Не только для себя. Для соседей тоже. Скажем, для Клавы Колиной. Я же приличный человек, у меня есть чувство локтя. И Клава, если где что дают, про меня тоже не забывает.

Несу авоську, ее аж распирает от египетских огурцов. Встречный народ меня задерживает:

— Где дают?

Я только рукой показываю, некогда мне. И так задержался, могу опоздать в прокуратуру.

Подхожу, и сразу что-то мне показалось подозрительным. Много милиционеров ходит за оградой. На то и прокуратура, думаю, чтоб милиция вокруг паслась. Но вот почему так много во дворе автобусов без окошек? «Черные вороны». Для перевозки арестантов.

Я уж хотел было от ворот — поворот, а милиционер меня за руку:

— Вы по какому делу, гражданин?

Я затрепыхался: да ничего, мол, просто так, товарищей своих разыскиваю.

А он в мою еврейскую физиономию глядит и очень ласково отвечает:

— Пройдемте, уважаемый. Я вас к вашим товарищам провожу.

И поволок за ограду к автобусам. Одну мою руку он держит, в другой у меня авоська с огурцами.

— Пахомов! — кричит другому милиционеру. — Принимай еще одного сиониста. Кажись, последний. Можно ехать.

Впихнули меня в автобус, а там — одни евреи, друг на дружке, как сельди. Захлопнули железную дверь, и мы поехали. Через всю матушку Москву. До Волоколамского шоссе. В знаменитый вытрезвитель.

Вытряхнули нас во внутреннем дворике, построили по двое и повели в помещение. В дверях — заминка. Столкнулись с другими, с настоящими алкоголиками, православными, которых выводили. Там-то меня и увидел Коля Мухин.

— Аркаша! Какими судьбами? — кричит.

И ко мне, в нашу колонну.

Тут нас стали торопить, чтоб не задерживались, и Коля Мухин со всеми евреями попал в большой зал, где нас рассадили по скамьям.

А за столом, крытым зеленым сукном, сидит не милиция,

а КГБ. От капитана и выше. Все — влипли! Сухими из воды не
уйти. Будут шить политическое дело.

Положил я авоську с огурцами на колени и совсем поник.
Даже не видел, что Коля Мухин вытащил один огурец, откусил и захрустел на весь зал.

За него первого и взялись.

— Эй, ты! — крикнули из-за стола с зеленым сукном. —
Который огурец жрет! Встать! Подойти к столу!

Коля Мухин огрызок огурца положил на скамью возле меня и пошел к столу, слегка покачиваясь.

— Фамилия?

— Мухин, — отвечает Коля, — Николай Иванович.

— Николай Иванович Мухин? Довольно редкая фамилия
для еврея, — усомнились за столом.

Коля обиделся:

— А это уж не вашего ума дело. Как назвали при рождении, так и с гордостью ношу.

— Молчать! — призвали его к порядку. — Год рождения?
Социальное положение? Конечно, беспартийный?

— Почему же? Член КПСС с 1942 года.

— Засорили партийные ряды еврейской нечистью, —
вздохнули мундиры за столом.

— При чем тут нация? — удивился Коля. — Мы коммуни-
сты-интернационалисты. Между прочим, Карл Маркс, под
портретом которого вы сидите, тоже был из евреев.

— Молчать! Не вступать в пререкания. Не видать тебе
нашей партии, как своих ушей. Вычистим, чтоб духу не осталось.

— Это меня? — взревел Коля. — Фронтовика? Вы по каким тылам ошивались, когда я перед боем партийный билет
получал?

— Осквернил ты, Мухин, опозорил свое прошлое. За
чечевичную похлебку продался, за тридцать серебренников.

— Кому это я продался? — не понял Коля.

— Будто сам не знаешь? Сионистам! Международному ка-
питалу. Хочешь советскую Россию на фашистский Израиль
променять!

— Я? — ахнул Коля. — Да ты охренел!

За столом небольшое замешательство. Сразу тон сбавили.

— Погоди, погоди, Мухин, может, ты раздумал ехать в
Израиль?

— А я и не думал.

— Значит, осознал, опомнился и раздумал?

— А на хрена он мне сдался, этот Израиль? — возмутился Коля. — Вы меня что, за дурака принимаете?

— Стой, Мухин, не горячись, — один майор выскочил к нему из-за стола и даже обнял. — Вот что, товарищ Мухин, ты — настоящий советский человек, и тебя международному сионизму не удалось поймать на крючок. Сорвалось у них, не вышло! — закричал он всем евреям в зале. — Берите пример с товарища Мухина, отрекитесь, пока не поздно, мы вас всех освободим и забудем, что было прежде. Скажи им, товарищ Мухин, пару слов.

Офицер дружески, совсем по-отечески, подтолкнул его к недоумевающим евреям на скамьях.

— А что я им могу сказать? — не понял Коля. — У них есть цель... На свою родину... В Израиль. Отчаянные ребята... Я их за это уважаю...

— Не то говоришь, — тронул его за плечо офицер.

Коля стряхнул его руку.

— А ты меня не учи, что говорить. Это при Сталине нам рот зажимали. Прошли ваши времена! Понял? Теперь коллективное руководство... без нарушений социалистической законности... И как русский человек... от всей души...

— Мухин! — оборвал его офицер. — Замолчи, сукин сын! А ну, покажи свой паспорт.

Коля лениво вытащил из-за пазухи мятую книжечку.

Офицер заглянул туда и швырнул на зеленое сукно остальным офицерам.

— Так ты же не еврей! — завопил он. — Чего сюда полез?

— Я и не говорил, что я еврей. Я — русский. Я тут ради дружка моего, ради Аркаши. Вот он, с огурцами.

— Вон отсюда, пьяная рожа! — закричал офицер, и я подумал, что его удар хватит. — Вон! Чтоб духу не было!

— Я — что? — пожал плечами Коля. — Я могу уйти. А как с Аркашей? Он ведь если пьет, то только норму...

— Оба — вон! — затопал ногами майор. — И тот карлик с огурцами — вон! Я вам покажу, как устраивать комедию из серьезного политического дела.

Хоть я и был обижен «карликом», но не стал ждать напоминания и, подхватив авоську с огурцами, бросился вслед за Колей к выходу.

За нашими спинами офицер орал на притихших евреев:

— Всех под суд! По всей строгости закона! Руки, ноги обломаем подлым предателям, сионистским выкормышам!

И тогда, уже в самых дверях, Коля повернулся на сто восемьдесят градусов и, сделав проникновенное лицо, как подобает герою, отчетливо и громко, чуть не со слезой произнес:

— Пусть отсохнет моя правая рука, если я забуду тебя, Иерусалим!

За зеленым сукном онемели, вопивший майор умолк и застыл на одной ноге. Я вытолкал Колю в коридор и захлопнул дверь.

Только на улице, пробежав метров пятьсот, мы остановились. И в очень неплохом месте. Прямо у входа в закусочную Моспищеторга.

В честь счастливого избавления мы приняли по сто пятьдесят грамм с прицепом и закусили египетскими огурцами. Хорошие, должен вам сказать, огурцы. Можно свободно обойтись без другой закуски.

А те чудаки, что остались в вытрезвителе, получили по пятнадцать суток тюремного заключения. Они потом устроили в тюрьме голодовку протеста. И им в поддержку евреи Нью-Йорка и Лондона провели бурные демонстрации и даже побили окна в советском посольстве, что и было, по-моему, единственным фактом хулиганства во всей этой истории, которая началась с простой авоськи и египетских огурцов.

Над Атлантическим океаном.
Высота — 30600 футов.

Вот сейчас кругом все галдят: сионисты, сионисты. А что это такое, я вас спрашиваю? С чем это едят?

В последние годы в России каждый еврей переболел этой болезнью. Это вроде кори. Никуда не спасешься. Надо переболеть, если ты еврей, или наполовину еврей, или хоть на четвертушку.

Сионисты в Москве были разные, любого калибра. На выбор. Начиная с совершенно чумных, что перли на рожон, чуть не на штыки, и потом прохлаждались в Потьме, до тихих, краснеющих, которые скромно проползали в щель, пробитую первыми, и без особых хлопот приземлялись в Израиле.

Но я знал одного, у которого симптомы этой болезни были ни с чем несравнимы и такие, что не рассказать об этом прямо грех.

Представьте себе семейную пару. Молодую, симпатичную. И вполне успевающую. Оба — критики. Нет, нет. Они не советскую власть критиковали и не бегали с кукишем в кармане. Наоборот. Даже члены партии.

Критик — это профессия. Они были музыкальные критики. Все советское они, когда критикуют, обязательно хвалят, а все заграничное, даже если хвалят, обязательно немножко покритикуют. Ничего не поделаешь. Такая профессия. Бывает и похуже. Например, санитар в психушке. Б-ррр!

Так они оба жили, беды не зная, занимались критикой и потихонечку накритиковали кооперативную квартиру в Доме композиторов на проспекте Мира, автомобиль «Жигули» и даже небольшую дачку на Московском водохранилище.

Как и у всех нормальных людей, у них была теща, которая, слава Богу, жила отдельно, но так любила свою единственную дочь, что навещала их ежедневно. Зять, конечно, не падал в обморок от счастья и однажды поставил тещу на место.

Я это к тому рассказываю, вы сами скоро убедитесь, что отношения зятя и тещи потом оригинально проявились в сионизме, который рано или поздно должен был добраться и до этого гнездышка.

Зять был человек ассимилированный и о еврействе вспоминал, лишь когда видел тещу у себя в гостях. И шерсть у него при этом становилась дыбом. Как полностью ассимилированный, он утратил еврейскую мягкость и в гневе допускал рукоприкладство, что сближало его с великим русским народом.

Теща дождалась своего часа.

Приходит как-то к ним в гости днем и застает такую картину. Зять лежит на диване, задрав ноги, и книгу читает, а ее единственная дочь ползает по паркету, натирая его шваброй. Теща взвыла с порога:

— Этого ли я ожидала на старости лет увидеть? Моя дочь, талантливейшая критикесса, как последняя рабыня обслуживает это чудовище, хотя она кончила институт с отличием, а его еле вытянули за уши. Это он должен натирать паркет и целовать следы твои на нем.

Зять отложил книгу, спустил ноги с дивана и так спокойно-спокойно сказал:

— Правильно, мамаша.

И руку тянет к своей жене, а рука у него большая, тяжелая.
— Дай-ка швабру.

Жена не верит своим глазам — как прошибли мужа слова тещи, устыдился ведь и готов сам взяться за уборку.

Отдала она ему швабру. Он подкинул ее в своей руке, вроде бы взвесил, взял поудобней за конец палки и как огреет тещу! Та вывалилась на лестничную площадку, и, соседи потом божились, лбом, без рук открыла лифт и — испарилась.

В этой семье наступили мир да лад. На зависть всем соседям. Теща стала шелковой, заходить норовила пореже и всегда на цыпочках, на зятя смотрит, как еврей на царя, а он не часто, но позволяет ей себя обожать.

Эту идиллию погубил сионизм. Добрался и до них вирус. Зять заболел бурно, в тяжелой форме. Сутки делились на время до передачи «Голос Израиля» и после. Этот «Голос» он слушал столько, сколько его передавали, и каждый раз со свирепым лицом требовал абсолютной тишины от окружающих. Он потерял аппетит, убавил в весе, глаза стали нехорошие, как у малахольного. Жена не знала, что делать, и с ужасом ждала, чем это кончится.

Теща же, всей душой возненавидев сионизм и Израиль, сломавшие жизнь такой прекрасной советской семьи, у себя дома, на другом конце Москвы, каждое утро чуть свет включала транзисторный приемник, специально для этого купленный, и слушала все тот же «Голос Израиля». Прежде политика ей была до лампочки, а слушать запрещенные заграничные передачи и вовсе не смела. А тут прилипала к приемнику, морщилась от радиопомех и ловила каждое слово из далекого Иерусалима.

И знаете почему? От утренней сводки у нее весь день зависел. Если передадут, что в ночной перестрелке на ливанской или иорданской границе, не дай Бог, убит или хотя бы ранен израильский солдат, она чернела с лица и погружалась в траур. Потому что в этот день она уже к дочери зайти не могла. Зять так бурно переживал каждую смерть в Израиле, что предстать перед его очами означало для тещи почти верную гибель. Он бы все свое горе выместил на ней.

И она отсиживалась сутки, лишь по телефону робко общалась с дочерью, и обе разговаривали почти шепотом, как при покойнике в доме.

Зато если в следующей передаче Израиль не понес никаких потерь, да еще в придачу уничтожил с дюжину арабов, захватив большое количество оружия советского производства, теща расцветала и мчалась в гости к дочери. Зять встречал ее ласковый и умиротворенный, и она сидела там, как на иголках, ожидая следующей передачи, в которой вдруг да опять что-нибудь стрясется на одной из израильских границ. И тогда надо будет уносить ноги от впавшего в тяжелую меланхолию зятя.

Этот сионист потерял половину своего веса, пока получил визу в Израиль. Вы думаете, он в Израиль поехал? В Нью-Йорке живет, в неплохой квартирке, со своей женой, и оба неплохо освоили английский. Она лучше. Все же кончила институт с отличием. Как говорила теща. Кстати, теща скоро приедет к ним.

Об Израиле в этом доме не говорят. Как о веревке в доме повешенного. «Голос Израиля» ни по-английски, ни по-русски не слушают. У музыкального критика теперь новое увлечение. Изоляционизм. Как стопроцентный янки, он считает, что нам — американцам — нечего вмешиваться в европейские дела. Пусть они там наложат головой. И в Европе, и на своем вонючем Ближнем Востоке.

Я уже, кажется, говорил вам, что в Нью-Йорке мне привелось повстречать многих из своих бывших клиентов по Дворянскому гнезду в Москве. Сразу вижу удивление на вашем лице и готов спорить на любую сумму, что знаю, по какому случаю вы удивлены. Что это за Дворянское гнездо в советской Москве? Точно, угадал? Ну, вот видите. И где такое гнездо находится? И как это его большевики не разорили?

Чтобы вы не блуждали в потемках и напрасно не морочили себе голову, сразу открою секрет: большевикам совсем незачем было разорять это гнездо, потому что они сами его создали.

Вот вам его координаты. Ленинградский проспект в Москве знаете? Так это почти в конце его, между станциями метро «Динамо» и «Сокол», а еще точнее — сразу же за метро «Аэропорт». Кооперативные дома работников искусств. Привилегированная каста. Почти как генералы или ученые-атомщики Их кирпичные дома первой категории, с лифтами и швейцарами в подъездах, как павлины среди облезлых кур, сбились в кучу, заняли круговую оборону в море сборно-панельных типовых домов хрущевской эры, где обитают простые москвичи, как, скажем, мы с вами. Улицы Черняховского, Усиевича, Красноармейская, Часовая и называются Дворянским гнездом.

Здесь живет элита, здесь денег куры не клюют, здесь прислуге платят больше, чем инженеру на заводе.

Как вы помните, а мне тоже память не изменяет, революцию большевики в семнадцатом году сделали, посулив народу уравнять бедных с богатыми. Народ, конечно, обрадовался — думал, всех бедных сделают богатыми, то есть, как поется в партийном гимне: «Кто был никем, тот станет всем». Вышло же наоборот — все стали бедными, на этом и уравнялись.

И только очень немногие, может быть, меньше одного процента, при советской власти сказочно разбогатели. Но так, что и американскому бизнесмену не снилось. Ведь в СССР, если ты не под конем, а на коне, то тебе все в руки — и деньги, и власть. А власть в России дороже денег. Тут уж вообще все бесплатно. И государственные дачи, и закрытые санатории, и спецполиклиники, и пайки, и пакеты. И если раньше можно было капризно сказать: все есть, только птичьего молока не хватает, то теперь и эта жалоба отпала — кондитерская фабрика «Красный Октябрь» освоила выпуск конфет под названием «Птичье молоко».

Моя основная кормилица — левая клиентура — живет в Дворянском гнезде. Им — писателям, художникам, режиссерам, артистам, а также их женам — я делаю модные прически на дому и знаю каждый бугорок и впадину на их черепах не хуже, чем московский таксист знает все переулки на Арбате.

Поэтому слушайте меня внимательно, и все, что вас интересует насчет Дворянского гнезда, вы из первых рук узнаете. Для начала я должен сказать, что публика там живет смешанная, неоднородная в национальном смысле: муж — еврей, жена — русская, или наоборот. Дети, естественно, полукровки и, если верить народным приметам, талантливые и красивые. Насчет талантов мы убедимся, когда они подрастут, а насчет красоты — так в нашей коммунальной квартире, где крови не мешались, а если мешались, то лишь с алкоголем, дети выглядели не хуже.

Но зато богатыми были всерьез. Где вы видели в России два легковых автомобиля в одной семье? Там и такое встречалось. Деньги, машины, дачи, туристские поездки.

Одевались во все парижское, купленное у спекулянтов или в ансамбле «Березка».

Эти люди занимались искусством, а искусство в СССР партийное, художественная пропаганда. Поэтому они, если разобраться, были не режиссерами, не танцорами, не поэтами, не певцами. Они были гримерами. Я их так называл. Каждый на свой лад, они накладывали грим на лицо советской власти, делали из нее куколку, аппетитную и съедобную. И делали хорошо. Даже такие пройдохи, как я, иногда покупались и верили. За эту работу советская власть денег не жалела.

В Дворянском гнезде жили великие гримеры. Богатые, избалованные люди. Щеголяли соболями, духами «Шанель» и «Мицуки». Я же был при них придворным брадобреем. Обслуживал их на дому, работая сверхурочно, налево.

Там же я познакомился с одним малым, у которого папашка был величайшим гримером — не в переносном смысле, а в прямом. Он бальзамировал трупы вождей коммунизма, делал их лучше, чем при жизни, и сохранял в таком виде для будущих поколений, которым повезет дожить до самой последней, завершающей фазы строительства коммунизма.

Этот папашка готовил Ленина к Мавзолею. Сталин одарил его всеми почестями, сделал профессором, академиком, пух с него сдувал, чтобы он, не дай Бог, не умер раньше него. Кто же тогда самого Сталина будет бальзамировать? И этот академик, хоть и был евреем, пережил Сталина и хорошенько его набальзамировал в гробу и щечки нарумянил. И лежал великий вождь, благодаря таланту академика, совсем как живой, рядом с не менее великим Лениным в одном Мавзолее, и Ленин по сравнению с ним выглядел не совсем как живой, потому что у него был большой стаж лежания в гробу, а бальзам, как известно, тоже не вечен.

Очень смешная история у него вышла, когда он накладывал грим, приводя в божеский вид усопшего великого вождя болгарского народа Георгия Димитрова. Я вам эту историю рассказываю не только потому, что она смешная, а еще и затем, чтобы показать, какая важная персона гример при советской власти.

Значит, командировали академика в Софию, и он там, пока вся Болгария в черном трауре на пустой Мавзолей глазеет, ковыряется не спеша в потрохах покойного вождя и готовит его в наилучшем виде для всенародного обозрения.

А сынок гримера, с которым я познакомился в Дворянском гнезде, в ту пору поступал в институт и, как еврей, был по всем статьям провален на экзаменах. Приемная комиссия дала промашку, не учла, кому приходится сынком этот еврейский мальчик. Мальчик, не будь дурак, позвонил из Москвы в Софию и сказал своему еврейскому папе, что провалился на экзаменах по пятому пункту.

Папе, избалованному, прославленному гримеру, уникальному, незаменимому специалисту, от негодования кровь ударила в голову. Он оттолкнул от себя еще только наполовину сделанный и начинавший портиться труп вождя болгарского народа, вытер с пальцев следы его потрохов и сказал толпе его скорбящих соратников:

— Пальцем больше не коснусь трупа, пока мой сын не будет принят в институт!

— Какой сын? Какой институт? — всполошились вожди поменьше и, когда узнали, в чем дело, тут же с Москвой связались.

Так и так, мол, есть опасность, что болгарский народ лишится возможности лицезреть образ любимого вождя, если в Москве не примут в институт еврейского мальчика.

Еврейского мальчика приняли через час и без экзаменов. Благоухающий труп вождя установили в Мавзолее, и до сих пор болгарский народ в лицо видит, кого ему проклинать за подвалившее счастье.

Академик-гример отдал душу Богу не в тюрьме, а в своей собственной постели, и его похоронили как простого смертного, не набальзамировав, потому что некому было выполнить этот труд. Покойник унес в могилу секреты своего ремесла.

Больше в России никого не бальзамируют. После Сталина очередных вождей выбрасывают на помойку еще до того, как они умирают физически, и поэтому нет надобности в гримерах в Мавзолеях.

И еще, если хотите знать, сын тоже покинул Россию. Я его встретил в Израиле. Ходил без работы и абсолютно лысым. С горя вырвал на себе волосы. С какого горя? Да что сдуру, за компанию, ринулся на историческую родину, где никто не помнит заслуг его отца, нету папиной персональной пенсии, шикарной квартиры в Дворянском гнезде и правительственной дачи в Барвихе

Я его встретил, этого сынка, потом в Нью-Йорке. Не одинокого как перст, а в своей прежней компании, среди бывших обитателей Дворянского гнезда, рассеявшихся в дешевых квартирках еврейских кварталов Бронкса, Бруклина и Квинса.

Как будто ничего не произошло. Те же лица, даже одеты так же. Только не в Москве, а в Нью-Йорке. Снова подобрался тот самый букет. Но, правда, цветы поувяли и листочки пожухли. Слабоватый запах, чуть-чуть — видать, экономят духи. И палантины из соболей, и вечерние туалеты из золотистой парчи, прибывшие багажом из Москвы вместе с густым настоем нафталина.

Мне даже показалось, что все это во сне. И все кошмары улетучатся, как только я открою глаза. Я снова буду дома, в Москве. И как доказательство, те же лица, что примелькались мне в Дворянском гнезде. А я снова за тем же занятием: стригу, прихорашиваю моих милых дамочек, и они так же хлопочут и волнуются, словно боятся опоздать на премьеру модного фильма в Доме кино на васильевской.

В бедном квартале Бруклина на пятом этаже без лифта одна из московских дамочек справляла свой день рождения. Грустный день. Когда о возрасте уже не упоминают и никакая косметическая штукатурка не в силах прикрыть дряблости шеи и мешочки под некогда красивыми глазами.

Гости съезжались на старых, третьего срока, вышедших из моды «бьюиках» и «паккардах», купленных по дешевке у негров. В Москве бы, конечно, недруги подавились от зависти, а здесь такой автомобиль — клеймо непроходимой бедности.

Собиралось Дворянское гнездо, как в добрые старые времена. И для пущего правдоподобия Аркадий Рубинчик приглашен был пройтись ручкой мастера по прическам. Хоть я и не из их компании, а из окружения, из обслуги. Там меня на дни рождения не приглашали. Я делал свое дело до начала и покидал дом, как только появлялись гости. Как и положено услужающему. Правда, с приличным гонораром в кошельке. Из которого не начисляются налоги и который неведом стукачам из ОБХСС.

Здесь я был наравне со всеми гостями. Потому что мы уравнялись в доходах и в общественном положении. Я стал своим. И даже принес подарок. Но в то же время остался парикмахером и пришел заранее, чтобы подготовить хозяйку, а затем, по мере появления гостей, уводил дамочек в спальню и быстро и привычно приводил их в божеский вид.

Гонорара мне никто не уплатил. Нет, вру. Одна дала пять долларов. Остальные попросили в кредит. До лучших времен.

Я не стал спорить. Ведь мы породнились на общем несчастье. И стали вроде одной семьи. Жалкой, чахнущей. Донашивающей свои норковые манто и собольи накидки.

Один из гостей, многолетний мой клиент, некогда прославивший меня на всю Москву песенкой о чудо-парикмахере, так как я умудрялся из десяти волос на его голом черепе создать видимость прически, и притом еще модной, тоже попросил его обработать до начала пития. На голове у него всего пять волос осталось, и, пока я мудрил над ним, он жирным эстрадным голосом жаловался, тоскливо глядя в зеркало:

— Скажи мне, друг Аркадий, какая муха нас укусила? Каким надо быть ослом, чтоб уйти от такой кормушки, оставить теплое комфортабельное стойло?

В Москве он ходил в поэтах-песенниках, заколачивал страшенные деньги и был кум королю. Напишет текст, вроде «Вышла Дуня на крыльцо, хлопнула в ладоши...» — и тысячи, тысячи годами капают за каждое исполнение этой песни хоть на концерте, хоть в ресторане. Сказочно был богат.

— От такой кормушки... Из такого стойла... — хрипел он в зеркало.

Выехал он пустым. Власти, зная о его доходах, проследили, чтоб ничего не вывез. Поэт-песенник шмякнулся голыми ягодицами на нью-йоркскую мостовую. Тут его песни не ко двору. Языка не знает. Да и по-русски, в основном матерится в рифму. Дошел до ручки. Стал пробавляться статейками в эмигрантских газетах. Кое-что я читал. Даже смешно. Например, как на празднике песни в каком-то провинциальном городе актер, загримированный как Ленин, под сильным газом, то есть вдрабадан пьяный, забрался на броневик, в котором его должны были провезти перед публикой, с вытянутой вперед рукой, и, когда броневик с вождем поравнялся с трибуной начальства, вождь мирового пролетариата качнулся и рухнул с башни в весеннюю грязь.

Что? Смешно? Я думаю, не очень. Все же Ленин — это Ленин, и устраивать из него смешочки не совсем благородно Всю жизнь с пеленок мы на него молились, себя юными ленинцами называли, что же теперь-то кукиш показывать? Несолидно.

Благо бы хоть платили за это прилично! Всего-навсего десять долларов. Товар неходкий. Кому тут дело до Ленина? Это у нас в России, привези он подобный материальчик про президента Форда или еще лучше — Голду Меир, ему бы не меньше тысячи отвалили. А тут? Десять долларов.

Да я бы, хоть и не поэт, а парикмахер, за такую сумму даже про свою тещу худого слова не сказал бы.

На этой самой вечеринке, после нескольких рюмок виски я вдруг обнаружил, что я, Аркадий Рубинчик, простой, самый простецкий человечек, при моем маленьком росте стою на голову выше всей этой бывшей элиты, дамочек и господинчиков из Дворянского гнезда. У меня одного осталась гордость, называйте это как хотите, советского человека. Или вообще человека.

Все в этом доме были москвичи, мы орали, не стесняясь, по-русски, пели песни и чувствовали себя в своей тарелке. Пока не пришел новый гость. Не наш брат-эмигрант. Американец. Американский еврей. Филантроп. Благодетель. Из тех, у кого бывает несварение желудка, если он публично не подаст милостыню на бедность.

Ввалился тип под шестьдесят, рожа тупая, самодовольная, сигара торчит толстая, большая, как бревно. Разговаривает, не вынимая ее изо рта. По всему видно, тянет на пару миллионов. Сел в кресло, нога на ногу, сигара-бревно торчит, как дымоходная труба. Знакомится, не вставая, протягивает для пожатия не руку, а палец. Указательный.

Наши москвичи вокруг не запрыгали, забеяли. Да все по-английски, с жутким акцентом. Мистер, мистер. Русский язык испарился, все внимание на мистера.

Представили меня. Он не встал, протянул указательный палец. А я его как стукну по пальцу, да по-русски:

— Переведите ему. С хамами не знакомлюсь, с сидячей свиньей не здороваюсь.

Наши ошалели, зашикали на меня, оттащили в сторону, конечно, переводить не стали.

А он рокочет по-английски, будто камни во рту ворочает, очень доволен собой. Пуп земли, центр мироздания. Вся вечеринка вокруг него пляшет.

Я всю эту публику и в Москве высоко не ставил. Хоть и

держали нос кверху, а внутри было пусто. Но уж чего-чего, а чувства собственного достоинства им было не занимать. На мир глядели, прищурясь, себя в обиду не давали. Имели свою гордость, унижаться не любили. И от щедрот своих кидали окружающим широко, не скупясь.

Тут их как наизнанку вывернуло. Холуйские позы, льстивые голоса. А сами щеголяют в московских соболях и золототканой парче. Похлеще здешней миллионерши.

Американский благодетель, видя всеобщее раболепие, захлопал в ладоши и велел спуститься вниз и притащить из багажника подарки — для всех!

Дамы завизжали, мужчины загоготали, как жеребцы, почуяв овес, и все повалили гурьбой вниз по лестнице.

Я остался один. И благодетель в кресле, с бревном в зубах. Он меня спросил, очевидно, чего это я не бегу со всеми хватать подарки, я ему ответил по-русски, послав по популярному в России адресу. Руки у меня чесались закатать ему промеж совиных глаз, чтоб выплюнул сигару на ковер, а заодно и зубы. Вставные.

Но с воплями и задыхаясь от бега по лестнице, ввалилась гоп-компания, в соболях и парче, волоча картонные ящики из-под пива, набитые каким-то тряпьем. Столпились, толкаясь, выставили зады и давай рыться в этом дерьме, хватая, что попадет под руку.

Благодетель наскреб эту рухлядь у своих соседей, все, что люди собирались выбросить, да поленились дойти до помойки.

Сразу оговорюсь. Я далеко не кристальный человек. И не всегда умел за себя постоять, когда меня обижали. Но до такого унижения я никогда не доходил.

Они рвали друг у друга старые застиранные рубашки с номерами из прачечной и с выцветшей фамилией владельца на воротниках, допотопные пиджаки с лоснящимися локтями, съеженные туфли на немодных каблуках.

Поэт-песенник, которому я умудрился из пяти волос сделать зачес на лысине, напялил на себя черный фрак с фалдами, отороченными по краям атласной лентой, и подскочил ко мне, ища поддержки:

— Ну, что, Аркадий, неплохо? Как на меня шит.

— Зачем это тебе? Куда ты в нем сунешься?

— А на прием! Вдруг пригласят на великосветский прием?

— Тогда у тебя не хватает до полного комплекта...

— Чего?

— Полотенца. Перекинуть через руку. Потому что на приемах тебе бывать только лакеем. Не больше!

И я закричал, затопал ногами, отогнав кудахтающих дам от ящиков с барахлом:

— Стыдитесь, суки! Я же вас за людей держал. Зачем вы этому гаду доставляете удовольствие? Зачем унижаетесь, как черви? Что, вам жрать нечего? Ходите раздетыми? На дармовщинку потянуло, хапаете, что попало? Завтра дерьмо будете с земли поднимать и в рот совать, не отряхнув от пыли. Потому что бесплатно.

Дамы стояли, вылупив глаза и прижимая к грудям куски тряпья из ящиков. Ни одна не отважилась мне ответить. Видать, угар проходил, и становилось стыдно.

Молчал в своем кресле и благодетель. Сопел и жевал свое бревно. Тоже почуял что-то: могут по шее накостылять.

А я заплакал. Как баба. В голос, со всхлипами. Со мной бывает, когда я перепью. И выскочил на лестницу, скатился вниз и долго бежал по пустой, без единого прохожего улице. Потому что в Нью-Йорке только ненормальный может отважиться в ночной час прогуляться на свежем воздухе. Или придурок. Или иммигрант из Москвы.

Над Атлантическим океаном.
Высота — 30600 футов.

— Доброе утро! Ну, как спали? Уже светло за иллюминатором. Интересно, мы еще над океаном, или внизу уже Европа? Кстати, я не храпел? Со мной это бывает. Поэтому на всякий случай прошу прощения.

Все же, вы меня извините, я абсолютно уверен, что мы с вами где-то встречались. До Москвы есть время, еще вспомню. А пока нам несут завтрак, снова проветрим пасть. Если не возражаете, кое-что из моей жизни в Израиле. Лады?

Доводилось ли вам, уважаемый, слышать такое красивое, благозвучное и пахучее словечко: абсорбция. А-б-с-о-р-б-ц-и-я! Не доводилось? Тогда вам очень крупно повезло, и вы, без всякого сомнения, родились в сорочке.

Я с этой абсорбцией познакомился в Израиле и могу вам авторитетно сказать: ее придумали злейшие враги еврейского народа, те, кто написали «Протоколы сионских мудрецов» или даже хуже — кто собирался в Нюрнберге окончательно решить еврейский вопрос. Это слово ласкает мое ухо так же, как, скажем, «геноцид» или «каннибализм».

В Израиле есть целое Министерство абсорбции. Оно только и занимается, что превращает евреев в израильтян. Вольных, необъезженных евреев вылавливают из диаспоры, как диких мустангов из прерий, и пропускают через машину абсорбции, чтобы довести их до местной кондиции. Можете себе представить, какой стоит стон и гвалт, когда несчастного еврея растягивают, если он короче стандарта, и обрубают все лишнее, если он не укладывается в израильскую мерку.

Я никогда не бывал на металлургическом заводе, но в кино видал, как прокатывают железо и делают из бесформенной болванки рельс или балку. Знаете, как это делается?

Кусок железа доводят до белого каления и втискивают между вертящихся валков. Таких валков множество. И этот несчастный кусок железа летает от валка к валку. Его мнут, давят, сжимают, вытягивают, пинают в хвост и гриву, и, когда уже видно, что скоро от него ничего не останется, машина выплевывает его, и он падает на землю совсем посиневший и бездыханный.

Так поступают с железом. И получают рельс или балку.

Абсорбция — это кое-что похлеще, чем прокатный стан. Из вас не только все кишки выпустят, обломают руки и ноги, но еще хорошенько плюнут в рожу и скажут, что так и было.

Для несчастного еврея, угодившего в зубья этой машины, все, что я говорил про железо — цветочки. Только половина абсорбции. Вытянув из него с Божьей помощью рельс, его выплевывают, голубчика, к чертовой матери. Когда он совсем заржавеет, спохватываются и снова пропускают через прокатный стан, но уже без нагрева, в холодном виде, чтобы возиться поменьше. Ржавый рельс не выдерживает и рассыпается в крошки. И тогда умельцы из Министерства абсорбции разводят руками:

— Вот видите, какой негодный человеческий материал к нам поступает из диаспоры? Мусор! Отбросы! Недостойны они своей исторической родины!

Что такое бюрократия, вы, конечно, знаете. В России, слава Богу, этого добра навалом. Есть и немецкая бюрократия, есть американская. Везде свои бюрократы. И должно быть, не обойтись без них, как не обойтись без полиции. Людям от этого не совсем удобно, но порядку все же больше.

Это, знаете ли, как большая машина, в которой, скажем, сто колес, больших и маленьких, сцеплены друг с другом и вертятся в указанном раз и навсегда направлении. Ваше дело попадает сначала на первое колесо, повертится вместе с ним и передается на второе, потом на третье — и так до сотого. После сотого колеса — считайте, дело сделано. И пусть у вас больше голова не болит.

Конечно, иное дело можно решить, пропустив его через два-три колеса. Но тут этот номер не проходит. Только все сто колес. И ни одним меньше. Это и есть бюрократия. Налаженная машина. Ничего в ней менять нельзя. Работает медленно, но верно.

Сказать по совести, после того, как я побывал на исторической родине, я готов стать на колени перед этой бюрократической машиной, которую раньше мы ругали на чем свет стоит, и целовать каждое из ее колес.

Почему? Потому что я увидел, что такое израильская бюрократия. Все познается в сравнении.

В Израиле достигнут потолок бюрократии. Хотя по сути — та же самая машина, что и во всем мире. И столько же колес, ни больше, ни меньше.

Но с одной разницей. Колеса эти не сцеплены друг с другом, и каждое вертится само по себе. Запустили дело в первое колесо, и будет твое дело мотаться до скончания века, если не стоять рядом и с проклятиями и воплями не проталкивать его от колеса к колесу, до последнего, сотого.

Я, грешным делом, в прежней жизни думал, что только большевики умеют любое дело довести до полного абсурда. Теперь я вам могу сказать, что по сравнению с моими современниками на исторической родине они просто дети. Их хочется гладить по головке и трепать по румяным щечкам, как невинных крошек.

Израильская бюрократия — это вроде СПИДа, от которого нет лечения. И народ этой страны, всеми признанный, как мудрейший из мудрых, даже не ищет лечения, а наоборот — не без гордости сообщает встречному и поперечному: у нас, мол, есть своя бюрократия. Своя собственная. И это звучит так же дико, как если хвастать на всех перекрестках семейным сифилисом в последней стадии.

У меня до сих пор перед глазами торчит рожа израильского пакида. Пакид, извините за выражение, это на иврите — чиновник. Но, по-моему, я в иврите не силен, пакид — нечто похуже.

Сидит за письменным столом этакий дуб с мутным сонным взором и сладко-сладко ковыряет указательным пальцем в недрах своего еврейского носа, а ты сидишь перед ним на краешке стула, ерзаешь от нетерпения, сучишь ножками и тоже впадаешь в сонную одурь, заражаешься от него и уже следишь, как и он, за его пальцем, вынутым, наконец, из носа. Оба смотрите на кончик его пальца, на то, что извлечено оттуда, из недр. Потом палец вновь углубляется в ноздрю.

И если ты ненароком нарушишь это мирное занятие, отвлечешь, не дай Бог, тогда он разинет пасть, и на тебя будет вылито ведро помоев на прекрасном, сладкозвучном языке «Песни песней». И язык этот покажется крепче русского, а, как известно, крепче русского нет на земле языков.

Чтобы вам было все ясно, я приведу один пример, ничем особенно не примечательный, но он лучше всяких цифр и кошмарных историй осветит вам суть дела. Ведь то, что океан соленый, можно определить по одному глотку океанской воды, и для этого совсем не обязательно выпить весь океан.

Жил в Москве один писатель. Естественно, мой клиент. Он проживал в том же Дворянском гнезде, где и остальные деятели искусств, но к нему у меня было отношение почтительное, потому что он был талант. А талант, общеизвестно, как деньги. Если есть, так есть, а если нет, то хоть «караул!» кричи — нету. У него было и то и другое: и талант, и деньги. А также слава. И прекрасное положение. И, в довершение ко всему, красивая и, что не так уж часто встречается, умная и благородная жена. И дети, не в пример нынешним, — серьезные, послушные, не курят, не пьют, денег у родителей не вымогают.

Спрашивается, что еще нужно человеку для полного счастья?

Этому человеку взбрело в голову, что ему недостает одного. быть еврейским национальным писателем. Зачем? Почему? И, наконец, где? В Советском Союзе?

От добра добра не ищут. Так, кажется, гласит народная мудрость?

И к тому же он считался одним из лучших русских писателей. Я имею в виду не Пушкина и Гоголя, а современных. О нем писали в газетах, что у него кристальный русский язык, что он глубоко проник в психологию русского человека. А главное, он был честным писателем, в отличие от других из Дворянского гнезда. Запретных тем не трогал, чтоб не кри-

вить душой и не врать, но уж если писал о чем-нибудь, то, как
говорится, пальчики оближешь. В библиотеках его книги
зачитывали буквально до дыр. А начальство его по праздни-
кам представляло к наградам, так что орденов у него было не
меньше, чем у иного генерала.

И вот, в таком человеке в период всеобщего сумасшест-
вия проснулся еврей. Не хочу, мол, больше быть русским
писателем. Хочу воспевать мой собственный народ. Чем я
хуже чукчи или, скажем, киргиза? И стал писать еврейские
рассказы.

Вы же понимаете... Вы свои уши без зеркала можете увидеть? Так он увидел свои рассказы напечатанными. Во всех
издательствах — от ворот поворот.

И пошли его рассказы гулять по Москве в рукописях. То,
что называется «Самиздат». Люди ими зачитывались. Друг у
дружки вырывали страницы.

Должен признаться, мне посчастливилось подержать в
руках два рассказа, и потом всю ночь не мог спать — так ко-
лотилось сердце от волнения. Первый класс! Прима! В при-
личных государствах таким писателям при жизни ставят па-
мятник.

А вот в Москве за такое творчество ставят клизму. Большую! По самые гланды. Его вообще перестали печатать, даже
то, что он раньше, в свой «русский» период писал. Из Союза
писателей — ногой под зад. Имя велели не упоминать,
вычеркнули даже из справочников. Как говорится, предали
забвению, похоронили заживо.

Стал он тогда требовать выезда в Израиль. То есть на историческую родину. Человек он был с размахом и такую поднял вокруг себя волну, что власти покоя лишились. Его письма У Тану — был тогда такой чудак, генеральный секретарь
ООН в городе Нью-Йорке, сам родом из Бирмы, и все евреи
России писали ему, умоляя помочь уехать в Израиль, пока он
не умер от рака, — письма нашего писателя У Тану были самыми потрясающими и душераздирающими. Их цитировали
в газетах, читали на митингах, давясь слезами, они доводили
до истерики мировую общественность... и КГБ.

Ох, и дали же ему прикурить в Москве! Сажали в тюрьму,
запугивали анонимными письмами, штатские хулиганы в
одинаковых кепках, полученных со склада КГБ, ловили его в
подъезде собственного дома и били смертным боем.

Он был человеком не робкого десятка — в войну летал пилотом на истребителе. Немцы его сбили в воздушном бою над Одессой, он, раненный, выпрыгнул с парашютом. Из уважения к его храбрости они его не расстреляли, а, наоборот, оказали почести, положили в военный госпиталь и вставили стеклянный глаз вместо того, который остался в кабине самолета. Этот глаз он не вынимал потом всю жизнь и носил поверх него черную бархатную ленту, которая наискось лежала на лице, делая его похожим на лорда Байрона, как уверяли дамы из Дворянского гнезда. Я с Байроном лично не был знаком и делать сравнения не решаюсь.

Не сумев сломить его, власти вышвырнули писателя из СССР, и он оставил по себе хорошую память в Москве, раздав всем евреям свое имущество и деньги, которые у него водились в немалых количествах. Уехал в желанный Израиль гол как сокол, почти в чем мать родила. В аэропорту ему устроили проверочку, даже в задний проход заглянули, не пытается ли он вывезти хоть страничку из своих ненапечатанных рукописей.

Дальше история короткая и печальная. В Израиле он мужественно нищенствовал, не смея опуститься до просьб о вспомоществовании. И денно и нощно писал. Взахлеб. Обретя свободу, старался излить на бумаге все, что бурлило годами в его еврейской душе.

Известно, когда пишешь, денег не зарабатываешь. Только изводишь. На бумагу и чернила. Да на пищу. Самую скудную, чтоб не помереть с голоду до завершения своего труда.

Он был писатель хороший и требовательный к себе. Писал и перечеркивал, снова писал и правил.

Наконец, его первый рассказ — замечательный рассказ, скажу я вам, кто-то по доброте душевной перевел на иврит, и писателя напечатали в журнале.

Это был праздник для писателя. Первый и последний на долгожданной исторической родине.

Потом наступили чудеса. Оказалось, что журнал гонорар не платит. И вообще в Израиле с этим делом туго. Писательством занимаются после работы для развлечения, а средства на жизнь и пропитание зарабатывают, просиживая штаны в канцеляриях или вкалывая рабочим. А чтоб напечататься, автор должен порой сам заплатить издателю.

Свобода! Нет цензуры, зато нет и гонорара. А заодно и хорошей литературы. После тяжелого рабочего дня, в промежутке между ужином и сном, шедевры редко кому удавались. Нашему писателю, чтоб довести до блеска свое детище, требовалось сидеть, не разгибаясь, за письменным столом с утра до ночи. Неделями и месяцами.

Его карта была бита. Мечты создать еврейское национальное искусство, ради чего он отказался от всех благ прежней жизни, лопнули, как мыльный пузырь. Еврейскому государству не понадобились собственные барды. Бардам предложили переквалифицироваться в счетоводы.

Он бы снес этот удар — сказывалась российская закалка. И стал бы со временем мрачным бухгалтером, и жил бы как еврей среди евреев, немножко одичал бы и даже потихоньку стал бы ковырять в носу, как все остальные, и кто знает — может быть, нашел бы в этом свое счастье.

Но... Кто-то проявил еврейскую чуткость и заботу, и ему прислали на еще незнакомом языке иврит официальное письмо, где извещали, что поскольку журнал не может выплатить гонорар, то ему, как новичку в стране, Министерство абсорбции возместит эту сумму в виде безвозмездного пособия как неимущему. То есть милостыню предложили. Унизительную для любого нормального человека. Тем более для знаменитости.

Он взревел от обиды и порвал это оскорбительное письмо на клочки. Но машина абсорбции заработала. Последовало новое письмо, затем еще. В доме — ни гроша. Голод, как известно, не тетка. Жена и дети смотрят на него с мольбой. И он заколебался. Даже стал находить оправдание. Хоть и дают ему деньги как милостыню, но он их честно заработал, написав и опубликовав свое произведение.

Он поехал в Министерство абсорбции. Через пыльный и знойный Иерусалим, в душном переполненном автобусе. За последние двадцать лет он даже забыл, что существуют автобусы: во-первых, в Москве у него был свой автомобиль, а, во-вторых, такси при его доходах было вполне доступно и писателю, и всем его домочадцам.

Тут его ждал первый удар. Долго и унизительно продержали его в очереди, потом долго и лениво рылись в пухлых папках с бумагами, наконец, вписали жалкую сумму прописью в его удостоверение, а денег не дали, сказав, чтобы ждал их через месяц, не раньше.

Он вернулся пристукнутый

Через два месяца его вызвали за деньгами. В том же автобусе, потея и шалея от духоты, он добрался до министерства и, высунув, как пес от жары, язык, дополз до нужного этажа и постучал в указанную в письме дверь.

Денег ему и на сей раз не дали, и даже не извинились за то, что зря побеспокоили немолодого человека. Он ушел в холодном бешенстве, и прохожие слышали, как он вслух матерился, хотя до того ни разу не был уличен в подобном занятии.

Через месяц его снова вызвали письмом, и меланхоличный пакид снова сказал, что денег нет, и снова не извинился. Наш писатель удалился в состоянии полной прострации, и прохожие слышали, как он тихо скулил, совсем по-щенячьи, не замечая устремленных на него недоуменных взглядов.

Когда в третий раз пришло письмо с просьбой явиться за деньгами, он наотрез отказался, но жена и дети умолили его сходить в последний раз. И этот раз был действительно последним.

Денег ему, как вы догадываетесь, опять же не дали. И когда он взвился и закричал, почему его гоняют взад и вперед без толку и даже не находят нужным извиниться, удивленный пакид вынул палец из носа и философски спросил:

— А вы кто, граф Толстой?

— Да! — закричал писатель. — Я — граф Толстой!

Вырвал из-под бархатной ленточки свой стеклянный глаз и запустил в пакида.

Пакид взвыл. Прибежала полиция. Писатель брыкался, ему ломали руки. Повязка сползла на шею, и он таращил на толпу зияющую, как открытая рана, глазницу.

— Бей жидов, спасай Россию! — визжал знаменитый писатель, гордость еврейской литературы, а дюжие еврейские полисмены волокли его по ступеням вниз и пинали под ребра носками казенных ботинок.

Теперь он прочно засел в сумасшедшем доме. Врачи не ручаются, что когда-нибудь его удастся оттуда выписать.

Я его дважды навестил. По старой памяти. Все же бывший клиент. И неплохой писатель. А такие на улице не валяются.

В первый раз он меня узнал и показал написанное им здесь письмо У Тану, в котором просит разрешить ему выехать с исторической родины на доисторическую. Правда, где находится таковая, не указано.

Он собирал по всему сумасшедшему дому, как в былые дни в Москве, подписи под этим письмом-обращением. Идиоты охотно расписываются на иврите и на десятке других языков. А он оглядывался, проявлял бдительность, опасаясь происков советского КГБ и израильского Шин-бета.

Я, как мог, старался успокоить его, объяснил, что У Тан давно умер от рака, не выдержав потока еврейских писем из СССР, и что теперь на его месте Курт Вальдхайм, австриец, воевавший в свое время в немецкой армии против СССР и к евреям, на мой взгляд, особой симпатии не питающий.

Он ничего не понял и в ответ гаркнул, как на митинге перед тысячной толпой:

— Отпусти народ мой! Кахол ве лаван!*

И бодро затянул:

> Утро красит нежным цветом
> Стены древнего Кремля...

Во второй раз меня к нему не пустили: он был переведен к буйным и, увидев меня во дворе, просунул через решетку руку с нечистым носовым платком, замахал им и визгливо крикнул:

— Свободу узникам Сиона!

Над Атлантическим океаном.
Высота — 30600 футов.

Иногда мне приходят в голову забавные мысли. Вам тоже? Каждого человека, даже самого никчемного, иногда посещают такие мысли.

Обратили ли вы внимание, что в Советском Союзе, где больше ста народов и народностей живут дружной социалистической семьей и готовы друг друга с кашей съесть, произошло любопытное явление. За последние полвека любой самой маленькой народности создали, по указанию сверху, свою культуру. Как говорится, национальную по форме и социалистическую по содержанию.

Живет себе племя где-нибудь в тайге, еще с деревьев не спустилось. Только-только научилось огонь высекать. Человек триста, считая ездовых собак. Культуры никакой, естественно. Непорядок, говорят большевики. Это проклятый царизм держал их в невежестве и темноте. Для того мы и совер-

---

* Голубое и белое (*иврит*) — цвета израильского флага. — *Примеч. автора*

шили революцию, чтобы в каждый медвежий угол принести
свет культуры. Создать культуру! Письменность, алфавит, песни и былины, стихи и первый роман. И непременно чтоб
был ансамбль песни и пляски.

Посылают к этому племени парочку ученых евреев.
Почему евреев, я потом объясню. Добираются туда евреи по
суше, по воде и по воздуху, поселяются вместе с племенем,
предварительно сделав уколы во все места против сифилиса,
туберкулеза, трахомы и чего только ни хотите.

Живут евреи среди этого племени, едят сырую рыбу, мясо рвут вставными зубами, пьют теплую кровь убитых зверей
и, чтоб не обидеть хозяев, не нарушают вековых обычаев и
спят с их женами и дочерьми. Прислушиваются, принюхиваются и начинают создавать культуру. Алфавит составляют,
как правило, на базе русского. Бедный немногословный
язык туземцев обогащают такими словечками, как товарищ,
колхоз, совхоз, кооператив, коллектив, социализм, капитализм, оппортунизм.

Потом сотворяют песни. Сначала рифмуют по-русски, и
этот текст станет со временем известен всей стране как
жемчужина национального фольклора, а затем переводят на
язык племени — тяп-ляп, на скорую руку. Кто это будет слушать в оригинале? Ведь все племя занято охотой и рыбной ловлей. И еще много поколений пройдет, пока таежные жители
допрут, что где-то в России случилась революция, и лучшие
друзья порабощенных народов — коммунисты — не жалеют
сил и денег, чтоб дать им, темным, культуру. А пока что сидит
у огня ослепший от трахомы старик с проваленным носом,
дергает корявым пальцем бычью жилу, натянутую на палку, и
звуки испускает такие, что ездовые собаки не выдерживают и
начинают выть на луну. Этим культурные запросы племени
вполне удовлетворяются.

У малых, забитых при царизме народов такие исполнители называются, я точно не помню, как — что-то вроде ашуг-акын или шаман-шайтан. Нет, вру, шаман-шайтан — это из
другой оперы.

Одного такого ашуга я сам лицезрел. В Москве. Средь бела дня. И не в зверинце, а в Дворянском гнезде. В шубе до пят,
мехом наружу, в лисьем малахае на маленькой безносой голове. В руках палка с бычьей жилой. Ну, точь-в-точь «идолище
поганое».

Его переводчик пригласил меня на дом — постричь гостя перед тем, как его в Кремле показывать станут. Легко сказать — постричь. В племени знаменитого акына был железный порядок: мыться дважды в жизни — при рождении и смерти. Наш гость, следовательно, использовал свое право лишь наполовину. Поэтому его сначала пришлось хорошенько отмыть и отпарить. Чтоб ножницы не калечить, на волосы гостя извели ведро шампуня и два бруска хозяйственного мыла.

Нарумянили, насурьмили, одеколоном густо смочили, чтоб убавить таежного духу, и повезли в Кремль — петь правительству и высокую награду получать. Усадили в автомобиль, а он с перепугу стал плевать и все — в ветровое стекло, потому что до того со стеклом дела не имел и полагал, что перед ним пусто, воздух, открытое пространство.

Его переводчик, мой клиент, выдумал этого ашуга, сотворил из ничего, писал все сам, выдавая за перевод с оригинала. И огребал за это денег несметное количество. А ашугу — слава на весь СССР. Ему ордена и медали. Его — в пример советской национальной политики. На севере ему юрту пожаловали. Из синтетического волокна. И он чуть не умер, схватив воспаление легких. Его имя треплют в газетах, прожужжали уши по радио, школьники учат его поэмы наизусть и получают двойки, заблудившись в этих стихах, как в дремучей тайге. Артисты читают его стихи с эстрады, выискивают даже особые интонации того племени и удостаиваются высоких званий. Кандидаты наук уже докторские диссертации пишут.

Машина работает на полный ход. Мой знакомый переводчик-еврей клепает за него стихи, поэмы, былины. День и ночь. Дым столбом. Мозоли на пальцах. И все анонимно. Но соответственно — за солидный гонорар.

А сам виновник торжества сидит у себя в тайге, у костра греется, отгоняет комаров газетами со своим портретом, глушит спирт, сколько влезет, а когда очухается, потренькает слегка на бычьей жиле. Ездовые собаки завоют. Тайга ответит эхом. Чего ему, болезному, надо?

И знать не знает, и ведать не ведает он, какой шум по всей стране советской вокруг его чудного имени, какой он великий, славный человек. Этот акын дал дуба у себя в юрте с перепою, то есть умер, загнулся, но пока дошла горькая вестушка до Москвы, мой знакомый переводчик еще лет пять строчил за покойничка все новые и новые сказания и поэмы, и газеты славили акына, не ведая, что его шайтан забрал. Союз писателей каждый год слал ему телеграммы ко дню рождения с пожеланием долгих лет плодотворной жизни и новых творческих успехов.

Когда же все всплыло, обнаружилась невосполнимая потеря в многонациональной советской литературе, кончилась золотая жила переводчика, иссяк ручеек денежный. Осиротел наш сокол. Шибко опечалился. И пробудилось тогда в нем национальное самосознание, потянуло вдруг на историческую родину. И скоро ветры буйные, как писал он, бывалыча, в своих переводах с туземного, понесли добра молодца на крыльях железной птицы на родимую сторонушку — в тридевятое царство, тридесятое государство — в государство Израиль.

А теперь я отвечу на вопрос, почему именно евреи бросились по всем окраинам бывшей царской империи создавать письменность и культуру малым народам и народностям.

Получилось почему-то так, что советская власть из кожи вон лезла, лишь бы создать культуру для самой последней, самой маленькой национальной группы. Которая, сказать по правде, не очень-то тяготилась отсутствием культуры, и уж никак нельзя было сказать, чтоб мечтала о ее сотворении. Но, кровь из носу, чтоб у всех была культура — таков был лозунг революции. У всех? У всех! Вот именно! За одним исключением. Вы, кажется, догадались. Конечно. Кроме евреев. Нет такой нации и нет такой культуры. Это обнаружил Сталин, когда проник в глубины марксистской философии. Сделав свое гениальное открытие, он во избежание всяческих кривотолков уничтожил чуть ли не всех еврейских писателей, поэтов, артистов, певцов — как будто их никогда и не было. И школы закрыл, и театры прихлопнул, а сам язык объявил запрещенным, не нашим — и чтоб духу его не было.

Евреи, у которых была культура, и, по слухам, довольно богатая, остались без всего, как мать родила. Будто их не было и нет в стране победившего социализма.

Но ведь они есть. Всех не перебили. Миллиона три наскрести можно. И публика настырная, не усидит на месте, все норовит чего-то, куда-то рвется. Таланты прут, народ распирает от энергии.

И нашли выход. Ограбленные мудрым вождем народов, евреи поохали и, утерев слезы, бросились по зову партии создавать культуру другим народам, кто никогда ее прежде не имел. Вывернули свою душу наизнанку, скрутили свой язык в бараний рог и запели чужими голосами. Во всех концах огромной страны. В горах Кавказа, в тундре Чукотки, в тайге Сибири. Начался расцвет многонациональной культуры.

В Дворянском гнезде появились десятки и, пожалуй, сотни так называемых переводчиков с языков братских народов СССР. И все с еврейскими носами. Фамилии свои они поменяли на псевдонимы, а носы поправить было делом посложней — расцвет культуры в те годы заметно опережал прогресс косметической хирургии.

Но недолго тосковали они по своему национальному прошлому. Применились к обстановке, как говорят военные. И не прогадали. За создание новых братских культур власть платила, не скупясь, и у переводчиков округлились животики, их жены засверкали бриллиантами в ушах и везде, где только можно и не можно. Новенькие дачки, как грибы, выросли под Москвой, и в Крыму, и в Прибалтике. Авторы-тени, авторы-призраки стали богатейшими людьми на Руси. Акыны и ашуги национальных окраин в них души не чаяли и ублажали своих благодетелей, как могли. Везли дань в Москву: барашков и семгу, песца или соболя. И чтоб совсем угодить, даже еврейские анекдоты пересказывали, почти всегда забывая, отчего это должно быть смешно.

Но, как видно, одними малыми народами евреи не могли удовлетворить свой творческий аппетит. Протянулись они к великой русской культуре и стали очень даже расторопно обогащать ее.

Как известно, улучшать хорошее — только портить. Вы читали что-нибудь из русской литературы советского периода? Тогда вы должны были заметить, что от многих книжек отдает еврейским акцентом. Иногда я даже думал, что современный русский создавался не в Москве, не в Ленинграде, а только в Одессе. Поблизости от Привоза.

Откровенно говоря, хоть я и не верю в Бога, но это Бог наказал тех, кто запретил евреям иметь собственную культуру. Вот они и кинулись в соседние и погуляли там на славу.

Возьмем, к примеру, русские песни. Советского периода. От гражданской войны до наших дней. Хорошие песни. Лирические. Народные. Русский человек с удовольствием, не замечая подвоха, поет их и в городах, и в деревнях. И я долго пел и ничего не замечал. Но один музыкальный критик — он, как вы догадываетесь, со мной не музыкой занимался, а стригся у меня, — этот критик как-то надоумил меня посмотреть в корень. И я, знаете, ахнул. Что ни русская песня, то почти всегда еврейская мелодия в основе. Гвалт! Откуда? Почему?

Очень просто. Большинство композиторов-песенников в Советском Союзе, по крайней мере до последнего времени, были наш брат — евреи. Я обслуживал четыре кооперативных дома композиторов и, поверьте мне, знаю, что говорю.

А на какие мотивы опирается композитор в своем творчестве? Ответ ясен — на народные. Которые он впитал с молоком матери или бабушки. Они ему пели над колыбелькой.

А теперь скажите мне, что мог услышать будущий композитор в своей колыбельке от своей еврейской бабушки в Бобруйске или Житомире? Не русские частушки, поверьте мне, и не «Боже, царя храни». Засыпая, он слышал печальные песни черты оседлости, и их, как губка, впитывал его восприимчивый мозг. Через много лет эти грустные, слегка на восточный лад, напевы дружно грянул русский народ.

Возьмем, к примеру, Северный народный хор. Из Архангельска. Это же поморы. Такие закоренелые славяне, что дальше некуда. В русских рубахах с петухами, в холщовых портках и смазанных сапогах. Бороды — лопатой. Бабы в сарафанах и кокошниках. Все — блондинки, головки, как лен. Глазки — небо голубое. Одним словом, Русь, чистейшей воды. Даже не тронутая татарским нашествием. Татары, говорят, так далеко на север не зашли. И слава Богу. Иначе бы мы многих радостей лишились в жизни. На нашу долю только крашеные блондинки бы и остались.

Но я отвлекся. Значит, Северный хор. Песня поморов «Ой, ты, Северное море». Господи, Боже мой! Как затянут, заведут, так у меня сразу глаза на мокром месте, будто в Судный день в синагоге.

Или песня «Казачья богатырская». Это же не секрет: если в России были антисемиты, то самые выдающиеся из них — казаки. Между евреем и казаком, как говорят ученые, полная несовместимость. Одним словом, собака с кошкой, лед и пламень.

И вот, представьте себе на минуточку, вываливается на сцену казачья ватага: чубы из-под фуражек, рожи разбойничьи, галифе с лампасами, и у каждого — шашка на боку.

Как пустятся вприсядку, как загорланят. Вы знаете, чего мне захотелось после первых тактов? Мне захотелось ухватиться пальцами за жилетку и запрыгать, как в известном танце «Фрейлехс». Слушайте, вы не поверите, казаки отплясывали еврейский свадебный танец по всем правилам, и если было что-нибудь отличное, так это, возможно, хулиганский свист и гиканье, без чего для русского человека танец — не танец. И жизнь — не жизнь.

Вот так, мой дорогой, время мстит. Если даже и выведутся на Руси евреи все до последнего, еврейский дух там еще долго не выветрится. И русские люди из поколения в поколение будут петь и плясать на еврейский манер. А уж о малых народах и говорить не приходится.

Вот такие пироги. Но вы не думайте, что я кончил свой рассказ.

Говорят, Дворянское гнездо в Москве сильно поредело, и множество моих клиентов снялось с насиженных мест и перелетело в Израиль. Кое-кого я там повстречал. Печальное зрелище, как пишут в старинных романах. Не приживаются на новом месте. То ли почва не та, то ли мозги не те. А ведь новые не вправишь. Да еще под старость. Эти еврейские акыны и ашуги в СССР приучились дуть в одну дуду, их уже не переучишь.

Один малый стал толкать статейки в местные газеты, так там только за головы хватались. Советские штампы старался на израильский лад приспособить. Если меня память не подводит, писал он, примерно, так:

«Наше родное Мертвое море».

Или:

«Весело провели субботу у Стены Плача жители Иерусалима».

Сейчас он переквалифицировался и зарабатывает бритмилой, то есть обрезанием новорожденных мальчиков. И живет неплохо.

А вот с другим моим клиентом — тяжелый случай. В Москве он писал былины и народные плачи для старушек-сказительниц, которых привозили в Москву выступать перед правительством и радовать его душеньку, что народное творчество не иссякло. И был мастером экстракласса.

В Израиле он огляделся, вздохнул полной грудью и порадовал еврейский народ своим первым произведением на исторической родине. Это была былина, и называлась она хорошо и просто: «Плач русской тещи по еврейскому зятю, абсорбированному в Израиле».

Начинается этот плач такими словами:

> Ой, ты гой еси, добрый молодец,
> Зять любезный наш, Аарон Моисеевич...

Слово «гой» в первой строке кой-кого насторожило в
Израиле.

> Ты, касатушко, мой пейсатушко, —

поется где-то в середине.

Тут уж запахло оскорблением верующих. Евреи с пейсами, которых евреи из России называют «пейсатыми», могли
крепко обидеться.

А когда он использовал народный оборот «чудо-юдо, рыба-
кит», за это самое «юдо» на него посмотрели уж совсем косо.

Не прошла былина, не состоялся плач. Автор скис и стал
терять в весе. Но, видать, он еще не совсем отчаялся.

Один мой знакомый рассказывал, что после долгих поисков израильские вертолеты обнаружили его в Синайской пустыне. Обгорелый от солнца, усохший от зноя, он отирался
возле бедуинских стоянок, не теряя надежды, что удастся обнаружить в песках какое-нибудь племя, обойденное Богом и
культурой, и тогда вновь понадобятся его услуги.

Над Атлантическим океаном.
Высота — 30600 футов.

А теперь приготовьтесь выслушать печальную историю,
хотя поначалу она вам и покажется смешной. Как говорят литературные критики, — а я их в Москве почти всех знал, даже
не в лицо, а в макушку, потому что, как вы сами догадались,
они были моими клиентами, — это будет смех сквозь слезы.

Жил-был в Москве один журналист по имени Матвей.
Фамилию не будем трогать, кое-кто может обидеться. Был
этот Матвей журналистом довольно известным, не без искры таланта, как говорят в литературных кругах. Но что касается принципов, то он об этом деле понятия не имел. Писал о чем угодно, врал, как сивый мерин, а так как метод социалистического реализма подобного не воспрещает, а, наоборот, даже поощряет, то наш Матвей всегда попадал в
точку. Отхватывал солидные гонорары, толкался в Доме
журналиста, в ресторане был свой со всеми, даже с поварами. Поэтому и со мной был в самых приятельских отноше-

ниях: как же — модный парикмахер, стрижет всю элиту, нельзя выпасть из обоймы — хотя волос у него на голове было меньше, чем под мышками.

Одним словом, пустой человек. Нуль. Врет в газетах, врет в жизни. Берет взаймы, забывает вернуть. Со всеми знаком, но никто с ним не дружит. Он вам зла не сделает, но и на добро не способен. Как мотылек. Порхает, порхает по жизни и не оставляет после себя ничего. Может быть, немножко испражнений. Чуть-чуть. Самую малость. Потому что и испражняться тоже надо иметь чем.

Конечно, когда евреи в Москве посходили с ума и эпидемия сионизма стала набирать силу, такие, как Матвей, поначалу даже ничего не заметили, а когда и до них дошло, стали показывать властям свою преданность. Как клоуны в цирке. К своим прежним приятелям, помеченным знаком сионизма, они не только перестали ходить, звонить по телефону боялись.

Даже меня, парикмахера, с которым знакомство самое шапочное, стали избегать как огня. Я еще работал, но Матвей у меня больше не стригся. А однажды, завидев на улице, перебежал на другую сторону, да с такой поспешностью, что чуть под троллейбус не угодил.

Трусливое существо. Из тех, кого в детстве мальчишки бьют просто так, на всякий случай, в армии им по ночам мочатся под одеяло солдаты, а в тюрьме уголовники загоняют их под нары.

Я уже уехал из Москвы, отмучился в Израиле, сижу в Риме, дожидаюсь американской визы. Читаю газету — глазам не верю. Этот самый Матвей расписан как крупный сионист, борец за право выезда евреев в Израиль. Его в Москве преследуют власти. Уже в Америке и Англии созданы группы по борьбе за освобождение нашего Матвея из лап Кремля.

Сначала подумал — газетная брехня, напутал чего-то иностранный корреспондент в Москве. Они ведь там тоже дрожат от страха. Но нет. В других газетах печатают интервью с ним. Наш Матвей выступает от имени советских евреев, разоблачает советские власти, призывает мировую общественность. Короче говоря, крупный борец, пламенный сионист.

Ну, думаю, или я — сумасшедший, или весь мир сошел с ума. А тут подваливает из Москвы новая партия евреев, среди них немало моих бывших клиентов, и я между делом навожу справки: мол, что за чудо произошло с Матвеем, почему это мы, его современники, проглядели такого национального героя и сионистского пророка. И все, знаете ли, посмеиваются, и из их ядовитых реплик я воссоздаю примерно такую картину.

Матвей, как человек легкомысленный, долго не мог понять, почему все евреи сошли с ума, что их тянет от обеспеченной жизни в неведомый Израиль. Почему даже такие, на кого Матвей всегда смотрел снизу вверх: известные писатели, артисты, режиссеры, то есть люди, у которых было все, кроме птичьего молока, и те бегут, мчатся в Израиль. Значит, сообразил Матвей, там, в Израиле, их ждет положение получше прежнего. Струхнул он, что опоздает — все разберут, расхватают, пока он соберется ехать. И, умирая от страха, подал заявление в ОВИР. Матвея, конечно, турнули из всех редакций. Но у него деньжата водились, и он не тужил. Ждет разрешения на выезд. Стал толкаться среди евреев, ездить в аэропорт провожать счастливчиков.

ОВИР отказал Матвею в визе. Почему? А разве кто-нибудь знает, какая логика у ОВИРа? Отказали — и все. Как говорится, без комментариев. Бедный Матвей ушел из ОВИРа с полными штанами. Идет, может сопли по щекам. Навстречу — иностранный корреспондент, знакомый по Дому журналиста. Расспросил он Матвея и тиснул про него статью на Западе. С того и началось.

Матвей стал знаменит. Ему звонили из Нью-Йорка и Лондона видные евреи, депутаты парламента, самые знаменитые журналисты. Подбадривали его, говорили, что гордятся им, что луч свободы проникнет в его темницу. И все в таком же роде.

У Матвея голова закружилась. Он поверил.

А тут еще советские власти у него телефон отключили. В мире начались протесты. Портреты Матвея на страницах газет.

Короче, когда ему, наконец, дали визу, Матвей окончательно потерял остатки разума и решил, что весь мир только и думает, как бы заключить его в свои объятия.

В Израиль он не поехал. Не тот масштаб. Подавай ему Америку, всю планету.

В Нью-Йорке не было ни оркестров, ни толп репортеров. Никто не пришел встречать Матвея. Запихнули его с другими эмигрантами во вшивую гостиницу с тучами тараканов, сунули в зубы сотню долларов на пропитание и забыли.

Матвей обалдел. Он — туда, он — сюда. К сенаторам, к журналистам, к миллионерам. Как же так? В чем дело? Вы что, меня не узнаете? Это я — великий сионист Матвей!

Они от него — врассыпную. А когда он особенно надоедал, объясняли, что сионисту самое подходящее место в Сионе, а не в Бруклине, и что он никого не осчастливил, приехав в Америку.

Я его встретил однажды, зачумленного, как будто он дубиной по голове схлопотал. Разговаривать со мной не стал. С такими, говорит, не общаемся. Только на уровне Сената Соединенных Штатов Америки. А вы все — мелкая сошка.

У меня — глаз наметанный: сходит с ума, абсолютный вывих, и добром не кончит. Стало жаль мне его, хочу помочь, все же человек, живое существо. А он на меня посмотрел с презрением и ушел, руки не подав.

Дальше стало совсем плохо. Куда бы он ни лез — от него шарахались, как от больного. Он впал в нищету. Американскую. Когда в витринах густо, в карманах пусто. Тут он вспомнил, что есть у него в Америке дядя, держит лавочку в штате Нью-Джерси. Сунулся Матвей к нему. Просить помощи гордость не позволяет, как-никак — национальный герой. А дядя сам не из догадливых, цента не дал. Только подарил фотокарточку покойного дедушки, и Матвей в сердцах выбросил ее из окна автобуса, когда ехал с пустым кошельком обратно в Нью-Йорк. Он содрогался, встречая еврейские лица на улицах. Все это были отныне его личные враги, ничтожества, предавшие своего героя и, конечно, недостойные его.

В Москве Матвей не отличался большим умом, но здоровья был отменного. Дуб, не человек. В Нью-Йорке он рухнул как подкошенный. Свалился на улице и мгновенно скончался от разрыва сердца.

В жизни все перемешано: и комедия, и трагедия.

Я был на его похоронах.

Хоронили Матвея в маленьком городке штата Нью-Джерси, где держал лавочку его дядя. Вся местная община из уважения к дяде собралась в похоронном доме, чтобы почтить память несчастного еврейского эмигранта из России.

Матвей лежал в дорогом дубовом гробу с шестиконечной звездой, вырезанной на крышке. Дядя не поскупился. Похороны, если верить его словам, обошлись ему в пять тысяч долларов. И местный раввин закатил речь, от которой у меня защемило сердце. Ведь я был единственным в этой толпе скучных американских евреев, кто знал покойного при жизни, кто держал его живую глупую голову в своих руках, стараясь придать ей с помощью ножниц приемлемый вид.

Раввин, называя его не Матвеем, а на английский манер Мэтью, воздал ему все почести, которых он ждал, но так и не дождался от мирового еврейства при жизни. Раввин пропел ему оду, гимн, панегирик. Назвал его величайшим сионистом, крупнейшим борцом за человеческие права, талантливейшим журналистом, героическим сыном нашего народа, выдающейся личностью, бесстрашным героем.

И толпа американских евреев плакала. Не очень бурно, чуть-чуть, чтоб не поплыла краска на ресницах и не нарушить пищеварения. Время было предобеденное.

Раввин вошел в раж и все больше распалялся, и мне казалось, что Матвей сейчас выскочит из гроба и благодарно повиснет на его шее.

Бог ты мой, думал я. Услышь Матвей при жизни эти слова, он бы никогда не умер. И подари ему дядя из Нью-Джерси эти 5 тысяч долларов, во что обошлись его похороны, он бы не впал в отчаяние, приведшее его к разрыву сердца.

Его похоронили на маленьком еврейском кладбище, на участке, который дядя заблаговременно купил для себя, но по-родственному потеснился, уступив племяннику место в ногах своей будущей могилы. Негры-служители на ремнях спустили гроб в чужую яму и потом засыпали его чужой землей.

Когда я возвращался с похорон, меня чуть не стошнило в автобусе.

Над Атлантическим океаном,
Высота — 30600 футов.

Скажите, вам не показалось, слушая меня, что Аркадий Рубинчик — самый обыкновенный коммунальный склочник, желчный человек с плохим пищеварением? Иначе он бы не совал свой нос куда не просят и не задавал бы миру столько проклятых вопросов, на которые нет ответа.

Спрашивается, зачем я все так близко принимаю к сердцу? Кто мне за это спасибо скажет? А если не спасибо, то кто меня посчитает нормальным человеком?

У меня, слава Богу, есть в руках профессия. Стой себе за

креслом, брей прышавые щеки, стриги немытые патлы и каждый раз аккуратно мой руки, чтобы не подцепить заразу.

Но получается-то как? Стрижешь человека, а он — рта не закрывает. И, действительно, интересные вещи рассказывает. Я же — не железный. Начинаю волноваться, лезу со своими советами. У того свой взгляд на вещи, у меня — немножко другой. Одним словом, побрил человека и нажил себе врага.

Вот, к примеру, я не могу успокоиться при мысли, что из нашей братии, выехавшей из России, кто там был подонком, без совести и чести, тот и здесь отлично преуспевает. Как говорится, пришелся ко двору. А те, кто страдали, боролись, в тюрьмах сидели за свои, что называется, прогрессивные идеи, те вырвались в свободный мир и стукнулись рожей об стенку. Свободный мир от них шарахается, как от чумных.

Возьмите тот же Израиль. Кого там пригрели? Кто там из наших ходит в патриотах, стучит кулаком в грудь, гневно бичует тех, у кого недостает такого патриотизма? Не знаете? Да это те же, что и в СССР до последнего дня, пока им не дали пинка под зад, ходили в советских патриотах, властям зад лизали, причмокивая от наслаждения, и дружно голосовали на казенных митингах против происков мирового сионизма вообще и израильских агрессоров, в частности.

Господи, им даже не пришлось перестраиваться. Они нашли новый зад, да так и впились в него губами.

В особенности, журналистская братия. В СССР они на радио и в газетах такие коленца откалывали! По части коммунизма были святее римского папы. Выехали из СССР под общий шумок, без особого риска, но с полными штанами от страха. И как расправили перья, как налились до бровей антикоммунизмом, так что даже Франц-Йозеф Штраус из Баварии выглядит на их фоне розовым голубем мира. Они снова дорвались до микрофонов, строчат в газетах. Разоблачают, клеймят...

И скажу вам, на такую, извините, падаль в этом мире большой спрос. Дерьмо нынче в цене. По обе стороны железного занавеса.

Даже американцы... Уж они-то могли бы себе позволить роскошь быть немножечко брезгливыми? Что вы!

Брился у меня один клиент. Славный, интеллигентный человек, отсидел в Сибири за свои мысли, высказанные вслух. Он не уехал, его выставили из СССР. Тогда он решил тут продолжать борьбу, на всю Россию те же мысли, за которые сидел, высказать. Сунулся на радиостанцию, а там ему от ворот поворот. Нам, мол, люди с принципами не требуются, с такими хлопот не оберешься. Да и штат у нас укомплектован.

Глянул мой клиент на этот штат и глазам не поверил. Бывшие платные агенты КГБ. И бесплатные, те, что доносили на людей из любви к искусству, на общественных началах. Их берут без разговору. Апробированный товар. У таких не бывает своих идей. И угрызений совести тоже. Они делают то, что им приказывают. Беспрекословно. И там, и здесь. Правда, здесь это лучше оплачивается. Конвертируемая валюта.

Порой мне кажется, что вся жизнь наша — сплошной цирк. Вот послушайте. С одним малым наши жизненные пути пересекались несколько раз, и, как говорится, под различными широтами. Вы, конечно, догадываетесь, что точкой пересечения всегда было мое парикмахерское кресло.

В Москве он сделал большую карьеру, карабкался вверх, как альпинист-скалолаз. Есть люди, которые разговаривают во сне. Так вот он из тех, что и во сне кричали: «Слава КПСС!»

Как он разоблачал по радио злейших врагов советского народа — израильских агрессоров и американских империалистов! Как он таскал за ноги бедную бабушку Голду Меир, называя ее бабой-ягой, чудовищем, гиеной...

В Иерусалиме — плюхнулся в мое кресло и с ходу:

— Голда Меир — величайшая женщина на земле. Библейского масштаба. Я готов целовать следы ее ног.

И, знаете, искренне так, даже слеза сверкнула.

В Нью-Йорке он снова попал в мое кресло. Заехав по делам в Америку. А сам проживает в Лондоне. Английская валюта попрочней израильской. Как всегда — вещает на радио.

Я, шутя, как старому знакомому, говорю:

— Как поживает государыня-королева? В телевизоре она выглядит смазливой бабенкой.

Как он вспылит! Как вскочит с кресла!

Вы, мол, Рубинчик, бросьте эти фамильярные штучки. Я не позволю в моем присутствии так отзываться о моем монархе!

Еврей-монархист...

Знаете, я смотрел на него и ждал, что он вот-вот загорланит английский гимн: «Боже, храни королеву!..»

С еврейским акцентом, британской надменностью и коммунистическим металлом в голосе.

Зачем я об этом рассказываю? И почему меня это волнует? Вы не можете мне объяснить? Я, конечно, неисправимый кретин. А кретинов и горбатых только могила исправляет.

Над Атлантическим океаном.
Высота — 30600 футов.

Кто такие дети лейтенанта Шмидта, я надеюсь, вы знаете? Потому что книга о них, написанная двумя одесситами, стала в России куда популярнее, чем, скажем, гениальный ленинский труд «Шаг вперед, два шага назад». Следовательно, не читать Ильфа и Петрова мог только босяк или полоумный, ибо неграмотность в СССР поголовно ликвидирована.

Если же вы уникум и действительно не читали про детей лейтенанта Шмидта по какой-нибудь очень уважительной причине, то, извольте, я с большим удовольствием объясню вам что к чему.

Уже задолго до революции жил в России лейтенант императорского флота некто Шмидт. Не еврей, но вполне приличный человек из обрусевших немцев. Этот лейтенант устроил на своем корабле восстание, и так как случилось это задолго до большевистской революции, то царь Николай Второй легко это восстание подавил, а лейтенанта Шмидта велел казнить.

Люди очень жалели бедного лейтенанта. После революции его именем стали называть улицы, заводы, и каждый школьник знал это имя наизусть. Вот тогда-то и появились на свет дети лейтенанта Шмидта, воспетые в бессмертном творении Ильфа и Петрова.

Известно, что лейтенант Шмидт был холост и отличался безупречным моральным обликом, так что детей — законных или побочных — у него быть не могло. Но этот факт был известен историкам и архивариусам, а не широким народным массам, которые свою любовь и жалость к несчастному лейтенанту легко переносили и на его невесть откуда взявшееся потомство. И причем довольно многочисленное.

Жулики всех мастей, молодые и старые, объявляли себя сыновьями лейтенанта Шмидта, разделили всю Россию на зоны, и каждый пасся в своей, собирая богатую дань с частных лиц и общественных организаций. Кто откажет в помощи сыну лейтенанта Шмидта, временно попавшему в затруднительное положение?

Сейчас, после того как начали выпускать евреев из СССР, по всему миру замелькали те же фигуры, но уже не дети, а скорее, внуки лейтенанта Шмидта.

По Европе и Америке, по еврейским организациям, синагогам и просто частным богатым домам с мезузой у входа, снуют, пожиная обильные плоды в виде даров и воздаяний, мужественные советские евреи. Не те, что действительно воевали с советскими властями и, рискуя головой, открывали щель в железном занавесе. А те самые, что в относительной безопасности выскочили из России в общей толпе, привлеченные звоном денег в преуспевающих европейских общинах Европы и Америки. Эти внуки несчастного лейтенанта наделали много бед поначалу, пока их не раскусили, и, благодаря их стараниям, о русском еврействе уже не говорят с прежним благоговением и гордостью.

Об одном таком внуке я и хочу вам рассказать, тем более что он родом из того самого города на Черном море, где когда-то преждевременно, и потому неудачно, поднял восстание холостой бездетный лейтенант. Он — мой тезка. Тоже Аркадий. Только фамилия другая. Грач. Аркадий Грач.

Этот шустрый малый прибыл в Израиль с первыми ручейками эмиграции. Приехал один, с двумя потрепанными чемоданами в руках. В них был весь его капитал, и ценность его равнялась нулю. Он повертелся недельку-другую, прикидывая, чем бы тут можно было подзаняться. Изучать древний язык — иврит показалось ему делом трудоемким и не совсем результативным. Да и сама родина историческая не приглянулась, а люди показались провинциальными и неинтересными. Демагогией попахивало на каждом шагу, что до непристойности напоминало покинутую прежнюю родину.

Он сделал первый ход е2 — е4. Громко завопил на всех углах о своей любви к Израилю, о готовности отдать за него кровь. И даже жизнь.

Его заметили. Вокруг него стали увиваться дамы-благотворительницы из женских сионистских организаций, его стали представлять американским гостям как подлинного сиониста из России, а тем эмигрантам, что морщили нос и не от всего приходили в восторг, приводили его в пример.

Кое-что перепало ему. Какие-то ссуды. Безвозвратные. Какие-то частные пожертвования. Деньгами. И одежонкой, подогнанной под рост у портного.

Долго это длиться не могло. Он понимал. И мучительно искал лазейку для очередного хода.

Случай подвернулся скоро. Прекрасный случай. Надо было лишь умело взять его за рога и доить, доить, пока руки не устанут.

Далеко в России, в городе, откуда он приехал, посадили в тюрьму еврейскую девицу. За сионизм. То есть за то, что захотела в Израиль. Власти искали повод припугнуть остальных евреев, и выбор пал на нее. Девицу на год упрятали за решетку. Чтоб другим неповадно было мечтать об Израиле.

Мировое еврейство забурлило. Имя девицы, звали ее Аня Злотник, а заодно и ее портреты стали мелькать в газетах и журналах.

Ей, конечно, от этого легче на стало. Наоборот, тюремный режим ей усилили и натравили уголовников, чтоб они ей показали, почем фунт лиха.

Одним словом, как в той сказке. Господа дерутся, а у мужика чуб трещит. Девица Злотник в политике слабо разбиралась, к тому же была в перезрелом возрасте, и, как я понимаю, влекло ее в Израиль по очень прозаической причине — в еврейском государстве, верилось ей, удастся, наконец, устроить личную жизнь, подыскав себе еврейского мужа. А вместо этого она нашла себе тюрьму.

Аркадий Грач, напрягши память, вспомнил девицу Злотник и даже кое-кого из ее родни и понял, что в руках у него козырная карта.

Он громогласно объявил, что он муж Ани Злотник, советская власть их разлучила, и теперь с помощью мировой общественности он начинает борьбу за освобождение любимой жены и воссоединение семьи.

За него ухватились, как за дар Божий, и он начал триумфальное турне по планете, вернее, по тем ее не худшим частям, где обитают евреи. Париж, Брюссель, Лондон, Торонто, Нью-Йорк, Майами-Бич. Он пил на банкетах с сенаторами, спал в самых дорогих отелях, летал в самолетах только первым классом. И брал. Все, что сами давали и что догадывались дать после его намеков. Деньгами и натурой. Завел счет в банке. Прикупил чемоданов побольше.

Месяц за месяцем гулял Аркадий по планете. Фотографировался со скорбящими, соболезнующими еврейскими женщинами, с бизнесменами-миллионерами, чуть ли не с президентами и королями. Ел и пил сверх меры. По русской привычке: набивать брюхо про запас. Располнел и даже одышкой обзавелся.

Он стал представительным светским человеком. Одевался по последней моде, и многие знаменитые фирмы еще и приплачивали ему, чтоб он, выступая по телевидению, надел их костюм.

Голос Аркадия через переводчиков гремел в парламентах разных стран, в международных комиссиях. Он даже, как лицо известное, стал подписывать петиции в пользу страдающего от наводнения народа Бангладеш и племен Центральной Африки, не менее страдающих от засухи.

Сам неоднократно принимал участие в голодовках протеста возле здания ООН и с пользой для здоровья терял в весе до трех кило. Правда, он ни разу не упустил случая после голодовки потребовать денежную компенсацию за всю несъеденную пищу. Потому что политика политикой, а деньги счет любят.

Отдельные американские, английские и французские еврейки, обычно жены богатых людей, прекрасно сохранившиеся на вольных хлебах, так горячо и неистово окунались в борьбу за освобождение его жены, что взяли безутешного Аркадия под свое женское покровительство. Чтобы скрасить его затянувшееся одиночество, они темпераментно и с толком разделяли с ним ложе в отелях и в загородных домах, демонстрируя подлинно еврейскую солидарность.

Он настолько привык быть мужем девицы Злотник, что даже искренне плакал в синагогах, когда там молились за ее скорейшее освобождение. В угаре свалившейся на него светской жизни он не заметил, как прошел год, и по еврейским общинам мира, потратившим столько энергии на борьбу за Аню и на сочувствие ее мужу Аркадию, прокатилась радостная новость: Аня Злотник вышла из тюрьмы и получила визу в Израиль.

У Аркадия Грача даже тик открылся. Его целовали, его поздравляли, и он не мог сдержать слез. Но совсем по иной причине: кончилась красивая жизнь. Надо уносить ноги.

Как жениха снаряжали его американские евреи в Вену, где состоится историческая встреча разлученных супругов. Его засыпали подарками для жены. И это был последний клок шерсти, который он урвал с доверчивого и сентиментального еврейства.

Накануне отлета в Вену Аркадий Грач бесследно исчез. Со всеми подарками и с солидной чековой книжкой. Сначала его искали. Потом, когда Аня Злотник объявилась в Израиле, стало ясно, что он был аферист, и, чтоб не позориться перед всем миром, евреи поспешили забыть о ловком внуке лейтенанта Шмидта — фиктивном муже узницы Сиона Ани Злотник.

А он остался в Штатах. Даже не заехал в Израиль забрать свои два рваных чемодана, с которыми прибыл из России. Он неплохо устроился, купив небольшую гостиницу на деньги еврейских благодетелей.

Правда, стал заливать за воротник. По русской привычке. Один мой приятель останавливался в этой гостинице и там столкнулся с ним.

Вы думаете, он смутился или, там, стал оправдываться? Ничего подобного. Наоборот. Устроил ему очень сердечный прием.

Аркадий крепко угостил его за свой счет, и они просидели в ресторане допоздна. Негры-официанты уже снимали со столов скатерти. Пьяный Аркадий и их угостил за свой счет и на скверном английском языке стал рассказывать им, каким он был недавно великим человеком, с какими сенаторами и королями пил за одним столом и даже на брудершафт и какая у него была знаменитая и красивая жена по имени Аня Злотник.

При этом он хлюпал носом, и настоящие мутные слезы текли по его рыхлым щекам. Негры пили за счет Аркадия и не верили ни одному слову. Но на всякий случай жалели его.

Теперь я вас спрашиваю: что такое дети лейтенанта Шмидта по сравнению с этим внуком? Жалкие ничтожества и мелкие аферисты. Внук лейтенанта Аркадий Грач — фигура международного масштаба, и какой-нибудь другой народ, победнее талантами, чем мы, евреи, не стал бы стыдиться его, а, наоборот, сделал бы своим героем и гордился бы им, выставив его портреты в День независимости и освобождения от колониального рабства.

Я ведь тоже не могу сказать, что осуждаю таких, как Аркадий. Какое я имею право? И чем я лучше его? Господи, все мы живые люди. И если человек не делает откровенных подлостей, то в наше время его уже считают приличным и даже уважаемым.

Тем более сейчас, когда сто тысяч русских евреев, выпучив глаза, сорвались с насиженных мест, разорились дотла, очумели и выброшены в Израиль, как после кораблекрушения на какой-нибудь скалистый островок. Будешь откалывать коленца! Конечно, исключения есть. Но они, как известно, подчеркивают правило.

Такова се ля ви. Как говорят французы. И один мой бывший клиент в Москве. Писатель-юморист.

> *Над Атлантическим океаном.*
> *Высота — 30600 футов.*

Когда меня спрашивают: вы женились по любви или по расчету, то я отвечаю, не задумываясь, если, конечно, рядом нет жены: по расчету.

Ну вы, натурально, сразу подумали, какой циничный человек этот Рубинчик, какой он жуткий материалист, и должен вам сразу сообщить, что вы поспешили с выводами и глубоко ошибаетесь. И не такой уж я материалист и хапуга, как вам сгоряча показалось, и не больший циник, чем все остальные. Хотя, сразу оговариваюсь, я не собираюсь вам доказывать, что я чистейший идеалист и готов за ближнего душу отдать.

Да, я женился по расчету. И это притом, что у моей жены не было ни богатого наследства, ни имения, ни каменных палат. Она получала грошовое жалованье медицинской сестры, и жилой площади у нее имелось восемнадцать квадратных метров в единственной комнате, расположенной в большой коммунальной квартире, где одиннадцать семей имело по комнате, и на всю эту кодлу была одна уборная с протекающим сливным бачком, одна с облупленной эмалью ванная и одна кухня на всех. Не нужно иметь много фантазии, чтобы представить себе, что творилось на кухне, когда хозяйки начинали варить обед или когда утром, покинув объятия Морфея, все сорок соседей, пританцовывая и подвывая, выстраивались в очередь к единственному унитазу.

Но это еще было бы раем. Моя жена не была единственной жиличкой в своей комнате, она делила ее с мамой Цилей Моисеевной и племянницей Розочкой из Бобруйска, которая поступила в педагогический институт, но койки в студенческом общежитии не получила.

И тем не менее, я женился по голому расчету. Вы не понимаете? Это потому, что я в своем рассказе упустил одну деталь Комната моей жены с мамой и племянницей в придачу и вся эта перенаселенная коммунальная квартира находилась не где-нибудь, а в Банном переулке, возле проспекта Мира, в столице нашей Родины — Москве.

Сейчас вам ясно? Или требуются пояснения? Я женился ради прописки, чтобы получить право жительства в Москве Должен вам сказать, что в Европе и Америке живут сплошные идиоты. Сколько я им ни пытался объяснить, что такое прописка, — они ни в зуб ногой, их мозги отказываются понимать. Я уж им, как малым детям, растолковывал, как ученикам школы для дефективных, что в Советском Союзе во всех мало-мальски крупных городах, чтобы получить право жительства, надо сначала добиться разрешения местных властей, а потом уж милиция пропишет вас на чьей-нибудь площади. Потому что своей вы не достанете — жилищный кризис. Местные жители по десять лет в очередях ждут. Что уж говорить о приезжих?

Разрешение на жительство от местных властей можно получить только в исключительных случаях: или вы большая партийная шишка, или вы незаменимый специалист и нужны этому городу до зарезу, или... за взятку. За кругленькую сумму, вложенную в лапу кому следует. Я не был ни тем ни другим, а также кругленькой суммы в моем кармане не водилось. Жил я в небольшом городе Мелитополе и о Москве мечтал по нескольким причинам.

Начнем с первой. Мне тогда казалось, что только в Москве могут оценить мой талант, и только там я сумею занять подобающее мне положение. В Мелитополе я был лучшим дамским мастером, учиться, чтобы совершенствоваться, было не у кого, и я буквально задыхался в провинциальной глуши. В том, что у меня есть талант, не сомневался никто, вплоть до начальника городской милиции майора Губы, страшнейшего антисемита, который мне в свое время доставил массу неприятностей. На всеукраинском конкурсе «За здоровый и красивый быт» мои прически получили призовое место, а дамская головка, исполненная мною на актуальную тему «Раскрепощенная Африка», даже поехала на смотр в Пекин (тогда мы еще дружили с Китаем).

Победители Киевского конкурса, кроме премий, получили самый драгоценный приз — приглашение работать в Москву, а следовательно, и заветную прописку. Меня в этом списке, конечно, не было — носом не вышел. В Москве и так слишком много развелось евреев.

Вторая причина: незадолго до этого я отбыл срок. Не подумайте, что за политику. Боже упаси! По глупейшему уголовному делу. Можно сказать, за пустяк. Начальнику нашей милиции майору Губе не понравился мой нос. Вот и загремел я на Север.

Будет время, я вам подробно расскажу об этой моей эпопее, и вы будете смеяться вместе со мной, потому что плохое забывается, а смешное бывает даже и в тюрьме.

Как вы понимаете, жить после этого в Мелитополе, где начальником милиции тот же Губа, но уже не майор, а с повышением — подполковник, перспектива не из самых приятных. И я решил любыми путями уехать в Москву, и чего бы мне это ни стоило, добыть московскую прописку.

В Москве я имел знакомых. Славные ребята, вместе отбывали срок на Севере, и такая дружба — как фронтовая: водой не разольешь. Миша и Сеня. В отличие от меня, они сидели по политической статье. За сионизм. Еще в сорок восьмом году, когда создали Израиль, эти два московских чудака решили поехать сражаться за еврейское государство, а так как выехать из России было невозможно, они попробовали перейти советскую границу нелегально. Это даже опытным диверсантам очень редко удавалось. Мишу и Сеню, конечно, сцапали, как цыплят, и они загремели на Север и на очень большой срок. Если бы Сталин не умер, им бы век свободы не видать. Через какое-то время меня доставили туда же, и как сионисты они пригрели меня, и мы вместе работали на лесоповале.

Я приехал в Москву, где без прописки не мог оставаться больше 48 часов, и, конечно, эти ребята меня приютили. Они и их друзья стали думать и гадать, каким путем меня закрепить в Москве на законном основании. Прикидывали так и эдак — не получалось. Оставался последний вариант. Женитьба. Жена-москвичка автоматически делает мужа-провинциала полноправным столичным жителем.

Они же и подыскали мне невесту. Мою нынешнюю жену. Честно говоря я думал, что это не всерьез. Стану на ноги, устроюсь и сбегу от нее — только меня и видели. Но... человек предполагает, а Бог располагает. Как говорится, судьба играет человеком, а человек играет на трубе. Попробуй подать на развод, а она расскажет на суде, из каких корыстных побуждений ты на ней женился, и тебя не только выставят из Москвы, но и могут за решетку упрятать. А я уже раз там был, видел небо в клеточку, и больше не хочу и другим не желаю.

Вот так я и женился по расчету. Не получив ни денег, ни хором в приданое. Ради паршивого штампа в паспорте делающего меня законным жителем большого города.

Кто такая моя жена? Как говорится, без особых примет. Так себе. Ничего особенного. Засидевшаяся в девицах еврейка.

Ну, тут я сам себя, кажется, рассмешил. Потому что в девицах она не столько сидела, сколько лежала. Она была медсестрой на фронте. У нас в армии таких называли ППЖ. Походно-полевая жена. Там, как говорится, только конь не ночевал. Взводы и роты. Любой род войск. Одним словом, могила неизвестного солдата.

С такой репутацией выйти замуж после войны было не так-то просто. Она долго дожидалась своего счастья. Пока я не подвалил в Москву, готовый на все ради прописки.

Вы будете смеяться, но я вам должен сказать, мы очень неплохо жили. Дай Бог другим семьям. Почти без ссор. Оба фронтовики, можем выпить, можем матом запустить. Чего нам делить? Свое еврейское происхождение? Так оно и так, как горб, висело на обоих и даже сближало нас в трудные для нашего брата моменты.

Она на голову выше меня ростом и женскую свою ласку еще до меня израсходовала, а вот материнской осталось в избытке. Детей у нас не было, и ко мне она относилась как к сыночку. Довольно непутевому. И даже прощала всяческие мои шалости на стороне.

Единственное, к чему я не мог привыкнуть и мучился, пока не умерла ее мама Циля Моисеевна, а племянница Розочка кончила институт и распределилась на полуостров Канин Нос, так это спать с женой в постели, когда в этой же комнате находятся еще две взрослые женщины.

Нашу супружескую кровать, — должен заметить, оглушительно скрипучую, — от кровати мамы отделял шкаф, поставленный посреди комнаты. От Розочки мы отгородились ширмой. Вы себе можете представить это удовольствие! Во-первых, лежишь долго в темноте и не дышишь, как будто ты в засаде в тылу у противника. Часами. И когда уже казалось, что все в порядке, стоило моей жене попробовать обнять меня, — сам я первым начинать не отваживался, — как сразу нападал приступ кашля на Цилю Моисеевну, а Розочка начинала так страстно вздыхать, что я начисто лишался мужских качеств.

А утром мы все четверо вставали разбитые, невыспавшиеся, с такими лицами, будто провели непристойную бурную ночь, и старались не смотреть друг на друга.

Как говорят художники, картинка с натуры. Одним словом, социалистический реализм.

После долгих размышлений я пришел к такому открытию: браки совершаются по расчету чаще, чем по любви. Я имею в виду Советский Союз, и его еврейское население в первую голову. Расчет этот чаще всего не экономический, а, я бы сказал, социальный.

После революции детки буржуев, расстрелянных и недорезанных, норовили сочетаться браком с потомками чистейших пролетариев, то есть голи перекатной. После колхозной эпидемии уцелевшие от высылки в Сибирь крестьянские сынки считали за Божий дар еврейскую невесту. Это их сразу делало интернационалистами и открывало спасительный путь к корыту, то есть в партию большевиков.

Когда ввели паспортную систему и, как гвоздем, прибили человека пропиской к одному месту, лишь браки по расчету могли помочь сменить место жительства. А уж в наши дни, когда евреи, сказав: адью, любимая страна, — всеми правдами и неправдами стали просачиваться за рубеж, брак по расчету стал равнозначен заграничной визе.

Причем началось это не сейчас, в эпоху, если можно так выразиться, русского сионизма, а намного раньше, в конце пятидесятых годов. Тогда появилась первая легальная возможность выскочить из СССР, не лишившись по пути головы.

Когда-то, в 1939 году, Гитлер и Сталин поделили между собой Польшу, и Советам досталась добрая половина: Вильно, Львов, Гродно, Брест. Лет через двадцать разрешили бывшим польским гражданам репатриироваться в западный остаток Польши. Для бывших польских евреев открылась чудесная лазейка — из Варшавы, где был полный кавардак и все продавалось и покупалось, улепетнуть в Тель-Авив не составляло большого труда.

Но что же делать евреям, которым не посчастливилось быть когда-то польскими гражданами, и они родились не в Ковеле, Ровно, а в Жмеринке и Мелитополе?

Я вижу, вы улыбаетесь, а это значит, что догадались Конечно.

Брак по расчету. С бывшей польской гражданкой. Любого возраста. И даже если у нее физиономия козы.

Фиктивный брак. Который за пределами СССР не имеет силы. Во Львове и Вильнюсе даже заработали брачные биржи Средняя цена невесты (возраст не в счет) 10 тысяч рублей. Старыми деньгами. Тоже, скажу я вам, сумма не маленькая. Но и не большая, если учесть, что ею покупалась свобода.

Какие на этой почве разыгрались драмы, комедии и трагикомедии — еще ни один писатель не описал. Возможно, потому, что уже нет еврейских писателей. А может быть, оттого, что скоро исчезнут и читатели. Ведь мы вымираем, как мамонты.

Но две истории из той поры я вам все же расскажу. Ну, хотя бы потому, что вы уже знаете героев этих историй. Миша и Сеня, москвичи-сионисты, что сидели со мной когда-то в лагере, а потом помогли мне осесть в Москве с помощью вышеописанной женитьбы.

Они, как и я тогда, были холостыми и не собирались жениться, пока не прослышали о вильнюсских и львовских невестах, у которых приданое — заграничная виза. Они тут же бросились на ярмарку невест, чтобы не проворонить этот быстро растущий в цене товар. Я на правах приятеля сопровождал их в этой поездке и поэтому знаю все из первых рук. Мы направили свои стопы в Вильнюс. Потому что Львов — это Галиция, а еврей-галицианин — это, мягко выражаясь, не лучший еврей, и он тебя обдерет как липку и еще не разрешит поплакать. А Вильнюс — это все ж европейские традиции, еврейская сердечность и доброта, и там хоть можно поторговаться, немножко сбить цену за невесту.

И действительно, для Сени мы выторговали невесту за девять тысяч, а Мише пришлось выложить все десять.

Невест предлагали в синагоге, в парикмахерских, на базаре, даже в бане, в парном отделении. Одним словом, в любом месте, где собиралось больше двух евреев. И, пересчитывая деньги, вильнюсские папаши и мамаши, фиктивные тести и тещи, со вздохом оправдывались:

— Мы помогаем вам осуществить вашу вековую мечту, а наша бедная девочка купит себе холодильник и пылесос, и у нее будет хоть какое-нибудь приданое, когда она подберет себе там, в Эрец Исраэль, настоящего порядочного человека, а не фиктивного мужа.

Миша и Сеня продали в Москве все, что имели, чтобы наскрести этот калым за невесту на выезд. Даже влезли в долги. Своим невестам они и в лица не заглянули. Ударили по рукам не глядя. Эти невесты их интересовали как прошлогодний снег. Только бы пересечь границу, а там — поминай как звали. Вам, невестам, — холодильник и пылесос, а нам — свободу.

Так думали они. То есть Миша и Сеня. Но совсем другое копошилось в головках у проданных невест. Послушайте, послушайте. Такое нарочно не придумаешь.

Начнем с Сени. Который очень гордился, что отторговал тысячу и отделался дешевле Миши. Его невеста была не из самого Вильнюса, а из предместья. Местечковая еврейка, и, если верить ей, только на пять лет старше Сени. Но кому какое дело до ее возраста, если это не всерьез, а так, лишь бы выехать.

Как только они с Сеней оформили законный брак и все девять тысяч перекочевали в карман ее мамаши, новобрачная изъявила желание съездить в Москву, где она прежде никогда не бывала, и познакомиться перед расставанием навсегда с родственниками своего хоть фиктивного, но все же мужа.

Сеня не смог ей в этом отказать и смеха ради назвал эту поездку свадебным путешествием. Он смеялся последний раз в жизни.

Этой, так сказать, жене очень даже понравилось в Москве. После местечка-то. И она наотрез отказалась покинуть горячо любимую советскую родину. Прописалась на Сенной жилплощади, купила на его деньги холодильник, пылесос, а Сене и его родне, которых она крепко потеснила, заявила категорически:

— Нет больше фиктивного брака! Забудьте! Я — член вашей семьи. Прошу любить и жаловать!

И для пущей ясности тонко намекнула, что случится с их Сеней, если она пойдет куда следует и выложит всю правду, что это был за брак и с какой целью этот бывший арестант на ней фиктивно женился.

Родня прикусила язык. Сеня тоже.

Сейчас у них сын кончает консерваторию по классу виолончели. А холодильник стоит все тот же. Пылесос, правда, пришлось сменить. Сломался.

А родня благополучно вымерла от огорчения и других неприятностей, освободив жилую площадь. Сеня жив еще.

Теперь перейдем к Мише. С ним все было иначе. Ему досталась невеста тихая, скромная, очень застенчивая. Девушка лет семнадцати из приличной еврейской семьи. Семьи настолько приличной, что Мише поверили в долг и зарегистрировали брак, не подержав в руке ни одной живой копейки. Миша сказал, что все десять тысяч дожидаются в Москве. Это было полуправдой. В Москве у Мишиной мамы под подушкой лежали семь тысяч, остальные три надо было еще достать.

Они поженились в Вильнюсе и, естественно, и двух минут не провели вместе. Родители охраняли фиктивную жену от Миши, как от опаснейшего соблазнителя, а она ему была нужна, как дырка в голове. Ночевал он в их доме, и его укладывали на полу в кухне, как можно подальше от новобрачной, и для большей верности папаша ложился спать рядом с Мишей и мертвой хваткой держал его всю ночь за руку.

Все эти меры не помогли.

Нужно было ехать в Москву за деньгами, а чтоб Миша не сбежал, ее родители ничего лучшего не придумали, как отправить ее вместе с Мишей. Заодно, благоразумно прикинули они, ребенок посмотрит Москву, побывает в музеях, сходит в Большой театр. Когда еще представится случай из заграницы съездить в Москву? И платить за это долларами?

В поезде, между Вильнюсом и Москвой, подвыпивший на прощальном ужине Миша, увлекшись на минуточку, лишил свою спутницу невинности, а для еврейской девушки из приличной семьи это оказалось более чем достаточно, чтобы забеременеть. Фундаментально, без всяких сомнений.

Она родила, пока они были в Польше. Второй ребенок появился на свет в Израиле, где они задержались не больше года. Этого срока для сиониста Миши оказалось достаточно, чтобы полностью растрясти свои юношеские иллюзии и бежать с двумя детьми и бывшей фиктивной женой под мышкой куда глаза глядят.

Я встретил его в Америке. У него трехэтажный дом, свое дело. По-английски чешет, как будто Гарвард кончил. Детей уже пятеро. Последние трое — уроженцы Америки, то есть стопроцентные янки. Могут выставлять свою кандидатуру в президенты США.

Весь дом держится на жене. Она, кстати сказать, оказалась особой очень даже предприимчивой, и их процветающий бизнес — дело ее хрупких рук. Кроме того, она прекрасная мать и преданная жена. И похорошела, расцвела на американских хлебах. Почти секс-бомба.

Теперь скажите мне, что еще человеку надо? И по какой самой горячей и пылкой любви нашел бы себе Миша такую жену?

Вот вам и брак по расчету.

Дай Бог нам с вами так угадать в жизни.

Пока я у них гостил, я все время не сводил с нее глаз и завидовал Мише самой здоровой завистью. Ей нравилось мое внимание, и она, прощаясь, пригласила меня почаще навещать их. Миша же ничего не говорил, хотя друзьями мы были с ним, а не с ней. Она была главой дома, и все решения принимались ею. Единолично, без консультаций.

Ведя меня под руку через лужайку к автомобилю, она со смехом сказала, шаловливо покосившись на шедшего сзади Мишу:

— А те десять тысяч он мне так и не уплатил. Сделал вид, что забыл уговор с моими родителями. Я уехала без холодильника и без пылесоса. Зато с мужем, который свою собственную жену обсчитал.

И сказала это, клянусь вам, с гордостью за своего благоверного, который еще в Москве проявил некоторые американские черты.

Над Атлантическим океаном.
Высота — 30600 футов.

Что ни говорите, а во всем нужна высокая квалификация. Я — за профессионализм и терпеть не могу любителей, всяких там дилетантов. Скажем, вот я — парикмахер. Можно, конечно, оболванить любую голову, тяп-ляп — и готово. Освободите кресло. Следующий! Я никогда не опускался до халтуры, и поэтому, где бы я ни работал, все знали: Аркадий Рубинчик — мастер высшего разряда, золотые руки, серебряные пальчики. Собственно говоря, это и есть профессионал.

Но встречали ли вы профессиональную вдову? Или профессиональную сироту? Или, еще лучше, профессионального голодающего?

Пока я не уехал из России, клянусь вам моей профессиональной честью, ни о чем подобном не слыхивал и даже не предполагал, что такое может быть. Но с тех пор, как я окунулся в гущу моего родного еврейского народа, который, как известно даже антисемитам, талантлив многогранно и разносторонне, я понял, что все может быть и ничему не следует удивляться.

Как сказал один старый русский доктор, получивший диплом еще при царе, — мы с ним вместе проверяли санитарное состояние детского сада под Москвой и обнаружили восемьдесят процентов вшивости:

— Жизнь богаче фантазии.

Хотя, должен признать, и в России мы имели некоторые примеры. Помните, была такая профессиональная мать. Ее дети погибли на фронте героями. А она из того сделала источник дохода. Ездила по конгрессам. Премии. Подарки. До самой смерти обеспечила себя.

У нашего брата, еврея, такой профессионализм принял не менее прибыльную, но еще более самобытную форму.

Что такое профессиональная вдова? Самый простой ответ — женщина, которая из своего вдовства сделала профессию, приносящую не меньший, а, может быть, и больший доход, чем тот, которым мог при жизни баловать ее покойный супруг.

Лучшее объяснение — живой пример.

Скажем, жил в России еврейский артист. Талантливый человек. Не без этого. Коммунист на сто пятьдесят процентов. Сталину все места вылизывал. Заочно, конечно. На почтительном расстоянии. Потому что Сталин евреев не жаловал и близко к некоторым частям своего тела не подпускал. Но использовал таких, не брезгуя, для другого дела. Против собственного еврейского народа.

На хорошем еврейском языке этот артист по радио и со сцены поносил все еврейское. Глумился над еврейской религией, топтал ногами еврейское прошлое. Доставлял антисемитам огромное удовольствие. А когда возникло государство Израиль, он и вовсе с цепи сорвался. Какую только грязь не валил на голову государства-младенца. Как он смеялся над древним языком иврит и категорически отказывался признать его языком народа.

Пока Сталину все это не надоело. Когда он ликвидировал всю еврейскую культуру, заодно пустил в расход и этого артиста. За ненадобностью. Вдову, соответственно, в Сибирь сослали.

Теперь она живет в Израиле, который так проклинал и высмеивал ее муж, пока его не прикончили сталинские молодчики. Казалось бы, сиди тихо и не рыпайся. Скажи спасибо, что никто тебя не упрекает и даже наравне с другими евреями дают, что положено.

Что вы! Не на ту нарвались. Эта дамочка устроила культ своего покойного супруга, всех евреев в мире заставила вместе с ней молиться на его святой лик. Она летает на самолетах, как ведьма на метле, и сгребает дань именем покойника. Пишет книги о нем, статьи о нем, заставляет евреев отмечать все даты его славной жизни, дает пресс-конференции, размножила и продает его бесчисленные портреты. И евреи платят, откупаются от нее. И уже забывают, о чем, собственно, речь идет. Под нажимом напористой вдовы начинают воспринимать покойного как национального героя, достойного почестей и поклонения.

А вот — профессиональный сирота. Сироте лет под пятьдесят.

Папаша его некогда был большим начальником в ГПУ.

Так вот, папаша — из тех, что сменили фамилию Кацнельсон на Орлов, — руководил допросами с пристрастием. Пытал и калечил арестованных по подозрению в нелояльности к советской власти и сам же любил их ставить к стенке.

Хорош папаша. Ничего не скажешь. Потомство может гордиться. Но у него была одна слабость, которая придает ему особую привлекательность в глазах мирового еврейства. Больше всего он обожал расправляться с заключёнными еврейского происхождения. Чтоб показать свою объективность и отсутствие всяческих сантиментов.

Сначала он, как гончий пес, охотился за богатыми евреями и безжалостно расстреливал их за то, что были они эксплуататорами и почему-то не питали большой любви к рабоче-крестьянской власти.

Потом он ломал кости евреям из бедных, вступившим в партию большевиков и заподозренным в неискренности и двурушничестве. Тоже отправлял на тот свет, увеличив их вес на девять грамм свинца.

Потом стрелял евреев как врагов народа — английских, японских, польских и каких только хотите еще шпионов.

А сам становился все знаменитей и страшней. Им уже бабушки непослушных внуков пугали.

Потом...

Потом Сталин его расстрелял, как делал это и с другими, назвав его посмертно и врагом народа, и английским, японским, польским и каким хотите шпионом. И присовокупив еще нечто новенькое — еврейский буржуазный националист.

И вот теперь евреи мира получили профессионального сироту, чей папаша сложил голову за еврейское дело. Этот сирота потрясает именем отца, требует и клянчит. А люди слишком совестливы, чтобы угомонить сынка, ткнуть его носом куда следует. И дают. Откупаются.

Я имел сомнительную честь с ним в одно время получить квартиру в Иерусалиме и сам слышал и видел, как, тыча всем в нос своего отца, он требовал себе на комнату больше, чем положено по израильскому стандарту. Потому что он не как все. Потому что его отец — крупнейшая личность в еврейской истории.

И вырвал все, что требовал.

Потому что он — профессиональный сирота.

Есть другие профессионалы. Меньшего калибра. И скажу откровенно — они вызывают у меня симпатию.

В последние годы евреи взяли моду устраивать голодные забастовки. В знак протеста. Поводов для этого предостаточно, так что требуется большой штат согласных публично поголодать за наше правое дело. И тогда появились профессиональные голодовщики.

Я знал одного такого. Он приходился то ли дядей, то ли тетей одному узнику Сиона, то есть еврейскому парню, отбывавшему срок в Сибири за сионистские дела.

Этому дяде понравилось кататься по всему миру за казенный счет, видеть свой не совсем тощий портрет в газетах и при этом парочку деньков поголодать под сочувственные стоны еврейских общин.

Он объявлял голодовку по любому поводу. А потом даже и не интересовался самим поводом. Раз надо — голодаем. И соответственно, протестуем. А за что или против чего, это начальству виднее.

Он стал профессионалом и, как любой квалифицирован-

ный специалист, имел свои производственные секреты. Например, разыскал какие-то тюбики с питательной пастой и
втихаря давил их из рукава в рот, делая вид, что вытирает по-
трескавшиеся губы. И до того наловчился, что на этой питательной смеси обзавелся солидным брюшком, которого раньше не имел, даже отдыхая в санатории.

Но эти тюбики в рукаве и подвели его, сломали его меж-
дународную карьеру профессионального голодовщика. Вы
думаете, кто-то обнаружил фальшивку или он публично вы-
ронил тюбик и его поймали с поличным? Что вы! На таких
пустяках дилетантов ловят. Он же был профессионал. И с
большим стажем.

Подвели его тюбики с питательной смесью самым не-
предвиденным образом. Эта смесь, кроме брюшка, подлила,
как говорится, масла в огонь. Пробудила в уже дряхлеющем
дяде давно угасшие мужские силы.

Он голодал в Нью-Йорке перед зданием Генеральной Ас-
самблеи. Не один. А с какой-то еврейской дамочкой, мужу
которой советские власти мешкали выдать выездную визу. Он
был профессионал, она — дебютантка, новичок. И это испор-
тило всю кашу.

Считается, что от голода человек слабеет, и поэтому нью-
йоркские евреи уложили их рядышком на две раскладные
кровати, окружив соответствующими плакатами с протеста-
ми и гневными призывами.

Днем все шло как надо. Сверкали блицы корреспондентов, стрекотали камеры телевидения, американские еврейки
собирали у прохожих подписи под петицией, дядя, как
выученный урок, отвечал за себя и за соседку на вопросы
журналистов.

Все испортила ночь.

Они остались вдвоем на своих раскладушках под звезд-
ным небом Нью-Йорка, в тени небоскреба Объединенных
Наций. Даже полисмены, кончив дежурство, ушли, оставив
их голодать наедине.

То ли к ночи опьяняюще запахла резеда на лужайке перед небоскребом, то ли речной воздух с Ист-Ривер ударил в
голову, но в дяде пробудился самец, темпераментный и люб-
веобильный

Десятки высосанных втихую тюбиков сделали свое дело
Со сдавленным рыком дядя сгреб дремавшую от слабости со-

седку и едва не совершил акт насилия, не окажись рядом полицейского патруля. Два дюжих ирландца с трудом оторвали голодного дядю от голодной жертвы, на которой от юбки остались жалкие клочья, а кофточка с бюстгальтером были потом при обыске обнаружены у дяди за пазухой.

Разразился скандал. Голодную забастовку пришлось свернуть. Только заступничество еврейских организаций спасло профессионального голодовщика от тюрьмы, а возможно, чем черт не шутит, и от электрического стула.

Как примечание, могу сказать, что мужа этой дамочки советские власти тотчас же отпустили в Израиль, словно испугавшись за ее нравственность, если ей придется еще раз голодать.

Дядю списали из штата голодающих, и теперь он ведет нормальный образ жизни, без политики, и даже похудел, вернувшись к прежнему весу.

Чтоб закончить с профессионалами, я расскажу вам об одном славном малом, который присоединялся к каждой голодной забастовке у Стены Плача в Иерусалиме. Абсолютно добровольно, никакими комитетами не приглашаемый. И по любому поводу: то против советских властей, не выпускающих евреев в Израиль, то против израильских властей, проявляющих недостаточное гостеприимство к советским евреям. Всякий раз, пронюхав о готовящейся голодовке, он появлялся у Стены Плача с одним и тем же плакатом, написанным на трех языках: иврите, русском и английском. Текст был примерно такой: «Буду голодать, пока не добьюсь своего».

Он садился со своим плакатом рядом с другими голодающими и самоотверженно высиживал до конца забастовки. Текст его плаката был оригинальней других, и его чаще других снимали для телевидения и газет.

Я как-то забрел туда во время очередной голодовки, и так как я человек любопытный от природы, не удержался и спросил того малого, что он хочет сказать своим плакатом.

Вы знаете, что ответил мне этот честняга?

— Буду голодать, пока не похудею на двадцать кило. Такова моя цель. Советы врачей не помогали. А здесь и результат верный и общественная польза.

Честно признаюсь, я влюбился в этого парня и стал гордиться тем, что я, как и он, еврей.

Какая кристальная чистота! Какое бескорыстие! И никакой демагогии.

Над Атлантическим океаном.

Высота — 30600 футов.

Я откровенно скажу, здесь не собрание, нас никто не слушает и даже не подслушивает, можно не кривить душой: я не идеалист и не борец. И попросите вы меня добровольно пойти умереть за общее благо, за светлое будущее, за мир во всем мире, я вам отвечу: извините, нема дурных, поищите кого-нибудь другого. Не хочу, не надо, дайте мне спокойно умереть своей смертью, в моей собственной кровати.

Самому красивому и пышному некрологу в газете, начинающемуся словами: «Он пал на боевом посту...» — я предпочел бы что-нибудь попроще, вроде: «Нелепый случай вырвал из наших рядов...», или: «Тихо скончался наш незабвенный...», или даже: «Коллектив парикмахерской комбината бытового обслуживания выражает глубокое соболезнование...»

Я не хочу, чтоб над моей могилой давали прощальный салют ружейными залпами и чтоб, как говорится, к ней не заросла народная тропа. Не надо! Ради Бога! Дайте мне зарыться поглубже в мою могилу, и не слышать и не видеть, как сходит с ума этот полоумный мир. Я хочу, наконец, отдохнуть и успокоиться и угостить собой червей, которые, как и все живое, нуждаются в питании, — если они, конечно, не антисемиты и не побрезгуют моим еврейским происхождением.

И еще одного хотел бы я после своей смерти, если кто-нибудь посчитается с последним пожеланием усопшего: чтоб неизвестные хулиганы не надругались над могилой, как это в последнее время часто случается, и чтоб горсовет не увез надгробный камень под фундамент для детского сада.

Уважьте бренные останки, потому что при жизни покойного не слишком баловали вниманием и заботой.

Следовательно, я не идеалист и не герой, и, пожалуйста, принимайте меня таким, какой я есть. При моем росте смешно лезть в герои. Даже амбразуру дзота не закроешь своей грудью по той причине, что не дотянешься. Женщин моего роста называют миниатюрными, а мужчин.. Ладно, замнем для ясности

В войну я немало натерпелся из-за своего роста. Я всегда шагал замыкающим в строю — ниже меня не было курсанта в Курганском офицерском пехотном училище. Шинель у меня волоклась по земле, я сам наступал на свои полы и падал, — обмундирование было стандартное, и под рост не подгоняли.

В училище ставили любительские спектакли на патриотические темы. В одной пьесе по ходу действия нужен был мальчик-подросток, лет тринадцати, и я его играл. А моего папу играл другой курсант, Ваня Фоняков, который был на два месяца моложе меня, но вдвое шире и выше. И при этом я уже брился, а у Вани еще пробивался светлый пушок.

В этой пьесе была трогательная сцена: я провожал своего папу, Ваню Фонякова, на фронт. Он, как перышко, вскидывал меня на свои аршинные плечи и бегал со мной по сцене, а я тоненьким детским голоском пищал:

— Папуля, убей немца! А Гитлера привези живым, мы его в клетку посадим!

Мой папуля, то есть Ваня Фоняков, отвечал ломающимся басом:

— Будет сделано, сынок! Разотрем фашистов в порошок!

Тонкий текст. Шекспир военного времени.

Публика визжала и плакала от восторга, потому что была нетребовательной и благодарной. Состояла эта публика из наших курсантов и их Дульциней из вольнонаемной обслуги.

На Ване Фонякове я остановлюсь подробнее. Это не был гигант мысли. Отнюдь! Он был классический дуб: по всем дисциплинам — общеобразовательным и даже армейским — учился из рук вон плохо и неделями не вылезал из-под ареста то за драку на городской танцплощадке, то за пронос спиртного на территорию училища. Его даже не хотели аттестовать ванькой-взводным, то есть младшим лейтенантом, но я помог своему «папуле» на экзаменах. Написал два сочинения — одно за Ваню, и по его просьбе вставил четыре грамматических ошибки, чтоб не обнаружили подлога. Ваня получил младшего лейтенанта и с первой оказией отправился на фронт.

Зато на фронте он оторвал Золотую звездочку Героя и из всего нашего выпуска достиг самых высоких чинов. Вы знаете, кто сейчас Ваня? То есть Иван Александрович Фоняков? Генерал-лейтенант!

У нас с ним произошла встреча, — как это называется? — встреча боевых друзей! Много лет спустя. Совсем недавно. Перед моим отъездом из России. Вы сейчас получите пару веселых минут.

До этого мы друг друга в глаза не видали и, честно говоря, не очень интересовались. Потому что где парикмахер Аркаша Рубинчик, а где генерал-лейтенант Иван Александрович Фоняков?

Надо же было такому случиться, чтоб генерал Фоняков остановился именно в нашей гостинице и спустился в парикмахерскую побриться именно в мою смену и из восьми кресел сел не в какое-нибудь, а в мое.

Прошло почти тридцать лет. Изменился я, изменился он. Сидит в моем кресле толстый генерал, весь в золоте и с рожей запойного пьяницы. Я таких брил на моем веку сотни. Все — на одно лицо. Как будто их одна мама родила и одинаковые цацки на грудь повесила.

Я же хоть и не подрос за те годы, но в белом халате, да еще с изувеченным черепом не очень смахивал на того курсанта Курганского пехотного училища, который всегда замыкал колонну на занятиях по строевой подготовке.

Намылил я его багровые щеки, поднял бритву, беру двумя пальцами за кончик красного носа, и тут, как пишут в романах, наши взгляды встретились.

— Аркашка! — издал он не то стон, не то вопль, и мыльная пена запузырилась на его губах.

— Ваня, — тихо сказал я, уронил бритву на пол, и слезы брызнули у меня из глаз. Я заплакал, как тот мальчик в любительском спектакле, провожавший папу на фронт.

— Аркашка! Друг! — генерал сорвал с себя простыню и, как был в мыле, выскочил из кресла, схватил меня в охапку, стал мотать по всей парикмахерской, потом с медвежьей силой прижал мою голову к своей груди, и я больно порезал лоб и нос об его ордена и медали.

— Кончай ночевать! — скомандовал генерал. — Закрывай контору!

И всех, кто был в парикмахерской — и подмастерьев, и клиентов — гурьбой повел в ресторан за свой счет, чтоб отметить встречу боевых друзей. В ресторан набилось человек пятьдесят — половина совсем чужих увязалась за нами по пути.

Ну и дали мы дрозда! Дым коромыслом! Люстры звенели!

Генерал толкнул речь в мою честь, а я сижу как именинник, весь в крови от объятий с медалями, и наша маникюрша Зина салфетками стирает с меня эту кровь.

— Однажды он спас меня, — со слезами сказал генерал Фоняков.

И все дармоеды, жравшие и пившие за его счет, загудели:

— Аркадий Рубинчик спас генералу жизнь на фронте. Вы слышали? Это — наш человек! За русское боевое товарищество! За наших славных воинов!

Ваня, конечно, имел в виду сочинение с четырьмя ошибками, которое я ему написал и спас будущего героя от провала на экзаменах.

Но нахлебники жаждали подвигов.

Единственное, что они сполна получили, кроме коньяка и жратвы, было незабываемое зрелище. Такое увидишь не каждый день.

В полночь, в самом центре Москвы, в непосредственной близости от Кремля, по улице Горького, где полно иностранцев и стукачей, расталкивая прохожих и останавливая автомобили, несся огромный русский генерал при всех регалиях с маленьким окровавленным евреем на плечах и вопил, как резаный:

— Будет сделано, сынок! Разотрем фашистов в порошок!

Я много не пью и рассудка не лишился, сидя на генеральских погонах, только по фронтовой дружбе подкидывал реплики, стараясь не слишком кричать:

— Папуля, убей немца! А Гитлера привези живым, мы его в клетку посадим!

Один свидетель потом в милиции утверждал, что я еще провозглашал сионистские лозунги, вроде «отпусти народ мой» и насчет исторической родины. Но из уважения к генеральскому званию в протокол это не вписали, а, слегка пожурив нас, отпустили, то есть отвезли в гостиницу, где мы проспали в обнимку почти сутки, и я еле остался жив, потому что генерал своей тушей чуть не придушил меня, как котенка.

У меня нет претензий к моему росту. Он мне, можно сказать, жизнь спас. Вы будете смеяться, но это так. И если бы не мой маленький рост, мы бы с вами сейчас не беседовали в этом прекрасном самолете, и я бы не имел удовольствия общаться с таким чутким собеседником. Чего греха таить, в наше время найти человека, который слушает и не перебивает и не лезет со своими историями в самом интересном месте рассказа, — это подарок судьбы.

Как вам уже известно, все мои университеты — ускоренный выпуск офицерского пехотного училища. Средняя школа плюс год усиленной строевой подготовки. На втором году войны, в самое нехорошее время нашего отступления, меня аттестовали младшим лейтенантом, отыскали сапоги детского размера — и я загремел на фронт командиром пехотного взвода.

На какой фронт? Хуже не придумаешь. Волховский фронт. Гиблое место. Болота, леса. Убыль живого состава — самая высокая по всей Красной Армии.

Прибыл я на место, и старшина повел меня по ходу сообщения в расположение взвода. До взвода я так и не дошел и до сих пор не знаю, кем мне предстояло командовать.

Мы шли по глубокой траншее, где по колено стояла гнилая вода, а из нее торчали пустые патронные ящики. Мы прыгали по этим ящикам, стараясь не провалиться. Старшина, согнувшись, я — в полный рост. Мне хватало глубины.

Старшина же тем временем вводит меня в курс дела. Вы, говорит, товарищ младший лейтенант, из окопа не высовывайтесь. Тут кругом снайперы.

Ни для кого не секрет, что евреи совсем не страдают отсутствием любопытства. Стоило старшине упомянуть про снайперов, как я тут же спросил.

— Где снайперы?

И, вскочив на высокий ящик, выглянул из окопа. И это было последнее, что я сделал на фронте.

Снайпер угодил мне в лоб чуть по касательной и снес крашек черепной кости над бровью.

Больше я на фронт уже не попал. Был зачислен в инвалиды второй группы. И, как видите, жив. Так чему же я обязан своим спасением? Маленькому росту и чуть-чуть еврейскому любопытству. Иногда это совсем уж не такая плохая вещь.

Над Атлантическим океаном.
Высота — 30600 футов.

Какие у меня остались впечатления, самые первые и самые острые впечатления от долгожданной встречи с исторической родиной?

Извольте, могу вспомнить. В любом случае, это..

...и не полный самолет евреев, плачущих и всхлипывающих при виде открывшейся панорамы Тель-Авива, когда мы шли на посадку. Я, кстати, тоже пустил слезу и почувствовал в этот момент усиленное сердцебиение. Мы — чувствительная нация, ничего не попишешь. К тому же слишком много надежд мы связывали с вновь обретенной родиной...

...и не седобородые старцы, как библейские пророки, торжественно сходившие по трапу с современного лайнера марки «Боинг» израильской авиакомпании «Эл-Ал» на землю обетованную и тут же, у трапа, приникавшие к ней устами, поискав на бетоне место почище, без плевков и окурков...

...и не израильские чиновники, скучные и заспанные, пересчитывавшие нас, как стадо овец, и загонявшие в тесные загоны, как в пересыльной тюрьме в России при выгрузке очередного эшелона арестантов. При этом вид у них был еще более враждебный, чем у украинских вертухаев, то есть конвоиров. Отчего энтузиазм остывал с каждой минутой. И кое-кто уже в аэропорту с завистью посматривал на взлетающие самолеты и с мысленным облегчением видел себя их пассажиром...

Нет. Не это осталось в памяти. И не от этого скает у меня в груди, когда пытаюсь вспомнить, что же меня больше всего поразило поначалу в Израиле. Один мой клиент, известный художник, любил, сидя в парикмахерском кресле, поучать меня, пока я воевал с его шевелюрой, что самое характерное выражается в символах.

Так вот. Одно незначительное происшествие, случившееся со мной и еще тремя такими же чудаками вскоре после нашего приезда, я считаю абсолютно символичным.

Мы еще без году неделя были в этой стране и вдруг страшно захотели поехать к морю и с разбегу плюхнуться в наше родное еврейское море, лучше которого, конечно, нет на земле. Сказано — сделано.

Раздобыли где-то автомобиль и помчались вниз с Иудейских гор к теплым ласковым волнам Средиземного моря.

Были мы в состоянии, которое врачи называют эйфорическим. Что бы нам ни встретилось на пути — мы начинали скулить от умиления, и розовые слюни заливали наши подбородки.

Ах, смотрите, дерево! Наше еврейское дерево! Посаженное нашими еврейскими руками. Ах, асфальт! Наш еврейский асфальт! Ах, мост! Наш еврейский мост! Ах, домик на горе! Наш еврейский домик на нашей еврейской горе!

Вы знаете, я бы не сказал, что это очень смешно. Какой комплекс неполноценности должны были выработать у нас

антисемиты за две тысячи лет проживания в гостях, какими дефективными нас приучили считать себя, если четверо
взрослых людей приходят в телячий восторг от каждого пу-
стяка, сотворенного евреями — подумать только! — своими
собственными руками. От одного этого уже не хочется
жить на свете.

Но не будем отвлекаться. Потому что четверо идиотов в
националистическом угаре, как пишется в советских газетах, промчали через дюны прямо к морю. Действительно,
красивому и, действительно, большому. Даже с пароходом
на горизонте.

Мы скакали, как дикари, и путались в трусиках и майках,
спеша поскорее раздеться. Кругом не было ни души, и мы сорвали с себя все и в чем мама родила побежали вприпрыжку
по нашему еврейскому песку к нашей еврейской воде.

Вода была теплая и соленая, и наши тела закачались на
волнах, как в колыбелях.

— Самая теплая вода в мире!

— Самая соленая!

— Самая ласковая!

Мы вопили от наслаждения и с каждой минутой все больше дурели от восторга.

Когда же мы вышли из воды, наша радость померкла. Мы
походили на чернокожих дикарей, заляпанных с ног до головы пятнами мазута. И от нас остро воняло нефтью. Одним
словом, будто выкупались в дерьме.

Живая картинка. Как говорят, с натуры.

Символично, не правда ли? Вот так, скуля от восторга, мы
бросились в объятия к Израилю и вышли из этих объятий,
словно нас ведром помоев окатили.

А кто в этом виноват? Да никто. Мы ожидали одного, а
Израиль — это совсем другое. И не самое лучшее в мире. А
так, серединка на половинку, и хромает на обе ноги и даже
на голову.

Я сделал такой вывод: пока евреи жили в изгнании, среди
других народов, где их всегда, скажем мягко, недолюбливали,
они старались, из кожи лезли, и работать лучше остальных, и
вести себя примерней, чтоб — Боже упаси — не навлечь на себя гнева, не вызвать косых взглядов. Построили свое государство, стали сами у себя хозяевами и распоясались. Крои, Ваня, Бога нет! Мы у себя дома, кого стесняться?

Превращение еврея в израильтянина начинается с того, что он перестает стесняться окружающих. В этой стране, если вы встретите человека, аккуратно одетого, значит, это турист. Туземный еврей ходит так, будто он спал в этой одежде и еще забыл причесаться. Нижнее белье торчит из-под рубашки, трусики лезут наружу из штанов.

А чего стесняться? Мы же у себя дома. Здесь нет антисемитов.

Почти вся страна, будто ее эпидемия охватила, ковыряет в носу. Указательным пальцем. Запустив его глубоко-глубоко. До аденоидов. А когда их нет, то попадают в мозг.

Человек сидит за рулем, палец свободной руки — в носу. Читает газету — ковыряет в ноздре. Мама гуляет с ребенком: и ребенок, и мама втянули пальцы глубоко в нос, будто магнит их всосал. Даже влюбленные парочки, никогда бы не поверил, если б не видел сам, своими глазами, убирают пальцы из ноздрей, лишь когда надо целоваться.

Вам смешно, а мне грустно. Потому что пока не попал в Израиль, верил, что народ наш — один из самых культурных, что мы — народ Книги. С большой буквы. Теперь, на основе моего международного опыта, я должен признать, что мы далеко не те, за кого нас принимают даже наши друзья. А что касается Книги, то нас больше интересует чековая книжка.

Такова се ля ви. Как говорят французы. И один мой бывший клиент. Теперь — гражданин Израиля. В прошлом он был крупным советским юмористом, а когда власти позволяли, то и сатириком. Его выступления с эстрады даже в голодные годы, при карточной системе, вызывали здоровый советский смех в зале.

Это он своим острым сатирическим взглядом заметил и мне показал, что в Израиле все поголовно не вынимают палец из носа. Сатирик! Ничего не попишешь.

Кстати сказать, он этот факт пытался обыграть и даже заработать на пропитание. Был там конкурс различных эмблем, и он послал туда проект нового герба государства Израиль. Еврейский с горбинкой нос в профиль, проткнутый снизу насквозь перстом. И, конечно, обрамление: венок из апельсиновых веток с золотыми плодами.

Премии он не получил, но зато куда следует его вызвали и отечески спросили, не агент ли он КГБ и не собирается ли бежать из Израиля, не вернув долги Сохнуту.

Юморист из России Израилю не очень понадобился. Здесь есть один Эфраим Кишон, и на маленькую страну его предостаточно. Нашему же юмористу подыскали довольно хлебную работенку. В погребальном обществе. У нас это называется похоронным бюро. Нельзя сказать, что работа непыльная — все же приходится могилы рыть в скальном грунте. И даже рвать динамитом. Но зато есть свой бутерброд. И даже с маслом. И даже с кошерной колбасой.

Чувства юмора на новом поприще он не лишился. Погребальное общество держат в руках люди религиозные, и, принимая его на работу, попросили не анкету заполнить, а спустить штанишки, дабы подтвердить свое еврейское происхождение. Поскольку следов обрезания обнаружить не удалось, над ним, голубчиком, совершили древний и кровавый обряд в преклонном возрасте, после чего он два месяца ходил раскорякой, как моряк по суше после шторма.

Любопытные, которым во младенчестве тоже не удосужились кое-что отрезать, с замиранием сердца спрашивали:

— Вам это сделали под наркозом?

Бывший юморист, не моргнув, отвечал:

— Нет. Под микроскопом.

В последнее время его юмор стал приобретать профессиональный, похоронный характер. Своему бывшему соседу по Дворянскому гнезду, которого тоже угораздило вляпаться в Израиль, он дал дружеский совет, вводя в курс местных обычаев:

— Все новоприбывшие пользуются скидками и привилегиями только первые три года. Не платят налогов, учат детей бесплатно в школе. И хоронят их за счет мирового еврейства.

Похороны за свой счет в Израиле — дорогое удовольствие. Можно разорить вдову до конца ее дней.

— Поэтому, — пояснил юморист, — важно уложиться в эти три года. Можно умереть хоть за день до истечения законного срока. Этого тоже достаточно, и у вдовы не будет повода проклинать своего покойного супруга-шлимазла, который даже умереть вовремя и то не смог.

Это шуточки. А если всерьез, так после того, что было на приличном расстоянии, когда все плохое забывается, я вспоминаю об Израиле с тоскливым чувством. Начинает сладко и печально ныть под ложечкой. Появляется чувство какой-то вины, и к глазам подступают слезы.

Так вспоминают больного родственника, незадачливого, не любимого соседями, одинокого как перст, и для тебя тоже единственного на всей земле.

И вот послушайте, какая другая символическая картинка возникла передо мной, когда, не чуя ног под собой от счастья, я удирал из Израиля, уже сел на пароход, и он, загудев, отчалил, и Хайфа стала удаляться, и никто за мной не гнался и не требовал выплатить долги мировому еврейству. Я сидел на палубе греческого парохода, и израильский берег растворялся в дымке за бортом, и из всего, что я пережил на том берегу, в памяти возникло лишь одно.

Я приехал в гости в Мевасерет Цион — маленький поселок для новых репатриантов в Иудейских горах под Иерусалимом. Мой друг встретил меня на автобусной остановке в прорубленном в скалах ущелье и повел по асфальтовому серпантину, чтобы по мостику перейти на другую сторону шоссе.

На автостраде машины кишели как муравьи, а на перекинутом высоко мостике и на самой дороге к поселку было пустынно в этот час. Потом вдали показалась автомашина, большая и дорогая. Кажется, «кадиллак». А впереди неслись на сверкающих никелем мотоциклах два дюжих парня в черных кожаных куртках и галифе и в белых пластиковых шлемах.

— Это — президент Израиля, — почтительно сообщил мой друг. — Тут, в горах, его дача, и он каждое утро в сопровождении охраны едет в Иерусалим в свою резиденцию.

Мы сошли с дороги и остановились, чтоб пропустить кортеж, а заодно поближе рассмотреть президента еврейского государства, которого я знал лишь по газетным портретам, и он мне казался очень похожим на старенького детского доктора, как их рисуют в сказках для детей.

При виде сверкающих мотоциклов сопровождения и черного лака шикарного автомобиля я невольно подтянулся как бывший офицер, вытянул руки по швам и от волнения и торжественности почему-то захотел затянуть негромко, хотя бы шепотом, государственный гимн.

«Кадиллак» с мотоциклами впереди миновал мостик, а мы ждали его на повороте, круто уводившем асфальтовую ленту вниз, к автостраде. Мотоциклисты лихо заложили глубокий вираж, наклонив машины под опасным углом. И один мотоцикл, потеряв равновесие, шлепнулся на асфальт чуть не под колеса «кадиллака», чудом успевшего затормозить. Белый

пластмассовый шлем охранника покатился по насыпи. Сам
охранник лежал на земле и морщился, потирая рукой в черной перчатке ушибленное плечо.

В черном «кадиллаке» открылась дверца, и на асфальт неуверенно ступил седенький еврейский дедушка в черной ста-
ромодной шляпе и таком же пальто, засеменил к упавшему
мотоциклисту, кряхтя опустился на одно колено и прижал к
себе голову своего незадачливого стража. Дюжий парень, за-
тянутый в черную кожу, стал всхлипывать на его плече, а он
гладил его кудрявую голову, совсем как своему внуку. Выглядело это все нелепо и комично, как в еврейском анекдоте, но,
поверьте мне, вместо того, чтобы рассмеяться, я чуть не заре-
вел в голос. Потому что такое можно увидеть только в еврейском государстве, не похожем на все остальные. И до своих
последних дней я никогда не забуду этой картины: плачущий
солдат, ушибший плечо, и глава государства, утешающий его
как дедушка.

Над Атлантическим океаном.
Высота — 30600 футов.

Как разрешить ближневосточный конфликт? Как прими-
рить арабов и евреев? Вы знаете как? Кто-нибудь знает?

Можно с ума сойти, когда каждый день об одном и том же
пишут все газеты, кричит радио, да и в телевизор заглянешь —
не станет легче. Будь я не евреем, я бы только за то, что они
отнимают у меня столько времени, не дают спокойно жить на
земле, возненавидел бы лютой ненавистью и арабов, и евреев
и пожелал бы им вместе провалиться — с глаз долой!

Дипломаты уже много лет на этом деле имеют свой кусок хлеба. Америка с одной стороны, а Советский Союз —
с другой всаживают в это проклятое Богом место, как в без-
донную бочку, миллиарды денег и черт знает сколько оружия. Все, кто только может, подливают масло в огонь. А ре-
шением проблемы и не пахнет, и каждый, как цыганка, га-
дает, что произойдет там в ближайшее время. И если
вспыхнет война, то когда? И если вмешаются великие державы, то будет ли третья мировая война? А если будет, то
применят ли атомное оружие и взорвут к чертовой бабушке
весь земной шар, совершенно забыв, что все началось из-за
того, что какие-то арабы и какие-то евреи не могли поде-
лить маленькую Палестину.

Я не дипломат. Я не Киссинджер и, тем более, не Громыко. Я — простой человек, и мое имя, Аркадий Рубинчик, ровным счетом ничего не говорит мировому общественному мнению.

А зря.

Под моим продырявленным немецкой пулей черепом залегают не совсем уж прямые извилины, и по ним, если нет других забот, пробегают иногда довольно интересные мысли. Потому что я — наблюдательный. У меня острый глаз. И это отмечали не раз еще в Москве мои постоянные клиенты из Дворянского гнезда — писатели и художники, которых в СССР совсем не зря называют инженерами человеческих душ.

Дипломаты сидят за круглыми столами, смотрят друг на друга и, кроме очков и лысин, ничего не видят. Я же хожу по земле и, если меня ничто не отвлекает, наблюдаю жизнь. И должен вам заметить, делаю порой весьма любопытные наблюдения.

Конечно, я не могу сказать, что я знаю, как разрешить ближневосточный конфликт. Но, живя в Израиле, правда, не очень долго, я кое-что успел заметить, и это наводит меня на размышления.

Вот вам две сценки, которые я видел собственными глазами. В обоих случаях были и евреи, и арабы, и никакого конфликта я не обнаружил, а скорее всего, наоборот. Поэтому не поленитесь выслушать. Заодно это обогатит ваши знания о жизни в такой ни на что не похожей стране, как Израиль.

Представьте себе на минуточку Иерусалим — город, который весь построен из желтого камня и поэтому при определенном освещении кажется золотым. Из этого камня продолжают строить и сейчас, и арабы в своих белых платочках с черными жгутами на голове таскают обтесанный песчаник и складывают стены все новых и новых домов. Потому что Израиль живет надеждой: понемногу все евреи съедутся сюда, и понадобится множество квартир. Поэтому арабы строят, а евреи не спешат ехать, и тысячи готовых квартир стоят пустыми.

Но разговор сейчас не об этом.

Арабы работают вручную, самым примитивным образом. Песок таскают в брезентовых ведрах, камень — на собственном горбу. Движутся медленно, как сонные мухи. Командует ими еврей. Сабра. Десятник, очевидно. Молодой, в шортах и сандалиях. Волосатые ноги, волосатая грудь. Выражения лица — никакого.

Сабра — это бывший еврей. Точнее, человек, родившийся от евреев, приехавших в Палестину. От нормального еврея он отличается полным отсутствием еврейских качеств. Как-то: чувства юмора, мягкости, сентиментальности, живости ума. Что же он приобрел взамен этих качеств, знают только еврейский Бог и отдел пропаганды бессменно правящей партии МАПАЙ.

На стройку приехал грузчик-самосвал с точно таким же саброй за рулем. Как будто оба отштампованы на одном конвейере. Грузовик привез песок для бетономешалки и высыпал целую гору не в том месте, которое облюбовал для него сабра-десятник.

Оба сабры — шофер и десятник — стали выяснять отношения. В отличие от евреев, им не понадобилось долгих предварительных пререканий, чтоб взалкать крови. Обменявшись парой слов, они ринулись, как бизоны, друг на друга. Один — схватив тяжелый молот, коим арабы дробили камень, другой — подняв увесистую глыбу желтого песчаника, коим облицован наш золотой Иерусалим.

Еще миг — и треснут черепа, и хлынет фонтаном кровь. Еврейская кровь! Драгоценная хотя бы потому, что ее так мало осталось на этой земле.

И тут на обоих сабр прыгнула и повисла на плечах и руках целая куча арабов. В своих белых платочках с черными жгутами, в рваных, до земли, хламидах. Повисли, загалдели по-арабски, хором, наперебой, как стая птиц. Я не знаю арабского, но по голосам понял, что эти арабы умоляли двух очумевших евреев не драться и не проливать крови. Еврейской крови, которой так мало осталось.

Они развели евреев в разные стороны, своими спинами отгородили друг от друга, уговорами и ласковыми прикосновениями рук остудили вспышку гнева. Конфликт был исчерпан.

Другой случай.

Стена Плача, как известно, еврейская святыня, и я, упаси Бог, не собираюсь смеяться или кощунствовать над этим. Потому что я уважаю чувства верующих, какому бы Богу они ни молились, и тем более, когда речь заходит о евреях.

Стена Плача, насколько мне известно, это все, что осталось от разрушенного две тысячи лет тому назад Храма Соломона. Я могу себе представить, какой это был грандиозный храм, если только уцелевшая часть — фундамент высотой в пять человеческих ростов — выложена из обтесанных, конечно, вручную, базальтовых глыб, каждая из которых весит не одну тонну.

Тысячи лет лежат эти камни друг на друге, без цемента, скрепленные своей тяжестью, и тысячи лет евреи тянутся сюда и самозабвенно молятся, изливая Богу все, что накопилось на душе. А так как веселого у евреев испокон веков было мало что вспомнить, то отсюда и понятно, почему эти камни назвали Стеной Плача.

Еврей — народ поголовно грамотный, а поэтому разговаривают с Богом не только устно, но и письменно. Мужчины и особенно женщины излагают в письменном виде свои заботы и огорчения, свои скромные житейские просьбы и, аккуратно сложив записочку вчетверо, приносят к Стене и засовывают в щели между древними глыбами. Считается, что так ближе к Богу, вернее дойдет до него.

Каждый день сотни, тысячи таких записок пропихивают кончиками пальцев в священные щели евреи со всего света. Годами. Десятилетиями. И я как-то не задумывался, какой умопомрачительной емкости должны быть эти щели, куда запихиваются тонны бумаги, и всегда остается свободное место для новых записок.

Однажды, лунной ночью, я гулял по Старому городу, пустынному и от этого совсем похожему на волшебные декорации к «Тысяче и одной ночи». На запутанных кривых улочках встречались порой лишь военные патрули: медленно бредущие израильские парни с автоматами на ремне, тоже очарованные таинственным дыханием древности.

Я вышел к Стене Плача. Только тяжелые камни громоздились высоко к небу, к двурогому месяцу, и их шершавые тесаные бока золотились в лунном свете.

На меня снизошло просветление. На какой-то миг в моей безбожной душе шевельнулось некое подобие религиозного чувства. Я мысленно увидел своих далеких предков, как они без всяких машин укладывали многотонные глыбы и возвели здесь прекрасный храм, равного которому не было до него и после.

Я стоял и размышлял, растроганный почти до слез, и поэтому не сразу заметил людей, направлявшихся к Стене. Это были арабы, судя по платочкам на головах. В руках они держали длинные железные прутья и, подойдя к Стене, рассыпа-

лись вдоль нее и со скрежетом стали шуровать этими прутьями между древними камнями. Сотни белых мотыльков
вспорхнули с камней и замелькали в лунном свете. Они летали, кружились, подхваченные холодным горным ветерком,
дующим здесь ночами. Новые и новые горсти белых хлопьев
извлекались, выдергивались из каменных щелей железными
прутьями, и скоро все пространство перед Стеной напоминало снегопад, а еще вернее — еврейский погром, когда в воздухе носится пух из вспоротых перин.

Но мой ужас быстро улетучился, как только я сообразил,
что это не пух летит, а записки, засунутые евреями между камнями в надежде вернее достичь Божьего слуха. Арабы с
крючьями были рабочими Иерусалимского муниципалитета
и совершали свою еженощную работу: очищали Стену, выковыривали из щелей бумажки. Чтобы назавтра тысячи других
евреев нашли свободное место в камнях, куда можно сунуть
заветное послание.

Извлеченные из Стены бумажки стаями веселых мотыльков кружились и плясали над моей головой, и холодное дыханье Иудейских гор поднимало их все выше и выше, пока они
не таяли в лунном свете. И казалось, что небо поглощает их,
что они, действительно, уходят туда, куда посылали их евреи.

Я уже не злился на арабов за кощунственное вторжение в
сказку. Они сами вошли в нее как волшебники, как добрые
гномы, чтобы помочь еврейским мольбам и просьбам добраться туда, куда следует.

Это была идиллия. И я с болью в душе подумал: почему
жизнь так не похожа на сказку?

Почему ближневосточный конфликт пытаются решить в
Нью-Йорке и Женеве, а не догадываются расставить столы
мирной конференции на площади перед этой Стеной, и чтоб
все делегаты увидели евреев и евреек, сующих записки в щели, и ночной дозор арабов, возносящих эти записки к Богу?

Над Атлантическим океаном.
Высота — 30600 футов.

Всему свое время. Надо вас немножечко развлечь. А что
лучше может позабавить двух уважаемых мужчин, чем то, что
сейчас называют сексуальными проблемами.

Я проблем никаких ставить не собираюсь. Просто потреплемся всласть, языками почешем.

Но это не просто истории про баб. Это часть моей биографии, и поэтому вы узнаете кое-какие пикантные подробности из жизни простого советского парикмахера Аркадия Рубинчика. А поскольку советский человек, как ни вертись, никуда от политики не может спрятаться, то все, что вы дальше услышите, будет иметь и политический оттенок, и чуть-чуть социальный, и, если хотите, даже исторический. Потому что каждый из нас — частица народа, а народ, как завещали классики марксизма-ленинизма, — творец истории.

Я эти формулировочки назубок знаю, потому что все парикмахеры нашего комбината были стопроцентно охвачены политическим просвещением и каждый год зубрили все те же самые цитаты из Маркса и Ленина. После работы, вечерами. И от всего этого осталось одно ощущение — зверски хочется спать. Но на следующий год наш партогр Капитолина Андреевна, не спросив нас, на добровольных началах снова записывала всех в этот кружок и угрожала большими неприятностями за неявку на занятия.

Но прежде, чем рассказывать про баб, я расскажу вам, за что меня судили и на два года угнали пилить лес, чтобы я за колючей проволокой прошел трудовое перевоспитание и стал полноценным советским человеком.

Началось все самым мирным образом, и ничто, как говорится, не предвещало бури. Поздним вечером, поужинав и надев свой выходной костюм, я шел по засыпающим улицам родного Мелитополя с привычным, хотя и весьма деликатным поручением. Я шел давать взятку. Не индивидуальную, а коллективную. От всего коллектива нашей парикмахерской. И кому бы вы думали? Начальнику милиции майору Губе. В собственные руки, с доставкой на дом. Пятьсот рублей наличными — ежемесячная дань, которую взимал с нашей парикмахерской товарищ Губа.

Почему мы совали взятку, это даже грудной ребенок понимает. На нашу зарплату можно только ноги протянуть. Чтобы этого не случилось и катастрофически не сократилось поголовье парикмахеров в стране, каждый советский парикмахер, беря плату с клиентов, из трех случаев в одном сдает деньги в государственную кассу, а в двух остальных кладет себе в карман. Кому не хочется, чтобы это всплыло наружу, тот должен кое-кого подмазывать. Мы не разменивались по мелочам и давали на самый верх — начальнику милиции. Это —

полная гарантия, как у Бога за пазухой. А наскрести пятьсот рубчиков с трех парикмахеров нашей точки — плевое дело. Народ сознательный, отчисляют, как налог.

Почему относил взятку я, а не кто-нибудь другой, тоже нетрудно догадаться. В масштабах Мелитополя я был к тому времени фигурой заметной, местной достопримечательностью, так как незадолго до того занял третье место на всеукраинском конкурсе дамских причесок, и мой портрет, а также статья обо мне появились в киевском журнале. У меня было больше шансов, чем у любого другого мелитопольского парикмахера, разговаривать с майором Губой, не опасаясь его хамских выходок. Тем более что я шел не брать у него взаймы, а нес ему в зубах довольно жирный кусочек.

Я шел по улице Ленина, посвистывая, и понятия не имел, что гуляю на свободе последний раз. Майор Губа проживал на этой самой улице Ленина в новом, самом шикарном в городе доме. Этот дом построили немецкие военнопленные, а у немцев, как вы знаете, качество не в пример нашему. Это был почти европейский дом в нашем захолустье. Отдельные квартиры для каждой семьи, балконы с ажурными решетками, полы паркетные, ванны с горячей водой круглосуточно и центральное отопление. В те годы это было как сказка, и героями этой сказки, то есть владельцами ключей от квартир, становились только большие начальники Вроде майора Губы.

Я не первый раз проделывал этот путь и обычно без всяких осложнений вручал конверт с деньгами супруге майора Губы — мадам Губе. И на сей раз она открыла мне дверь. Из дальних комнат слышался многоголосый шум. Я отдал конверт и хотел было уйти, потому что мадам Губа была вдрызг пьяна и еле стояла на ногах, отчего навалилась на меня своей могучей грудью. При моем невысоком росте ее пудовые груди плашмя опустились на мое темя, и я погрузился в них по уши, как в тесто.

— Кто там? — услышал я пьяный голос майора Губы, потому что видеть ничего не мог

Да этот. еврейчик. — ответила мадам Губа, качнувшись назад, и я увидел, как майор Губа в расстегнутом кителе и в галифе без сапог подхватил ее сзади, чтобы она не плюхнулась на пол Деньги принес

Ух, жиды мои, жиды, бесово племя. сказал майор Губа, и я чуть не задохнулся от коньячной вони — Беру за вас грех на душу. перед Богом. и и партией

— Ваня, тащи его к нам, — позвал кто-то из комнат. — Пусть с нами выпьет. А то они нас, русских, за дураков считают, а себя умнее всех. Пусть покажет, что не брезгует.

Я человек застенчивый и поэтому ломаться долго не стал, о чем потом очень даже сожалел.

У начальника милиции майора Губы гуляли сослуживцы. Заместитель по политической части капитан Медокин и начальник отдела по борьбе с хищениями социалистической собственности — ОБХСС — капитан Криниця. С женами. Это были вполне натуральные украинские дамы. Полна пазуха цыцок, и такие зады, что на каждом три мильтона могли бы свободно резаться в очко и даже облокотиться обеими руками.

Я угодил в прелестную компанию. Блюстители порядка и социалистической законности были в последней стадии опьянения и, не придумав ничего остроумнее, затеяли соревнование жен.

Замполит капитан Медокин ко всеобщему ликованию назвал это соревнование социалистическим и объявил, что победительница получит переходящий красный член. Не красный флаг, как пишут в газетах, а мужской член. И не какой-нибудь, а обрезанный. Который для блага народа конфискуют они у гражданина парикмахера Рубинчика. То есть у меня.

Я смеялся вместе со всеми. Потому что думал, что это шутка. Не очень смешная, но вполне терпимая, если учесть, что ее автор — милиционер. Мне бы, дерзни я сказать такое, влепили десять лет по статье 58. Контрреволюция. И еще с лишением прав на пять лет. А им хоть бы хны.

Они вывели своих в стельку пьяных жен на балкон, усадили в ряд на корточки, задрали юбки на головы, а трусов ни на одной из них и так уже не было. Затем скомандовали мочиться — какая пустит струю дальше других.

В квартире было два балкона, и сначала бабы расселись на том, что выходит на улицу Ленина. Но замполит капитан Медокин, не терявший политического чутья даже во хмелю сказал, что это не совсем правильно — мочиться на улицу, носящую имя великого вождя. Милиционеры спорить с ним не стали и, ухватив под мышки своих грузных жен, волоком потащили голозадое мясо на балкон, выходящий во двор, и там поставили их в боевую позицию, то есть водрузили опять на корточки.

Я — не монах! И, как и Карлу Марксу, ничто человеческое

мне не чуждо. Отнюдь! Но к этому самому я отношусь с уважением и не терплю бесстыжих баб. Я начисто лишаюсь мужских достоинств, когда попадаю в лапы такой особе.

Меня тошнит, когда баба берет инициативу в свои руки и командует мужчиной, как и что ему делать, чтоб ее ненасытность утолить. И я готов завыть в голос, когда баба делает это все на людях, нарочно показывая, что не знает стыда.

Сейчас по всему миру стало модным целоваться там, где побольше людей вокруг, лизаться, сосаться всенародно до оргазма. Я это видел в Европе и Америке на каждом шагу. В метро усидеть невозможно — обязательно напротив тебя какая-нибудь прыщавая пара влепится губами друг в дружку, закатит глаза и давай высасывать пломбы из зубов. Жуть! Поглядев на них, можно стать импотентом на всю жизнь. Эти бесстыжие суки чаще всего такие страхолюдины, что будь я не парикмахер, а фармацевт, то рекомендовал бы высушить такую пару, истолочь в порошок и принимать перед совокуплением как противозачаточное средство. Да!

Но вернемся к балкону майора Губы, где три украинские грации с голыми задами сидят на корточках, подпираемые, чтобы не свалились, своими мужьями в милицейских мундирах, и старательно мочатся через ажурную решетку в темный двор.

Все бы ничего, пока майор Губа не решил осуществить на практике идею своего заместителя по политчасти капитана Медокина.

— А ну, Еврей Иванович, — обратился ко мне майор, — доставай свое обрезанное хозяйство и покажи дамам. Пусть пощупают и убедятся, что оно ничем не лучше нашего.

Я послал его вместе с дамами подальше.

Это милиционерам не понравилось.

— Отказываешься? Брезгуешь нашей компанией? Хочешь быть умнее всех? А ну, вызвать наряд милиции и взять под стражу!

Они не шутили. Позвонили по телефону, явилась куча милиционеров, заломили мне руки, увезли в участок и бросили в камеру.

Это было полнейшим беззаконием, но они сами закон в этом городе, и потому моя песенка была спета. Меня обвинили в попытке всучить майору Губе взятку. Свидетелями были капитан Медокин и Криниця, а также их жены. Припаяли мне два года исправительно-трудовых лагерей, и адвокат кля́лся потом, что я еще дешево отделался, так как майор Губа проявил снисходительность и снял второе обвинение: попытку изнасиловать его жену.

Так я стал заключенным. Сроком на два года. В тайге. На лесоповале. Мы там мерзли, голодали и работали, как на галерах, поставляя кубометры древесины для великих строек коммунизма.

Мои нежные, мягкие руки мастера-парикмахера на глазах грубели, деревенели, покрываясь мозолями, и я видел, что еще немного — и я уж никогда не смогу вернуться к своей профессии. Об этом мне сказал один знаменитый пианист, тоже заключенный, мой напарник по лучковой пиле:

— Дорогой маэстро Рубинчик, и у вас, и у меня руки — это наш инструмент, наша единственная драгоценность. Так вот, должен вас огорчить, они безвозвратно испорчены. Нам грозит профессиональная смерть.

Я не хотел умирать ни профессионально, ни как-нибудь по-другому. Я решил драться за спасение моих рук.

Все мои обращения к начальству с просьбой использовать меня по назначению, по профессии, и спасти руки от гибели вызвали только насмешки конвоя и повышение нормы на лесоповале. И тогда я обратился к не раз испытанному, всегда безотказному средству. Шерше ля фам, как с большим знанием дела определили это средство французы. Спасти меня могли только бабы. Отзывчивые, добрые русские бабы. Конечно, вольнонаемные. Жены офицерского состава лагерной охраны, тоскующие в этой глуши из-за непристойной, но денежной профессии мужей.

Библиотекарем в КВЧ — культурно-воспитательной части — работала Антонина Семеновна — жена начальника лагеря. Я стал самым заядлым читателем и вечерами до отбоя рылся в библиотеке, в журнальном хламе, среди толстых подшивок, пока не нашел тот старый номер, где был напечатан мой портрет и статья обо мне — призере всеукраинского конкурса мастеров дамских причесок. Подсунул журнал Антонине Семеновне. Она прочла, глазам не поверила.

— Так это вы, гражданин Рубинчик? Не может быть! Господи, что ж это делается? Мы тут, в этой дыре, ходим халдами, дуры дурами, а такой мастер, такой виртуоз своего дела, ворочает бревна, вместо того, чтобы наводить красоту на жен офицерского состава. Ну и покажу я своему дуролому!

Она имела в виду своего супруга — начальника лагеря.

Дальше — как в сказке. Меня немедленно сняли с лесных работ. Дали усиленное питание, разрешили бесконвойный выход за зону. Привезли инструмент, и я стал обслуживать на дому всех жен офицерского состава.

Что я могу вам сказать? Я ненавидел людей, одетых в эту форму. Они напоминали мне майора Губу. И я мстил им, как мог.

А мог я вот что. Я приходил с саквояжем с инструментами к моим клиенткам домой, когда мужьям полагалось быть на службе. Женщины ко мне привязались. Любая благоволит к тому, кто делает ее красивой. Парикмахеров и гинекологов не стесняются. Я стал жить с ними со всеми, без исключения. От жен младших лейтенантов до Антонины Семеновны. Я похудел и осунулся, хуже, чем на лесоповале, хотя кормили они меня на убой, и каждая совала мне в карман, когда я уходил, самые вкусные куски от обеда, предназначенного супругу.

Скажу не хвастаясь, что вся женская половина семей офицерского состава души во мне не чаяла, я же испытывал жестокое наслаждение, когда валялся в сапогах на семейном ложе моих врагов, доводил офицерш до истерики и каждую заставлял поносить при мне своего мужа самыми непотребными словами. Они, как преданные рабыни, с упоением поливали помоями своих мужей и славили меня как первого настоящего мужчину в их однообразной жизни.

Чего мне было еще желать? Было чего. Досрочного освобождения. Я смертельно устал от этих баб. Я изнемогал в клетке. Я рвался на волю. Хотя воля и неволя у нас в стране понятия относительные.

И опять помогли бабы. Помимо своего желания. Мужья, эти долдоны в мундирах, стали прощупывать под форменными фуражками явные признаки рогов. Распри пошли внутри семей. Каждая из баб пригрозила своему охламону, что если меня сплавят в другой лагерь, то она потребует развода.

Мужья, не сговариваясь, нашли выход из положения. Именно тот, о котором я мечтал. На меня были составлены самые похвальные характеристики, посланы куда следует, и я оглянуться не успел, как прибыло распоряжение о моем досрочном освобождении. За примерное поведение и отличную ударную работу. Так черным по белому было написано в приказе.

Я убрался из лагеря, даже не сказав «прощай» ни одной из своих наложниц. На память им остались столичные прически. Но сколько держится прическа? Ну, месяц, от силы два. Если не мыть головы. Сказать вам откровенно? Я льщу себя надеждой, что они меня помнят дольше. Как мужчину. Не как парикмахера.

Вот вам истории про баб. И не так уж смешные, а больше грустные. Но плохое забывается, и только хорошее приходит на память. Поэтому я улыбаюсь, и вы улыбаетесь.

В Израиле каждого еврея, отсидевшего в советских лагерях, называют узник Сиона. И платят неплохую пенсию за то, что человек пострадал за свои сионистские идеалы.

Хотели оформить на пенсию и меня, но я их послал к черту. Какой я узник Сиона? За какой это сионизм я страдал? Я честный человек и не люблю примазываться к чужой славе. Мне хватит моей.

Когда я отказался от этой чести и от денег, евреи подумали, что я немножко того... малахольный. А я рассмеялся в ответ невесело. Потому что на этой земле совсем забыли, что кое у кого сохранилась хоть капля совести.

Над Атлантическим океаном.
Высота — 30600 футов.

Россия... Родина... Родимая сторонка...

Если верить книгам и кино, то русский человек, или, вернее, советский человек, где-нибудь на чужбине, в ужасной тоске или на смертном ложе, в последний сознательный миг непременно увидит белые березки, качающиеся на ветру, и это ему напомнит обожаемую родину.

Я еще не умирал всерьез и ни один миг не посчитал за последний, поэтому предсмертных воспоминаний у меня нет. Но я не раз, а очень даже часто болел ностальгией, тоской по родине, страдал, как одержимый, и много раз мысленно возвращался домой.

Вы думаете, в таких случаях перед моим умственным взором проплывали в хороводе белые березки? Поверьте мне, ни разу. Ни березы, ни осины, ни даже чахлые зеленые насаждения на проспекте Мира в Москве.

Для меня символ России был в другом, и этот символ каждый раз и очень отчетливо всплывал в моей памяти в натуральном объеме и даже сохранял свой кирпичный цвет лица. Через ностальгическую муть пробивалось и возникало как образ Родины одно и то же видение: лицо парторга нашего ком-

бината обслуживания Капитолины Андреевны — с выщипан-
ными бровями и маленькими поросячьими глазками. С двумя
подбородками (сейчас, надеюсь, появился и третий). С деше-
выми чешскими клипсами в ушах.

Добрейшая Капитолина Андреевна. Матушка-заступни-
ца, но и строго взыскующая с нерадивых. Бог московских парикмахеров. Вернее, богиня. Простая русская баба, имевшая
несчастье пойти на выдвижение и потому оставшаяся соломенной вдовой. Муж от нее сбежал, по слухам, не выдержав
начальственных ноток в ее голосе и казенных цитат, почерп-
нутых из партийных газет, которые полностью заменили ей
русский язык. Тот самый великий и могучий, который, по
меткому наблюдению одного классика, совмещает в себе и
прелесть гишпанского, и крепость немецкого, и певучесть
итальянского, и даже кое-что из языка идиш. Последнего, кажется, классик не учел.

Великий пролетарский писатель Максим Горький особо
достойных людей величал так: Человек с большой буквы.
Принимая за основу такую оценку, я бы нашего парторга Капитолину Андреевну определил бы так: женщина с большой
«Ж». В этом была бы и дань уважения к ней как фигуре большого масштаба, и в то же время рисовался бы объемно и в на-
туральную величину ее правдивый портрет.

У меня нет оснований жаловаться на Капитолину Андреевну. Я не имею к ней претензий. Наоборот. Если я столько
лет работал в такой привилегированной парикмахерской, в
самом центре Москвы, и не потерял своего места при самых
страшных кампаниях по выявлению безродных космополитов, ротозеев, низкопоклонников перед Западом, то это только благодаря заботе Капитолины Андреевны, благодаря лю-
бящему глазу, который она положила на меня. Глазу, конечно,
отнюдь не материнскому.

У Капитолины Андреевны была слабость. По торжествен-
ным дням — Первого мая, Седьмого ноября, в Женский день
и в День Парижской коммуны — на вечера нашего комбината приглашались все парикмахеры и парикмахерши без своих
половин, то есть без жен и мужей, потому что Капитолина
Андреевна ведь тоже приходила одна. После третьей, а иногда
четвертой рюмки она непременно пускала слезу и, громко
всхлипывая, сокрушалась, что Сталина больше нет, а труп
любимого вождя и корифея выброшен из Мавзолея, и от это-

го все неполадки в стране, неуважение к начальству и отсутствие трудовой дисциплины.

Парикмахеры и парикмахерши, тоже ведь после третьей рюмки, утешали Капитолину Андреевну, обмахивали салфетками ее зареванное доброе лицо и клялись крепить трудовую дисциплину и не подводить своего парторга в социалистическом соревновании предприятий бытового обслуживания.

После пятой рюмки в ее глазах появлялся хищный блеск. Я сразу съеживался и с надеждой косился на дверь: авось успею удрать. Но обычно не успевал.

— Товарищ Рубинчик, — с металлом в голосе извлекала меня, куда бы я ни прятался, Капитолина Андреевна. — К тебе есть разговор. Поднимись ко мне наверх.

Торжественные вечера у нас обычно проходили в зале заседаний нашего комбината. Партбюро располагалось этажом выше. Указание Капитолины Андреевны означало, что я должен идти туда. Зачем? Об этом знал только я. Другие, возможно, догадывались, но делали вид, что ничего не знают и знать не хотят. Это было в их интересах. Пусть Рубинчик отдувается за весь коллектив.

Капитолина Андреевна грузной походкой раздобревшей и уже в летах женщины поднималась к себе в партбюро, своим ключом отпирала обитую дерматином дверь и держала ее открытой, пока не появлялся я.

Затем она запирала дверь на ключ и на засов, ключ прятала в сумочку и устремляла на меня тяжелый взгляд, означавший: теперь, голубчик, ты никуда не денешься, и будем надеяться, оправдаешь доверие своего парторга.

В кабинете стояли письменный стол и стол для заседаний, оба покрытые зеленым сукном. Все остальное было черным. И обивка стульев, и кресел, и большой мягкий диван. С этим гармонировал строгий костюм партийной дамы, который в обтяжку, со скрипом, сидел на упитанных телесах Капитолины Андреевны. И туфли, и юбка, и полумужской пиджак, и слегка игривый бантик на складках шеи были черными. Кроме белой кофточки. Да еще светлых кос, которые она заплетала по моде времен своей молодости и складывала их в три венца на макушке.

Капитолина Андреевна какое-то время задумчиво стояла, опершись рукой на несгораемый шкаф с партийными документами на фоне растянутого на стене переходящего

Красного знамени, завоеванного нашим комбинатом уже не помню, в каком соревновании. Помню только, что на знамени золотом было вышито: «Пролетарии всех стран, соединяйтесь!» — и в данной ситуации это имело не совсем тот смысл, который в него вкладывали основоположники научного марксизма.

— Долго будем стоять? — спрашивала Капитолина Андреевна. — Хочешь унизить женщину?

И без рук, не наклоняясь, скребя носком одной туфли по заднику другой, сбрасывала их с ног, отпихивала под стол и с наслаждением шевелила затекшими в тесной обуви пальцами. Точь-в-точь как деревенская девка, вернувшись с танцев.

Это был тот случай во взаимоотношениях с женщинами, который я терпеть не могу, но был вынужден подчиняться, чтобы не лишиться покровителя и не остаться без защиты в нужный момент. Наш парторг была из тех баб, которые берут всю инициативу в свои руки и даже в постели командуют мужчиной как своим подчиненным.

Весом она превосходила меня втрое, да и по габаритам была та же пропорция. Как утлый челнок на высоких волнах, качался я, задыхаясь в объятиях Капитолины Андреевны, порой взлетая под самую люстру, без особой уверенности, что приземлюсь на что-нибудь мягкое, а не на пол. При этом я безостановочно получал страстные, взахлеб, директивы:

— Так, Рубинчик! Так, негодник! Вперед, вперед! Не останавливайся на полпути! Дальше! Дальше! Вперед и выше! Так! Еще немного! Поднажмем! Подналяжем! Совместными усилиями! Как один человек! Хорошо, Рубинчик... Молодец, негодник. Ублажил, стервец. Дай дух перевести.

Я был скован по рукам и ногам, потому что терпеть не могу при этом самом деле иметь свидетелей. Я застенчив по своей натуре и считаю это не самым худшим качеством. Электричества Капитолина Андреевна не выключала специально, чтоб по темным окнам и отсутствию светлой полоски из-под двери народ, видевший, куда мы уходим, не подумал, что мы занимаемся черт знает чем. На меня со стен осуждающе смотрели из дубовых рам портреты руководителей партии и правительства, и это, клянусь вам, очень стесняло меня.

Какое уж удовольствие мог я получить от этой связи, вы можете себе представить. Быть бы живу. Подобру-поздорову ноги унести. Зато Капитолина Андреевна получала полное удовлетворение, и как человек добрейшей и доверчивой души не скрывала этого.

Привалившись к спинке дивана, она бережно держала меня, как ребеночка, на коленях, так что голова моя совсем зарывалась в ее груди, и чуть не причитала от избытка чувств.

— Ну, Рубинчик, ну, пострел. Ухайдакал бабу. Еще немного, и совсем бы в гроб загнал. Откуда в тебе такое? Не зря говорит народ: малое дерево в сук растет. Да ты, смотри, не возгордись! Будь самокритичен. Не останавливайся на достигнутом, совершенствуй свое мастерство.

И с такой бабьей неистовостью прижимала меня к себе, что я до половины влипал в ее мягкое тело.

— В партию бы тебя, сукина сына, принять, — ворковала она. — Да не моя воля. Нынче строго насчет вашего брата.. Нельзя засорять ряды.

Теперь вы понимаете, что я жил, как у Бога за пазухой, пока наш парторг нуждалась в моих услугах. Я мог работать налево, вечерами, обслуживать клиентов на дому, как я это делал в кооперативных домах работников искусств у станции метро «Аэропорт», зажимать часть выручки в нашей гостиничной парикмахерской — одним словом, жить по-человечески, и всегда был уверен, что Капитолина Андреевна, если сможет, выручит. Как от сына отведет беду.

Ее любовь ко мне выразилась в высочайшем доверии, оказанном советскому человеку. Получив указание свыше: подобрать нужного человека из нашего коллектива, она, конечно, остановила свой выбор на мне. Мы обслуживали интуристов, и в неких органах хотели знать, о чем болтают зарубежные гости, сидя в очереди к парикмахеру. Что для этого нужно? Чтоб парикмахер хоть немножко кумекал по-ихнему, знал иностранный язык. Таких парикмахеров нет. Их надо готовить. На каждую парикмахерскую дали разнарядку выделить одного человека для прохождения ускоренного курса английского языка. От нашего коллектива парторг рекомендовала, естественно, меня, как человека политически зрелого и вполне заслуживающего высокого партийного доверия. И попала, конечно, пальцем в небо. Потому что мне совсем не улыбалась перспектива сотрудничать с некими органами, и в своей жизни я писал все, за исключением стихов и доносов. И не хотел менять своей привычки... Не хотел становиться стукачом.

Сказать об этом Капитолине Андреевне — значило нажить себе врага в ее лице и попасть в черный список со всеми вытекающими последствиями. Надо было устроить обходной маневр. Довести их до того, чтобы они сами от меня отказались.

Меня записали на ускоренные курсы английского. За счет профсоюзов. Курсы эти были сверхсовременными, по последнему методу, и это очень мне помогло.

Нас учили без педагогов и без отрыва от производства. Учили после работы, по ночам, во сне. Мы засыпали на специальных кроватях с казенным бельем, с наушниками на голове, а от них тянулись провода к магнитофонам с долгоиграющими кассетами. Мы спали, а мужской и женский голоса нашептывали нам всю ночь английские тексты. На разные житейские темы. Считалось, по последним данным науки, что таким методом значительно легче и быстрее усваивается новый язык.

Через неделю со мной попытались заговорить по-английски экзаменаторы в штатском. В присутствии Капитолины Андреевны. В комнате партбюро с тем самым черным диваном и гипсовым Лениным.

Тут я должен сделать оговорку. Русский — это единственный язык, которым я владею. Язык моих предков — идиш — я не знаю и помню из своего детства, что на него переходили мои родители и бабушка исключительно в тех случаях, когда хотели, чтоб я не мог подслушать их разговор.

Ночная учеба, вкрадчивые голоса, нашептывавшие мне во сне что-то на незнакомом языке, вызвали в моем мозгу странную реакцию. Из глубин, из недр памяти, словно освобожденные из темницы, всплыли в ответ запасы слов на языке идиш, заложенные в детстве бабушкой и родителями. Моим экзаменаторам я отвечал на чистейшем идиш и при этом был абсолютно уверен, что говорю по-английски.

Со мной бились два часа и ничего не добились — я говорил сплошь на идише, даже с бабушкиными интонациями. Экзаменаторы в штатском сдались, и один из них, уходя, сказал огорченной Капитолине Андреевне, что меня не мешало бы показать специалистам-медикам и хорошенько исследовать этот феномен. Сказал он это таким тоном, что у меня засосало под ложечкой, и еще долго потом я все ждал, что за мной явятся ночью и уведут к «исследователям» с Лубянки.

Но все обошлось. Возможно, Капитолина Андреевна замолвила за меня словечко. Она не изменила своего благосклонного отношения ко мне. Слова на идише, так удачно пришедшие мне на помощь, покрутились в моей голове и, за отсутствием практики, вновь погрузились в темницу памяти до лучших времен.

А что касается английских слов, которые мне нашептывали во сне дикторы, то они не исчезли бесследно, а зацепились в каком-то уголке моих извилин, и когда я приехал в Америку, то с ходу заговорил довольно бойко глупейшими фразами моих бессонных механических учителей.

Действительно, феномен. И скажу я вам, что какой-нибудь ловкий малый из полумедиков и полулингвистов мог бы сделать на этом кандидатскую диссертацию, а мне поставить бутылку хорошего коньячку за материал для научной работы.

Вы себе можете представить, что сделалось с Капитолиной Андреевной, когда я захотел уехать в Израиль? Она сочла это двойной изменой — изменой Родине и изменой ей лично. Но я готов ей все простить за ее ответ на мою просьбу дать мне характеристику, требуемую для оформления выезда в Израиль.

Добрейшая Капитолина Андреевна, не знавшая ничего другого, кроме казенных партийных формулировок, и мыслившая по готовым стандартам, не поняла сущности моей просьбы. До того она оформляла характеристики для туристских поездок за границу, но с человеком, уезжающим из СССР навсегда, она сталкивалась впервые.

— Хорошо, Рубинчик, — сказала она, не глядя мне в лицо. — Получишь характеристику. Соберем коллектив, обсудим.

— Зачем собирать? — удивился я. — Чего обсуждать? Это же формальность. Кому нужна там, в Израиле, ваша характеристика?

— Ты так думаешь? — вскинула выщипанные бровки Капитолина Андреевна. — А вот для чего нужно собрание, товарищ Рубинчик. Поговорим с народом, может, люди выдвинут более достойную кандидатуру.

Милейшая Капитолина Андреевна! В ее партийных мозгах не укладывалось, что возможна поездка из СССР за рубеж в один конец — без возврата, и для этого не обязательно иметь большие заслуги перед советским народом.

Она дала мне характеристику без лишних проволочек и
тем самым сэкономила уйму нервной энергии, которую за-
тратили другие евреи, выклянчивая никому, в сущности, не
нужную бумажку. Она даже пожала мне руку на прощанье в
своем кабинете у самых дверей, поцеловала, словно укусила,
и совсем по-бабьи сказала вслед:

— Подлый изменщик.

Так могу ли я видеть белые березки, мысленно обращаясь
к Родине? Конечно, нет.

Над Азорскими островами.
Высота — 28500 футов.

Нет, Капитолина Андреевна — партийный вождь нашего
комбината — была чистым золотом по сравнению с другими
начальниками, с кем приходилось иметь дело уезжавшим в
Израиль. Моя Капитолина Андреевна выдала мне характеристику с печатью и тремя подписями из рук в руки, наедине, и
без всякой злости обозвала меня подонком, заперла изнутри
дверь партийного бюро, не глядя на меня, разделась и плюхнулась в слезах на диван, чтобы на нем окончательно проститься со мной — проклятым изменником Родине и ей, Капитолине Андреевне.

Где ты, Капа — ум, честь и совесть нашей эпохи? Я готов
целовать следы твоих ног. Ты уберегла меня от больших
мучений, а возможно, спасла и жизнь. Ведь я человек
впечатлительный и вспыльчивый, и если бы со мной проде-
лали то, что с другими евреями, то я совсем не уверен, каков
был бы исход.

Чтобы получить никому не нужную характеристику с
места работы о твоих деловых и политических качествах,
без которой не принимают документы в ОВИРе, где оформ-
ляют визы на выезд, нужно хорошенько похаркать кровью и
потратить последние нервы. Подумайте сами, кому нужна
эта характеристика? Собачий бред. Израилю, куда ты
едешь, очень интересно мнение о тебе советских антисемитов? Или Советскому Союзу, который ты покидаешь с проклятиями, требуется в твоем личном деле сотая характеристика? Мало их составляли за твою жизнь, пока ты числился гражданином?

Когда-то, в средние века, насколько я помню из истории,
была такая пытка: человеку вливали в рот расплавленное оло-

во. К чему было пытать таким образом, лишая человека языка и возможности во всем сознаться, один Бог знает. Зачем издеваться над несчастным евреем с помощью проклятой характеристики, если он все равно уезжает, и вы расстаетесь навсегда, как в лагере говорят: задом об зад — кто дальше прыгнет.

А вот зачем. Чтоб других напугать, чтоб остальным неповадно было. Поэтому уезжающего еврея тащат на собрание, и все, кто с ним раньше работал вместе, должны хорошенько плюнуть ему в рожу, а если есть охота, можно и поддать ногой под зад. Независимо от того, был ли ты с ним дружен прежде или враждовал. Бей, не щади, иначе сам попадешь на заметку.

Один режиссер в Москве не выдержал этой обработки и дал дуба прямо на собрании. А на столе у парторга осталась его характеристика, теперь уже вообще никому не нужная.

Ну а те, что выдержали все мучения и, вырвав характеристику, приносили ее в зубах в ОВИР? Могли только перевести дух до следующей пытки. А саму характеристику девицы из ОВИРа брезгливо выбрасывали в корзину для ненужных бумаг.

Что вспоминать? Каждый еврей, уехавший из СССР (а уехали не только праведники), достоин ордена за выносливость. Я бы даже выразился так: оптимистическая трагедия и пошлый фарс в одно и то же время. И если какой-нибудь другой народ окажется на это способен, то я буду очень удивлен. Потому что мы, евреи, уж такими удались и от всех других людей тем отличаемся, что если взлетать — то выше всех, а если падать — ниже никто не упадет.

Каких красивых людей мы вдруг узнали! Какое бескорыстие и любовь к людям, совершенно чужим тебе, но таким же, как ты, евреям!

Помню, улетала в Израиль московская актриса. Ее богатая квартира в Дворянском гнезде была полна евреев.

— Мне ничего не нужно, — возбужденно говорила актриса. — Забирайте все, что видите, братья мои и сестры. Это вам пригодится, чтобы выжить до визы. А у меня уже виза есть. Берите, пользуйтесь!

И люди уносили из этого дома антикварную мебель красного дерева времен императоров Павла и Александра. Дорогие картины. Фарфор.

У актрисы были две прекрасные шубы — из норки и из скунса. По московским понятиям — целое состояние. Я своими глазами видел, как она бросила эти шубы на руки незнакомым еврейкам:

— Носите на здоровье или продайте и кормите свои семьи. В Израиле нет зимы! Мне это там не будет нужно!

И громко смеялась. Искренне и радостно. Клянусь вам, она была счастлива, все раздав. Она улетела налегке, как говорится, с пустыми руками. Один чемоданчик — весь багаж.

Я пришел в аэропорт, и у меня в глазах стояли слезы. От восторга, что люди могут так поступать, и от нехороших предчувствий за их будущее.

В Шереметьевском аэропорту такие тогда разыгрывались сцены, что, как выразился один писатель, древнегреческие трагедии по сравнению с ними — детский лепет.

Помню, уезжала женщина с сыном-подростком. Тоже без багажа. Они везли урну с прахом покойного мужа, который долго ждал и не дождался визы и умер за несколько недель до их отъезда. Сотни евреев, знакомых и чужих, провожали эту семью: женщину, мальчика и урну. Урну упаковали в картонную коробку из-под пылесоса «Вихрь» и перевязали веревками.

Посадку на самолет провожающим можно видеть с галереи аэропорта. Дальше не пускают. Дальше — пограничники в зеленых фуражках. Дальше — заграница.

Большая толпа заполнила галереи. И вот из автобуса к трапу самолета, следующего рейсом на Вену, вышли эта женщина с коробкой и мальчик. За ними шагал международный пассажир, известный всему миру виолончелист Мстислав Растропович. Должно быть, летел он на очередные гастроли в Вену. Кто-то бережно, двумя руками, нес его драгоценную виолончель в футляре.

Больше пассажиров не было. Тогда еще только-только начинали выпускать евреев.

Женщина несла картонную коробку от пылесоса, за Растроповичем несли его виолончель. Растропович и мальчик шли сзади.

И вдруг — все галереи огромного аэропорта взорвались от аплодисментов, криков и рыданий. Сотни людей махали руками, платками, шапками.

Избалованный славой Растропович, естественно, принял это на свой счет и, остановившись, поднял обе руки вверх, отвечая на приветствия.

Галереи негодующе взревели, засвистели. Растропович

растерянно стал оглядываться и увидел женщину с коробкой. Она подняла руку и помахала галереям, и оттуда последовал ликующий крик. Провожали ее. Растроповича, всемирно известного виолончелиста, никто не заметил.

Сбитый с толку знаменитый музыкант смотрел на маленькую женщину с картонной коробкой и пытался понять, чем она знаменита и откуда у нее такие толпы горячих поклонников.

Я почти каждый день торчал в аэропорту, провожая счастливцев. Как будто это могло приблизить день моего отъезда. Я примелькался всем агентам КГБ в штатском и в форме. Я плевал на все и чувствовал такой же подъем духа, как в войну, когда наш воинский эшелон приближался к фронту.

Я дождался тех дней, когда полные, до отказа набитые евреями самолеты уходили в Вену. И еще не хватало мест. Трагично. И смешно.

Одна еврейская семья с Кавказа побила все рекорды. Это была очень большая семья. И вся семья с визами на руках отказалась сесть в самолет. Почему? Вы, конечно, подумали, что, возможно, им предстояло впервые лететь, этим людям с Кавказских гор, они боялись подняться в воздух. Не угадали. Семья насчитывала с прабабушками и правнуками сто восемнадцать человек, а рейсовый самолет в Вену вмещал чуть больше половины. Но семья категорически отказалась разделиться и два дня просидела в аэропорту, пока на эту линию не поставили другой самолет, вместивший всех сразу.

Я многое видел. И кое-что там, в аэропорту, подмешало первую ложку дегтя в бочку меда. Я увидел, что еврей еврею рознь. Я увидел, что, кроме идеалистов и красивых людей, есть очень много, даже слишком много, простых смертных, восторга не вызывающих. А наоборот. В этих случаях я начинал понимать, за что нашего брата не очень жалуют.

И порой мне хотелось послать все к черту и не ехать ни в какой Израиль. Потому что там эти люди будут на коне и над такими, как я, будут смеяться, как над белыми воронами. Мои предчувствия не обманули меня.

Я видел в Шереметьеве, как таможенники перед посадкой в самолет заставляли кое-кого из евреев принимать слабительное и потом извлекали из их испражнений проглоченные бриллианты. Один еврей, поднатужась, выдавил из себя черцый кристалл и довел хохочущих таможенников до слез: ему кто-то продал фальшивый камушек, и в желудке он почернел, подтвердив свое неблагородное происхождение. Еврей плакал от обиды, таможенники рыдали от удовольствия.

Однажды уезжала семья с парализованной старухой. Седая, как две капли воды — Голда Меир. Лежит без движения на матрасе. Действуют лишь язык и правая рука.

Ее на матрасе понесли в самолет, и так как тащить ее могли лишь четверо мужчин, то и меня попросили помочь. Мы несли матрас со старухой через летное поле, потом по трапу в австрийский самолет. Старуха оказалась голосистой и, грозя небу своим кулаком, она, седая, растрепанная, все время кричала, как колдунья:

— Так мы уходили из Египта! Господь нашлет на вас десять казней египетских!

Она кричала это в лицо советским пограничникам, служащим аэропорта, таможенным чиновникам, и я подумал, что ее устами глаголет наша древняя история, и почувствовал даже прилив гордости за свой народ.

Что меня немного смущало, это непомерный вес матраса со старушкой на нем. Казалось, не хрупкую бабулю несем, а бегемота, наглотавшегося камней. Углом матраса, твердым, как доска, я до крови сбил себе плечо.

Только в Израиле я узнал причину такой несообразности. Случайно встретил эту семью. Старушку успели похоронить. Вспомнили, как несли ее в самолет и она пророчествовала с матраса, а я сбил себе плечо. Старушкины дети долго смеялись. В матрасе были зашиты деревянные иконы большой ценности. Много русских икон. Полный матрас.

Старушка вещала что-то из Библии, из еврейской истории, лежа на контрабандных Николае Угоднике и чудотворной Иверской Богоматери. Я думаю, старушка не знала об этом. Иначе у нее отнялся бы в довершение язык.

Боже мой, Боже! Сколько драгоценных икон вывезли не верящие ни в какого Бога русские евреи и за доллары и марки распродали их по всей Европе и Америке. Тысячи икон. По дешевке скупленных в самых глухих уголках России. Этих людей в Риме, Мюнхене, Нью-Йорке в шутку называют «христопродавцами». Не христопродавец, а христопродавец. Злая шутка.

Если вдуматься хорошенько, содеян страшный грех: разграблена русская история, ее духовное наследие, и когда-нибудь нам предъявят жуткий счет, и платить придется совсем невиновным людям, только за то, что они одного племени с теми, христопродавцами.

Чего только не вывозили контрабандой, подкупая таможню, суя взятки налево и направо, пользуясь добрыми чувствами иностранных туристов, и даже дипломатов. Бесценные картины из Эрмитажа и Третьяковской галереи, коллекции редчайших марок и старинных монет.

Потом делали на этом состояния и, как на полоумных, смотрели на тех чудаков, которые, отсидев в тюрьмах и лагерях ради массовой эмиграции в Израиль, вылетали из России в чем мать родила.

Одну такую чудачку я встретил в Иерусалиме. Помните московскую актрису, которая все, что имела, раздала евреям, в том числе и две дорогие шубы из норки и скунса?

— В Израиле нет зимы! — смеясь, оправдывала она свою щедрость.

Я встретил ее в декабре на заснеженной улице Иерусалима. С Иудейских гор дул пронизывающий холодный ветер. Актриса, как замерзшая птичка, перебирала ногами, кутаясь в легкий плащ, говорила простуженно-хрипло, а в глазах уже не было того выражения, что в Москве. Она ходила без работы и еле тянула. Особенно донимали ее холода.

Совсем недавно она случайно наткнулась на улице на женщину в своей скунсовой шубе. Она опознала ее по пуговицам, которые некогда перешивала сама. Да и лицо женщины вспомнила по тому вечеру в своей московской квартире, когда она раздавала чужим людям накопленное за всю жизнь добро.

Эта женщина ее не узнала. Или не захотела узнать. И прошла мимо в роскошной скунсовой шубе. А она стояла, кутаясь в свой плащ, морщила посиневший от холода носик и не знала, что ей делать — плакать или смеяться.

Над проливом Ла Манш
Высота 30000 футов

Ну кого же вы мне напоминаете? С ума сойти! Я не успокоюсь, пока не вспомню.

Где мы? Уже над Европой? Скоро, скоро конец пути и вашим страданиям.

Скажите честно, вам не хочется меня задушить за то, что

я всю дорогу болтаю? Нет? Удивительная выдержка. Отсюда я делаю вывод, что мне можно продолжать.

Вы знаете, американские дамочки так называемого зрелого возраста, за шестьдесят и до бесконечности, удивительно похожи друг на друга, как будто от одной мамы. Ничего в них нет натурального, своего, а все куплено за деньги, синтетическое — и зубы, как фарфор, и волосы, серебристые, с фиолетовым отливом, и даже цвет лица. Вроде манекена в витрине. Как будто собрали из одних запасных частей, но не сумели мотор, то есть сердце, обновить. То ли денег не хватило, то ли техника не дошла. Выглядят, как новенькие, лаком блестят, аж глаз режет, а вот дунь — и рассыпятся, только запах косметики останется.

Я по этому поводу всегда вспоминаю изречение одного деятеля в Москве, моего постоянного клиента. Высших степеней достиг: в Кремле своим человеком был, с Хрущевым не только за ручку здоровался, домой запросто захаживал чайку попить, еврейский анекдот рассказать. За границу, как к теще на блины, ездил: конгрессы, конференции. В газетах я его имя встречал. Оно у него было русским. В войну сменил. Хрущев в нем души не чаял, даже в речах упоминал его как образец коммуниста и русского интеллигента нашей советской формации. А был он евреем, таким же, как я. Только в паспорте, в пятой графе, русским значился. Не знаю, как ему это удалось, но не подкопаешься. Чистая работа, ловкость рук, и никакого мошенства. Ну, и на здоровье. Если ему от этого хорошо — почему я должен быть против? Я-то знаю, что он еврей, а он — тем более. Я однажды видел его маму — тут уж никакой паспорт не поможет. Приехала из Харькова в столицу проведать сынка, что ходит в больших начальниках. Я его как раз стриг дома, а она, как и положено еврейской маме, вмешивалась и давала мне указания, как его стричь. Чтоб было не хуже, чем в Харькове... Да, так эта мамаша, если б он ее быстро не отправил в Харьков, могла ему наделать много неприятностей. Должен вам сказать, что далеко не каждая старая еврейка так коверкала русский язык, как его мамаша. Она не выговаривала ни одной буквы русского алфавита. Даже мягкий знак.

Короче, со мной этому человеку в прятки играть было нечего — понимаем друг друга с одного взгляда. Было тут и кое-что другое: большое начальство простого человека, вроде парикмахера, вообще не принимает за нечто одушевленное, так же, как кисточку, которой его намыливают, или бритву, которой скребут его упитанные щеки. Поэтому он был со мной откровенен, как со стеной. Нет, не со стеной, в ней могут быть тайные микрофоны. А как, скажем, с зеркалом. И попадал впросак, потому что частенько сам забывал, кто он на самом деле.

Скажем, настроение у него хорошее: начальство похвалило или соперника обставил на партийном вираже, и посему говорит со мной барственным тоном, эдак покровительственно, пока мои ножницы продираются в его спутанных, как джунгли, еврейских волосах:

— Вот за что я тебя, Рубинчик, не люблю, так это за твои еврейские штучки. Нет того, чтобы сказать прямо, по-нашенски, по-русски. Обязательно с двойным смыслом, с подковыркой, с червоточинкой. За это вот вашего брата никто и не любит.

И невинно, не моргая, смотрит в зеркале в мои выпученные от изумления глаза.

Так разговаривать с евреем-парикмахером мог бы только сам Пуришкевич. Правда, говорят, Пуришкевич был антисемитом с принципами и еврея-брадобрея к себе на версту не подпускал.

Зато в другой раз, в дурном состоянии духа, сидит мой клиент в кресле подавленный и вздыхает, ну, совсем как его харьковская мама:

— Да, брат Рубинчик, худо будет нам, евреям. Не дадут они нашему брату покоя, доведут до ручки.

И знаете, что характерно: в обоих случаях он говорил искренне, сам верил. Цирк!

Да, так к чему я вспомнил этого клиента (будто у меня не было клиентов еще и похлеще)? А-а, за его мудрое слово. Оно не в книгах напечатано и не в витринах выставлено. За такое, знаете, куда упечь могут? То-то.

Мой клиент сказал это мне в своем автомобиле, когда мы ехали на его правительственную дачу, где ожидали важных гостей, и нужно было всех дам срочно привести в божеский вид по части причесок. Ехали мы лесом, в дождь, ни души кругом. Вода хлещет по ветровому стеклу, и даже «дворники» не могут разогнать ее.

И вот тогда он изрек. Даже не мне лично, а в дождь, в тьму, в космос, где никто не подслушивает и не делает организационных выводов. Нужно ведь и ему когда-нибудь отвести душу, проветрить пасть, изречь, что думает.

— А знаете, Рубинчик, на что похожа советская власть, наша обожаемая страна, родина всего прогрессивного человечества? На самолет. Современный авиалайнер. Обтекаемой, самой модной формы. И все у этого самолета такое же, как у его капиталистического собрата. Как, скажем, у французской «каравеллы» или у американского «боинга». И крылья стрелой, и хвост — только держись, и фюзеляж-сигара. На одно лишь ума и силенок не хватило — мотора не поставили. И вот взвалили эту алюминиевую дуру на плечи трудящихся, те кряхтят, качаются, но держат, не дают упасть на землю. А начальство победно орет на весь мир: «Смотрите! Летит!» И все делают вид, что верят: действительно, мол, летит. От земли оторвался и весь устремлен вперед, к сияющим вершинам. А как же иначе? Не поверишь — научат. Для того и Сибирь у нас с морозами. Одна прогулка под конвоем — и всю дурь из башки выдует. Еще как заорешь вместе со всеми: «Летит! Летит! Дальше всех! Выше всех! Быстрее всех!» Вот так, брат Рубинчик, летим мы в светлое будущее, без мотора, на желудочных газах. Рухнем, много вони будет.

И через зеркальце косит на меня еврейские глазки:

— Вашему брату, Рубинчик, этой вони достанется больше всех и в первую очередь. Сомневаюсь, чтоб вы уцелели.

Над долиной реки Рейн.
Высота — 28500 футов.

Постойте, постойте. Что объявили по радио? Мы приближаемся к Берлину? Господи, скоро Москва!

Жаль, что под нами сплошные облака. Ничего не видно. А то я бы не прочь посмотреть на Берлин сверху и увидеть сразу Восточный и Западный. Редкий случай, когда одновременно видишь и социализм и капитализм. И Берлинскую стену. Вы думаете, отсюда можно разглядеть, если б не было облаков?

С этим городом у меня связана одна история, которая случилась не со мной, а с одним моим знакомым, который, к сожалению, умер и похоронен в Западном Берлине. Хотя отдал он Богу душу в Восточном. История очень поучительная, и вы не пожалеете, что потратили еще немного времени, слушая меня. Тем более что скоро Москва и конец вашим мукам: вы избавитесь и от меня, и от моей болтовни.

С немцами у меня свои счеты. Осыпьте меня золотом, я бы в Германии жить не стал. То, что они сделали с евреями и, в частности, почти со всеми моими родственниками, — достаточный повод, чтоб не пылать к ним любовью. Этим я отличаюсь от многих евреев из Риги, которых немцы объявили чуть ли не соотечественниками и которым предложили свое гражданство из-за их, видите ли, близости к немецкой культуре. В Риге когда-то было несколько немецких гимназий, и уцелевшие от немецких газовых камер евреи-рижане почувствовали себя очень польщенными, что их в Германии посчитали своими. И полетели из Израиля туда, как мухи на мед, предав память своих близких за пачку немецких марок, которые считаются самой устойчивой валютой.

Не только рижане, но и кое-кто из евреев-москвичей, не имевших чести вырасти в сфере немецкой культуры, также сунулись туда. Правда, с черного хода. Не очень званые. Но приперлись, и их не выгнали. Евреям хамить в Германии не принято. После Освенцима и Майданека, после газовых камер и крематориев это считается дурным тоном, и немцы демонстрируют вежливость. Пока хватает терпения.

Иногда не хватает. Тогда вылезают клыки.

Один скрипач московской школы — а лучшей аттестации не нужно — потолкался немножко в Израиле, стал задыхаться от провинциализма и махнул в Германию. Там он пошел нарасхват, концерт за концертом, газеты воют от восторга, прекрасная вилла на Рейне, немецкая чистота на улицах, денег — куры не клюют. Поклонников и поклонниц — хоть пруд пруди. Немцы любят музыку, ценят хорошего исполнителя.

Наш скрипач то во фраке, то в смокинге стал порхать с одного приема на другой, с банкета на банкет. И все это в лучших домах, среди сливок общества. Свой человек. Он — дома.

Однажды на каком-то приеме он нарвался: ему указали, кто он есть. Элегантная дама, то ли баронесса, то ли графиня, высоко отозвавшись о его мастерстве, во всеуслышание сказала:

— Подумать только, что еще совсем недавно наши родители делали из кожи ваших родителей абажуры для ламп. Ах, я смотрю на ваши талантливые руки и вижу кожу с них на абажуре в моей спальне.

Наш скрипач вспылил: «Антисемитизм! Фашистские происки!»

А ему вежливо, даже с улыбкой:

— Шуметь можете у себя в Израиле. Здесь вы в гостях. Никто вас сюда не звал.

Все это я знаю из первых рук, с его слов.

Вы думаете, он в гневе уехал из Германии? Побулькал, побулькал — и остыл. Играет как миленький, услаждает тонкий немецкий слух. И только порой у него дрогнет рука со смычком. Когда увидит наведенный на него из публики театральный бинокль. Ему все кажется, что владелец бинокля с вожделением гурмана рассматривает кожу его рук, прикидывая и примеряя, подойдет ли она для сумочки его жене.

Веселенькая история. Но это все так, для аппетита.

То, что я собираюсь вам рассказать, имеет отношение не к скрипачу, а к дантисту. И то и другое, как вы знаете, еврейские профессии. Но если скрипачи принесли нашему народу мировую славу, то, смею вас заверить, с дантистами все наоборот, и они навлекут на нас большие несчастья.

Я не люблю дантистов. Евреев и неевреев — безразлично. Это — жуткая публика, враги человечества. Они эксплуатируют нашу боль и, как мародеры, сдирают последние сапоги с трупов. Они вздули цены до небес, наживаются, жиреют на наших несчастьях, и кажутся мне международной мафией, ухватившей за горло все население земного шара. За исключением грудных младенцев.

Если у вас заныли зубы, то есть два выхода с одинаковым результатом. Не пойти к дантисту — значит умереть с голоду, потому что ничего в рот не возьмешь. Пойти — значит с вылеченными зубами загнуться от истощения, потому что жевать будет нечего, все деньги забрал дантист.

Когда я прохожу по улице и вижу на доме табличку «дантист», у меня делается гусиная кожа и начинаются галлюцинации. В моем воображении обязательно возникает большая паутина, и в центре ее — мохнатый паук-дантист, под заунывное гудение бормашины высасывающий последние гроши из несчастной мухи-клиента.

Клянусь вам, я не встречал среди дантистов нравственных людей — профессия накладывает свою печать. В Америке — это страшилища, каких свет не видывал. Если там начнут бить еврея, а этого ждать недолго, то начнут с дантистов.

Даже в Советском Союзе, где медицина бесплатная, а поэтому грабить, казалось бы, некого, они умудряются делать немалые деньги. И как только начался выезд в Израиль, ринулись толпами, заглатывая бриллианты, чтоб проскочить таможенный досмотр. А если бриллианты не умещались в желудке, то их запихивали в специально изготовленные полые зубные протезы и всю дорогу ничего не жевали, чтоб случайно не подавиться драгоценным камнем.

Для дантиста капиталистическая страна — Клондайк, золотые прииски. В СССР так никогда не развернуться, всю жизнь клевать по мелочи. А там...

Там вырвал зуб — сто долларов в кармане, можно целый день не вылезать из борделя.

Так говорил, сверкая глазами, мой знакомый дантист, которого мы назовем Аликом. Это было в Москве, незадолго до отъезда. Он сходил с ума от предвкушений. Нетерпеливо, как застоявшийся конь, ждал визы, чтоб, наконец, вырваться из проклятого советского быта в блистательную Европу, загребать деньги лопатой и гулять, гулять по самым злачным местам, познавая сладкую жизнь не по фильмам, а наяву.

Как вы понимаете, в Израиль Алик заглянул только на минуточку — убедиться, что это не совсем то, о чем он грезил. Сделать копейку можно, но тратить где?

Он ринулся в Германию. Так как он не из Риги, а из Москвы, то въехал полулегально. В Берлин. Потому что туда легче. Все же фронтовой город, как его называют в газетах. И, как вы догадываетесь, не в Восточный Берлин. Там же коммунисты, а он от своих, московских, еле вырвался. Приехал Алик в Западный Берлин. Сверкающий неоновыми рекламами, с ломящимися от добра витринами, с лучшими публичными домами Европы. В настоящую жизнь, как он ее понимал. И бегал по городу, разинув рот и выпучив глаза. Пробивал себе вид на жительство и вид на частную практику, заранее облизываясь. Потому что вот-вот должна была начаться настоящая жизнь: вырвал зуб — сто долларов в кармане, целый день не вылезай из борделя.

Носился, носился наш Алик по Берлину и вдруг свалился с гнойным аппендицитом. Жена кинулась с ним в больницу. Не берут. Кто заплатит? А деньги нужны большие. Они в другую — то же самое.

И вот по сверкающему неоном городу, мимо богатейших витрин и лучших в Европе публичных домов возила жена впа-

дающего от боли в беспамятство Алика из одной больницы в
другую, и везде перед ним захлопывались двери. Деньги вперед!
Никаких сантиментов. А где гуманность? Клятва Гиппократа?

Алик взвыл:

— Буржуи! Загнивающий капитализм! Человек человеку — волк!

Слабеющим голосом велел он жене мчаться через стену в
Восточный Берлин, к коммунистам. Там — гуманизм. Там
меньше неона, пустые витрины, нет публичных домов. Зато
там человек человеку — друг, товарищ и брат. Там — бесплатная медицинская помощь.

В Восточном Берлине Алика положили на операционный
стол, даже не заикнувшись о деньгах. Жена благодарно рыдала, убедившись в несомненных преимуществах социализма.
Сам Алик, приходя в сознание, растроганно шептал:

— Пролетарии всех стран, соединяйтесь!

Пока окончательно не уснул под наркозом. Он так и не очнулся. Слишком долго проверяли его документы у Бранденбургских
ворот, — начался перитонит, и никакие усилия врачей Восточного Берлина спасти его не могли. Он скончался на бесплатном операционном столе, так же бесплатно труп передали через стену на
Запад, где его и похоронили в кредит, обременив вдову долгами...

Очень жаль, что сплошные облака под нами. Интересно
взглянуть на оба Берлина с такой высоты. Один, говорят, выглядит очень мрачно, почти без огней, а второй сверкает, пе-
реливается неоном. Его называют витриной свободного мира.

Севернее города Берлина.
Высота — 30000 футов.

Господи, Боже ты мой! Каких только евреев не бывает на
свете! Прогуляйтесь по Тель-Авиву или, еще лучше, по Иерусалиму, посмотрите по сторонам, загляните в лица встречным.
Да зачем в лица? Посмотрите, как они одеты, какие украше-
ния носят. Да, наконец, какой у них цвет кожи?

Нам, которые всю жизнь свою прожили черт знает где, но
не со своим народом, всегда казалось, что портрет типичного
еврея — это длинный, а для пущей красы, горбатый нос, темные, курчавые волосы и оттопыренные уши. Размером, конечно, поменьше, чем у слона, но побольше, чем, скажем, у
Коли Мухина.

Так вот, таким представляли себе еврея мы, люди без роду,

без племени, да еще карикатурист уважаемой газеты «Правда» Борис Ефимов (по секрету могу сообщить: тоже еврей, и настоящая его фамилия, которую юмористы называют девичьей, — Фридлянд), а также самые заурядные антисемиты. И все очень заблуждались.

Только в Израиле я узнал, как в действительности выглядит еврей. И узнал я вот что: еврей никак не выглядит. Потому что нет еврейского типа. Есть сто типов, и все разные, как народы, среди которых евреям приходилось жить из поколения в поколение. Что это была за жизнь — это другой вопрос, и мы его не будем сейчас касаться.

Еврейка из Индии — как родная сестра Индиры Ганди. И глаза такие же, и цвет кожи, и в такую же ткань завернута сверху донизу — это у них называется сари. И бриллиантик вколот вместо мочки уха в крыло ноздри. Может быть, у Индиры Ганди бриллиантик на несколько каратов покрупнее. Но разве в этом дело?

Каждый раз, когда я видел евреев из Индии на улицах Иерусалима, мне почему-то хотелось крикнуть, как это делал наш незабвенный вождь и учитель Никита Хрущев, встречая индийского гостя:

— Хинди, русси — бхай, бхай!

Никита обожал иностранные слова, хотя натыкался на немалые трудности при их воспроизведении. Помню, покойный папаша Индиры Ганди приезжал в Москву, и на стадионе имени Ленина ему была устроена торжественная встреча. Никита Хрущев, с утра поддав грамм триста, никак не меньше, приветствовал дорогого гостя и все порывался назвать его полным именем. А имечко-то было такое, что русскому человеку на нем язык сломать можно, — Джа-ва-хар-лал! Правда, фамилия попроще — Не-ру.

Я по телевизору видел и своими ушами слышал, как Хрущев трижды штурмовал это имя. И все с тем же результатом.

— Нашему дорогому гостю Джа-вахрал...

Он пучил глаза, переводил дух и снова приступал:

— Нашему дорогому гостю Джа-валахра...

Вытирал пот, отступал на шаг и, набычившись, кидался на микрофон:

— Джахрала...ва...

Индийский гость стоял рядом в своих национальных белых кальсонах и при каждой попытке Хрущева пробиться сквозь его имя закрывал глаза, страдая, как от зубной боли.

Но я, кажется, отвлекся.

Арабский еврей, скажем, из Марокко или из Йемена никакой не еврей, как мы это понимаем, а настоящий араб. Да еще с арабскими привычками, которые в СССР называют феодально-байскими пережитками. Плодится, как кролик, работой себя не утомляет, и в глазах у него обычно такое томно-вдохновенное выражение, какое бывает у совокупляющихся за миг до оргазма.

Мне очень трудно внушить себе, что это мой родной брат, или хотя бы двоюродный. В таком случае Коля Мухин, русский, а не еврей, имеет больше оснований называться моим братом-близнецом. С ним у нас есть хоть какое-то сходство. Ну, скажем, цвет глаз или... взгляд на жизнь.

За всю свою жизнь никогда и нигде я не чувствовал себя таким чужим и одиноким, как в Израиле.

Я знаю, найдется немало умников, которые ухватятся за эти мои слова и станут топтать меня ногами и приговаривать:

— Идиот! Негодяй! Нахлебник! А чего ты ждал от Израиля? От этой бедной, маленькой страны, окруженной со всех сторон врагами? А если б ты поехал в Америку? Или в Англию? Или в Германию? Там бы ты не чувствовал себя одиноким? И там бы тоже предъявлял претензии?

— Нет! — отвечу я таким умникам. — Там бы я ни на что не жаловался, никаких претензий не предъявлял. В эти страны я бы приехал беженцем и был бы рад куску хлеба.

Израиль — другое дело. Каждый из нас ехал туда, как к себе домой, и вез в душе придуманный им Израиль. И когда стукнулся лбом о предмет своих мечтаний, взвыл так, будто его жестоко надули, отняли последнюю надежду.

Допустим, в Нью-Йорке меня обсчитали в магазине. Ну, я ругнусь, обзову продавца жуликом, возможно, даже захочу дать в морду — и дело кончено. К Америке в целом у меня нет претензий.

А вот когда в славном городе Иерусалиме на вонючем и шумном, как цыганский табор, рынке «Маханей Иегуда» бородатый, как на библейской картинке, еврей, торгующий ощипанными курами, надувает меня на лишнюю лиру, пользуясь тем, что языка я не знаю и на иврите не могу сосчитать до десяти, то мне хочется взвыть и устроить маленький еврейский погром. Потому что рушится моя хрупкая надежда на то, что, наконец, я дома, у себя, среди своих. Этот еврей у меня не лиру украл, а последнюю надежду. Мне не хочется больше жить, мне хочется умереть.

Меня обманывали на этом рынке не раз и не два. И не потому, что я такой шлимазл. Все новые эмигранты через это прошли. Но когда это случилось в первый раз, у меня из глаз брызнули слезы.

Я стоял, как будто меня дубиной огрели, оглушенный воплями торговцев и предсмертными криками осипших кур. Куриный стон стоял над рынком. Тысячи крыльев бились в пыли. Остро, до тошноты воняло куриными потрохами.

Жирные резники в ермолках, с заложенными за уши концами пейсов, острыми бритвами полосовали ощипанные куриные шейки, совали бьющихся в конвульсиях кур в воронки для стока крови, а бритвы сладострастно закладывали в рот, сжимая лезвие губами, чтобы освободить руки для новой жертвы.

Я стоял среди этого кошмара, и слезы катились по моим щекам. Евреи обтекали меня с обеих сторон и не удивлялись моим слезам. У человека горе. В Израиле этим не удивишь.

Я стоял в еврейской столице, затертый еврейской толпой, и со стороны сам себе напоминал заблудившегося мальчика, потерявшего дорогу домой.

— Люди добрые! Проявите участие! Возьмите детку за руку, отведите его домой.

Но тогда возникает законный вопрос: а есть ли у этого детки дом? И был ли у него когда-нибудь дом?

У себя дома, в благословенном Израиле, нас — эмигрантов — любят еще меньше, чем там, на чужбине, где наши предки две тысячи лет мечтали быть в будущем году в Иерусалиме.

У себя дома, в благословенном Израиле, евреи научились ненавидеть друг друга похлеще, чем их прежние гонители. Если вы из России, то вы обязательно «русский бандит», если вы из Румынии — на вас, как клеймо, кличка «румынский вор». А если вы из Марокко, то лучшей клички, чем «черная скотина», вы не заслуживаете.

У себя дома, в благословенном Израиле, еврей обирает еврея с такой изощренностью и с таким бесстыдством, что расскажи мне кто-нибудь об этом прежде, чем я ступил на эту землю, я бы этого «кого-нибудь» обозвал злейшим антисемитом и плюнул бы ему в рожу.

А теперь плюйте в рожу мне.

Я — парикмахер. Это не доктор филологических наук. И слава Богу. Доктор наук еще долго попрыгает, пока найдет себе занятие для пропитания, а парикмахеру искать нечего. Волосы растут у людей под всеми широтами, при любом строе и даже при самой большой девальвации.

Израиль — страна эмигрантов. Для нее эмиграция, как свежая кровь. Остановись эмиграция — закупорка вен и, как говорят медики, летальный исход, то есть смерть. Потому что если не будет свежих эмигрантов, то страна быстро опустеет и превратится в Палестину. Старожилы бегут из нее довольно стройными колоннами, и кому-то же надо восполнять славные ряды коренного населения государства Израиль, иначе эту страну скоро придется на радость арабам вычеркнуть из географических справочников и приспустить бело-голубой флаг перед известным зданием ООН на берегу реки Ист-Ривер, что протекает в городе Нью-Йорке.

Для чего еще нужна эмиграция? Для денег. Будут приезжать эмигранты, и взволнованное этим фактом мировое еврейство не поскупится и будет отваливать изрядные денежки государству Израиль для устройства этих эмигрантов.

Откуда можно сейчас раздобыть эмигрантов? Из России. В других странах еще раньше был окончательно решен еврейский вопрос, и поэтому там ничего не осталось, кроме еврейских кладбищ, которые понемногу превращаются в парки и места народных увеселений имени Болеслава Гомулки.

А там, где еврейский вопрос еще не решен окончательно, евреи себя чувствуют не так уж плохо и на историческую родину никак не стремятся. Ибо имеют достаточно информации о том, как там сладко живется. Такие евреи — очень горячие сионисты и одаривают большими деньгами тех евреев, которые поверили, что их место — в земле обетованной.

В России окончательное решение еврейского вопроса близится семимильными шагами, и евреи оттуда бегут, не ожидая последнего звонка. Вот и свежая кровь для Израиля. Под эту свежую кровь мировое еврейство раскошеливается, и золотой ручеек, гремя и позванивая, устремляется в Израиль.

К кому? К новым эмигрантам? Как говорят в России: извини-подвинься.

В Израиле из этих денег творят экономическое чудо, которое при ближайшем рассмотрении довело бы до сердечного приступа любого ученого-экономиста, а цирковых фокусников свело бы с ума на почве профессиональной зависти.

Не будем далеко ходить за примером. Я тоже, как подопытный кролик, прошел через этот эксперимент, и поэтому мои показания ничем не хуже чьих-нибудь других. А то, что я — простой парикмахер, а кто-то другой — ученый с полумировым именем, картины не меняет. Мы оба — эмигранты, и израильское экономическое чудо испытано на нас обоих с одинаковым результатом: мы вкалывали, а кто-то подсчитывал барыши.

Евреи — не идиоты. Поэтому как парикмахера меня направили работать не в Академию наук, а в парикмахерскую. В неплохое место. В самом пупе Иерусалима. На улице Яффо. Возле рынка «Маханей Иегуда». Так что когда я выключал электрическую бритву, мог отчетливо слышать предсмертные вопли влекомых на заклание кур.

Парикмахерская как парикмахерская. Ни шика, ни блеска. Старые потертые кресла. Зеркала, мутные от древности — времен Оттоманской империи. Инструмент, конечно, лучше советского, но, по американским стандартам, годится для музея.

Хозяин — румынский еврей. Из старожилов. Очень рад взять на работу русского эмигранта. Почему? Ведь советский парикмахер, в отличие от советского шампанского, не самый лучший в мире.

Тут-то мы и подходим к разгадке экономического чуда. Хозяин берет меня на работу, как в Древнем Риме брали иудейского раба. Даже на более выгодных условиях. Того надо было кормить.

Мой хозяин получает меня, как подарок с неба. Целый год я буду получать жалованье за счет мирового еврейства — как стипендию Министерства абсорбции. А работать буду, как вол на хозяина, и вся выручка пойдет ему. Кроме того, за то, что он помог трудоустроить эмигранта, ему положена скидка с налогов. Рай! Где еще в мире можно, не вкладывая ни гроша, держать бесплатно раба и наживать капитал?

Считается, что такая райская жизнь у хозяина длится ровно год. Потом он уже сам должен платить мне за мой труд.

Но ведь хозяин не идиот, он — румынский еврей. Ровно через год он меня увольняет. На мое место поступает новый эмигрант, из свеженьких, за которого мировое еврейство будет платить целый год. А потом хозяин и его уволит и будет с надеждой смотреть в сторону аэропорта имени Бен-Гуриона, где приземляются авиалайнеры, груженные русскими эмигрантами, среди которых обязательно попадется несколько парикмахеров.

Однажды, выпив больше положенного румынской цуйки, хозяин разоткровенничался со мной, что если он удвоит количество кресел и советское правительство — благослови его Бог — не приостановит ручеек эмиграции, то ему раз плюнуть — стать миллионером.

Вы думаете, что так поступают только с парикмахерами? Так поверьте мне, вы глубоко заблуждаетесь. Люди почти всех профессий проходят через это «чудо», своими руками, своим трудом создавая Израилю собственных миллионеров.

Взять, к примеру, такую профессию, как технический переводчик. Обычно — это инженер, знающий два языка. Скажем, русский и английский. Таких в Израиль понаехало немало из Москвы и Ленинграда.

Один ловкий малый, из польских евреев, открыл бюро технических переводов. Засадил русских эмигрантов за работу, с мирового еврейства взял деньги на выплату жалованья и купил, говорят, за свои деньги, сейф, чтобы прибыль складывать.

Каждый год он увольняет сотрудников и нанимает новых. Он стал миллионером.

А уволенные русские евреи, за которых больше не платит мировое еврейство, продают последние тряпки, чтоб бежать, куда глаза глядят. Или, вернее, туда, где, как у всех нормальных людей, платят за труд заработную плату, а не стипендию, и миллионерами становятся иным, более трудоемким путем.

Мой хозяин уволил меня ровно через год. И взял на мое место парикмахера из Киева, только что распаковавшего свои чемоданы по прибытии в страну.

Я же стал складывать свои чемоданы.

Южнее города Свиноуйсце (Польша).
Высота — 30900 футов.

Почему я еду? Почему не нашел себе места ни в Израиле, ни в Америке и возвращаюсь туда, откуда еле вырвался? Добровольно покинуть Америку, о которой столько людей мечтают, как о награде?

Ну, что ж, сделаем анализ. Без эмоций, холодным разумом. Свобода? Не будьте ребенком. Всем этим байкам о свободе грош цена в базарный день. Свобода, дорогой мой, начинается после первых ста тысяч долларов. А кто их имеет? Много вы таких знаете? Назовите мне.

Значит, с болтовней о свободе покончено. Переходим к более существенной проблеме — экономической. Америка — страна неограниченных возможностей, здесь каждый чистильщик сапог может стать миллионером.

Так вот, мой дорогой. Это все бабушкины сказки. Один становится миллионером, а сто тысяч до самой смерти будут вылизывать ему сапоги.

Когда я покидал Россию, клянусь вам, я не строил планов стать богачом. Мои желания были скромней. Я хотел зарабатывать своими руками на нормальную жизнь и не ловчить, не изворачиваться, а получать свое и спокойно спать по ночам, без этих кошмаров, что тебя пришли взять прямо в постели. Короче говоря, я мечтал честно получать свою копейку и никого не обманывать.

Вы же знаете, что у нас в Союзе на одной зарплате можно ноги протянуть. Я работал как вол — и сверхурочно, и налево. До поздней ночи таскался с инструментом из квартиры в квартиру. И даже при этом должен был делать махинации.

На работе мой основной доход был не от работы, а от казенных материалов, которые я экономил, то есть воровал. К примеру, чем мы красим волосы? Вам любой ребенок ответит: гаммой или хной. На одну голову положено по норме столько-то гаммы, а я ею крашу две головы вместо одной. Половина — моя добыча. Так же и лак, одеколон. Все, что хотите. При такой калькуляции за день собирается немало, а за неделю — весьма заметно.

Куда мне девать все это? В магазин. Там работал один еврей — красивый малый, кудрявый, хоть к нам в витрину ставь как манекен. Он ведь тоже хочет кушать: зарплата — с гулькин нос. Я ему с черного хода заношу сэкономленный материал, он его пускает в продажу, весь доход — пополам. Вот с этих денег я мог жить прилично. До поры до времени. Пока не цапнут за руку: гражданин, пройдемте. Не больно-то разжиреешь на таких хлебах.

Зачем далеко ходить за примером? В нашем же Банном переулке, в соседнем доме, жил бухгалтер. Тихий, вежливый человек. Моих лет. Никогда на здоровье не жаловался. Однажды приходит с работы — работал он на кондитерской фабрике — и падает замертво. Инфаркт миокарда, копыта в сторону. Как? Почему? Ничем не болел. Прекрасно выглядел.

Оказывается, он, голубчик, каждый Божий день выносил с фабрики в портфеле кило шоколада. С этого и кормилась семья. Его, как бухгалтера, охрана не проверяла. Никто его не заподозрил, никто не поймал. Он умер до того, от страха, что это случится. Десять лет ежедневно сердце уходило в пятки. Буйвол свалится, не то что бухгалтер.

Мое сердце, как видите, выдержало. Но я уехал. Зачем? Чтоб иметь честный кусок хлеба. Вы думаете, я его нашел? Глубоко заблуждаетесь.

Везде одно и то же. Повсюду воруют, крутят с налогами, суют взятки инспекторам. Одним словом, тех же щей, да пожиже влей. И в Израиле, и в Нью-Йорке.

Тогда возникает вопрос: чего же я мчался как сумасшедший из Москвы, где все привычно, где говорят на твоем языке и где все свои?

Этот вопрос свербит в башке не только у меня одного. Сотни таких же идиотов, как я, лезут на стенку — что они наделали? У каждого свои причины для расстройства, но подкладка под всем этим одна: несовместимость нашего характера с чужой жизнью.

Вот пара из Ленинграда. Он и она не первой молодости. Им даже повезло. Американская родня ссудила денег, и они купили в рассрочку обувной магазин в Бруклине. Сбылась мечта идиота — сиди, подсчитывай прибыли.

Послушайте, что она рассказывает. У меня память, как магнитофон. Даю дословно:

— Этот идиот — мой муж, когда ехал из России, потащил с собой радиоприемник «Спидола». В Америку «Спидолу» тащить! Как будто здесь нельзя купить по дешевке «Соню». Но он там с ней не расставался, слушал «Голос Америки» по-русски и здесь держит возле уха: тот же «Голос Америки» и так же по-русски, потому что английского он не осилит до конца своих дней. Сидит в нашем магазине у кассы и слушает свою «Спидолу», будь она проклята.

Входит покупатель, из черных. Мне это уже не понравилось. Хоть мы — советские люди, воспитаны в интернациональном духе и за этих негров голосовали на митингах протеста, чтоб их не унижали и не притесняли. Но здесь, в Бруклине, когда я вижу черного, мне становится не по себе.

Этот, извините за выражение, покупатель выбирает себе ботинки за тридцать долларов, а платит в кассу пятнадцать.

— Где остальные? — спрашивает мой, извините за выражение, муж, отрываясь от «Спидолы».

— Тебе, грязный еврей, хватит и этого, — улыбается негр. У них очень белые зубы, ослепительная улыбка, скажу я вам.

Мой муж не согласился. На плохом английском. С ленинградским акцентом.

Негру это тоже не понравилось. Он взял у моего мужа «Спидолу», которую тот пер из Ленинграда, и этой самой «Спидолой» врезал ему по его же голове.

И ушел. С ботинками. За полцены. А мой идиот наклеил на башку пластырь, встряхнул «Спидолу», не сломалась ли о его череп, и снова стал слушать «Голос Америки».

— Я скажу вам по секрету, — продолжала она, — отсюда надо бежать без оглядки. Америка катится в пропасть. На расовой почве. Я это испытала на собственной шкуре.

Когда мы открыли магазин, первую дневную выручку я не доверила мужу, а повезла сама. В сумочке. Сабвеем. Так у них называется метро, будь оно проклято. После ленинградского — это помойная яма, где нет сквозняка. Мой идиот-муж еще дает мне совет: ремешок от сумочки намотай на руку, чтоб не могли вырвать. Если б я его послушала, он бы имел сейчас не жену, а инвалида. Мне бы оторвали вместе с сумочкой и руку. А так негр вырвал только сумочку с выручкой, выбежал на перрон и скрылся, пока я на весь вагон обкладывала его русским матом, забыв, что я не на Лиговке, а в Бруклине, и старым эмигрантам мои выражения могли напомнить далекое детство при батюшке-царе.

— Я не расист, — заключила она, — но если меня попросят еще раз поднять руку на митинге в защиту этих черных паразитов, я лучше оторву себе руку и еще плюну в лицо тому недоумку, который меня об этом попросит. Прожила жизнь без черных и, Бог даст, дотяну свой век без них. Подальше. Короче, надо ехать обратно.

Вторая пара. Из Киева. Мирные, тихие люди. Надоели им вечно пьяные петлюровцы, нашли тихое местечко в Нью-Йорке.

— Боже мой, — стонет она. — Здесь же вечером не выйдешь на улицу. Страх! Все прячутся, запираются, железными ломиками двери закладывают. Каждый дом, как в осаде. На улице — пусто. Только автомобили — шмыг, шмыг. Никто на тротуар носу не высунет, будто боятся, что откусят.

А по телевизору каждый вечер — одни трупы. Того зарезали, этого задушили, а старушку еще изнасиловали в придачу.

Мы в Киеве не ложились спать, не погуляв часок перед сном на свежем воздухе. Какой в Киеве воздух! А? Компот! Фруктовый сок! Не то, что эта мерзость. У моего мужа — давление. Ему нельзя без прогулок. Может умереть. Но и прогулка в этом городе кончается тем же.

Что же мы выбрали? Умирать, так с музыкой!

Каждый вечер мы, два малахольных, гуляем по совершенно безлюдной улице. Мой муж на всякий случай наматывает на руку велосипедную цепь, а я держу на всякий случай большой кухонный нож в рукаве. Так и гуляем, хватаем свежий воздух. Еще несколько таких прогулок — и отдадим концы, как говорили у нас на Подоле киевские хулиганы. Боже мой, если бы я одного из них встретила сейчас, я б его задушила в своих объятиях. Потому что он — кудрявый ангел по сравнению с этой кодлой.

Хотите еще? Этот пример самый точный. Вы сейчас убедитесь. Речь пойдет о таком малом, которому сам Бог велел бежать из Союза без оглядки и для которого Америка — как речка для щуки. Делец, каких свет не видал. Пробы негде ставить. Ворочал миллионами. Купался в деньгах. Дважды сидел. Не уехал бы — сгноили в Сибири.

Он хочет вернуться обратно. Не может здесь жить. Не потому, что с голоду умирает. Он уехал, как говорят блатные, хорошо упакованным: иконки, камушки (так у них бриллианты называются), еще кое-что вывез.

Ему здесь морально тяжело. Я не шучу. Это не из анекдота.

— Понимаешь, — жаловался он мне, — они не люди. Для них деньги — все, свет застили. У них нет понятия друг, кореш, товарищ. Не знают, с чем это едят. У них весь мир делится на компаньонов и конкурентов. И даже если ты его компаньон, то не развешивай уши, затыкай все отверстия, чтоб не употребили. Я ведь тоже не пальцем деланный, и когда надо — могу взять за глотку. И шкуру спущу — не пожалею. Но это если соперника. А если мы с тобой заодно, стоим локоть к локтю, одно дело затеяли, можешь на меня полагаться как на брата. Надежен, как скала. Так у нас в России принято. И на этом мы горим тут. На нашем доверии. Потому что если никому не доверять и сидеть на деньгах и дрожать, что отымут, так на хрена мне вообще эти деньги сдались и жизнь такая? Да подавитесь вы ими!

Меня тут пригрел один. Еврей. В Бога верит, ермолку с головы не снимает. Взял к себе в дело компаньоном. Я вложил все, что имел. Доверился человеку. Домой меня приглашал, ужины выставлял. Пил со мной и целовал как брата. Очень он русских евреев жалел. И наставлял. Не доверять никому, держать ухо востро.

А сам сзади нож приставил к лопаткам. Обчистил, гад, до копейки, пустил голеньким. Пока я ему как корешу пузыри пускал. Я его убить хотел. А он не понимает. Бизнес, говорит. Не надо зевать. Да при чем тут зевать? Я ж, говорю, гад, с тобой пил. Вроде приятелей стали. Я ж тебе доверял. Компаньоны мы, а не конкуренты. Нет, отвечает, в этом мире компаньонов. Все — конкуренты. Даже родная жена — не компаньон, свои деньги хранит отдельно.

Поеду домой. Возьмут — отсижу свой срок. Но зато хоть надышусь вволю. Здесь мне воздуху не хватает. Понимаешь? Человечинки недостает.

А теперь я добавлю. От себя. Колю Мухина, моего соседа по Москве, помните? Так Коля напьется, свинья свиньей, лыка не вяжет, на карачках домой добирается. Кого ни встретит, обязательно спросит:

— Ты меня уважаешь?

Коле Мухину даже в этом состоянии нет покоя: вдруг да кто-нибудь его не уважает.

В Америке пьяных не меньше. А вот Колин вопрос никто не задает. А на хрена? Уважение — это не деньги. Плюй мне в харю, мочись на темечко, только плати, как следует.

Вот этого наш человек из России никак не понимает. И никогда не поймет. Оттого ему вдруг так тошно становится в этой богатой Америке, что впору выть на луну. Если увидишь ее за небоскребами.

Над государственной границей СССР
Высота — 3200 метров

Я бы очень хотел, чтобы вы мне задали один вопрос Спросите меня, пожалуйста: как Вы, господин Рубинчик, или товарищ Рубинчик, это уж что вам больше нравится, отличаете человека от зверя? И я вам отвечу без всяких выкрутасов, коротко и ясно: по отношению этого существа к своим родителям, то есть к тем, кто произвел его на свет Божий. По этому признаку я вам сразу скажу — человек это или зверь.

Больше того, по этому признаку я вам определю с точностью аптекарских часов, чего стоит та или иная нация, та или иная страна. И не буду вам пудрить мозги всякой статистикой, загрязнением окружающей среды, количеством автомобилей и телевизоров на душу населения.

Скажите мне, как вы относитесь к своей престарелой маме, и я скажу вам, кто вы — животное, скотина или человек.

Итальянцы — люди. Там матери — почет и уважение. О, mamma mia! Так, кажется, поют в Неаполе. Грузины у нас на Кавказе — еще больше люди. У них мама — Бог. Ну, уж о евреях нечего и говорить. Они в этом смысле — сверхчеловеки. Потому что в настоящей еврейской семье мама — Бог, царь и воинский начальник.

«Мама, нет на свете тебя милей!» — как поется в известной советской песне, авторы которой — и композитор, и поэт — евреи, почему и песню эту можно по праву считать еврейской.

Но так может петь только русский еврей в Советском Союзе. Американский еврей так петь не может. Потому что в его сердце уже давно нет этого чувства к своей матери. Американский еврей отличается от русского, как молочный порошок от парного молока. Все, казалось бы, то же, да не то... Чувства нет. Один рассудок остался. Что полезно, а что бесполезно. Что выгодно, а что невыгодно.

Старенькая мама — это бесполезно, это никому не нужно. Так туда ее, старую, подальше с глаз, в дом престарелых.

В оправдание американских евреев я могу сказать только одно: это не еврейское качество, а американское. Еврей ты или не еврей, но если родился под звездно-полосатым флагом — отношение к родителям одинаковое: с глаз долой, из сердца вон.

Не помню, вычитал я это в книге или видел в научно-популярном кино, у каких-то диких, нецивилизованных племен был такой обычай: своих стариков, когда те становились немощными, племя, снимаясь со стоянки, чтоб кочевать дальше, оставляло на произвол судьбы, и их в конечном итоге пожирали хищные звери. У других племен этот вопрос решался еще проще — своих стариков они сами съедали, таким образом убивая сразу двух зайцев: и продовольственную проблему решали, и любимых родителей на склоне лет избавляли от одиночества и старческих недугов, давая им завершить свой жизненный путь в узком семейном кругу на крепких зубах благодарных потомков.

В Америке — богатейшей стране, где евреи далеко не самая бедная часть населения, у каждой семьи по два-три автомобиля, у большинства — собственные дома, и комнат в этих домах столько, что в Москве бы там поселили семей пять, не меньше. Так в этой самой Америке родители, престарелые люди, — отрезанный ломоть, от них избавляются под любым предлогом без всякого зазрения совести.

У вас есть папа и мама, или одна овдовевшая мама, или один вдовый отец, в вашем собственном доме пятнадцать комнат в три этажа, зарабатываете сто тысяч долларов в год, а родителей, если вы американец, вы не оставите доживать возле себя, согревая последние их годы сыновней лаской. Вы их спровадите в дом престарелых. В комфортабельный дом, стоящий уйму денег. Не остановитесь перед расходами, но сбудете родителей в чужие руки.

И они будут там сидеть в стерильных комнатках, и негритянки в белых униформах будут катать их в сверкающих никелем креслах-каталках по длинным, как в тюрьме, коридорам, и кормить их будут в богато убранной столовой, и каждое утро они будут недосчитываться за столами своих соседей — отдали Богу душу еще до завтрака.

Старики живут в этих домах без семейной ласки и внимания, хорошо оплаченные кандидаты в покойники, и все их мысли невольно гуляют вокруг одной и той же темы: кто следующий в этом доме отправится в мир иной. Они живут среди дряхлости и тлена, и страшней такой пытки не придумать даже людоедам.

У нас в России, где не только нет лишнего места для стариков, где в одной комнатке живут три поколения вместе: внуки, дети и дедушки с бабушками, вас бы посчитали извергом и самым последним человеком, если бы вы заикнулись о том, что, мол, не мешало бы избавиться от стариков.

Свою собственную маму, которая тебя взрастила, вскормила, выходила из самых жестоких болезней, спасала от голода, сама недоедая, телом прикрывала во время бомбежек, — разве можно во имя своего комфорта лишить ее на склоне лет семейного тепла, внимания, радости жить с внучатами и молодеть, глядя на них?

Когда я женился в Москве, мы даже медовый месяц провели в одной комнате с моей тещей Цилей Моисеевной, и хоть характер у нее был не сахар, разве поднялась бы у меня рука, чтоб сплавить ее куда-нибудь?

В первые месяцы моего пребывания в Америке, когда я еще чувствовал разницу во времени от прыжка через океан, да и вообще не пришел в себя от встречи с небоскребами, у меня появилась бессонница, и ночами я бродил по Нью-Йорку. Вернее, по его центральной улице — Пятой авеню. Потому что свернуть в сторону, в любое из каменных ущелий, рискованно: можно расстаться со своим пальто и последними долларами в кармане, а если совсем не повезет, не принести домой, в гостиницу для эмигрантов, и свою голову.

Я гулял один по Пятой авеню и глазел на освещенные витрины самых богатых в мире магазинов, а оттуда на меня глазели манекены. Десятки одинаковых манекенов, обряженных в меха и роскошные платья, в дорожные костюмы и фраки, в легкую спортивную одежду и купальные бикини, смотрели на меня одинаковыми пустыми глазами и скалились в одинаковых бесчувственных улыбках.

Я не хочу обижать американцев. Тем более американских евреев. Но в каждом из них есть что-то от этих манекенов. Потому и жить в таком окружении — сомнительное удовольствие, а при мысли, что со временем ты тоже станешь таким, хочется полезть в петлю.

Грешным делом, я уже полагал, что все повидал в жизни и меня ничем не удивишь. Ошибся. Не только удивился, но чуть не стал кусаться от удивления.

Работал я одно время по своей профессии в доме престарелых. Хороший дом. Чистота. Прекрасное оборудование. Расположен как филиал при большой больнице, и наших клиентов пользуют лучшие врачи. За содержание там стариков их состоятельные дети уйму денег платят.

Я стригу и брею клиентов. Жалких, трясущихся стариков. На своем скудном английском стараюсь каждому сказать пару ласковых слов, и они сразу догадываются, что я иностранец. Не по моему произношению.

Иногда я оставался там на ночь: дежурил за несколько дополнительных долларов.

Умирают старики ночью. Перед рассветом. Одна старушка дала мне телефон своей дочери — предупредить, если что случится. Среди ночи старушка стала умирать. Я спрашиваю у врача, сколько, мол, еще протянет? Не больше часа, говорит.

Я вспомнил про телефон. Старушка так нахваливала свою дочь, не могла нарадоваться, как она в жизни преуспела: муж — адвокат, свой дом в Лонг-Айленде, чудесные, как куклы, дети...

Было три часа ночи, и я позвонил на Лонг-Айленд. Там долго не снимали трубку, потом сонный женский голос спросил, чего мне надо?

Я сказал, что мне ничего не надо, я звоню им лишь потому, что, мол, мама ихняя умирает, и если они очень поспешат, то, возможно, еще успеют застать ее в живых.

Вы думаете, на другом конце провода захлебнулись в рыданиях?

— Кто дал вам право звонить нам ночью? — строго спросила меня дочь. — Да еще в уик-энд?

И прочитала мне лекцию о неприкосновенности частной жизни и о том, что я хам.

Вся эта семейка приехала посмотреть покойницу поздно утром, отлично выспавшись. Дочь, спортивного типа молодая дама, проронила традиционную слезу, аккуратно перехватив ее носовым платком, чтоб не испортить тон на щеке.

Я смотрел на нее, как на своего личного врага, и она, почувствовав мой враждебный взгляд, повернулась ко мне спиной. Прямой и холеной, вскормленной покойной старушкой на лучших соках и витаминах.

На следующий день мой шеф сделал мне внушение за ночной звонок.

— Возможно, у вас, в России, так принято, — строго сказал мне этот старый еврей, который сам через пару лет попадет в такой дом. — В Америке другой порядок. И не вам его исправлять.

— Да сгорите вы все огнем, — ответил я по-русски.

Он, конечно, не понял.

Севернее города Бобруйска.
Высота — 3200 метров.

А сейчас давайте разберемся, что такое свобода. Знаете, без красивых слов, и, как говорится, без розовых соплей... За свободу приятно умирать в кино.

Послушайте меня и не делайте такие круглые глаза. Я —

простой человек. В Советском Союзе таких называли меща-
нин и обыватель. Я люблю жить спокойно и не бояться, что
кто-нибудь на улице меня может ограбить. Потому что моя
милиция меня бережет. Да, да, называйте это полицейским
государством, тоталитарным режимом... как вам заблаго-
рассудится. Чем больше полицейских я встречаю, когда
вечером гуляю по улице, тем больше удовольствия я по-
лучаю от прогулки. Да! Я предпочитаю полицейского с дубинкой на ремне и пистолетом в кобуре, чем одетого в ци-
вильное субъекта, у которого под модным пиджаком может
скрываться кастет и нож.

Конечно, когда по улице будут прогуливаться одни полицейские, и только я одинешенек буду среди них наслаждаться
вечерней прохладой, это уже, конечно, не культурный досуг, а
больше похоже на прогулку арестанта в тюремном дворике.
Зачем такой перебор? Во всем нужна мера. Пусть среди полицейских попадаются гражданские лица. Желательно женско-
го пола... и помоложе... а?.. У Аркадия Рубинчика губа не дура? То-то. Мне это с детства все твердят, и я, знаете ли, не от-
пираюсь. Что есть, то есть, а чего нет, того, извините — увы!

Так вот — насчет свободы... Свободу в кашу не положишь.
Свободой срам не прикроешь. Для этой цели требуются эле-
ментарные штаны с ширинкой, которая застегивается на пуговицы, а еще лучше — на замок-«молнию».

Одним словом, свободой сыт не будешь. А что нужно
человеку в первую голову? Харч хороший! Затем? Неплохо бы
прибарахлиться. Потому как по одежке встречают... В-третьих? Что нам с вами нужно в-третьих? Я вижу, вы из понятли-
вых. То-то!.. И вот когда уже лежишь с ней, канашкой, в мягкой постели, и уже совсем без сил, даже слезы, сладкие такие
слезы выступают от слабости, и так равнодушно-равнодушно
водишь голой пяткой по ее все еще подрагивающему животи-
ку, и делаешь третью затяжку болгарской сигаретки, слаще
которой в этот миг нет ничего на свете, — вот тогда и можно
себе разрешить побаловаться мыслями о таких высоких мате-
риях, как свобода, свобода слова, печати и уличных шествий.

Послушайте меня, дорогой мой, из такой уютной пуховой
постельки, от этих слабых ручек, что обвились вокруг твоей
трудовой шеи, разве потянет вас на холод и ветер, чтобы шагать, толкаясь, в уличных шествиях и схлопотать от властей
по шее только потому, что у тебя зуд в заднице и тянет погор-

лопанить всенародно? Это занятие для гимназистов-двоечников и студентов с длинными патлами. Волос длинный — ум короткий.

Ну, давайте, действительно, разберемся насчет этой самой свободы, за которую перебили столько народу, что лучше бы этого слова и вовсе не придумали.

Что мы понимаем под свободой? Право ругать свое правительство. Так? Все остальное — это гарнир. Стало быть, выходит: крою на все корки свое правительство — свободный человек; молчу в тряпочку, занимаюсь личными делами — раб. О'кей.

Так вот, если так рассуждать, мы в СССР были самыми свободными людьми. Уж как мы своих вождей крыли! Где вы подобное услышите? Хрущев — кукурузник, Никита, Иванушка-дурачок. А какие только клички Брежневу не вешали? Правда, публично не орали с трибун, не вопили на площадях. Так нам же этого и не нужно. Нам потрепаться бы всласть, позлословить, душу отвести. В своей компании, за рюмашечкой, шепотком. Зачем глотку драть — она у нас казенная, что ли?

Скажу больше: наш парторг Капитолина Андреевна в узком кругу такое про Хрущева рассказывала — закачаешься. Правда, после того, как его сняли.

Ну скажите мне откровенно: в том же Израиле или в Америке люди рвутся на демонстрации, мешают уличному движению, публично скандалят — ну, и что же они за это получают? Думаете, чего-нибудь добиваются? Шиш. Только охрипнут, потеряют время и очень довольные, что воспользовались свободой, расходятся по домам. А правительство остается на своем месте и ноль внимания на их вопли, только посмеиваются в кулачок. Потому что министров назначают не уличные демонстранты и снимают их тоже не они. Как в СССР, так и во всем мире, совсем другие людишки в эту игру играют.

А толпе дают цацку, такую игрушечку, именуемую свободой: на, забавляйся и не лезь, куда не надо.

В России, поверьте мне, хоть честнее. Никаких тебе игрушек, а по принципу: всяк сверчок знай свой шесток, или всякому овощу свое время. То есть сиди и не рыпайся, и веди себя, как следует быть. А не то... Сами знаете, не маленький, можно в Сибири задницу остудить — прекрасное лекарство

И что же мы имеем?

А имеем мы вот что: в Нью-Йорке вечером носа на улицу не высунешь, сиди взаперти и смотри в цветной телевизор, как полиция грузит в амбулансы зарезанных чудаков, рискнувших-таки высунуть свой нос.

А что мы имеем в Москве? Гуляй себе всю ночь до самых до окраин, на каждом углу постовой, дежурные патрули прохаживаются по кварталам, дружинники дуют за ними, и ты так надежно защищен, что даже можешь пьяным уснуть на мостовой, и тебя, в худшем случае, уведут, болезного, под белы рученьки в вытрезвитель и там умоют, почистят, уложат на свежие простыни, а утром вернут все документы до последнего и домой отпустят к соскучившейся семье.

Вот я вас спрашиваю: где больше порядку и где по-настоящему так вольно дышит человек?

Как пишут в научных журналах: комментариев не требуется.

Севернее города Малый Ярославец.
Высота — 2400 метров.

Жаль, что мы с вами еще до отлета не были знакомы, я бы вам показал картинку с выставки. Примерно за час до того, как мы поднялись в воздух, в нью-йоркский аэропорт прибыл самолет из Рима. Битком набитый советскими евреями. Не так давно сам был в их шкуре, таким же рейсом прилетел из Рима в Нью-Йорк. Со своим барахлом под мышкой, измятый, пожеванный после всех мытарств в Израиле и в Италии, и с точно такой же сумасшедшей надеждой на Америку как на последнее пристанище для обалдевшего еврея.

Скажи я им, что возвращаюсь в СССР, они бы меня порвали на части. Сочли бы идиотом или советским агентом. Поэтому я даже не подошел, а стоял в сторонке и наблюдал: вдруг увижу знакомое лицо? Таких не оказалось. Публика, как я воспринял на слух, все больше из Одессы и Киева. Очень устали и очень возбуждены. Знаете, кого они мне напоминали? Жертв кораблекрушения, которым посчастливилось доплыть из последних сил до незнакомого берега. И теперь стоят они, мокрые, продрогшие, сбившись в кучку, и лупят глаза. Счастливы, что добрались до твердой земли. Но какая она, как встретит их — не знают. И поэтому нервничают. Не говорят, а кричат. Еще чуть-чуть — и начнется истерика, забьются в припадке.

Ведь уже проливали они слезы, прощаясь с Россией, седели и старились на глазах, когда с кровью рвали все нити — друзья, родня, — что связывали их с прошлым. И снова плакали, приехав в Израиль, целуя землю в аэропорту Лод и сняв тяжесть странствий с души. Это казалось концом скитаний. Последней станцией. Затем опять бегство. С разбитым сердцем, с оплеванной душой, с пустыми глазами, когда верить уже не хочется ни во что. Лишь бы прибиться куда-нибудь. Где сытно и уютно и можно обо всем позабыть.

Они стояли, сбившись в кучу под сводами прекрасного аэропорта имени Кеннеди, нервно чавкали жевательной резинкой, что в Америке уже вышло из моды, и впереди у них маячил предел мечтаний — американский паспорт. Который выдадут через пять лет, не раньше. И еще при условии безупречного поведения. И при многих других условиях. Которым надо соответствовать. Иначе: вот — Бог, а вот — порог. Просим мотать отсюда к чертовой бабушке.

Я даже знал, какая мысль придет им в голову, — со мной ведь было то же самое, — когда их посадят в автобус и повезут в Нью-Йорк, и Америка встретит их не живыми людьми, а стадами автомобилей на дорогах и бесчисленными кладбищами по сторонам. Европейскими, католическими, протестантскими. Тысячами надгробных камней. И под каждым камнем будет лежать счастливый обладатель чуда из чудес — американского паспорта, которого нет у них, едущих в автобусе. И неизвестно, будет ли. Что случится через пять лет? Бог знает. Дотянут ли вообще до этого срока. Как я, например

Сколько их, получив последний удар по лбу, взовет, плюнет на все и поплетется в Вашингтон на Шестнадцатую авеню

Нет, нет. Шестнадцатая авеню в Вашингтоне не место для самоубийц, и там нет бюро общественного призрения. Не то что Бауэристрит в Нью-Йорке.

Шестнадцатая авеню — самый респектабельный район Вашингтона — весьма паршивого городишки, скажу я вам откровенно. Рукой подать до Белого дома. Если повезет — можно президента живьем увидеть. Пока не взяли его на мушку.

На Шестнадцатой авеню в Вашингтоне стоит родное советское посольство. Воистину последняя станция для очумевших евреев, некогда бывших советскими.

Сейчас вы немного посмеетесь вместе со мной. Хотя, откровенно говоря, я уж не знаю, смешно ли это. Вам судить

Перед советским посольством стоят не один, не двое, а целых четверо американских полисменов. С широкими задами и спинами, как у битюгов. С увесистыми дубинками в здоровенных лапах. Такой если врежет по черепу — осколков не соберешь.

Они охраняют советское посольство от американских евреев. Сами знаете, что тут иногда творится. Буря! Ураган! Американские евреи затопляют всю авеню. Плакаты, крики в мегафоны, тысячные вопли: отпусти народ мой!

Имеется в виду та часть еврейского народа, что обитает в СССР и которой американские братья пробивают дорогу в Израиль. Не в Америку, а в Израиль.

Сами американцы туда не едут. Чего они там не видели? А вот русским евреям место там.

Поэтому: отпусти народ мой!

В такие дни не четверо, а сотни полисменов отжимают бушующую толпу евреев от посольства, откуда носа не решается высунуть хоть кто-либо.

Но даже в будни, когда нет демонстраций, дежурят не меньше четырех полисменов. Потому что напротив, через дорогу, каждый Божий день с утра до ночи, меняясь поочередно, тоже дежурят человек десять — пятнадцать американских евреев. Из молодых, студенты, видать. Чаще в религиозных ермолках. Взявшись в кружок, танцуют на тротуаре и время от времени дружно кричат по-русски с американским акцентом:

— Фараону! Фараону говорю: отпусти народ мой!

Есть у евреев такая песня.

И так каждый день, с утра до ночи. Прохожие привыкли к этому, как к бою городских часов. И полицейские. И посольские тоже.

Это на одной стороне Шестнадцатой авеню. На другой же, через дорогу, у фасада посольства, за спинами полисменов можно тоже увидеть евреев. Не американских, а бывших советских. Тех, за кого так надрываются американские на митингах и демонстрациях.

Эти не вопят: отпусти народ мой! Потому что когда-то это кричалось ради них, и их отпустили. Им сейчас впору тихо скулить, пробираясь за спинами полисменов в советское посольство:

Впусти народ мой!..

Под вопли охрипших американцев с противоположного

тротуара: отпусти народ мой! — виновники всего этого шума
на брюхе вползают в посольство, просятся назад. В Россию.
Домой. К маме. К папе.

Я не только наблюдал это со стороны. Как вы сами догадываетесь, я был одним из тех, кто с виноватым видом скребся в
двери советского посольства. За широкими спинами полисменов. Под аккомпанемент уже охрипших на той стороне улицы
в своей бесконечной пляске борцов за советских евреев:

— Отпусти народ мой!

Меня впустили в посольство. Пришел я не один, а с приятелем, уже не первый раз сюда ходившим. У него все было на
мази: документы отправили в Москву, ждал окончательного
решения оттуда. Он повел меня как новичка, чтоб показать,
что это не так страшно, а заодно прозондировать почву — как
движутся его дела.

Должен вам сказать, как только я очутился внутри, все
мои страхи и опасения как рукой сняло. К нам вышел работ-
ник посольства, то ли консул, то ли вице-консул — не помню,
улыбнулся нам так по-свойски и сказал:

— Заходите, дорогие товарищи. Будьте как дома.

Представляете? Это нам, которые по всем статьям советского закона — изменники Родины, отщепенцы, предатели, лакеи
сионизма и империализма — такие слова: дорогие товарищи.

С ума сойти! Да еще: будьте как дома.

Мне даже показалось, что я ослышался. А он, этот малый
из посольства, рубаха-парень, истинно русская душа, усадил
нас в мягкие кресла, вызвал девушку, тоже русскую, с таким
милым, немного монгольским личиком, и говорит:

— Принимай гостей, Тамара. Кофе нам, пожалуйста. И
торт «Сюрприз». — И нам так по-хорошему, по-свойски подмигнул. — Тортик свеженький. Вчера прилетел из Москвы.

Нет, положительно можно было сойти с ума. Для нас тут
торт «Сюрприз». Только что из Москвы.

Я этот вафельный торт с шоколадом, который, кроме как
в СССР нигде не выпекают, в свое время не очень жаловал.
Суховат. Приторен. Всегда можно найти что-нибудь получше
Например, торт «Пражский» из ресторана «Прага» на Арбате

Но здесь, в Вашингтоне, в фойе посольства, под тремя
портретами советских вождей, которые строго, но без злости,
а скорее — по-отечески, смотрели на нас, своих двух бывших
подданных еврейского происхождения, наломавших кучу

дров, и теперь как блудные сыны приползших к родному порогу, этот торт «Сюрприз» показался мне вершиной кондитерского искусства, и таял во рту, как сливочный крем.

А Тамара эта — Боже мой, сколько приятнейших воспоминаний связано у меня с этим именем — смотрела на нас так ласково, как младшая сестра.

— Каждый имеет право на ошибку, — понимающе сказал нам этот парень из посольства, и у меня запрыгало сердце. Такого в СССР не говорят. По крайней мере, раньше не говорили. В тюрьму отправляли не только за ошибку, но и без всякой твоей ошибки. Так, для профилактики. Бей своих, чтоб чужие боялись.

Значит, многое изменилось в России, пока я тут гулял по заграницам. Либерализм.

Мой приятель, а ему палец в рот не клади, жутко хитрый и ловкий малый, стал задавать посольскому вопросы специально ради меня, чтобы я выслушал ответы и не думал о нем, что зря трепался.

Вопрос первый:

— Скажите, пожалуйста, товарищ начальник, что нужно сделать человеку, потерявшему советское гражданство, чтобы восстановить его и вернуться домой?

Ответ:

— Написать заявление с изложением мотивов. В четырех экземплярах. И заполнить четыре анкеты. Кроме того, желательно иметь формальный вызов от родственников, живущих в СССР, для воссоединения семьи.

Тут я чуть не заржал. Комедия! Водевиль!

Когда мы просились из СССР в Израиль, от нас тоже требовали вызов от израильских родственников на предмет воссоединения семьи. У большинства из нас никакой родни за границей сроду не было. Тогда в Тель-Авиве стали подыскивать каждому желающему тетку или двоюродного брата, липовых, конечно, и высылали от их имени вызов для воссоединения. И люди бросали в Москве отца и мать, а порой и детей, и мчались в Тель-Авив, чтоб соединиться с двоюродным дядей. Все понимали, что это липа, и все делали вид, что принимают всерьез. Шла игра. С обеих сторон. А мы, конечно, были пешками на этой доске.

Теперь игра продолжалась, но уже наоборот. Нужен вызов из России.

Мой приятель спрашивает:

— А если родственников там не осталось?

— Пусть соседи бывшие подпишут, — рассмеялся посольский парень, и с ним вместе рассмеялись и мы. Взрослые люди, и притом свои. Нам ли не понимать: раз надо, так надо. Просят — сделай. Не нашего ума дело.

Вопрос второй:

— Как будет с квартирой?

Ответ:

— Внесите здесь доллары и получите в Москве кооперативную квартиру в домах первого класса «Внешпосылторг», приобретаемую исключительно на иностранную валюту. Стоимость одного квадратного метра жилой площади — 90 долларов. Коридоры, кухня, санузел — бесплатно. Таким образом, трехкомнатная квартира обойдется вам около 5 тысяч долларов. На иностранную валюту можете заказать себе также отечественный автомобиль «Москвич» или «Жигули». В экспортном исполнении.

— Это — малолитражные, — сказал мой приятель и хитро прищурился. — А нельзя ли помощнее и дороже? Например, «Волгу»? Или «Чайку»?

— Вам нельзя, — ответил посольский. — Слишком жирно будет.

И рассмеялся.

Славный оказался парень, этот посольский. И совсем не дуб. На дипломатическую службу нынче с большим отбором посылают. Одного партийного билета мало. Надо еще в придачу кое-что в голове иметь.

Мой приятель дурачком прикинулся:

— А если у меня деньги останутся? Я тут день и ночь работал на эксплуататоров, накопил маленько. (Уж я-то знаю, откуда эти доллары. За иконы. Он их штук тридцать вывез тайком. Но я молчу. Мое дело — сторона.) Что с ними делать?

— Будто и не знаете? — сделал ему рыбий глаз посольский малый. — Обменяете тут за углом, в отделении советского банка, ваши трудовые доллары на сертификаты. А в Москве на эти сертификаты хочешь — зернистую икру покупай и заграничное барахло в валютном магазине «Березка», хочешь — загоняй сертификаты на черном рынке. Один за восемь рубликов. По такому курсу они, кажется, нынче?

Я влюбился в этого парня. Ну свой в доску! Какие церемонии между своими людьми. Рубит правду-матку. Вещи своими именами называет. А ведь дипломат. Вот время наступило!

Тут уж и я не утерпел, задал вопрос:

— А скажите, пожалуйста, дорогой товарищ, сколько нам ждать отправки домой? Я знаю, люди полгода назад сдали документы. И никаких результатов.

Он стал серьезным, даже галстук поправил.

— А вы думаете, простое дело оформить въезд на родину, восстановить советское подданство? Не каждого наша страна принимает обратно. Нужна серьезная проверочка. И кому надо, те этим делом занимаются. Важно, чтоб документы были отправлены в Москву. И запастись терпением.

Тут у меня молния в мозгу сверкнула. Они в наших личных делах там будут копаться. Вот когда свое слово скажет проклятая характеристика с места работы, которую каждый уезжающий еврей, харкая кровью, выбивал у своего начальства. Думали, ненужная бумажка? Она, голубушка, лежит, подшитая к делу, кушать не просит и дожидается своего часа. Теперь-то ее извлекут на свет Божий и почитают вдумчиво. А ну, какая характеристика у гражданина Рубинчика Аркадия Соломоновича, за чечевичную похлебку предавшего родину и отбывшего в государство Израиль к своим братьям-сионистам?

У меня холодный пот выступил на лбу.

Эта ничтожная бумажка снова будет решать мою судьбу. Я же читал ее. Нужно вспомнить, что там написано. Капитолина Андреевна, мой ангел-хранитель из партбюро, ничего плохого обо мне не писала. Даже наоборот. Отметила положительные стороны. Не разобравшись как следует, для чего эта характеристика составляется. Ой, Капа! Голубушка. Ты мне вторично оказала неоценимую услугу.

Я не забыл, что ты вписала туда своей недрогнувшей партийной рукой. По известному трафарету, который сейчас для меня как сладкая музыка.

Гр-н Рубинчик Аркадий Соломонович работал в комбинате таком-то с такого-то по такой-то год. За высокие показатели в социалистическом соревновании неоднократно получал поощрения. Взысканий не имеет. Делу коммунистической партии предан. Печать. И подпись треугольника: партком, профком, администрация.

Урра! Капа, Капитолина! Большего подарка ты мне сделать не могла! Словно знала, провидица, что я обратно запрошусь. Ну, уж я в долгу не останусь. Берегись, диван! Гремите пружины! Принимай в объятия, заступница моя!

Кстати, должен вам сказать, я ни на минуту не сомневаюсь, что именно эта характеристика решила мою судьбу. Из сотен евреев, подавших заявление в посольство, я одним из первых лечу в Москву. С чего бы это? То-то.

Но вернемся назад.

Я летел из посольства на Шестнадцатой авеню как на крыльях. Порхнул мимо полисменов. Насмешливо помахал крылышками американским евреям, напрасно дерущим глотку за нас на другой стороне этой самой авеню. Там как раз происходила смена караула. Охрипшие и безголосые уступали места на тротуаре свежей партии, готовой не жалеть голосовых связок за своих страждущих русских братьев. Сцепившись в кружок, новая смена бодро заплясала и дружно грянула:

— Отпусти народ мой!

Я заржал, как в цирке. Мой приятель тоже. И мы запрыгали как дети по Шестнадцатой авеню, где был припаркован его «шевроле». А потом, покачиваясь на мягком сиденье и рассеянно глядя на мелькающие то Белый дом, то Капитолий, то Пентагон, я, ухватившись за одну фразу, оброненную посольским парнем, стал по свойственной мне фантазии распутывать клубок дальше. Меня на мякине не проведешь! Я, ух, какой стреляный воробей!

Хотите послушать, какую картину я тогда нарисовал в голове? Потом сопоставите ее с реальностью и поймете, что моя профессия — парикмахер — это ошибка природы. Мне бы не гнуться над своим парикмахерским креслом, а сидеть развалясь в министерском кабинете и принимать представителей иностранных держав.

Слушайте, слушайте. Уже скоро Москва, и мы с вами расстанемся, разойдемся в разные стороны, и ваши уши получат заслуженный отдых. А пока, если вы не против, я вас еще немножечко потерзаю.

Комбинация номер один. За эту идею меня можно представить к Ленинской премии по разделу «Экономика».

За комбинацию номер два — вторую Ленинскую премию. На сей раз по разделу «Внешняя политика вместе с внутренней».

Начнем с первой.

Живет, скажем, в Москве такой удалец, как я. Пятая графа — на экспорт: Вена — Тель-Авив и далее — везде. Всю жизнь мается в крохотной комнатушке и улучшить свои жилищные условия, записавшись в очередь при райисполкоме, он сможет только на Востряковском кладбище. Денег лишних — ни копейки, следовательно, на покупку кооперативной квартиры надежды никакой. Дорога одна — в петлю.

Но есть и другая, мерцающая как Млечный Путь в ночном небе: в ОВИР. Этот еврей загорается страстью к Сиону, подает заявление в ОВИР, зная наш опыт, ничего близко к сердцу не принимает и ждет себе, поплевывая в потолок. С работы выгнали — не беда. Заграничные евреи посылками завалят. Даже и деньжата в иностранной валюте перепасть могут. И вот виза в зубах. И бесплатно. Потому что пару тысяч рублей в пересчете на доллары за него принесло в ОВИР на блюдечке дорогое и любимое голландское посольство, представляющее в Москве интересы государства Израиль.

Москва — Вена. Вена — Тель-Авив. За счет международного еврейства. В Израиле получил квартиру, как репатриант, за треть ее настоящей стоимости, и даже эту треть тебе дали в долг за счет того же еврейства. Затем ты эту квартиру продаешь на свободном рынке втрое дороже, и уже не мировому еврейству, а конкретным израильтянам. Возвращаешь долг, как приличный человек, и кладешь чистыми в карман двадцать тысяч долларов. С этими деньгами летишь в Рим, живешь в Италии и учишь английский язык. За счет мирового еврейства. За их же счет прилетаешь в Америку со всем своим багажом. И... прямым ходом в Вашингтон на Шестнадцатую авеню. Мимо американцев, галдящих: отпусти народ мой! — к тому чудному малому из посольства, что угощает тортом «Сюрприз». Так, мол, и так, подыхаю от тоски по родине, на личном опыте убедился в преимуществах социализма перед капитализмом, хочу отдать остаток сил делу строительства коммунистического общества. Получаешь братский поцелуй в темечко, четыре анкеты в зубы. И вот уже ты летишь в Москву. Входишь в свою собственную роскошную квартиру (пять тысяч долларов), садишься в сверкающий никелем автомобиль, отделанный по высшему классу качества — на экспорт (две тысячи долларов) и на оставшиеся тринадцать тысяч можешь пару лет бить баклуши, жрать исключительно черную икру вперемешку с осетриной и запивать виски «Белая лошадь» из валютного магазина «Березка»

Можно обернуться за год-полтора, и из бездомного бедняка, как в сказке, превратиться во владельца квартиры и автомобиля, жрать самое вкусное, советским людям недоступное, наряжаться во все заграничное, как иностранный турист, и при этом погулять за чужой счет по всему миру. Вена, Тель-Авив, Рим или Брюссель, Нью-Йорк, Вашингтон.

Ну как? Неплохая идея? Учтите, абсолютно реальная. Волки сыты и овцы целы. И еще кое-что в придачу. Этот самый еврей, советский гражданин, отхватывает приз, как в беспроигрышной лотерее. Таким образом, повышается уровень жизни в стране. Советская власть получает, не затратив ни гроша, двадцать тысяч чистенькими в иностранной валюте. А если пустить тысячи евреев по этому маршруту? Только успевай умножать.

Заслуживаю я быть представленным к Ленинской премии по разделу «Экономика, финансы»? Возражений нет? Значит, принято единогласно.

А теперь переходим к другой комбинации. Тут вы услышите кое-что поинтересней. Не только Ленинскую премию не пожалеете за такое дело, но еще и орден Ленина, как минимум, приколете мне на грудь. Потому что речь пойдет о чести советского государства, о его престиже. Я вам, как своему человеку, расскажу план крупнейшей операции, одной из самых блестящих политических побед Советского Союза сразу на двух фронтах: на внешнем и на внутреннем.

Не я все это придумал. Это сделали умные люди в Москве. Я только разгадал весь план, как говорят ученые, вычислил. Потому что я не лыком шит и не пальцем делан, и кое-что от царя Соломона-мудрого перепало мне по наследству. Иначе зачем бы в моем советском паспорте гордо красовалось в пятой графе клеймо: еврей.

Этот посольский малый, что тортом «Сюрприз» угощал, провожая нас до дверей и стараясь подбодрить, обронил, как бы невзначай, вот какую фразу:

— Поедете домой. Главное, чтоб все ваши документы лежали в Москве до того, как в Америку приедет с официальным визитом глава нашего государства.

Ну, как вам понравилась эта фразочка? Какой-нибудь смысл вы в ней уловили? Не догадались? Мой приятель, с которым я был тогда в посольстве, тоже пропустил мимо ушей такой важный намек.

А меня сразу обожгло. В голове заработала электронно-вычислительная машина, и я получил результат, от которого чуть не стал запкаться. Я увидел гениальный ход.

Значит так. На Шестнадцатой авеню в Вашингтоне советское посольство с тортом «Сюрприз» и улыбочками принимает своих беглых евреев, пожелавших вернуться в объятия фактической, а не исторической родины. Документы с просьбами идут в Москву, там только ручки потирают, складывают в стопочки, судят-рядят, кого пустить, а кому — от ворот поворот. Папки пухнут, толстеют. Несколько сот семей уже получили от начальства «добро», но их не извещают. Сидите, томитесь в Америке. Придет время — позовем. Всех вместе. Скопом.

Все — до определенного часа. Когда пробьет колокол. А когда же он пробьет, колокол этот? Когда в Америку собственной персоной с официальным визитом под пушечный салют пожалует сам вождь советского народа. Можете себе представить, какую встречу ему приготовят американские евреи? Вопли! Стоны! Плакаты! Тысячные толпы гневных демонстрантов.

— Фараон! Отпусти народ мой! За свободный выезд евреев из СССР! Откройте темницы! Дайте нам обнять наших страждущих братьев! Кровопийцы!

Все антикоммунисты млеют от удовольствия. Получил, мол, советский лидер, что заслужил. Так его, голубчика, ату его, болезного.

Ай да евреи! Ай да молодцы! Показали ему кузькину мать! Заклеймили! Пригвоздили к столбу!

Газеты улюлюкают, телевидение лопается от злорадства. Полный провал Советского Союза на внешнеполитической арене.

Советскому лидеру впору тайком бежать домой, запереться в Кремле и нос не высовывать.

И вот тогда-то и срабатывает торт «Сюрприз», который с хрустом поедали в посольстве евреи. Тот самый малый, что угощал нас, издает молодецкий свист, скликает (по телефону, конечно, но и на телеграмму можно раскошелиться) всех, чьи документы получили в Москве положительное решение. С детьми, в полном составе, не менее тысячи евреев прибывает в Вашингтон к указанному сроку и в указанное место.

Занавес поднят, спектакль начинается.

На глазах у изумленной Америки, и не только Америки,

но и всего мира (зачем же тогда телевидение и спутники в космосе?) на площади перед резиденцией, где должен по всем прогнозам сгорать от стыда советский лидер, собирается большая толпа бывших советских евреев и по-русски хором поднимает крик.

Тогда на крылечко резиденции выходит в сопровождении свиты сам высокий гость. Толпа евреев бухается на колени и, как в русских сказках, в тысячу глоток вопит:

— Батюшка! Отец родной! Не вели казнить, дозволь слово вымолвить!

И на глазах у всего человечества (телевидение крутит в сотни глаз) вождь советских народов, самый большой гуманист на земле, гневно вскидывает соболиную бровь и вопрошает с отеческой тоской:

— Кто вас научил стоять на коленях? Вы же были советскими людьми! Где ваша былая гордость? Вот что делает проклятый капитал с человеком, вот как ломает его душу и гнет в бараний рог. Встаньте с колен! Выше головы! Советская Родина великодушна, она не бросит в беде даже блудных сынов своих!

— Домой! Домой! Забери нас! Отец родной! — в тысячу ручьев заливается толпа и тянет руки к крылечку.

Весь мир замер в шоке.

Поднял руки над головой советский лидер, призвал к вниманию и молвил таковы слова:

— Нет счастья на капиталистической чужбине советскому человеку. Пустили мы вас в Израиль, поддавшись шантажу сионистов и империалистов. А теперь вы горько плачете. Пусть видит весь мир, на чьей стороне правда, пусть воочию убедится в преимуществах социализма перед загнивающим капитализмом. Пусть захлебнутся в бессильной злобе провокаторы и торговцы живым товаром, заманивающие сладкими посулами некоторых легковерных наших сограждан. Эта толпа, рвущаяся назад, в отчий дом, лучший ответ на провокации. От имени советского народа я отворяю перед вами ворота Родины. Мы пришлем за вами специальные авиалайнеры, а вот этих, с детишками, я беру в свой личный самолет. А ну, дайте мне этого ребенка! Это же наше советское дитя! Не плачь! Утри слезки! Домой поедешь, маленький. Тебя как зовут? Шмулик? Абраша? Ах, Саша! Наше, русское имя... Дайте мне платок... у меня слезы... сердце разрывается...

Надо ли говорить, какую оплеуху получит весь мир! Как все евреи, во всех странах наберут полный рот воды и заткнутся! Как воспрянет духом международный коммунизм!

Небывалая победа над врагом внешним. Остается враг внутренний — свой собственный народ. Для него разыгрывается следующий акт этой комедии.

Представьте такое зрелище. В московском аэропорту Шереметьево один за другим садятся самолеты, полные евреев-возвращенцев. Сотни людей с детьми на руках, с бабушками под мышкой валят по трапам, кидаются на заплеванный бетон летного поля и целуют всех взасос.

А к аэропорту колоннами пригнали трудящихся Москвы. С заводов и фабрик. Десятки тысяч. Духовые оркестры надрывают душу маршем «Прощание славянки». Рыдают евреи, рыдают русские. Какая-нибудь партийная дама, вроде нашей Капитолины Андреевны, выхватит из толпы пассажиров своего бывшего подопечного, на глазах у всего честного народа и для телевидения прижмет его к своей могучей груди, как Родина-мать на плакатах. И тут уж заголосит вся Русь, и слезы затуманят экраны телевизоров.

Каков же результат? Убийственный. Всякому, кто нос воротит, недоволен советским строем, косится на Запад — урок на всю жизнь. Уж если евреи назад в Россию бегут, а у них такая мировая поддержка, по всем странам свой брат-еврей, то куда уж нам, с нашим рылом соваться. Нам-то уж точно там, на чужбине, пропасть ни за грош. Так что сидите, не рыпайтесь, держитесь за Россию-матушку и Бога молите за советскую власть.

Лучшей пропаганды не придумаешь. Скоро, очень скоро вы увидите, как это будет сделано. И тогда вспомните Аркадия Рубинчика.

Что такое? Уже Москва? Боже! Как быстро.

Не курить! Привязать ремни!

С удовольствием! Дайте-ка мой ремень. Ой, я нечаянно к вам в карман рукой попал. Извините. Что это? Микрофон? У вас в кармане? И провод тянется... Не понимаю. Зачем под креслом магнитофон? И кассеты вертятся?

Вы что? Всю дорогу записывали? Все, что я говорил? Зачем? Погодите... минуточку... а что я говорил? Ей-Богу, я не помню, что я говорил.

Так-так, уважаемый. Наконец, вспомнил, где я вас видел. Вы же старый спец по магнитофонам. Когда меня по рекомендации нашего парторга Капитолины Андреевны пытались обучить английскому языку, чтоб подслушивать разговоры иностранных клиентов, — это были вы... тот самый в штатском... из большого дома на Лубянке, где грозились показать меня специалистам, как феномен. Ну, конечно, вы! Та же морда!

Не троньте меня! Отпустите мои руки! Зачем вы так стягиваете ремни? Мне больно! Я не хочу сидеть! Я хочу стоять!

Остановите самолет! Не давайте посадки!

Не хочу в Москву. Боже мой! Я ведь все забыл. Пока я болтался за границей, потерял иммунитет, и у меня теперь недержание речи. Я разучился держать язык за зубами. Я приучился болтать все, что вздумается. Теперь мне в Москве — крышка.

Не хочу в лагерь! Не хочу в тюрьму! Никуда не хочу! Ни вперед, ни назад! Не надо садиться на землю. Для меня там места нет.

Ну сделайте мне одолжение...

Мне, Аркадию Соломоновичу Рубинчику...

Инвалиду Отечественной войны...

Парикмахеру первого класса...

Бывшему гражданину СССР...

Бывшему гражданину Израиля...

Бывшему обладателю американской гринкарты, а это почти что паспорт...

Я никому ничего плохого не сделал...

Я только хотел жить как человек, а вышло совсем по-другому...

Я очень устал...

Сделайте мне одолжение...

Остановите самолет — я слезу.

ОТ АВТОРА

Считаю своим общественным долгом предупредить читателей: не принимайте на веру все, что наболтал в самолете Аркадий Рубинчик. Во избежание всяческих недоразумений.

А то один нью-йоркский парикмахер (недавний эмигрант из СССР) ухитрился ознакомиться с этой книгой еще в рукописи и все принял за чистую монету. Он тоже небольшого росточка, как Аркадий Рубинчик. Также не долго пробыл в Израиле. Да и по мелочам обнаружил много совпадений биографического характера.

И решил парикмахер, что Аркадий Рубинчик с него списан. За исключением финала. Чтобы достичь полного сходства с литературным героем, а может, и по каким-либо иным соображениям, он направился в Вашингтон, на Шестнадцатую авеню, добился приема у советского консула, выложил ему наизусть весь текст Аркадия Рубинчика и был крайне поражен, что ответы консула не совпали с прочитанными в книге.

Он вернулся в Нью-Йорк контуженным: без всякого альпинистского снаряжения вскарабкался по карнизу на жуткую высоту небоскреба и стал оттуда плевать на весь Божий свет.

Полицейские сняли его с помощью последних достижений американской техники и водворили в госпиталь имени Рузвельта, где бедняга и поныне пребывает на средства мирового еврейства.

Поэтому еще раз предупреждаю: ни в коем случае не ищите в персонажах книги свои личные приметы и приметы своих знакомых. Книга — плод чистейшей фантазии автора. А с фантазии какой спрос?!

Иерусалим, 1975 г.

ПРОДАЙ ТВОЮ МАТЬ

«*Поздравляю тебя, папа.*

Ты стал немцем.

Я пишу эти строки, и у меня дрожит рука. От гнева ли? От стыда? От омерзения? Думаю, от всего вместе.

Итак, давай разберемся, что произошло. Я родилась уже в мирное время, когда люди стали понемногу забывать о катастрофе европейского еврейства. Дочь литовки и еврея, плод смешанного брака, я, по еврейским законам, еврейкой не считалась, ибо эти законы национальность определяют только по материнский линии. Ты привез меня в государство Израиль, которое ты сам, и, я полагаю, искренне, называл своей исторической родиной. Здесь я окончательно стала еврейкой, признав эту страну своим единственным отечеством, и служу в Армии обороны Израиля, добровольно несу нелегкий крест женщины-солдата, чтобы по мере своих сил защитить ее от бесчисленных врагов.

Ты — единственный во всей вашей семье уцелевший в годы войны, чудом, действительно чудом ускользнувший из гетто, из рук фашистского палача, ты вырос сиротой среди чужих тебе людей, литовцев, большой любовью к евреям тоже не пылавших, унижаемый и преследуемый за свое еврейское происхождение русскими коммунистами. И наконец, получив возможность вырваться к своим, к себе подобным, в единственное государство на земле, где если тебя назовут грязным евреем, то имеют в виду всего лишь, что тебе нужно пойти умыться, ты дезертировал, бросил это государство, нуждавшееся в тебе не меньше, чем ты в нем, и на брюхе, ужом, вполз к своим бывшим мучителям, униженно умолив их не побрезговать и считать тебя своим.

Ты назовешь меня экстремисткой, человеком крайностей, признающей только черное и белое и лишенной золотой середины. Называй как хочешь. Моя душа корчится и плачет. И я хочу, чтобы ты, отец, услышал этот плач.

Нет, я не надеюсь тебя образумить, наставить на путь истинный. Бессмысленное занятие. Ты старше меня и опытней. У каждого из нас сложилось свое представление об этом мире. Но я хочу, чтобы ты хоть, по крайней мере, знал, как я к этому отношусь.

Евреи бегут из Израиля. Одни, кого побьют в галуте, прибегают сюда зализывать свои раны. Другие, очухавшись здесь и окрепнув, снова бегут в галут.

Каждый, кто убегает от нас, ослабляет страну, лишает ее, маленькую, хрупкую и одинокую, никем не любимую, еще одного солдата и работника. А ведь у нас каждый еврей воистину на вес золота. Мы, всего-навсего три миллиона, противостоим ста миллионам прямых врагов, жаждущих нашей гибели и делающих для этого все, что в их силах, и всему миру, который, я уверена, облегченно вздохнет, когда с нами наконец будет покончено, и в лучшем случае прольет по этому поводу для сохранения благопристойности две-три неискренние слезы.

Мы — единственная страна в мире, которая с момента своего создания вот уже тридцать лет находится в состоянии войны, и каждый день нашего независимого государственного существования оплачиваем кровью. Еврейской кровью, которой и так осталось мало на земле.

Поэтому каждый дезертир, каждый обидевшийся на нашу страну и покинувший ее еврей — это дополнительный удар по нашим незаживающим ранам. Это — наше горе, наш стыд, наша большая беда.

Ты знаешь, как я тебя люблю. Я люблю тебя и не отвергаю, каким бы ты ни был. Даже в твоем падении. Даже дезертиром. У меня нет никого, кроме тебя, мать не в счет, она — за железным занавесом, кто мне близок и дорог и при воспоминании о ком на мои глаза навертываются слезы и сердце заливает волна теплоты и нежности.

Тем труднее мне говорить тебе правду, выплеснуть все, что жжет и терзает мою душу, потому что я рискую тебя кровно обидеть и потерять навсегда. Пойми, как мне нелегко, прояви терпимость и выслушай мой стон, не озлобясь и не отринув меня.

Ты привез меня в Израиль. Я пошла за тобой, оставив там, в

неволе, больную мать, друзей и, наконец, народ, Литву, которой я принадлежу половиной своей крови. Потом ты бросил меня, полуеврейку, в государстве евреев, одном из самых неуютных на земле, и уехал устраивать свою жизнь туда, где, как тебе кажется, фортуна улыбается обольстительней и безопасней.

Сначала ты оставил жену в Литве, теперь оставил дочь в Израиле. И бросил в беде сам Израиль, твое государство, на попечение других, и в том числе мое.

Ты скажешь, что мать ты оставил потому, что она сама не захотела ехать. Правильно. И меня не увез в Европу, потому что я наотрез отказалась следовать за тобой. Тоже верно.

В результате ты снова остался один. Один-одинешенек. И с больной совестью, которая, я знаю, в тебе еще не умерла и вынуждает тебя молча страдать.

По-разному покидают евреи Израиль.

Одни это делают тихо, незаметно, как заведомо непристойный шаг, стыдясь друзей и знакомых, и, осев где-нибудь на планете, никогда недобрым словом его не помянут, и, слушая радио, ловят в новостях в первую очередь сообщения из Израиля. Они как свой личный успех воспринимают весть оттуда.

Другие удирают, хлопнув дверью, чуть ли не прокляв свое государство, и в местах нового проживания будут зло и едко высмеивать его, публично поносить, и аборигены тех мест будут смотреть на них с чувством неловкости, которое испытывают даже антисемиты при виде еврея, рассказывающего на потеху чужим ушам грязные юдофобские анекдоты. Но и такие, я не сомневаюсь, услышав по радио слово "Израиль", вздрагивают и напрягают слух, и по сразу меняющемуся выражению лица становится ясно, что судьба Израиля им все же важнее всех других новостей.

И те и другие остаются евреями и в местах, где они поселяются, жмутся к своим соплеменникам, в особенности если те сносно болтают по-русски или по-польски, одним словом, на языке страны исхода.

Этих людей я жалею, но не презираю. Они хоть, по крайней мере, не совершают национальной измены.

А вот к третьей категории беглецов я отношусь с брезгливостью. Это те, кто, позарившись на сладкий пирог, припали к стопам народа, принесшего самые большие страдания евреям. К немцам. Лижут сапоги своим недавним палачам или же их потомству. И считают себя счастливчиками, когда, после унизительных процедур, взяток и ложных клятв, им наконец, не без брезгливости, вручают немецкий паспорт, в котором они отныне черным по белому именуются немцами. Не немецкими евреями, а немцами.

Чтобы поддержать эту сомнительную честь в доме, где живут, они вынуждены скрывать от соседей свое еврейское происхождение и то же самое проделывать на работе, каждый раз с тревогой ожидая опознания. При откровенной семитской внешности и неистребимом еврейском акценте их немецкий язык напоминает в лучшем случае ломаный идиш.

Они, закрыв глаза и закусив удила, пытаются пустить корни на жирной земле, удобренной пеплом своих соплеменников, которых одно поколение тому назад их немецкие сограждане выкорчевали полностью, выжгли каленым железом, развеяли дымом печей крематориев.

Где стыд? Где совесть? Где чувство элементарного человеческого достоинства?

Ты, мой отец, оказался среди этих людей.

Ты, как и они, въехал в Германию нелегально. Потому что Германия к себе легально евреев, желающих там остаться, не впускает. За взятку в пятьсот долларов тебя перевезли через границу со взятым напрокат чужим паспортом. Где ты пересек границу? На стыке с Австрией? Или в Итальянских Альпах?

Я представляю, как ты полулежал, скорчившись на заднем сиденье "мерседеса", надвинув шляпу на глаза, или, еще лучше, прикрыв их солнечными темными очками, хоть стояла глубокая ночь. Как тебя бил озноб, когда немецкие пограничники почти в той же самой униформе, что и солдаты вермахта, охранявшие каунасское гетто, проверяли твои липовые документы и подозрительно косились на твой еврейский нос, который даже полями шляпы не прикроешь. И ты слышал ту же речь, что должна жечь твой слух памятью об окриках часовых за проволочными ограждениями гетто.

Так ты въехал в Германию. Спрятав подальше свой израильский паспорт, как срывали с одежды желтую звезду бежавшие из концлагеря евреи, чтобы не быть опознанными первым же встречным немцем.

Теперь, чтобы претендовать на немецкий паспорт, тебе следовало доказать германским властям, что в твоих жилах течет хоть капля арийской немецкой крови или, на худой конец, что ты вырос под благотворным влиянием немецкой культуры.

*Так ведь? Именно это нужно клятвенно, с подставными свиде-
телями, оплаченными заранее, и доказать на потеху немцам,
знающим, что все это фальшивка, но с наслаждением играющим
в эту чудовищную по своему цинизму и унижению игру.*

*Не знаю, зачем тебе нужно было покупать поддельную мет-
рику? Ты ведь мог убедительно доказать своим будущим со-
отечественникам, что действительно вырос под благодатным
влиянием немецкой культуры. Эта культура тебя обласкала еще
в раннем детстве. В каунасском гетто. Носители этой культуры выкачали всю кровь из вен твоей семилетней сестренки, возможно, по гуманным соображениям, даже нашептывали ей сладкими голосами немецкую сказочку про бременских музыкантов,
чтобы ребенок уснул и не мешал умертвить себя. На их языке,
языке Шиллера и Гёте, была отдана команда "Огонь!", после чего
твоя мать и много-много других матерей упали замертво в ров,
ставший их общей могилой. Ни одна культура в мире так не по-
влияла на твою судьбу, как немецкая. Благодаря ей ты остался
сиротой и совершенно одиноким, без родни. Разве этого мало,
чтобы благоговейно принять немецкий паспорт?*

*Но ты решил бить наверняка, исключить всякую возмож-
ность осечки. Ты попробовал сменить кожу, надеть арийскую
маску на свое еврейское лицо. Ты купил, не знаю за какие деньги,
у расторопных дельцов, тайком вывезших из России чистые
бланки советских документов, новую метрику. И совершил поступок, узнав о котором я содрогнулась. Ты продал свою мать. Ту
самую женщину, которая носила тебя под сердцем и произвела на
свет. Ту исстрадавшуюся еврейку, что, стоя у края могилы, до
последней минуты пыталась отвести смерть от тебя.*

*В новой метрике, купленной у воров, в графе «мать» стояло дру-
гое имя и национальность ее бесстыдно названа немецкой. Ты стер,
смахнул в отбросы свою подлинную мать и купил другую, немецкую.*

*Я в Израиле поменяла свое имя. С одной лишь целью — чтобы
взять себе имя твоей матери, моей бабушки. И теперь я беско-
нечно горда, что ношу имя этой великомученицы. Вернула это
имя из небытия жизни.*

*А что сделал ты? Какое имя придумал своей купленной не-
мецкой матери? Ильза? В честь Ильзы Кох, надзирательницы из
концентрационного лагеря? Или Грета? Или Ингрид? Какое из
этих имен больше всего ласкает твой сыновний слух?*

*Конечно, сыну немки дали немецкий паспорт. Но ведь тогда
тебе пришлось германизировать и свое не совсем арийское имя.*

*Кем ты стал? Как тебя называют немцы? Гансом? Фрицем? Эр-
вином?*

*До нас тут, в Израиле, докатилась история о том, как один
киевский еврей, чтобы получить в Берлине немецкий паспорт,
клятвенно утверждал, что его подлинный отец совсем не еврей,
а немецкий офицер, изнасиловавший мать во время войны. И притащил свою мать, еврейскую старушку, чтобы та под присягой
подтвердила немецким судьям этот очень выигрышный для кандидата в германские граждане факт.*

Боже ты мой! До чего все мы дожили!

*Папочка! Милый! Убеди меня, что это все наваждение, кош-
марный сон. Иначе я совсем не знаю, как дальше жить. Утешь меня. Успокой. Сделай что-нибудь. Ведь я тебя очень и очень люблю.*

Твоя дочь Ривка».

* * *

У каждого есть мать. А если ее нет, то она все равно была.
И разрыв с матерью, не по своей воле, для каждого мужчины,
каким бы взрослым он ни был, всегда болезнен, и рана кро-
воточит, как разрезанная пуповина, которой он был связан с
матерью в ее чреве.

Мы, мужчины, как дети. Нам всегда, до самой смерти,
недостает матери. И не случайно раненый, умирающий на
поле боя солдат, когда кричит от боли, зовет ее, и последнее
его слово в агонии — мама.

Западный Берлин — не город, а всего лишь его половина,
скопище домов, улиц и площадей, обрубок города, отрезанный от своей страны сотнями километров чужой и враждебной территории, откуда на него наведены пушки и ракеты,
готовые каждый миг изрыгнуть пламя и смерть, и весь этот
город с его домами, площадями, улицами и, конечно, людьми превратить в дымящуюся груду развалин с отчетливым запахом горелого человеческого мяса.

Берлин, в котором я живу, — дитя, оторванное от матери,
одинокий беззащитный ребенок. И мы, его жители, такие же.
На нас лежит глубокая печать сиротства.

Берлин, пожалуй, самый космополитический город не
только в Германии, но и во всей Европе. Кого здесь только
нет! Я уж не говорю о гастарбайтерах, турецких рабочих с
семьями, буквально запрудивших город. Здесь много славян — поляков, чехов, сербов — беженцев, вырвавшихся из

Восточной Европы, чаще всего нелегально, и осевших в этом городе, называемом фронтовым, потому что он самый западный форпост свободного мира в Восточной коммунистической Европе. Им кажется, что отсюда ближе всего до покинутого, по всей вероятности навсегда, родного дома, семьи и приятелей детства, каких уж себе никогда больше не создашь, как и не вернешься в собственное детство. И возможно, поэтому они терпят много неудобств, но живут здесь с холодком под сердцем, каждый раз наблюдая смену военных караулов у памятников погибшим при штурме Берлина и слушая печатный шаг советских солдат, от которых с риском для жизни бежали на Запад.

Есть у меня в Берлине друг. Вернее, не друг, а приятель. И наша тяга друг к другу обусловлена в первую очередь одиночеством и восточноевропейским происхождением.

Он не еврей, а поляк. Зовут его Адам. Моложе меня. Под тридцать, не больше. Высокий, изящный блондин. Типичный поляк. С немцем никогда не спутаешь. В его лице и фигуре угадываются голубые крови аристократических предков. Он, как и подобает истинному шляхтичу, горд и даже высокомерен. Вспыльчив и обидчив. Но дружит он не с другими поляками-эмигрантами, а со мной, литовским евреем. Думаю, что из-за моего покладистого характера. Со мной ему спокойно. Мне он доверяет и выкладывает душу. Плачется в жилетку, как это называют в России. Я терпеливо слушаю и даже пытаюсь утешить как могу. Далеко не каждый, бедствуя сам, готов сочувственно выслушивать горести другого. А я вот умею слушать.

Наше с Адамом положение разнится одним. Мы оба покинули свою родину, он — Польшу, я — Россию, и нашли приют в Западном Берлине. Но я уехал легально, по израильскому каналу, и умудрился получить тут полноправное немецкое гражданство. Адам же беженец. Он бежал из Польши. Вернее, отказался вернуться туда, выехав на две недели туристом в Германию. Он попросил политического убежища и получил его. И вместе с ним весьма неполноценный паспорт политического эмигранта.

В Польше он числится политическим преступником, хотя очень далек от политики и остался-то на Западе в первую очередь потому, что устал выслушивать ежедневно политическую демагогию официальной пропаганды. Он инженер, и, видно по всему, неплохой, потому что легко нашел в Берлине работу по специальности и зарабатывает весьма прилично. Правда, живет он похуже, чем я. И вот почему.

Большую часть своего заработка Адам тратит на международные телефонные разговоры. Почти каждый вечер звонит он в Польшу, а когда подопьет, то разговаривает по телефону, забыв о счетчике, по полчаса и даже по часу.

Дело в том, что в Польше, в провинциальном городе Радом, живет его мать. Единственное близкое Адаму существо. Он вырос без отца. С матерью. И проникся к ней довольно редким в наше время обожанием. Адам не был женат и не оставил в Польше детей. А девицы, каких он имел, судя по его рассказам, во множестве, заметного следа в его сердце не оставили. Одна лишь мать полностью владела его сердцем.

Решив остаться на Западе, он всерьез не подумал о том, что таким образом порывает навсегда не только с Польшей, но и с любимой матерью. А когда спохватился, впал в глубочайшую депрессию, стал пить и, напившись, гнал по ночному Берлину свой «ауди» ко мне в Кройцберг, поднимал меня из постели и говорил, говорил без умолку о своем одиночестве, о тоске по матери. Говорил по-польски. Захлебываясь, заплетающимся языком, и я не все понимал. Облегчив душу и протрезвев, он просил прощения за ночное вторжение, целовал меня, называл своим единственным бескорыстным другом и уезжал, когда за окном уже светлело. Через пару часов и ему и мне на работу. Я ставил будильник и засыпал. А он, я знал, не ляжет, будет дозваниваться до Польши, разбудит мать и станет спрашивать о ее здоровье, предварительно извинившись за такой ранний звонок, объяснив его бессонницей и постоянными думами о ней, маме.

Адам — дитя. Взрослый ребенок. Я люблю его, как младшего брата. И если быть откровенным, мне очень импонирует его гипертрофированная любовь к маме. Потому что меня Бог обделил этой любовью. Пока мама была жива, я не проявил никаких признаков такой сыновней любви. А когда ее не стало, было уже поздно что-нибудь проявлять. Это была уже не любовь, а раскаяние.

Любовь Адама к матери не патология, какой она кажется в наш циничный и жестокий век. Нет ничего в природе выше и прекрасней этой любви, и я завидую ему, хотя вижу, сколько горечи и боли приносит ему эта любовь на далеком и непреодолимом расстоянии.

Однажды он примчался ко мне в состоянии сильнейшего возбуждения. Есть возможность увидеть мать! Завтра она приедет в Восточный Берлин с друзьями их семьи и с той стороны подойдет к бетонной стене, разделяющей город. Адам по телефону условился с ней, в каком месте и в какое время она подойдет к стене. А он будет стоять с другой стороны. На возвышенности, откуда вполне можно будет разглядеть друг друга. Их будет разделять дистанция почти в полкилометра. С той стороны к стене близко не подпускают, держат на почтительном расстоянии, за голым безлюдным пустырем, а с вышек нацелены пулеметы на этот пустырь, чтобы охладить пыл пожелавших нарушить приказ восточногерманских властей.

С Западной стороны можно подойти к стене вплотную. Отсюда стену не охраняют. Можно подойти и даже потрогать шероховатый бетон рукой. Запрокинув голову, увидеть не только каску, но и различить в лицо восточногерманского солдата на вышке, а также вороненую сталь пулеметного ствола, готового плюнуть огнем в любой момент. А что это так, молчаливо подтверждают деревянные кресты и увядшие венки у их подножья по нашей, свободной стороне стены. Крестами помечены места, где были убиты огнем этих пулеметов смельчаки, умудрившиеся преодолеть стену, но не сумевшие и на этой стороне уйти от посланной вдогонку пули.

Мама появится на той стороне в условленном месте в два часа пополудни. Адам отпросился с работы и стал умолять меня тоже освободить это время и быть с ним в такой важный в его жизни момент.

Я не мог ему отказать и, попросив на работе отгул, вместе с Адамом подъехал к стене в половине второго. Место было выбрано удачно. Здесь — возвышенность, и как на ладони видна и стена, и все пустое пространство за ней. За асфальтовым пустырем с пробившейся в трещинах кустистой травой, потому что там никто не ходит, начинался Восточный Берлин. Он глядел на Запад серыми стенами старых домов. Дома стояли, как слепцы. Все окна, выходящие на Запад, были наглухо заложены кирпичами. Вдоль домов тянулся тротуар, огражденный от пустыря железными перилами на столбиках. Вот за этими перилами, куда доступ публике разрешен, и должна появиться мать Адама.

Я смотрел на людей за перилами и с огорчением определил, что разглядеть на таком расстоянии лицо человека не представляется возможным Я видел фигурки, но не лица И различал цвет одежды

Адам угадал мои опасения, потому что сказал

— Она будет в красной шляпке Так мы условились В ярко-красной

Я промолчал. В публике за перилами мелькали красные пятна и точки. Как он определит, которая из них шляпка мамы?

В два часа Адам схватил меня за локоть и сжал до боли

— Вот она! Это — она! Посмотри! Ты видишь? Ярко-красная шляпка.

Я кивнул.

Я не увидел ярко-красной шляпки. Там в нескольких местах мелькал красный цвет головных уборов. Я даже не мог различить, на ком они были, на мужчинах или женщинах.

Но Адам увидел. Он очень хотел увидеть. И увидел.

— Мама! Мамуся! — зашептал он срывающимся голосом Кадык заходил по его тонкой мальчишеской шее. Адам давился плачем. Потом не удержался и зарыдал в голос. Я подпер его плечом и ощущал, как бьется в рыданиях его тело

— Мама! Мамуся!

Я не глядел в лицо Адаму и потому не видел его слез. Я плакал сам. Слезы застилали мне глаза, и на той стороне за перилами все расплылось и окрасилось в один кроваво-алый цвет.

* * *

Ностальгия у эмигрантов проявляется по-разному.

Встретил я в Берлине одного бывшего москвича. Фотожурналиста. Тоже бывшего. Тут его квалификация советского фоторепортера никого не интересовала, и пришлось бедному переквалифицироваться, пойти на шестом десятке в ученики к скорняку на меховую фабрику. Скорняк тоже был из евреев. Из польских. И пожалел москвича, которого по возрасту никуда на работу не брали. С польским евреем москвич хоть находил общий язык. С грехом пополам объяснялись на смеси русского с польским.

Москвич никаких языков, кроме русского, не знал и отличался удивительной невосприимчивостью ко всем остальным. Прожив два года в Берлине, он с трудом отличал по-немецки, какое слово означает «здравствуйте», а какое «до свидания» Что касается других слов, то он и не отваживался произнести их.

Так и жил. Дома с женой и детьми по-русски, на работе — на чудовищном польско-русском коктейле. А с работы и на работу проскакивал на метро, ни с кем не общаясь и стараясь вообще не раскрывать рта.

В Москве же, если верить его словам, а я не склонен думать, что он слишком много приврал, у этого человека была не жизнь, а малина. Он был отчаянным сладострастником, женолюбом. И его профессия фоторепортера прокладывала ему кратчайший путь к женским сердцам. С японскими фотокамерами на шее, в собственном автомобиле и с красным удостоверением известного журнала, да еще с хорошо подвешенным языком, сыпавшим, как горохом, именами знаменитостей, с коими он на короткой ноге, он становился неотразим, и самые неприступные красавицы поддавались его дурманящему обаянию и склоняли свои прелестные головки перед ним.

У него было столько любовниц, кратковременных и долгосрочных, что он постоянно сбивался со счету, вспоминая их, а в именах путался похлестче, чем в дебрях немецкого языка. С женой, постаревшей от безрадостной жизни с ним, он перестал спать задолго до эмиграции и поддерживал брак из-за детей, да еще из страха полного одиночества в надвигающейся старости. Он спал с молоденькими девчонками, годившимися ему в дочери, с известными актрисами, с фабричными работницами, простоватыми, но крепкими и свежими, которых он фотографировал для журнала, с кряжистыми, белозубыми, с румянцем во всю щеку и пахнувшими молоком крестьянками, чьи смущенно улыбающиеся портреты потом украшали журнальные страницы.

Теперь же наступил полный крах. Японской фотокамерой и собственным автомобилем берлинскую даму не удивишь. Таким путем он лишился основного притягательного элемента. Положением ученика скорняка тоже пыль в глаза не пустишь. Это — не красная книжка журналиста. И последнего оружия он был лишен начисто. Языка. Которым он ловко умел кружить головы, вселять несбыточные надежды, сулить золотые горы. В Берлине он был абсолютно нем. И даже с самой захудалой проституткой, с которой всего-то разговору два-три слова, он заговорить не решался.

В этом для него была главная трагедия эмиграции. Потеря амплуа ловеласа. Одиночество старого полувыдохшегося козла.

Иногда он заходил в наш ресторан, охотно посещаемый

эмигрантами, подсаживался к кому-нибудь из них и начинал бесконечную повесть о своих былых победах. Одни от него отмахивались. А другие слушали. Потому что как-никак, а человек говорит о прошлой жизни, и рассказы о русских женщинах, таких любвеобильных и доступных, вызывали у них свои воспоминания.

В перерывах, когда оркестр отдыхал, я тоже подходил к его столику. И тоже слушал.

Однажды он потряс мое воображение.

— Знаешь, какой сон я сегодня видел? — сказал он мне, и его глазки в обрамлении морщин засверкали. — Будто проснулся я не в Берлине, а в Ялте. В гостинице «Ореанда». Выхожу на набережную в заграничных трусиках и кедах, на шее — японская камера «Никон», склонился через парапет и обозреваю пляж. А пляж густо, как тюленье лежбище, усеян юными женскими телами. И все, подчеркиваю, все до одной разговаривают по-русски. Я даже зарыдал во сне и проснулся мокрый от слез.

Вот она какой бывает, ностальгия!

Себя сердцеедом я назвать никак не могу. Не вышел рожей. Да и характером тоже. Сведи меня судьба не с моей экс-женой, а с какой-нибудь другой женщиной, и подобрей и помягче, и я уверен, никогда бы ей не изменял.

В Берлине я живу один. Таких, как я, одиноких эмигрантов здесь немало. Одни оставили своих нееврейских жен там, в России, от других жены, те, что посмазливей, бежали уже здесь, соблазнившись богатой квартирой или жирным счетом в банке у какого-нибудь вдовца-аборигена. Чаще всего польского еврея. Потерявшего первую жену и детей еще в Освенциме, а вторую благополучно похоронившего на еврейском кладбище в Берлине.

По части женских услад нам тут приходится туго. Свободных, не закрепленных за кем-нибудь эмигранток почти не осталось. А то, что еще не расхватали, особого энтузиазма не вызывает. Или уже бабушка со стажем, или если помоложе, то сексуальных вожделений не вызовет даже и тогда, когда призовешь на помощь самую необузданную фантазию.

Остаются немки. Ими Берлин кишит. Красивыми, спортивными, белокурыми. Но это не для нашего брата. У них свои мужчины. Немцы. С которыми их, кроме всего прочего, объединяет язык и общность культуры. Даже с немецкими паспортами в кармане мы для них бездомные иностранцы, да еще с Востока, и они не делают различия между нами и турками, которых сюда пускают временно, гастарбайтерами, для выполнения самых грязных работ, за какие немец побрезгует взяться.

Немки постарше и не из самых привлекательных, те, от кого отводят глаза немцы-мужчины, тоже не весьма охотно вступают в связь с нашим братом. Полагаю, что не последнюю роль при этом играют наши неарийские, семитские черты и печальный еврейский взгляд, который не проясняется даже и тогда, когда мы смеемся.

Я переспал с двумя-тремя немками. Официантка в ресторане. Одна работала почтальоном. Не красавицы. Публика невзыскательная и большим спросом у мужчин не пользующаяся. И вот все они, будто сговорившись, приходили ко мне украдкой, тайком, словно боялись, что встречные немцы их осудят за непристойную связь, без особой радости принимали мои приглашения сходить посидеть в кафе, а предпочитали жаться ко мне и сопеть в ухо в темноте зрительного зала кинотеатра.

Остаются проститутки, для которых все клиенты равны, если способны уплатить. Но это удовольствие довольно дорогое. За деньги, что отдашь ей, можно купить вполне приличный костюм. А кроме того, я — брезглив.

Ни в чем так остро не ощущаем мы, эмигранты, ностальгии, как в сексуальной жизни, и сон бывшего московского фоторепортера лишь подтверждает это.

Обычно в конце недели, в субботу и воскресенье, в погожие, не дождливые дни, мы сидим на Кудаме (так берлинцы сокращенно называют свою главную улицу — Курфюрстендамм). Нас собирается пять-шесть одиноких мужчин-эмигрантов. Облюбовали мы одну пивную со столиками, вынесенными на тротуар. Кто приходит первым, занимает такой столик, положив на свободные стулья как знак того, что они заняты, зонтик, сумку, шляпу. Потом подходят понемногу остальные, добравшись до центра на метро из разных концов Берлина. Заказываем по большому бокалу пива и сосисок с горчицей и сидим-сидим, пока не отсидим себе ягодицы. Толкуем по-русски, вызывая удивленные, а порой и настороженные взгляды за соседними столиками.

А на каком еще языке нам разговаривать? На чужом языке душу не отведешь, удовольствия от разговора никакого не получишь, а только устанешь, как после тяжелой напряженной работы. Даже если ты и освоишь новый язык и в уме не приходится переводить слова, а шпаришь гладко, без запинки, то все равно язык остается мертвым, без запаха и цвета, и какой бы разговор ни завел с немцем, даже самый интимный, получается лишь обмен информацией. И только. Как поцелуй, не согретый чувством, есть обмен слюнями.

Поэтому мы чешем всласть по-русски. Сначала вполголоса, косясь на соседей, а потом, увлекшись, во всю глотку, не считаясь с окружением. Оно, окружение, галдит по-немецки. Нам это нисколько не мешает. Почему же нам стыдиться своего языка?

Своего ли? Русский мы считаем своим. Среди нас нет ни одного русского. Все — евреи. Я — из Литвы, другой — из Кишинева, бессарабский еврей. Москвич. Тот, что был фоторепортером, а сейчас учится кроить шкурки на меховой фабрике. Ну, я еще знаю литовский. Кишиневец, полагаю, болтает по-молдавски. А вот своего языка у нас нет. Идиш с грехом пополам знают далеко не все из нашей компании. Остается русский язык. Общий для всех. Богатый и сочный язык. На котором можно выразить все, что угодно. А особенно — ругнуться трехэтажным матом, когда станет совсем невмоготу. Ни на каком языке так не облегчишь душу, как смачно ругнувшись по-русски. Потому и родной он нам.

Мы сидим на Кудаме, лениво потягиваем пиво из литровых кружек толстого стекла, и, когда устаем разговаривать, просто пялимся на прохожих, и, выбрав глазами какую-нибудь смазливую бабенку в белых брюках, плотно облегающих спортивный зад, дружно поворачиваем шеи ей вслед и обмениваемся взглядами, которые красноречивее слов.

Мы сидим — немолодые, с лысинами, с набрякшими мешками под глазами, с апоплексическими красными шеями и упирающимися в край стола животами. Мужчины далеко не первого сорта. Но еще с претензией на роль ловеласов. И шалим глазами. Раздевая в уме проходящих красоток, нашептывая в уме в их немецкие розовые ушки ласковые русские слова и бесстыдно и алчно хватая руками их упругие и, конечно, покорно-податливые тела. Тоже в уме.

Мы одеты в приличные заграничные одежды, но рожи наши все равно выглядят чужими в этой толпе, и вокруг нас словно мёртвая зона. Мы — сами по себе, а немцы — сами по себе. Как и сам Западный Берлин, окружённый со всех сторон чужими войсками и, чтобы никаких сомнений не оставалось, ещё огороженный бетонной стеной. Мы — в не очень дружелюбном кольце немцев, немцы — в ещё более враждебном кольце советских ракет.

О чём толкуем мы? Конечно, о женщинах. О тех, с кем судьба свела когда-то в России. И из этих сладких воспоминаний вырастали русские девичьи лица, одно прелестнее другого, на все лады расхваливались их качества: страстность, влюбчивость, самоотверженность в любви. И уж никакого сомнения не было в том, что лучше русской женщины нет в мире. Потому что это были женщины, которых мы действительно знали, и ещё потому, что знали их, когда сами были намного моложе.

И вот в один из таких дней за столиком в пивной на Кудаме я узнал, что не всё ещё потеряно и есть реальная возможность окунуться в прежнюю жизнь. Сон бывшего фоторепортёра превращался в явь. Было на земле такое место, где мы, изгнанники из России, могли выйти на пляж, густо усеянный женскими телами, и уж если не все, то, по крайней мере, большинство женщин на этом тюленьем лежбище разговаривало на чистейшем русском языке.

Этим волшебным местом были Золотые Пески, болгарский курорт на Чёрном море. И туда нашего брата эмигранта пускали запросто, даже не интересуясь, какое место рождения указано в немецком паспорте.

Надо только зайти в любой универсальный магазин, скажем в Кауфхоф или в Херти, и за очень умеренную плату получить и место в гостинице у пляжа, и билеты на самолёт болгарской авиакомпании «Балкан» в оба конца. Дешевле грибов.

Я, не долго размышляя, отправился в Кауфхоф. Меня не так влекли русские женщины, как сама поездка к Чёрному морю, куда ездил отдыхать не единожды, когда был гражданином СССР. Это море осталось для меня родным. И возможность потолкаться среди русских туристов, и даже, если повезёт, встретить кого-нибудь из старых знакомых. Чем чёрт не шутит.

Я полетел в Болгарию. Туда, за железный занавес, за который, оказывается, всё же можно проникнуть, если уплатить сколько положено. Я лечу в болгарском самолёте советской конструкции — Туполев. Сколько я летал на таких самолетах в прежней жизни! И снова вижу надписи по-русски: «Не курить!», «Застегнуть ремни!». Сажусь в знакомое кресло. Откидываю со спинки переднего кресла столик и обнаруживаю, что не могу его опустить. Мешает живот. И сразу понимаю, что прошли годы, что я постарел и обрюзг.

Золотые Пески — это бесконечный пляж, покрытый воистину золотым песком. Мягким и сыпучим. Теплое и чистое море лениво лижет пляж. А за пляжем поднимаются зеленые лесистые холмы, и из них, как сахарные кристаллы, устремились в голубое, без единого облачка, небо многоэтажные отели.

Здесь действительно хорошо отдыхать. Красиво и дешево. И поэтому к Золотым Пескам Болгарии летят за тридевять земель туристы из Западной Германии, Англии, Скандинавии и даже Франции, у которой пляжей своих — хоть отбавляй.

Но главный контингент на Золотых Песках — советские туристы. Они преобладают на пляже, выделяясь безвкусными купальниками и мясистыми бесформенными фигурами.

Советские туристы приезжают группами по 30—40 человек, и в каждой группе почему-то почти одни женщины. Из-за них пляж стал в самом деле похож на тюленье лежбище. Однотонным тусклым цветом купальников и массивными неуклюжими телами их обладательниц. А если эти женщины не лежат, а стоят, глядя на море, они напоминают пингвинов. Женщины с Запада, даже некрасивые, выглядят на их фоне изящными существами с совершенно другой планеты.

Мое чувство ностальгии давало трещину. Обычно при виде того, как они, мои бывшие соотечественники, ходят чуть ли не по-солдатски, кучей, избегая соприкасаться с остальными, словно то ли они, то ли остальные больны заразной болезнью.

Я жил в отеле, один в номере, хотя там были две кровати, но вторая пустовала. На пляже я тоже лежал один.

И именно тут, на золотом песке болгарского пляжа, среди разноязычного говора и тысяч человеческих тел, я почувствовал звериное, волчье одиночество. Я был один во всем мире. Не было ни одной группы, ни одной общности людей, к которой я принадлежал бы по праву и которая проявила бы ко мне хоть какой-то интерес. Туристы играли на песке в карты, просто трепались, сбившись в тесные группки, в море уплывали по двое, по трое, перекрикиваясь и улюлюкая друг другу от восторга и блаженства. Я и плавал один, и загорал в одиночестве, и даже когда обедал в ресторане, контакт с моими соседями за столом ограничивался лишь двумя-тремя ни к чему не обязывающими фразами.

Еще в самолете, по пути в Болгарию, когда высоко над облаками мы пересекали невидимую Восточную Европу, у меня была надежда, что я буду не один. Волею билетного жребия со мной рядом села вполне привлекательная немка. Средних лет. Со светлыми, почти серебряными волосами, которые маскировали возрастную седину. Я помог ей уложить сумку в багажную сетку, был предупредителен как мог. И она отвечала взаимностью. Рассказала, что живет в Берлине, в том же Кройцберге, что и я, и мы вообще соседи, в трех кварталах друг от друга. Оба понимающе повздыхали по поводу засилья турок в нашем районе, отчего бедный Кройцберг скоро будет больше похож на Истамбул, чем на Берлин. Особенно своими острыми чесночными запахами и некрасивыми женщинами, до бровей закрытыми тусклыми платками.

Нас, меня и Регину (так ее звали), сближало общее беспокойство за судьбу своего города, потому что мы оба были гражданами Германии, а восточные рабочие, турки, — лишь с трудом, по необходимости терпимыми гостями, засидевшимися в гостях дольше допустимого приличиями срока.

Я оживился, обнаружив, что и у меня есть общие с кем-то заботы и опасения. Почувствовал себя нормальным человеком.

Потом Регина сообщила, что уже три года в разводе с мужем. Показала фотографию сына, уже женатого и живущего не в Берлине, а в Гамбурге. Я тоже показал фотографию своей Руты. Не ту, где она в израильской военной форме, с маленьким автоматом «узи» через плечо. А еще доэмиграционную, каунасскую фотографию, на которой Рута выглядит куда менее привлекательной, чем на более поздней, иерусалимской. Но почему-то не хотелось сразу огорошивать мою новую знакомую своим происхождением, Израилем и всеми теми подробностями из эмигрантского житья, которые отпугивают собеседника и лишь, в лучшем случае, вызывают вежливое любопытство. Ну какой интерес даже самому доброму и чуткому человеку слушать про чужие беды, когда он в отпуске и едет отдыхать, чтобы забыть хоть на время свои собственные заботы и неприятности?

Регина нашла мою дочь даже на той старой фотографии очень хорошенькой и высказала предположение, что моя бывшая жена (я уже успел сказать ей, что я тоже в разводе) была, вероятно, весьма привлекательной особой.

Вот так мы болтали всю дорогу, и я уж строил радужные планы, как мы, хоть и живем в разных отелях, будем каждый день встречаться на пляже, вместе обедать и ужинать в ресторанах, и я в уме даже прикидывал, хватит ли у меня средств на такие загулы, и утешал себя, что должно хватить, если не особенно швыряться деньгами. Когда мы с Региной сблизимся покороче, смогу ей объяснить мое финансовое положение, и она, как женщина разумная, с жизненным опытом, все поймет.

Такие примерно планы рисовал я по пути в болгарский город Варну. В аэропорту Регина села в другой автобус и лишь помахала мне из окна. Один день я выжидал для приличия и лишь тогда направился ее проведать. Разыскал отель, поторчал в холле, надеясь перехватить ее по пути на пляж. Не перехватил. Тогда пошел на пляж. Сняв рубашку и оставшись в брюках и туфлях, брел, утопая в песке, заглядывая под зонты, заходил с разных сторон, увидев светлые с серебристым отливом волосы. Наконец увидел Регину. Она сидела на мохнатой простыне. Уже тронутые первым загаром плечи лоснились от наложенного на них слоя масла. С Региной были еще две женщины. Немки. Средних лет. В ярких купальниках. С бронзовым загаром, уже двухнедельным.

Регина, увидев меня, не проявила никакой радости. Улыбнулась, помахала рукой. Но не пригласила подсесть.

Я все же не ушел. Подсел к ним, поздоровался. Женщины переглядывались, одна даже подмигнула Регине. Разговор не клеился. Я что-то лепетал о погоде, о том, что надо загорать понемногу, иначе можно обжечь кожу и потом маяться несколько дней. Женщины уныло соглашались... Потом обе встали и пошли к воде, уже издали позвав и Регину. Регина извинилась и с нескрываемым облегчением побежала их догонять. Я остался возле их полотенец и сумок. Как сторож. Мне стало жарко. Но снять штаны не мог — не захватил с собой плавок. Женщины все не возвращались. И я понял, что они будут сидеть в воде до той поры, пока я не проявлю догадливость и уйду. Я проявил эту догадливость.

Больше я Регину не встречал. Если не считать одного раза, когда мы столкнулись у входа в ресторан. Я шел туда, а она выходила в компании уже поужинавших немцев. Мы почти столкнулись лицом к лицу. Но она меня не узнала. Или, вернее, сделала вид, что не узнала, и прошла мимо, чуть не коснувшись меня плечом, как проходят, не замечая, мимо телеграфного столба или урны для окурков. Замечают лишь постольку, поскольку требуется, чтобы не стукнуться и обойти.

С мужчинами контакт тоже не получался. Я был этим немцам чужим во всем. И моя еврейская внешность, и примитивный, из нескольких сот слов, с жутким акцентом немецкий язык, и абсолютная разность интересов не располагали к сближению. Со мной были вежливы, выслушивали меня с формальными, ни к чему не обязывающими улыбками, отвечали на мои вопросы и спешили избавиться от меня.

Однажды в холле нашей гостиницы компания немцев собралась сыграть в карты, и им не хватало четвертого партнера. Я сидел неподалеку в кресле перед телевизором, с тусклого экрана которого что-то лопотали по-болгарски мужчина и женщина в старомодных, начала века, костюмах, и, уловив краем уха, что для игры в карты ищут четвертого, не замедлил предложить свои услуги.

Немцы обрадовались, я подтащил свое кресло. Играли долго, за полночь. Попивая пиво из банок, которое можно было купить тут же, в холле, но лишь за доллары или немецкие марки. Я дважды заказывал пиво для всех, и немцы охотно принимали мою щедрость. Они тоже заказывали и угощали меня. Мы болтали, играя, как это водится при картах, обменивались короткими репликами и восклицаниями. И когда я отпустил однажды шутку, предварительно сложив всю фразу в уме, немцы дружно захохотали.

Все выглядело нормально. Я был принят в их круг на равных. И мы расстались у лифта приятелями, долго тискали руки, хлопали друг друга по плечам.

Назавтра вечером я застал их в холле снова. Они уже играли в карты. И четвертый партнер им не был нужен. За столом они сидели вчетвером. Четыре немца. И когда я подошел почти вплотную, заглядывая в карты через их плечи, они долго меня не замечали, а когда дольше не замечать уже стало неприличным, дружно, как по команде, кивнули мне головами и чрезмерно сосредоточенно углубились в карты. Я отошел от них, не попрощавшись, и, клянусь честью, мне это не показалось, все четверо облегченно вздохнули и свободно откинулись на спинки кресел.

Для немцев я был чужим. Это не вызывало сомнений. И особенно-то не беспокоило, я привык к этому за время жизни в Берлине. Они — сами по себе, я — сам по себе. Равнодушный нейтралитет. И то — слава Богу!

Но ведь пляжи были густо усеяны русскими телами, русская речь, такая приятная и родная после немецкой, сухой и отрывистой, как военные команды, витала над Золотыми Песками, над теплым морем, и душа моя трепетала при сладких звуках этой музыкальной, певучей речи. Я бродил среди распростертых на горячем песке тел и по цвету и фасону купальников угадывал русских даже тогда, когда они молчали, зажмурив глаза от ярких солнечных лучей.

У женщин почти поголовно были волосы одинакового медного цвета — единственным доступным им красителем была хна. Во ртах, когда они размыкали губы, поблескивало золото вставных зубов.

Русские лежали группами, небольшими стайками, объединенные городом или областью, откуда приехали, и чужому затесаться к ним не представлялось возможности. Они настораживались и замыкались при виде незнакомого человека, подозревая в нем провокатора или шпиона согласно инструктажу, который получили дома перед отъездом за границу.

Я, как гиена возле мирно пасущихся антилоп, бродил, облизываясь, вокруг этих стаек, сердце мое замирало от звуков русской речи, и, как подобает гиене, я выискивал антилопу-одиночку, отбившуюся от стада и не защищенную круговой порукой.

Мне удалось подстеречь такую. Другие русские ушли, а она осталась лежать на пляже на разостланном полотенце, прикрыв рукой глаза от солнца. Я воспользовался тем, что она не видит, и тихо подсел рядом, достал из сумки тюбик с маслом, выдавил оттуда на ладонь и стал смазывать плечи, кося глазом на нее.

Она отвела ладонь от глаз, увидела меня, и в ее глазах я прочел испуг и недоумение. Я тут же поспешил успокоить ее, заговорив по-русски и предложив ей масло от загара. Это немного успокоило ее, она поняла, что я не чужой, а свой, и даже взяла мой тюбик с маслом.

— Здесь купили? — спросила она, разглядывая немецкие надписи на тюбике.

Я кивнул. Стану я ей объяснять, что это куплено в Берлине.

Она попробовала масло пальцем, провела им по своему розовому от загара короткому носу и удовлетворенно улыбнулась, обнажив два или три золотых зуба среди белых прекрасных остальных зубов. Золотыми, очевидно, были коронки, надетые на зубы для красоты.

Мы стали болтать. Она назвала себя, сказала, что живет на Урале, работает на металлургическом заводе. Была замужем. Остались дочь и сын. Сама вытягивает их. Зарабатывает неплохо. Хватает. Огород свой. Овощи, картошку покупать не приходится.

У нее была довольно большая грудь, стянутая черным бюстгальтером, широкие мягкие бедра и выступающие синими гроздьями вены на икрах. Была она курноса и чуть узкоглаза и скуласта, что свидетельствовало об известной доле татарских кровей.

Такие женщины мне нравятся. Да и она, видать, соскучилась по мужскому вниманию, и не спешила уходить и улыбалась мне обнадеживающе и по-свойски.

Я тихо ликовал, предвкушая конец своего одиночества и робко рисуя в уме радужные картины назревающего курортного романа с русской, вкусной, аппетитной бабенкой, такой родной и близкой, словно я знал ее давным-давно и все не мог насытиться ее пьянящей близостью.

Оказалось, что и живем мы в соседних отелях, и уже сговаривались о встрече вечером после коллективного ужина в русской группе, когда она постарается улизнуть от своих и прийти ко мне на свидание. Я предполагал пригласить ее в бар и там накачать болгарским коньяком «Плиска», что заметно ускорило бы наше сближение.

На радостях я расщедрился и предложил в подарок немецкий тюбик с маслом для загара. И немецкую зажигалку. Она повертела в пальцах красную, копеечную зажигалку с рекламой американских сигарет «Кэмэл» и спросила удивленно, почему это у меня все вещи заграничные. И сумка с надписью «Адидас», и солнечные очки, и плавки, и даже зажигалка.

Я, идиот, глупо хихикнув, чистосердечно сказал, что вещи у меня заграничные потому, что я живу в Берлине. В Западном. И паспорт у меня тоже не советский, а германский.

На этом наше знакомство оборвалось. Она швырнула мне зажигалку и тюбик с маслом, вскочила и, подхватив с песка полотенце, побежала с пляжа. Не попрощавшись и не оглянувшись.

В другой раз я затесался к русским, играющим в глубине пляжа в волейбол. Я когда-то неплохо бил по мячу и включился в игру, не спросив разрешения, ибо этого и не требуется. Мои точные пасы и удары по мячу обратили на себя внимание. Игроки похвалили меня, перекидываясь словами, как со своим, и я почувствовал, что принят в их круг.

Устав от игры, уселись на песке. Кто-то достал из сумки бутылку водки, откупорил, и все стали пить, отхлебывая из горлышка и передавая бутылку по кругу. Я тоже хлебнул, обжег гортань и закашлялся. Все рассмеялись, а один сказал:

— Не по-русски пьешь. Ты откуда сам?

Мне бы, дураку, сказать, что я из Литвы, и, возможно, все бы обошлось, а я, глупо ухмыляясь, объяснил им, что я уже несколько лет как уехал из России и поэтому, должно быть, отвык пить по-русски.

— А где живешь теперь? — насторожилась вся компания.

— В Германии.

— Эмигрант, что ли?

Я кивнул.

Есть такое выражение: их как ветром сдуло. Вот именно так исчезли они, покинув меня. И недопитую бутылку русской водки в песке.

Русские от меня шарахались. Даже когда я ничего не говорил, ко мне поворачивались спинами. Должно быть, слух о том, что я эмигрант, прошел по русским группам. На меня лишь издали поглядывали с любопытством и даже показывали пальцами в мою сторону, но стоило мне приблизиться, становились отчужденными и даже враждебными.

Никто меня не признавал своим. Для всех этих тысяч тел тюленьего лежбища я был инородным телом.

Меня охватила жуткая тоска. Я лежал на песке один, и ласковое черноморское солнце казалось мне тоже недружелюбным, готовым сжечь, испепелить меня. Устав лежать, я бродил по колено в воде вдоль берега и безнадежно шарил глазами по телам, распростертым на горячем золотом песке, уже не надеясь встретить хоть один дружелюбный взгляд.

И вдруг лицо мое прояснилось. Я увидел на песке евреев. Женщину, мужчину и ребенка. О том, что они евреи, я догадался не по смуглости их кожи и не по карим глазам. У болгар которых много на пляже такие же лица. У этих на шеях висели на тоненьких цепочках шестиконечные звезды Давида Никто кроме еврея это не наденет. У женщины звезда была золотая у мужчины серебряная. Даже у трехлетнего мальчугана болталась на груди серебряная щестиконечная звездочка. Они сидели на большой белой простыне и, как и подобает евреям, кормили ребенка. Евреи всегда кормят детей. Даже на пляже. И при этом покрикивают на них и почти насильно заталкивают ложку в перемазанный рот.

У меня защипало в глазах. Сердце учащенно забилось. Эти трое были единственными, для кого я не чужой. Это был мой народ. Мои соплеменники. Больше я уже не был один.

Я выскочил на берег и быстрыми шагами направился к ним, с каким-то вдруг проснувшимся во мне высокомерием обходя тела — немецкие, русские и еще черт знает какие чужие тела. Мне было на них теперь наплевать! Я встретил своих!

Шагах в десяти от еврейской семейки я остановился. Я различил язык, на котором они говорили. Это был иврит. Древнееврейский язык, на котором разговаривают только в Израиле. За короткое время жизни в этой стране я выучил лишь с десяток слов, да и их позабыл, когда навсегда покинул Израиль.

Звуки речи этих трех израильтян были мне знакомы, но смысла слов я не понимал. Я пялился на них, бессмысленно и глупо улыбался и не подходил. У меня с ними тоже не было общего языка.

А они разговаривали на иврите громко, как у себя дома, в Израиле. Им и в голову не приходило, что кому-нибудь может не понравиться их речь. Они просто не замечали окружающих. И их гортанная, на восточный лад скороговорка на равных сливалась с гулом других языков, клубившихся над людским лежбищем.

Золотые и серебряные шестиконечные звездочки нестерпимо ярко отсвечивали, и я почувствовал, как слезы бегут по моим щекам. Слезы отчаяния и жуткого волчьего одиночества.

* * *

«Дорогой папочка, не знаю, покажется ли тебе серьезным это письмо, но то, о чем я пишу, очень и очень важно для меня. Оно придает смысл моему существованию и искупает многие

невзгоды и лишения, которые приходится терпеть, живя на
этой сухой, солнцем обожженной земле, названной нами исторической родиной.

Мне дали отпуск из армии. На пару деньков. С твоим отъездом у меня в Израиле нет родных, а одни лишь соплеменники и соотечественники — подчас люди, с которыми можно сосущество-
вать, лишь обладая ангельским характером. У меня такового
нет. Поэтому мне ужиться нелегко не только в Израиле — в любой части земного шара я войду в конфликт с окружением. Ска-
зывается гремучая смесь моих кровей.

Из всех евреев мне ближе всего литовские евреи — литваки.
А из них — мои прямые земляки из Каунаса, где теперь, кажется, уже евреев нет и в помине. Город стал таким, каким его
хотели видеть фашисты. Юден фрай. Свободным от евреев.
Очищенным от евреев. То, чего не добились, как ни старались,
фашисты, сделали коммунисты.

Остатки каунасского еврейства почти поголовно перебра-
лись в Израиль. Я говорю «почти», потому что ты как раз и есть
это исключение: дезертировал в объятия наших лучших друзей,
душек немцев, и делаешь вид, что тебе там очень хорошо.

Но я пишу не для того, чтобы тебя укорять. Просто к слову
пришлось.

Живет в Иерусалиме одна семья: молодая пара и ребенок. Они
из Каунаса. Она со мной в одной школе училась, а ребенок — сабра, родился уже здесь. Отпуск я провела у них. Мне с ними хорошо, и они, я знаю, мне искренне рады. Отводим душу, трепляясь
без умолку по-литовски. Этот язык у нас сидит в крови. От него не отвяжешься. Как от дурной наследственности.

В этой семейке мое одинокое сердце отогревается. Их сын,
мальчик трех лет, по имени Дан, — моя отрада. Светловолосый
и кудрявый, с большими темными глазами, с ноздрями, которые
трепещут, как у горячего коня, выдавая бурный огневой темпе-
рамент, он меня взял в плен окончательно и безоговорочно.

Я не сентиментальна. И детей люблю на расстоянии. Они
меня раздражают, и я быстро от них устаю. С этим же я могу
пробыть все двадцать четыре часа в сутки. Не знаю, буду ли я
когда-нибудь любить свое чадо, как люблю его. Он мне платит
взаимностью.

Понимаешь, один этот мальчик, это чудо природы, уже оправ-
дывает существование государства Израиль. Я никак не могу понять, почему до сих пор мы чуть ли не на коленях упрашиваем пале-

стинских террористов, храбрости которых хватает лишь на то, чтобы подложить мину в детский сад, признать наше право на существование. Какой-то национальный мазохизм. Мальчик Дан — лучшее тому подтверждение, что государство Израиль своим воскресением из библейского праха выполнило главную историческую миссию: создало новый тип еврея без галутских комплексов, свободного, здорового физически и нравственно и не испрашивающего ни у кого право жить на земле. Это право израильтянин утверждает своим нелегким трудом и кулаком, если соседи ведут себя не поджентльменски.

А вообще-то Дан — обычный ребенок. Как все — шалун и непоседа. Только покрасивей других. По крайней мере, мне так кажется.

И вот однажды, чтобы хоть немного дать его родителям отдохнуть от него, я отправилась с ним гулять. Куда? В Иерусалиме не так уж много мест для прогулок. Можно побродить среди оливок по Гефсиманскому саду, где много-много лет назад бродил в размышлениях наш дальний предок и вероотступник, благоговейно почитаемый до сих пор враждебным нам миром под именем Иисус Христос. Можно пойти к Стене Плача, где под знойным солнцем, исступленно качаясь, евреи в черном молятся у древних камней, оставшихся от фундамента прекрасного храма царя Соломона, на месте которого мусульмане воздвигли силяющую золотым куполом мечеть Омара и на этом основании утверждают свое право на Иерусалим. Можно просто бродить по Иудейским холмам вокруг Иерусалима. По голым каменистым серым возвышенностям, на которых пасутся серые стада овец, поедая скудную колючую растительность. Вдыхать горький полынный запах этих колючек. И тщательно обходить по тропкам места, огражденные ржавой проволокой с предупреждающей надписью на потемневшем от времени фанерном щите: «Осторожно! Мины!». На этих холмах для мальчика много забав. Он поиграет позеленевшими медными гильзами крупнокалиберных патронов: они валяются под ногами, по ним ходишь и скользишь. Он заберется на массивную башню советского танка Т-34, обросшую колючками, из которых торчит в небо орудийный ствол. Танка нет, лежит лишь башня — напоминание о прежних боях и советском оружии, которым арабы вот уж сколько раз, и все безрезультатно, тщатся уничтожить нас, евреев.

Я же пошла с мальчиком в Яд-Вашем. Ты так недолго пробыл здесь и был так поглощен проблемой как бы растолкать локтями своих собратьев и протиснуться на местечко поуютней и потеплей, что возможно и не знаешь, что такое Яд-Вашем

Это дорогой мой папа музей Музей катастрофы. Музей, посвященный шести миллионам загубленных нацистами евреев И расположен он в глубине одного из Иудейских холмов — его залы вырублены в скале, и туда входишь как в подземелье, как на тот свет, не знаю, в ад или в рай, где пребывают эти миллионы невинных душ

Для меня Яд-Вашем не музей. Для меня, твоей дочери, это — рвущийся из скал к небу вопль всей нашей замученной родни, это бессильный и отчаянный крик безоружного народа, на который остальной мир нацелил штыки и оскалил клыки.

Туда я привела маленького Дана. Еврея, родившегося не во враждебной неволе, а в своем свободном доме и поэтому не знающего горечи чужого хлеба, которым нас всегда попрекали, и даже не подозревающего, что на свете есть такая мерзость, как антисемитизм.

Мы вошли в скалу, с каждым шагом уходя все глубже под землю, и в полумраке каменного зала из черного бархата стен на нас смотрели печальными еврейскими глазами те, кого нет в живых, но сохранились для тех, кто уцелел, щелчком фотокамеры в руках убийцы, запечатлевшего и увековечившего свои жертвы прежде, чем их убить.

Эти фотографии, увеличенные до размеров человеческого роста, перенесенные на стекло и подсвеченные изнутри, создают жуткую иллюзию, что ты, пришедший в музей, вдруг становишься в один ряд с теми, кого раздели догола и поставили у края могильной ямы под дула винтовок. Ты объемно, выпукло осязаешь этих людей, в чьих затравленных глазах и помертвевших от ужаса лицах узнаешь черты своих родственников и друзей. Словно там стоят твои тети, двоюродные братья и сестры, бабушки. Почти в каждой жертве я угадываю взгляд, гримасу, излом бровей, виденные мною в Каунасе у оставшихся в живых евреев.

Я, как во сне, не иду, а плыву от стенда к стенду, мерцающему на фоне черного бархата, и то становлюсь в один ряд с расстреливаемыми, чуя своими локтями их похолодевшие от страха бока, то попадаю в длинную очередь голых женщин, покорно выстроившихся у входа в газовые камеры и до последнего мига верящих, что это всего лишь баня. Я покрываюсь гусиной кожей, меня бьет озноб, я сжимаю кулаки до того, что ногти впиваются в ладони.

И вдруг слышу заливистый детский смех. Я резко оборачиваюсь. Мы с Даном одни в этом огромном подземном зале. Одни. Если не считать евреев на фотографиях. Но те застыли. А мы движемся.

Дан хохочет и приплясывает. Он играет с мальчиками, своими сверстниками на фотографиях. Те стоят, подняв руки, как пленные, и немецкий солдат, зажав винтовку под мышкой, ощупывает, обыскивает их. Прежде чем гулким выстрелом из этой винтовки расколоть их черепа.

Но Дан полагает, что, подняв руки, мальчики играют и приглашают его принять участие в игре. Он тоже поднимает руки и зовет их сыграть в прятки, прячется за выступ стенда и оттуда выглядывает, посверкивая озорными глазами и смеясь. Он не может понять, почему эти мальчики не прячутся, а продолжают стоять со все еще поднятыми руками. И он окликает их, напоминая, что играть надо честно, по правилам. А они молчат, даже не улыбнутся в ответ. И только ручонки все еще подняты и, по всему видно, затекли от усталости.

На меня нашло наваждение. В моих ушах зазвучал многоголосый плач, крики, стенания. Голые люди на стендах задвигались, ожили и ринулись в зал, спасаясь от своих палачей. В зале сразу стало тесно и жарко. Меня со всех сторон обжимали и толкали мечущиеся голые тела. Дети шныряли под ногами, проталкивались, звали матерей. Матери громко, истерично окликали детей. Захлебывались в лае сторожевые псы, кидаясь на людей. Сухо щелкали выстрелы, и стон раненых плыл под каменными сводами.

Я потеряла Дана. Он исчез. Я не нашла его в зале, когда наваждение прошло и стало тихо и пусто среди черных бархатных стен, и все те, что метались только что вокруг меня, вернулись на свои места и покорно замерли на огромных, в человеческий рост, фотографиях.

Дана не было в зале. Я беспокойно обежала весь зал, заглянула за каждый выступ и его не нашла. На меня лишь с удивлением взирали печальные еврейские глаза с фотографий, недоумевая, отчего мечусь я, нарушая их могильный покой.

Потом я увидела витую спиральную лестницу в пробитом в скале туннеле. Лестница вилась среди шершавых выступов камня, и я, задыхаясь, побежала по ней, чтобы вырваться из каменных объятий, выйти из мрачного подземелья на свет, к солнцу, к людям. Над моей головой засияло светлое пятно, и я, гулко топая каблуками по ступеням, устремилась к нему. Навстречу мне, все усиливаясь, лился дневной свет, растворяя подземный холод жарким дыханием еще невидимого солнца.

Меня вынесло наверх. Ослепило солнцем. Под ногами хрустел золотистый песок. Кипарисы устремили в прозрачное небо свои пыльно-зеленые конусы. Метрах в двадцати от меня стоял солдат. Молодой и рослый парень в брюках и куртке цвета хаки и в зеленом берете на курчавой голове. Через плечо его, дулом вниз, висел автомат. Русский. Калашников. Хороший автомат. Мы их отнимаем у арабов и берем на вооружение.

Из-за его ноги выглядывал Дан. Он прятался от меня за солдатом. Он продолжал игру в прятки. А солдат, губастый и черноглазый, улыбался доброй, до ушей, улыбкой, сверкая белыми крепкими зубами.

Я тоже была в военной форме, и он подмигнул мне, как своей, как коллеге, товарищу по оружию. Он понимал, что ребенок не мой. Матерей в армию не призывают.

— Брат, что ли? — спросил он.

И я кивнула. Подошла, стала с ним рядом. Макушкой не доставая до его плеча. А ведь я считаюсь высокой. Дан взял меня и солдата за руки. Крохотная фигурка между мужчиной и женщиной в армейской форме. И такая уверенность и гордость засияли на его славной мордашке, что вышедшие из музея пестрой толпой американские туристы защелкали фотокамерами, и с каждым щелчком застывали навечно мы трое: мужчина и женщина — солдаты и еврейский мальчик, никого не боящийся и уверенно и с вызовом смотрящий на мир. Он вырастет без комплексов и извинительной улыбки. Его уверенность в будущем подпирают наши автоматы: маленький израильский «узи», который ношу я, и трофейный автомат у губастого кудрявого солдата».

* * *

Мы стояли с женой на переходе у светофора и ожидали зеленого света, чтобы пересечь улицу. Рядом с тротуаром затормозил автофургон с решетчатыми бортами, и оттуда доносилось многоголосое овечье блеяние. Овцы, сбитые в кучу в тесном кузове грузовика, наполовину просовывали острые мордочки в щели бортовых решеток, жалобно и удивленно смотрели на незнакомых людей и блеяли, словно плакали, как дети, которых отняли от мамы и везут неизвестно куда.

— На бойню едут, бедненькие, — равнодушным голосом посочувствовал кто-то за моей спиной. — Но их счастье, что они этого не знают.

Моя жена заметила в моих глазах навернувшиеся слезы и насмешливо процедила мне в ухо:

— Ты чувствителен, как самая последняя баба.

Да, я чувствителен. Я очень чувствителен. Я становлюсь особенно чувствительным, когда вижу живые существа, брошенные в кузов навалом, уже как трупы, и везут их туда, откуда возврата нет.

Я чрезвычайно чувствителен, когда слышу плач детей, насильно оторванных от своих матерей, и в этих случаях на моих глазах возникают слезы, и я их не стыжусь.

Потому что я побывал в таком кузове в тесном клубке детских тел, пищащих, воющих и всхлипывающих. Я остался жив. А остальных детей нет и в помине, и никто не знает, где их маленькие могилки.

У нас, в каунасском гетто, немцы провели один из самых изуверских экспериментов. Они отступили от правила — убивать детей вместе с родителями. Чей-то очень практичный ум додумался, как даже из нашей смерти извлечь пользу для Третьего рейха. Он предложил отделить детей в возрасте семи-десяти лет от родителей и, прежде чем их умертвить, выкачать из них чистую свежую детскую кровь и в консервированном виде отправить в полевые госпитали для переливания раненым солдатам.

Моей сестренке Лии было семь лет, а мне — десять.

В кузов автофургона с брезентовым верхом набросали кучей не меньше пятидесяти детей, и они шевелились клубком, из которого торчали детские головки, неловко прижатые другими телами ручки и ножки в туфельках, сандалиях, а то и босиком. Клубок дышал и шевелился и при этом попискивал, подвывал и всхлипывал.

Я был прижат к левому борту, на моем плече покоилась чья-то стонущая головка, а ноги сдавили сразу несколько тел. Худых и костистых, какие бывают у маленьких ребятишек. Кто-то, лица я его не мог разглядеть, все пытался высвободить свою прижатую руку и больно скреб по моему животу. Я втягивал живот как можно глубже, почти до самого позвоночника, но пальцы с ногтями снова настигали истерзанную кожу на моем животе. С этим я в конце концов смирился. Я был большой. Десять лет. И успел привыкнуть к бо-

ли в драках с мальчишками на Зеленой горе, где мы жили в
отдельном двухэтажном доме с папой и мамой и младшей сестрой Лией. Меня закалила также и строгость мамы, которая
не скупилась на подзатыльники, когда ей что-нибудь не нравилось в моем поведении. А не нравилось ей в моем поведении все. Потому что она меня не любила.

Но все это было давным-давно. В мирное время. Еще до
того, как немцы пришли в Каунас, и полиция выгнала нас из
нашего дома на Зеленой горе и пешком погнала через весь
город в далекий и нищий пригород Вилиямполе, и место, где
нас поселили в вонючей комнатке, стало называться гетто.

Прижатый к борту фургона, я никак не мог видеть моей
сестренки, и с этим мне было трудно смириться. Я слышал,
как она тоненьким голоском звала меня. Я отвечал ей. Наши
голоса тонули в других голосах. Но все же мы слышали друг
друга и перекликались. Ее голосок был такой жалобный —
такого я никогда не слышал. Я хотел было переползти к ней,
прижать к себе, чтобы она успокоилась и затихла. Но вытащить свое тело из переплетения других тел оказалось мне не
под силу. И я только подавал голос, чтобы маленькая Лия
знала — я о ней не забыл и нахожусь совсем близко.

Машину качало, иногда подбрасывало на ухабах, и тогда мы стукались друг о друга, и это были мягкие удары, а те,
кто, как я, были прижаты к боковому борту, больно ударялись о доски.

На краю заднего борта сидел, свесив наружу ноги, рыжий
Антанас — литовец-полицейский. Совсем еще молодой парень с огненно-рыжей шевелюрой, по которой его можно
было узнать издалека и успеть спрятаться. Его в гетто боялись больше других полицейских. В пьяном виде он мог ни за
что ни про что пристрелить человека — просто так, от скуки.
А пьян он был всегда.

От него и сейчас разило спиртным перегаром, хоть и сидел он к нам спиной и ветер относил его дыхание от нас. Я
отчетливо чуял запах спиртного, острую вонь самогона, которая исходила от его широкой спины с покатыми плечами,
на которой подпрыгивала короткая винтовка с темным,
почти синим, металлическим затвором.

Я смотрел на эту винтовку против своей воли и не мог отвести взгляда, и при этом меня немножко подташнивало. Мы
ведь не знали тогда, что нас везут, чтобы вытянуть, высосать

всю нашу кровь. Я был уверен, что нас везут на Девятый форт и там перестреляют, как цыплят.

Я смотрел на винтовку рыжего Антанаса, на ее выщербленный деревянный приклад и думал, как думают о самых простых вещах, что из этой самой винтовки Антанас убьет меня и в металлическом затворе лежит себе спокойно свинцовая пуля с болезненно-острым кончиком, ничем не отличающаяся от других пуль. С одним лишь отличием, что в ней притаилась моя смерть. И еще одна пуля лежит в оттопыренном кармане суконного кителя Антанаса. Как сестра похожая на мою. Это пуля Лии. Мы с Лией брат и сестра, и наши пули тоже родственники. Их даже, возможно, отлили из одного куска свинца.

Так думал я, когда удары о доски борта не отвлекали меня от размышлений. И смотрел на широкую суконную спину Антанаса, на рыжие завитки волос на его белокожем, в веснушках затылке.

У нас было два конвоира. Другой, немолодой немецкий солдат, маленького роста, сидел в кабине, рядом с шофером, а здоровенный Антанас протирал себе зад на остром краю автомобильного борта. Отчего, конечно, злится и сорвет свою злость на нас.

Брезентовый полог над задним бортом, где сидел Антанас, был завернут вверх, на крышу фургона, и мне было видно, как убегают назад маленькие грязные домики Вилиямполе — еврейского гетто, последнего пристанища нашей семьи и всех каунасских евреев. Мы еще не выехали за ворота гетто, когда автомобиль остановился. По поперечной улице ползла вереница телег — я слышал цокот конских копыт и скрежет железных ободьев колес о булыжники мостовой.

Маму я сначала услышал и потом лишь увидел. Я отчетливо, до рези в ушах, слышал знакомый голос, привычную напевную скороговорку. Она разговаривала с Антанасом. Мама, единственная из всех матерей, не осталась плакать и причитать в своей опустевшей комнатке, а побежала к воротам и подстерегла наш грузовик.

— Антанас, — позвала она. — Это — последняя ценность, что я сохранила. Чистый бриллиант. Старинной бельгийской шлифовки. Здесь три карата, Антанас.

Над краем заднего борта показалась мамина рука. Моя мама небольшого роста, и за бортом грузовика ее не было видно. Двумя пальцами мама держала тоненькую серебряную цепочку, на которой покачивался, нестерпимо сверкая гранями, выпуклый бриллиант в матовой серебряной оправе. Я знал его. Мама надевала его на шею, когда мы ожидали гостей и когда они с папой собирались в театр.

Антанас тоже двумя пальцами взял у нее цепочку, положил бриллиант на ладонь, покачал на ладони, словно пробовал его на вес.

Я замер, даже перестал дышать. Мне без пояснений стало понятно, что мама хочет выкупить нас с сестренкой. Как она сумела спрятать тот бриллиант во время обысков, одному Богу известно. Я был уверен, что у нас ничего не осталось. Когда совсем нечего было есть и маленькая Лия — мамина любимица — хныкала от голода, а этого бриллианта хватило бы и на хлеб и на молоко, мама и виду не подавала, что она утаила бриллиант. Его она хранила на черный день. На самый-самый черный. Потому что какие могут быть светлые дни в гетто, где каждый день лишь приближал тебя к неминуемой смерти.

Теперь этот самый-самый черный день наступил. Маму оставили пока жить, но забирали детей. И тогда мама достала из тайника свою последнюю надежду — бриллиант в три карата, фамильную ценность, доставшуюся ей в наследство от матери, а до того, как я помнил из семейных разговоров, он висел на шее у маминой бабушки, то есть моей прабабушки, которой я даже на фотографиях не видел, потому что в пору ее жизни не был изобретен фотоаппарат. Но убивать невинных женщин уже научились. Прабабушку, насколько я понял из маминых объяснений, убили в Польше, с которой Литва тогда составляла одно государство, во время очередного погрома.

Антанас все еще держал бриллиант на ладони, размышляя, а мамина рука, словно рука нищенки, просящей подаяние, подрагивала в воздухе над краем борта. Я даже видел, как шевелятся ее пальцы.

Отныне нашу с сестренкой судьбу могли решить два обстоятельства, лихорадочно размышлял я. Первое: Антанасу должен приглянуться бриллиант. Второе: чтобы грузовик не тронулся с места раньше, чем Антанас примет окончательное решение. А решение это означало: жить нам с Лией или нет.

— Чего ты за это хочешь? — лениво спросил Антанас, и у меня от этого засвербело в носу.

— Моих детей, — тихо, словно боясь, что ее услышат немцы в кабине грузовика, сказала мать.

Они с Антанасом разговаривали по-литовски, и немцы, даже если бы и услышали, ничего бы не поняли.

— Сколько их у тебя?

— Двое. Девочка и мальчик.

Мама, повысив голос, назвала нас по именам. Лия тут же откликнулась, громко, навзрыд заплакав.

— Эта, что ли, твоя?

Антанас чуть опрокинулся назад и стал шарить огромной ручищей по детским головенкам, мгновенно притихшим. Так шарит продавец арбузов по огромной куче, выбирая самый спелый. Рука Антанаса доползла до Лии, и, как только коснулась ее, девочка умолкла. Антанас ухватил ее, как цыпленка, за узенькую спинку и вытащил из-под чужих рук и ног. Затем поднял в воздух под брезентовую крышу кузова, и Лия, в синем с белыми ромашками платьице и в сандалиях на тоненьких ножках, закачалась над другими детскими головками, как маленькая акробатка в цирке. Волосы были заплетены в две косички и стянуты ленточкой, которую сделала мама, отрезав полоску от своего старого платья. Мама каждое утро заплетала Лии косы. И в,это утро тоже.

— Твоя? — спросил Антанас.

Мама не ответила и, должно быть, только кивнула головой. Лии сверху было видно маму, и я ожидал, что она закричит, потянется к ней, забьется в руке у Антанаса. Но Лия молчала. Ее маленький детский умишко чуял нависшую опасность и закрыл ей рот. Она молчала, раскачиваясь, как котенок, схваченный за шиворот, и смотрела неотрывно на маму, и даже улыбалась ей. Честное слово, мне это не померещилось. Лия улыбалась. Ее рот был открыт, и два передних верхних зуба, выпавших незадолго до того, зияли смешной старушечьей пустотой на детском личике.

— Ладно, — согласился Антанас. — Возьми ее.

— Там еще мой сын, — хрипло сказала мама.

— Чего захотела! — замотал головой Антанас. — Двоих за одну побрякушку?

— У меня больше ничего нет, Антанас. Я тебе отдала последнее, что имела.

— Вот и бери одного. Двоих не дам.

Мать не ответила.

— Давай быстрей, — сказал Антанас, опустив Лию на головы другим детям. — Будет поздно. Девку возьмешь или парня?

Мое сердце застучало так, что я явственно слышал, как от его ударов скрипели доски автомобильного борта.

Я не знаю, чего я ждал. У меня не было никакого сомнения, что если маме оставят только такой выбор, она, конечно, возьмет Лию. И потому, что Лия — девочка, и потому, что Лия — меньше меня. И еще по одной причине.

Меня мама не любила. И не скрывала этого. Я был в семье гадким утенком. Некрасивым и зловредным. Меня даже стыдились и, когда приходили гости, старались побыстрее спровадить в спальню, чтобы не мозолил глаза.

Лию наряжали как куколку. На нее тратились не скупясь. И она была одета лучше большинства детей нашей и соседних улиц на Зеленой горе. Даже детей из семейств намного богаче нашего так не одевали.

А я ходил как чучело огородное. Мне покупали вещи в дешевых магазинах и намного больших размеров, чем мне полагалось. На вырост. И поэтому я напоминал карлика в пальто почти до пят и с болтающимися концами рукавов. Это пальто я носил до тех пор, пока рукава мне становились короткими, почти по локоть, а само пальто скорее напоминало куртку. Выбрасывали его лишь тогда, когда оно настолько становилось тесно в плечах, что было больно натягивать его, а застегнуть на пуговицы никак не удавалось, сколько меня ни тискали и ни сдавливали.

В нашем доме царицей была Лия, а я был парией. Вроде Золушки. Только мужского рода. Меня лишь терпели. И терпели с превеликим трудом. Однажды мама в порыве гнева, а гнев этот был реакцией на мою очередную проделку, а проделки эти я совершал назло всему дому, где меня не любили, воскликнула, заломив руки:

— Господи! Лучше бы камень был в моей утробе, чем этот ублюдок.

Я не помню, чтобы мама меня поцеловала. Чтобы посадила на колени, погладила по стриженой голове.

И не потому, что она была черствой. На Лию у нее с избытком хватало нежности. Ее она не просто целовала, а вылизывала, и Лия, пресыщенная чрезмерными ласками, отбивалась, вырывалась из рук, даже била маму по лицу, чтобы угомонить, остановить безудержный поток материнской любви.

А я с жадностью и с завистью поглядывал и с трудом сдерживал себя от того, чтобы не завыть в полный голос, заскулить, как пинаемый ногами прохожих заблудший щенок.

Я был твердо убежден, что меня держат в доме лишь потому, что стыдятся прослыть среди знакомых жестокосердными людьми, а не то сплавили бы меня куда-нибудь в сиротский дом, или нарочно позабыли бы, как чемодан без наклейки с адресом, на какой-нибудь железнодорожной станции, или, как в страшной сказке, завели бы в дремучий лес и оставили там.

Все это рисовало мне мое ущемленное и обиженное детское воображение. И при этом я не испытывал в ответ никакой ненависти. Главный источник моих бед, соперницу, лишившую меня материнской любви, мою маленькую сестренку Лию я любил нежно и трогательно. Совсем не по-мальчишески. Мне доставляло предельное наслаждение легонько касаться кончиками пальцев ее выпуклого лобика, пухлых, бантиком, губок, и, когда мама заставала меня за этим занятием, я пребольно получал по рукам, а то и по затылку с одним и тем же напутствием:

— Не смей касаться грязными, немытыми руками ребенка.

Ребенком была Лия, а кем был я?

Я был влюбленным и отвергнутым маленьким человечком. Я обожал свою маму. Я любил ее голос, ее мягкую полную грудь, которой касался ручкой много лет назад, но ощущение непередаваемой теплоты от этого касания сохранил на всю жизнь. Я любил ее маленькие бледные уши с рубиновыми огоньками в сережках. Я не знаю ничего шелковистей, чем ее черные густые волосы, которые она расчесывала на ночь, сидя перед зеркалом-трельяжем, и волнистые пряди этих волос покрывали ее плечи и спину, и мне до жжения в ладонях мучительно хотелось подкрасться невидимкой и коснуться их...

— Последний раз спрашиваю, — сказал Антанас. — Выбирай! Девку или парня?

Мотор автомобиля, словно подтверждая угрозу Антанаса, взревел громче, собираясь тронуть.

— Ну! — нетерпеливо крикнул Антанас. — Кого берешь?

— Никого.

Мама ответила тихо, но ее голос, я могу поклясться, перекрыл рев мотора:

— Или обоих. Или... никого.

Грузовик дернулся, трогая с места. Я ударился виском о доску борта. И не почувствовал боли. Я оглох. Я онемел. Вся кожа на моем костлявом худеньком тельце стала бесчувственной, как бумага.

Боже! Какой матерью наградила меня судьба! И отняла так рано.

По мере того как грузовик удалялся, вырастала, словно из земли, фигура мамы. Она стояла посреди мостовой без платка, в черном, как траурном, платье и не шевелилась. Окаменела как статуя.

Мы выезжали из ворот гетто. На волю. Где нас ожидала смерть.

Рыжий Антанас подбросил на ладони серебряную цепочку с бриллиантом и небрежно сунул в боковой карман кителя.

По окраинным улицам Каунаса, переваливаясь на выбоинах, пробирался крытый брезентом немецкий армейский грузовик с ценным грузом в кузове — большим запасом консервированной крови, так остро необходимой военным госпиталям. Эта кровь была надежно ограждена от порчи и плотно законсервирована, потому что все еще текла в жилах живых существ, мальчиков и девочек из каунасского гетто. Дети были сосудами с драгоценной кровью. Но они этого не понимали и, сваленные в кучу на дне кузова, шевелились, скулили, плакали.

Я лежал у левого борта, а моя сестренка Лия ближе к правому и стенке кабины. За другими головами и спинами я ее снова потерял из виду.

Край брезента, привязанного веревками к борту, приходился на уровень моей щеки и натирал мне кожу. Я приподнял его слегка и увидел в открывшуюся щель пробегающие домишки и сады предместья. Улица была узкой, немощеной, и ветки деревьев цеплялись за крышу фургона и скребли по брезенту. Брезент возле меня не был закреплен и поднимался легко. При желании я мог бы, встав на колени, просунуть в щель всю голову и даже вылезти наружу. Вернее, не вылезти, а выпасть. Вывалиться на обочину. И, если повезет, не разбиться насмерть.

Я уже заметил, что на изгибах дороги и на поворотах шофер притормаживает и машина настолько замедляет ход, что прыжок из нее на землю становится почти безопасным. Голова моя заработала в этом направлении. Прыгать. Вывалиться. И спастись. А Лия? Я ее не могу оставить. Что я скажу маме, если вернусь один? Куда вернусь? В гетто? Меня тут же схватят и на другом грузовике с другими детьми увезут туда же, куда везут сейчас.

Жизнь в гетто научила меня соображать похлестче, чем взрослого. Я понимал, что действовать надо немедля. Неизвестно, куда и как далеко нас везут. Может, через пять минут машина будет у цели, и нас начнут выгружать. И тогда — все. Вряд ли еще одна такая возможность спастись представится. Потом, рыжий Антанас, сидящий к нам спиной, может переменить позу, и я попаду в поле его зрения. Пока он не поворачивается, даже закуривая.

Я ни капельки не испытывал страха перед тем, что мне предстояло: вывалиться на ходу из грузовика и пребольно удариться при падении. У меня холодело сердце при мысли о маленькой Лии. Как ее прихватить с собой? Она до меня не доползет, сколько бы я ее ни звал. Я уже пробовал. Лия только плакала в ответ. Ползти за ней и тащить ее обратно к этой щели по головам и телам других детишек? Поднимется такой вой, что рыжий Антанас непременно обернется.

Вот тогда-то мне впервые привелось принимать страшное решение, резать по живому мясу. Вдвоем спастись не представлялось никакой возможности. Но лучше пусть спасется один, чем никто. Это разумно, хотя и жутко. Лии легче не станет оттого, что я умру вместе с ней.

Так я размышлял теперь, уже взрослым человеком. Но, насколько мне память не изменяет, нечто подобное проносилось в моей зачумленной головенке и тогда, хотя и в иной форме, в других выражениях.

Я решил прыгать один. Единственное, чего мне остро, мучительно хотелось, — увидеть на прощание мою сестренку. Ее заплетенные мамой косички и зареванные, опухшие от слез глазки. Сколько я ни тянул шею, разглядеть за чужими руками и плечами Лию мне не удалось.

На следующем повороте я высунулся из-под брезента и перевалился всем телом через борт. Домов здесь не было. Вдоль дороги тянулись невысокие кусты, а за ними — поле. Безлюдно. И это было весьма кстати. Потому что время приближалось к полудню, и для прохожего заметить выпавшего из автомобиля мальчишку не составляло большого труда.

Удар о землю оказался не таким болезненным, как я
предполагал. Накануне прошел дождь, и почва была мягкой
и вязкой. Боком и щекой проехался я по глинистому краю
придорожной канавы, слегка разодрав локоть и колено.
Только и всего. Даже кровь не выступила. Та кровь, которую
должны были изъять у меня и перелить моим злейшим врагам — раненым немецким солдатам.

Я отполз подальше от дороги, за кусты, сел и огляделся вокруг. Местность тут была холмистая, и на склонах холмов пе-
ремежались прямоугольники полей, полосы кустарника на
межах и по два-три дерева вокруг одиноких домиков с сарая-
ми — крестьянских хуторов. О том, чтобы пойти к ближнему
хутору и постучать в дверь, я и не помышлял. Я был городским
мальчиком и деревенских людей всегда сторонился. Уж слишком их уклад жизни отличался от нашего. Крестьяне всегда
мне казались угрюмыми, диковатыми людьми, как недобрые
персонажи из детских сказок. Вроде рыжего Антанаса, сопро-
вождающего грузовик с консервированной кровью и сейчас не
подозревающего, что один сосуд с такой кровью он по дороге
потерял. Зато у него остался другой сосуд, по имени Лия. При
воспоминании о Лии у меня заныло в груди и защипало в глазах: вот-вот зареву. Я тут же переключился в уме на маму. Как
там она сейчас в гетто? Бьется головой о стенку, потеряв сразу
обоих детей. И не знает, что один ребенок, то есть я, спасся и
находится совсем близко от нее. Отсюда до гетто в Вилиямполе можно пешком дойти за два часа.

Но в гетто я не пойду. Жизнь сделала меня мудрым. Я кожей чуял, где меня поджидает опасность. Точь-в-точь как ди-
кий зверек. Я знал, что из гетто стараются убежать, но никто
туда не возвращается по своей воле. А лишь под конвоем. Из
гетто одна дорога — к смерти. Туда я не пойду, хоть там
сейчас плачет навзрыд моя мама. Какое утешение я ей принесу? Что не спас маленькую Лию и сам вернулся к маме,
чтобы умереть вместе с ней?

На хуторах мычали, перекликаясь, коровы. От их
мычания пахло молоком, и мне еще больше захотелось есть.
Но там же полаивали собаки. А собак я боялся больше, чем
голода. И окончательно отказался от мысли попытать счастья по хуторам.

Осталось одно: вернуться в город. Каунас — большой город,
столица Литвы. Там много улиц и переулков, в которых можно

затеряться, как иголке в стоге сена, и никто тебя не обнаружит. Наконец, в Каунасе, на Зеленой горе, за голубым палисадником, среди кустов сирени и черемуховых деревьев, высится цинковой крышей двухэтажный домик с кирпичной дымоходной трубой, на кончике которой стоит закопченный железный флюгер в виде черного парусника. Этот флюгер привез мой отец из Клайпеды, с Балтийского побережья, куда в мирное время мы ездили купаться в море, и я отчетливо помню, как рабочие забрались на крышу и установили его на трубе.

— К счастью, хозяин, — сказали они, когда отец с ними щедро расплатился и даже вынес по рюмке водки.

Откуда им было знать, что скоро кончится мирное время и нас выгонят из дома, запрут в гетто, а потом меня с Лией заберут у матери и увезут неизвестно куда, а я по дороге спрыгну с машины и буду сидеть в кустах, не зная, куда податься.

Наш дом на Зеленой горе остался для меня единственным ориентиром в городе. Я не знал, пустует он или занят новыми жильцами, цел он или сгорел — пока мы жили в гетто, в городе было много пожаров. Я знал, что мне больше некуда идти.

Чтобы добраться до района Зеленой горы, нужно было прежде всего дойти до города. А путь туда пересекала река Неман с большим железным мостом. Пройти мост незамеченным было невозможно: его охраняли с обеих сторон немецкие солдаты. За рекой начиналась нижняя часть города — центр Каунаса с многолюдными улицами, где мое появление привлекло бы внимание. В Каунасе не осталось ни одного еврея на свободе, а мое лицо не оставляло никаких сомнений по поводу моего происхождения. Первый же литовец-полицейский схватит меня и препроводит в Вилиямполе, в гетто.

Дорога оставалась почти безлюдной. Иногда прошмыгнет грузовой автомобиль, а чаще протрусит рысцой крестьянская лошадка с телегой и с пьяными, напевающими песни седоками. По соседству в местечке был базар, но на своем пути к городу я обошел это местечко стороной, хотя гомон базара явственно доносился до моих ушей. Базар подсказал мне счастливую мысль: как объяснить свое путешествие пешком в Каунас. Я заблудился, мол, на базаре, родители потеряли меня в толпе, и сейчас один возвращался домой. Такое объяснение выглядело правдоподобным. Если бы... если бы не мое еврейское лицо.

До самого подхода к городу никто меня не остановил. Крестьяне проезжали на телегах, не очень-то интересуясь, что за мальчик бредет по обочине дороги. Пешие вообще не попадались. Если не считать маленькой колонны немецких солдат, без винтовок и касок шагавших из города. Их я пропустил, отойдя от дороги и укрывшись, лежа в высокой траве. Я шел к городу с холмов, и весь Каунас открывался передо мной в низине. Посверкивало зеркало реки — по ней буксиры тянули баржи, и дальше полз большой плот из бревен. На плоту был деревянный домик с трубой, и из трубы тонкой струйкой шел дым.

Два моста повисли над Неманом. Тот, к которому я шел, и второй, железнодорожный, пустой в это время. А мой мост был забит телегами и автомобилями, и с высоты они казались игрушечными. Как и сам мост. И вся панорама города. С тонкими фабричными трубами в Шанцах, с широкой и прямой стрелой центрального проспекта — Лайсвес алеяс (Аллея свободы). Этот проспект мне тоже предстояло пересечь.

Дальше, еще через несколько улиц, город обрывался, упершись в песчаные обрывы Зеленой горы. Маленький вагончик фуникулера карабкался по рельсам, влекомый вверх стальным канатом, а навстречу ему сползал вниз другой вагончик-близнец. Это и был путь к моему дому. Зеленая гора кудрявилась садами, за ними проглядывали уютные домики-особняки. Один из них прежде был нашим.

К мосту я спустился без помех. В пестром и шумном потоке телег и пешеходов. Въезд на мост преграждал полосатый шлагбаум. Солдаты осматривали каждую телегу, пеших пропускали не останавливая. Лишь у вызывавших подозрение требовали показать документы. Из-за этого перед мостом образовался затор. Кони и люди, сбившись в кучу, ждали своей очереди нырнуть под шлагбаум. Это напоминало базар. На телегах визжали в мешках поросята, кудахтали и били крыльями связанные за лапы куры, ржали кони. Жеребята на тонких ножках, пользуясь остановкой, залезали под оглобли и тыкались мордочками кобылам в живот. При виде сосущих жеребят мне еще острей захотелось есть.

Шлагбаум с немецкими солдатами был первым барьером на моем пути к дому. Фигурка мальчишки, одного, без провожатых идущего пешком через мост в город, да еще с таким еврейским лицом, даже у самого тупого солдата должна вызвать подозрение.

Безо всякой надежды рыскал я глазами по толпе. Ни одно лицо, на которое натыкался мой взгляд, не вызывало доверия. Все казались мне чужими и злыми.

И вдруг я увидел сбоку от дороги ксендза. В черной запыленной сутане. Тоже пришедшего к мосту пешком. И видно, издалека. Ксендз был стар, тучен и потому устал. Он присел на край бревна, положил рядом шляпу, обнажив лысую голову с капельками пота на розовой коже. Поставил на колени толстый раздутый портфель, достал из него завернутый в бумагу бутерброд, развернул промаслившуюся бумагу и постелил ее рядом на бревне. Потом вынул из портфеля яйцо, осторожно разбил его о кору бревна, очистил от шелухи, шелуху аккуратно собрал в ладонь и высыпал обратно в портфель. Затем стал есть. Надкусит крутое яйцо, отщипнет от бутерброда и жует беззубым ртом, отчего его лицо сморщивалось и раздвигалось, как меха у гармоники.

Я и не заметил, как очутился перед ксендзом и застыл, завороженно следя за каждым куском, который он отправлял в рот, медленно прожевывал, а затем глотал. Со стороны я, должно быть, был похож на голодного щенка, впившегося взглядом в кушающего человека и не отваживающегося попросить и себе кусочек. Единственное, что меня отличало от такого щенка, это то, что я не повиливал хвостиком. Потому что хвостика у меня не было.

Зато был пустой голодный желудок, который болезненно сжимался и урчал, и мне кажется, что старый ксендз был туговат на ухо и навряд ли что-нибудь расслышал. Зато разглядеть меня — разглядел. И в первую очередь мою еврейскую рожицу.

Ксендз перестал жевать. Пальцем поманил к себе. Я приблизился. Он еще ближе подозвал. Пока я не стал у его колен, обтянутых черной сутаной.

— Что ты тут делаешь? — спросил он, прищурив на меня красноватые слезящиеся глаза.

— Иду домой, — тихо ответил я.

— Один?

Я без запинки рассказал ему придуманную, когда я сидел в кустах, историю о том, что приехал с родителями на базар в местечко, но там мы потеряли друг друга из виду. Они, не найдя меня, должно быть, уехали домой и теперь наверняка ждут не дождутся, когда я вернусь. И для большей достоверности добавил:

— Мама, наверное, плачет.

Ничто не шевельнулось на красном от солнца и подкожных прожилок лице ксендза. Рыжие ресницы прикрыли глаза, словно ему было стыдно глядеть на меня и выслушивать такую ложь.

Ксендз ничего не сказал, а только спросил:

— Ты, должно быть, голоден?

— Да, — чуть не взвизгнул я и захлебнулся наполнившей рот голодной слюной.

— Тогда садись. Подкрепись, чем Бог послал.

Он снял с бревна свою шляпу, нахлобучил на голову и глазами показал, что освободил место для меня. Я тут же присел на корявое бревно и положил руки на колени. Ладонями вверх. Чтобы взять пищу.

Ксендз снова полез в свой пухлый портфель и извлек кусок белого запотевшего сала. Свиного сала. В нашем доме никогда не ели свинины, и мы оба, и я и Лия, знали, что если хоть раз мы попробуем эту гадость, то нас обязательно стошнит, а потом могут быть самые страшные последствия. От нас отвернется наш Бог, и мы станем самыми несчастными на земле.

Ксендз раскрыл перочинный ножик и сверкающим лезвием стал отрезать ломтики сала. При этом он испытующе покосился на меня. Мне было ясно, что если я откажусь от его угощения, он сразу поймет, кто я, и если не сдаст в полицию, то по крайней мере постарается отвязаться от меня. За укрывательство евреев христианам грозили большие неприятности. Вплоть до расстрела. Немцы и ксендза, если он нарушит приказ, не пощадят. В гетто я слыхал разговоры взрослых, что под Каунасом публично повесили священника за то, что прятал у себя в погребе еврейскую семью. Евреев, конечно, убили тоже.

От меня отвернется наш Бог, если я оскверню уста свои свининой, и я стану самым несчастным человеком на земле, — рассуждал я, не сводя глаз с блестящего лезвия ножика, вонзающегося в белое мягкое сало. А разве я уже не самый несчастный на земле? Разве мой Бог заступился за меня? За мою сестренку Лию? За маму? Я оскверню уста, но, возможно, останусь жив.

Ксендз протянул мне ломоть свежего ржаного хлеба, от запаха которого у меня закружилась голова. На хлебе лежали длинные белые дольки сала. Я схватил хлеб обеими руками и стал запихивать в рот, захлебываясь от потока слюны.

— Не спеши, — сказал ксендз. — Подавишься.

От сала меня не стошнило. Я проглотил все с такой скоростью, что даже не разобрал вкуса. Потом облизал ладони, на которых прилипли хлебные крошки.

Ксендз дал мне еще один кусок хлеба, но уже без сала, а с очищенным от шелухи яйцом. Яйцо, прежде чем дать мне, он посыпал солью из бумажного кулька.

Ксендз спросил, где я живу, и, когда я назвал Зеленую гору, он покачал головой:

— Далеко добираться. Сам не дойдешь.

Я так и не понял, что он имел в виду. То ли что у меня не хватит силенок на такой дальний путь, то ли мою внешность, которая могла помешать мне пересечь город по людным улицам.

— Пойдем вместе, — сказал он вставая. — Нам по пути.

Я, не раздумывая, а так, словно иначе и быть не могло, протянул ему руку, и он взял ее в свою мягкую влажную ладонь. В другой руке он понес портфель.

Крестьяне уважительно посторонились, пропуская священника к мосту. Я не отставал. Под шлагбаумом немец в пилотке и с винтовкой за спиной даже козырнул ксендзу и пропустил нас, на какой-то миг задержав удивленный взгляд на мне. Дальше стоял литовец-полицейский. Его я боялся больше всего и шел не поднимая глаз. Он даже присел, чтобы лучше разглядеть меня.

— Он с вами? — недоуменно спросил он.

— Со мной... Разве не видишь? — рассердился ксендз и, дернув меня за руку, прошел мимо озадаченного полицейского.

Под нашими ногами пружинил и гудел мост. Далеко внизу серебрился Неман, и тот плот, что я видел, подходя к реке, все еще полз по ней, и из бревенчатого домика на нем валил из трубы в небо дым — плотогоны готовили обед. На телегах, что ехали по мосту, обгоняя нас, люди тоже жевали, пили из бутылок, громко смеялись. Кругом была жизнь! И никому не было дела, что этим утром из их города увезли на смерть маленьких детей, и с ними мою сестренку Лию, что я остался один-одинешенек и что, если меня не поймает полиция, я все равно умру с голоду.

Но моя рука лежала в чужой руке, и этой руке было дело до меня. Эта рука меня накормила, правда осквернив мои уста, и теперь вела через Неман в город, где я не знал, что меня ждет.

Мы благополучно миновали мост, шли по улицам, вызывая удивленные взгляды прохожих при виде такой необычной пары: старого католического ксендза с нахмуренным сосредоточенным лицом, ведущего за руку еврейского мальчика. Но никто нас не остановил. Никто не пошел за нами. Мы пересекли центральную улицу — Лайсвес алеяс, и здесь ксендз присел на скамью передохнуть.

— Не проголодался? — спросил он, обтирая носовым платком розовую лысину.

Я покачал головой, но сказал, что хочу пить.

— Потерпи, — сказал он.

Отдохнув, он встал со скамьи, мы пошли дальше. Он подвел меня к киоску, где продавали газированную воду, и заказал два стакана. Один, без сиропа, для себя. Другой, с розовым сладким сиропом, мне. Пузырьки газа, щекоча, ударили мне в нос, сладость сиропа потекла по языку, и мне стало так хорошо, что я на миг позабыл о том, где я и что со мной. Мне показалось, что мой папа протянул мне этот стакан, а второй берет у продавца для Лии. Ей он заказал двойную порцию сиропа. Потому что ее любят в семье, а меня...

Мои грезы оборвал ксендз, взяв из моей руки пустой стакан. Он заплатил, и мы двинулись дальше.

А дальше был фуникулер. Он купил билеты, и мы сели в вагончик на скамью. А напротив нас сели немецкие солдаты и уставились на меня. Они смотрели на нас, потом друг на друга, потом снова на нас. Кондуктор, старая женщина в платке и с кожаной сумкой через плечо, прежде чем захлопнуть двери вагона, спросила ксендза:

— Он с вами?

— А с кем же еще?

Она ничего не сказала и захлопнула дверцы. Вагончик дернулся, заскрипел канат, и нас повлекло вверх по крутому склону Зеленой горы.

Немецкие солдаты смотрели на нас, а я смотрел поверх их голов в стекло, за которым уплывал вниз город. Уже вечерело. И на Лайсвес алеяс зажглись фонари. Другие улицы, неосвещенные, погружались в темноту.

На самом верху вагончик, дернувшись, остановился, двери открылись, и немецкие солдаты, галдя и жестикулируя, пропустили ксендза со мной вперед.

Потом шли за нами, что-то горячо обсуждая по-немецки, и я замирал при мысли, что они укажут первому же патрулю на меня.

На углу солдаты неожиданно свернули, а мы пошли прямо. Мне показалось, что ксендз облегченно вздохнул. А уж я чуть не запрыгал от радости. Здесь каждый дом был мне знаком. Каждое дерево у тротуара. А вот и наш дом показался. Я узнаю его по флюгеру в виде парусника на трубе. Флюгер отчетливо виднелся на фоне вечернего неба. А в доме горели огни. В окнах светло. Там живут незнакомые мне люди. И ксендз ведет меня к ним. Радость, поначалу охватившая меня, сразу улетучилась.

За палисадником в кустах звякнула цепь, и раздался радостный лай. Сильва, наша Сильва была жива и первой узнала меня. Она прыгнула передними лапами на край палисадника, я рванулся к ней, и что-то теплое и шершавое полоснуло по моему лицу. Сильва лизнула меня и, окончательно узнав, взвыла. Она скулила, визжала, стоя на задних лапах, и напоминала в этой позе человека, который очень-очень соскучился по кому-то. Этим кем-то был я. Единственным существом, которое продолжало меня любить и не боялось проявить свои чувства, была собака. Она, бедная, не знала, что я еврей и что евреев любить строго, вплоть до расстрела, возбраняется.

На крыльце лязгнул железный засов, и дверь раскрылась. На пороге стоял высокий плечистый мужчина, освещенный изнутри, из прихожей, и поэтому лицо его разглядеть было трудно, мы с ксендзом видели лишь его темный силуэт.

Сильва отпрянула от меня и, звеня цепью, устремилась к этому человеку, вскочила на задние лапы, передние положив ему на грудь, и радостно завизжала, оглядываясь на меня. Она на своем собачьем языке объясняла своему новому хозяину, что вернулся прежний хозяин, ее любимый дружок, по которому она так соскучилась, и теперь, мол, она страшно рада, что может нас познакомить. Темный силуэт в дверях, однако, не разделял ее радости.

— Броне, на место! — сурово прикрикнул он. За то время, что меня не было дома, нашу собаку окрестили другим именем.

— Ее зовут Сильва, — сорвалось у меня. — Я эту собаку получил в подарок от отца, когда она была малюсеньким щеночком.

— Вот оно что! — протянул силуэт и шагнул из дверей ко мне ближе, чтобы рассмотреть меня получше. — Значит, хозяин собаки вернулся.

Когда он приблизился к палисаднику, я увидел, что у него светлые, даже рыжие усы и такие же волосы. Он был не стар. Примерно как мои родители. Прикурив, он огоньком высветил короткий ястребиный нос и глубоко посаженные глаза под кустистыми бровями.

— Я не только хозяин собаки, — сказал я. — Я жил в этом доме всю жизнь.

— Очень интересно, — сказал он и сплюнул, присвистнув. Плевок улетел далеко в кусты. — Кто же тебя сюда привел?

— А вот... — сказал было я и осекся, оглянувшись назад. Ксендза рядом со мной не было. И нигде кругом, сколько ни вертел я головой, не обнаружил никаких признаков его присутствия. Он исчез, словно растворился в ночи, как это бывает в сказках с добрыми волшебниками, после того как они сотворят благое дело. Мне даже на миг показалось, что ксендз мне померещился и все это — плод моей возбужденной фантазии. Не было никакого ксендза, не было этой удивительной и жуткой до замирания сердца прогулки по Каунасу с ним за руку. Явью было лишь то, что я стоял перед нашим домом на Зеленой горе и Сильва визжала от счастья, а ее новый хозяин сосредоточенно курил сигарету и размышлял о том, что со мной делать.

— Тебя отпустили из гетто? — усмехнулся он.

— Меня не отпустили. Я бежал,— чистосердечно признался я.

— Шустрый малый,— покачал он головой, и огонек сигареты заплясал из стороны в сторону.

— Я не пришел отнимать у вас дом. Живите в нем на здоровье,— сказал я, и он рассмеялся.

— Зачем же ты пожаловал?

— Я очень хочу спать.

— Ах, вот что! — протянул он и, швырнув недокуренную сигарету, растер ее сапогом по земле.

— Я вас не стесню,— продолжал я.— Могу к Сильве лечь, в будку.

— Зачем в будку? Ты не собака.

— А кто я?

— Ты? Еврей. И жил в этом доме. До поры до времени. А теперь этот дом мой. Понял?

— Понял,— кивнул я.

— А если понял, так чего нам стоять на улице? Заходи. Гостем будешь.

В нашем доме на первый взгляд, казалось, ничего не изменилось. Новый хозяин даже не сдвинул мебель с места. В столовой темнел полированными боками старинный антикварный буфет. За ребристыми стенками его дверей матово белели фарфоровые тарелки и чашки в таких же стопках и так же расставленные, как это было при маме. И стол был покрыт нашей льняной скатертью с ромашками, вышитыми шелком по углам. У одной ромашки не хватало двух лепестков. Их срезал ножницами я, когда был совсем маленьким, и в наказание мама меня неделю не подпускала к столу, а приносила поесть на кухню, где я, рыдая, давился едой в одиночестве за маленьким, покрытым клеенкой столиком.

Так же играла гранями большая хрустальная люстра под потолком. Паркет в гостиной был покрыт ворсистым светлым ковром с темным пятном посередине. Тоже моя работа. Пролил варенье на ковер, и сколько его ни чистили, вывести пятно так и не удалось. Меня за это лишили на месяц сладостей. Сейчас поблекшее пятно посреди ковра смотрело на меня и, мне казалось, даже подмигивало, как старый друг, который имеет со мной общую тайну и никому не раскроет.

Но и что-то неуловимо изменилось в доме. В первую очередь запах. У нас всегда немного пахло нафталином, которым пересыпали вещи в шкафах, чтобы уберечь от моли. А также пряными приправами, которые обильно добавлялись почти ко всем блюдам еврейской кухни.

Эти запахи исчезли из дома. Их заменили другие, не менее острые, какие сохранились в моей памяти с тех времен, когда мы выезжали на дачу в Кулаутуву и жили все лето в крестьянском доме. В нашем доме теперь пахло овчиной, засушенной травой и жареным салом. А также стоял острый и неприятный запах самогона — водки, которую крестьяне сами изготовляют из сахарной свеклы и пшеницы.

А второе, что полоснуло меня по сердцу, — исчезновение со стен наших портретов. Свадебного портрета мамы и папы. Двух улыбающихся рожиц, моей и Лии, в овальных рамах. Не было и старых пожелтевших портретов дедушки и бабушки. На тех местах, где они висели, теперь остались пятна, чуть потемнее остальных обоев, и черные дырочки от вырванных гвоздиков, на которых рамы крепились.

Когда мы вошли в дом, жена хозяина, высокая женщина в темном платье, со светлыми волосами, собранными сзади в пучок, точь-в-точь как у моей мамы, расставляла на столе посуду — они собирались ужинать.

— Ставь еще тарелку,— сказал хозяин.— Видишь, гостя привел.

Хозяйка подняла на нас глаза — они были у нее грустные, словно она только что плакала,— и, ничего не сказав, направилась к буфету.

— Как тебя звать? — спросил хозяин.

Я сказал. Тогда и он назвал себя.

— Винцас. Винцас Гайдис. Запомнил? На это имя оформлен теперь дом. Все по закону.

На столе стояли три тарелки. Хозяйка поставила четвертую, для меня. И, словно угадав мою мысль, Винцас спросил:

— А где Лайма? Ей что, нужно особое приглашение?

На лестнице, спускавшейся со второго этажа, где прежде были наши спальни, послышались легкие шаги, потом показались голенастые загорелые ноги в тапочках, мягко переступавшие со ступени на ступень. Затем — низ ситцевого платьица, рука, скользящая по перилам, и... чудо из сказки. Золотоволосая кудрявая головка с большими серыми глазами, коротким носиком и капризными губками, сложенными бантиком. Точно такими рисуют в детских книжках героинь, и каждый раз, когда я перечитывал эти книжки, я испытывал легкое состояние влюбленности. Эта девочка прямо сошла со страниц моих книг, она была ожившим предметом моего тайного обожания. Ей было примерно столько же лет, сколько и мне. На меня она взглянула как принцесса на жалкого раба — скользнула взглядом, чуть скривив губки, и села на свое место, больше не удостоив своим вниманием.

— Садись и ты, мальчик, — сказала хозяйка, слабо улыбнувшись.

— А можно... сначала руки помыть? — поднял я свои руки ладонями вверх.

— Конечно, — одобрительно сказал Винцас, закуривая новую сигарету, и кинул на дочь недобрый, исподлобья взгляд. — Тебе, Лайма, не мешает поучиться у этого мальчика аккуратности. Встань из-за стола! Марш мыть руки! И ему покажешь.

Девочка передернула плечами и недовольно встала, так и не подняв глаз от стола.

— Ему нечего показывать, — сказала она. — Он сам все знает в этом доме.

— Тебе откуда известно? — удивился отец.

— У него это на лице написано.

— Вот как? — выпустил струю дыма в потолок Винцас. — Значит, тебе ничего объяснять не нужно... и ты будешь держать язык за зубами.

— Он что, у нас жить будет? — недовольно поморщила носик Лайма.

— Не твоего ума дело.

Лайма подняла на меня свои огромные серые глаза, и ничего, кроме презрения к моей особе, я в них не прочел.

Так решилась моя судьба. И на много лет вперед. Мог ли я тогда подумать, что Лайма, это чудо из детской сказки, станет со временем моей женой, а Винцас — дедушкой самого дорогого для меня существа на земле, моей единственной дочери Руты, которая в Израиле сменила это литовское имя на еврейское имя Ривка, в память своей бабушки, моей мамы, убитой... О том, кто ее убил, я узнал намного позже, и, когда узнал, чуть не свихнулся при мысли, насколько запуталась вся моя жизнь.

* * *

Мы уезжали в деревню. Мы — это я и Лайма. К тетке Винцаса. Куда-то под Алитус. Где, по словам Винцаса, были такие густые непроходимые леса, что не только меня можно упрятать, но и целую дивизию замаскировать, и никто не догадается о месте ее пребывания.

В укрытие увозили меня. А Лайма ехала туда как на дачу, отдохнуть на свежем хвойном воздухе от пыльной каунасской духоты. Разница в целях нашей совместной поездки была существенная. Но тем не менее я был рад, что еду не один, а вместе с ней. С золотоволосой девочкой из сказки, которая меня открыто презирала и зло, ядовито издевалась при каждой подвернувшейся возможности.

Таков удел почти всех влюбленных. Чем больше над ними издевается предмет их страсти, тем глубже и безнадежней погружаются они в обожание своего мучителя.

Я был влюблен в Лайму. Влюблен с первого взгляда.

Со стороны может показаться нелепым и даже кощунственным, что я, вися на волоске от гибели, только что переживший потерю и мамы, и своей сестренки Лии, оказался способен на такое. Каюсь. Оказался. И возможно, это спасло мою жизнь или уж, по крайней мере, сохранило мою душу. Это чувство помогло мне преодолеть страх, забыть о своем одиночестве, не думать о безнадежности и безысходности моего положения.

В первые дни моего пребывания в доме на Зеленой горе новые хозяева отвели мне темную, без окна, кладовку не только для ночлега, там я отсиживался большую часть дня, и даже поесть мне приносили туда. Приносила то жена Винцаса, то Лайма. Лайма делала это неохотно, только после неоднократных напоминаний и даже угроз отца высечь ее за непослушание.

В кладовой горела слабая электрическая лампочка без абажура и валялся всякий хлам, оставшийся еще от нашей семьи. В углу, очищенном от хлама, положили на пол детский матрасик, взятый из кроватки моей сестрички Лии, дали подушку и одеяло, которым прежде укрывался я.

Ел я, сидя на матрасе и поставив миску с едой к себе на колени. А Лайма стояла за дверью с той стороны и то и дело шипела:

— Не чавкай. Немцы услышат.

Я переставал есть. Замирал с набитым ртом.

Тогда она, подождав, спрашивала, сдерживая смех:

— Ты там не подавился от страха?

И убегала. На улицу. Я слышал, как хлопала наружная дверь за нею, и начинала радостно скулить Сильва. А я оставался один в кладовке. В темноте. Потому что, поев, я выключал свет и сидел до следующего кормления, гадая, кто принесет мне поужинать: Лайма или ее мама. Я предпочитал Лайму.

У меня было достаточно времени для размышлений. Весьма неутешительных. Я гадал, как поступит со мной Винцас. Ему, переехавшему из Шанцев в наш богатый дом на Зеленой горе, не было никакого резона спасать мою жизнь. Гибель всей нашей семьи до последнего человека устраивала его. Это окончательно закрепляло его права на дом. Даже если немцы уйдут, он при любой власти останется в этом доме. Уже хотя бы потому, что других претендентов на него не будет — все законные наследники погибли в гетто.

Чем занимался Винцас — я представления не имел. Он целыми днями пропадал где-то, иногда ночевать не являлся. А когда возвращался после таких отлучек, приходил домой не один, а еще с какими-то мужчинами. Они ужинали допоздна, пили. Это я определял по острой вони самогона, которая распространялась по всему дому и проникала даже ко мне в кладовку. Потом пели песни. По-литовски. Нестройно, вразнобой.

Я знал эти песни. Когда отец учил меня играть на аккордеоне, они, эти незамысловатые мелодии, составляли основу моего репертуара. Поэтому, слушая пьяные выкрики из столовой, я морщился при каждой фальшиво взятой ноте.

Винцас был далеко не прост, и если он впустил меня в дом и даже укрыл от чужих глаз, значит, ему это было нужно, что-то он имел в виду. Значительно позже я раскусил, какой дальний прицел установил этот человек, сохраняя мне жизнь. С уходом немцев он, несомненно, лишался дома, если я буду жив. Я мог предъявить права на домовладение, и закон был бы на моей стороне.

Он терял дом, но спасал голову. Человек, укрывший еврея с риском для своей жизни, приобретал героический ореол и автоматически попадал в число участников сопротивления оккупантам.

Винцас чуял уже тогда, что немцам продержаться долго не удастся. Вернутся русские. И тогда я — его охранная грамота.

Все это я понял потом, много времени спустя, а в тот день я еще ничего толком не понимал, когда на сельскую подводу грузили кое-что из нашей мебели, что Винцас считал лишним в хозяйстве. Заодно это было как бы платой за то, что тетка соглашалась кормить меня и прятать от посторонних глаз.

Правил лошадью приехавший из Алитуса мужичок в коричневой домотканой куртке с кнутом, заткнутым за пояс. Дно телеги было устлано сеном. В задок упирался комод, вечно стоявший в нашей прихожей. Сверху к комоду были привязаны два мягких венских стула. У нас их было восемь. Винцас оставил себе шесть.

Меня уложили в мешок, редкая ткань которого пропускала воздух в количестве, достаточном, чтобы я не задохнулся. Если прижаться глазом вплотную к мешковине, можно было кое-что и разглядеть. Например, ветки деревьев, под которыми мы проезжали. А также коричневую спину возницы и дымок от «козьей ножки», которую он курил безостановочно всю дорогу.

Как прощались отец и мать с Лаймой, я не видел, а только слышал, лежа в мешке. Она поцеловала обоих, и отец поднял ее и усадил в телегу. Затем он нащупал мои колени через мешковину и похлопал ладонью, ничего не сказав.

К задку телеги привязали на поводке Сильву. Ее отправляли с нами. Винцасу собака была не нужна, а на хуторе могла пригодиться. Да и нам с ней будет не так скучно коротать лето в лесной глуши. С моим появлением в доме Сильве вернули ее прежнее, настоящее имя. Теперь она бежала за телегой, возбужденная не меньше, чем я, таким неожиданным путешествием, и ее волнение выражалось в заливистом лае, которым она встречала каждую попадавшуюся по дороге собаку. Умолкла Сильва, когда мы выехали из города и колеса телеги мягко покатили по песчаной, с осыпающимися колеями, дороге, по временам спотыкаясь и переваливаясь через корни деревьев, толстыми змеями переползавшими колеи.

Пока мы ехали через город, Лайма изводила меня змеиным шепотом, чтобы не расслышал возница.

— Идут два немца,— шипела она.— Смотрят на нашу телегу... Остановились... Морщат носы... Еврейский дух учуяли.

Или:

— Полицай! Да еще пьяный! Слава Богу, прошел. О, нет. Возвращается. Идет за нами. Что-то заподозрил.

Или:

— Слушай, ты бы хоть изредка хрюкал там в мешке. Чтобы прохожие думали, что мы поросенка везем. А то заинтересуются, что за бревно в мешке лежит?

Я молчал. Я даже не обиделся. Мне нравилась эта игра. По крайней мере, не так скучно лежать в тесном мешке с затекшими ногами и спиной.

Лайма не унималась и за городом. Устав дразнить меня, она села на мешок, прямо на мою щеку и плечо. Сначала мне было даже приятно. Я замер и не моргал, чтобы движением ресниц не вспугнуть ее. Видя, что меня ничем не пронять, она стала ерзать по мне и скоро натерла щеку суровой мешковиной. Тогда рывком головы я стряхнул ее с себя, и она скатилась в сено и застонала, делая вид, что больно ушиблась.

— Прости меня,— прошептал я.

— Никогда не прощу,— прошипела она.— За оскорбление арийской женщины ты еще ответишь... Моли своего Бога, чтоб нам не попался по дороге полицейский. Сдам ему... вместе с мешком.

— А я тебя кнутом по спине, — сказал вдруг возница, молча куривший всю дорогу.

— Мой отец за это вас... застрелит, — обиделась Лайма.

— Застрелит? — не обернувшись, хмыкнул возница. — Как бы себе в лоб не попал.

Дальше мы ехали молча и тихо.

Только раз остановились. В сосновом лесу. Возница развязал мешок, выпростал оттуда мою жмурящуюся голову и сказал, подмигнув:

— Давай, малый, сбегай в сторонку...

Меня не надо было уговаривать. Я и так еле терпел, но стеснялся сказать об этом. Из-за Лаймы.

Я вылез из мешка, потянулся, расправил затекшие ноги. Прямо вверх к голубому небу уходили корявые медно-серые стволы сосен, увенчанные у самых облаков зонтиками веток. Сосны росли густо. Ствол к стволу. А там, где была прогалина, на земле лежали кружевные заросли папоротника. Остро пахло черникой и сухой прошлогодней хвоей.

Я соскочил с телеги в песок.

— А тебе что, особое приглашение? — сказал Лайме возница. Он тоже слез с передка и, зайдя к голове коня, стал расстегивать штаны.— Беги в лес. Он — в одну сторону, ты — в другую.

— Я одна боюсь,— надулась Лайма.

— Тогда беги с ним,— буркнул возница, зажурчав под копыта коню.

Я отвязал Сильву, и она вприпрыжку помчалась за мной через хрусткие, ломкие папоротники.

— Не так быстро,— закричала нам вслед Лайма. — Я заблужусь одна.

Я остановился и рыцарски подождал ее. Сильва носилась

как очумелая вокруг нас, облаивая низко порхавших бабочек.
Когда Лайма поравнялась со мной, я протянул ей руку. Она
взяла ее. Мы пошли, раздвигая ногами стебли папоротника,
пружиня на мшистых кочках, и со стороны можно было подумать, что мы пританцовываем. При этом глядели в разные
стороны. Ее рука взмокла в моей ладони, и она выдернула ее.

— Ты иди вправо, а я — влево,— кивнул я, остановившись.

— Далеко не отходи, — попросила Лайма.

Я зашел за дерево, и оттуда мне было видно, как Лайма
приподняла подол ситцевого платьица, прижав его край подбородком к груди и обнажив розовые короткие трусики. Затем обеими руками опустила их до колен и тут же присела на
корточки. Широкие листья папоротника закрыли ее. Торчала
лишь золотистая макушка.

Сильва носилась от меня к Лайме и обратно.

— Ты уже? — осведомился я, застегивая штанишки, но
деликатно не выходя из-за сосны.

Мы вернулись к телеге, не держась за руки и пристыженно отвернувшись друг от друга.

— Жених и невеста, — усмехнулся возница, уже сидевший в телеге. — Хоть под венец веди.

Я привязал к задку телеги Сильву, поднялся на колесо,
пролез через край в сено и ногами вперед стал просовывать-
ся в мешок.

— Завяжи его,— велел Лайме возница.

Приехали мы уже в темноте. Я крепко спал в мешке, а
Лайма прикорнула снаружи, положив голову на мое плечо,
как на подушку, и сквозь мешковину я долго слушал с зами-
рающем сердца ее дыхание, пока сам не уснул.

Я смутно помню, как вошел в дом. Сама хозяйка, худая
крестьянка лет под шестьдесят, в платочке, повязанном под
подбородком и с пустым провалившимся ртом — там торчало
лишь несколько желтых зубов, показалась мне похожей на
ведьму. Все напоминало сказку. И темные балки под низким
потолком, и керосиновая лампа на грубо сколоченном столе,
и связки репчатого лука и чеснока на стенах, и запахи сушеных трав, какими был пропитан дом. За окном таинственно
шумел лес. От света к потолку метались огромные тени людей. Даже от меня и Лаймы получались большие тени. Все
это я видел в полусне. А проснулся утром в большой деревянной кровати. На перинах. Под льняной простыней Кто-то

раздел меня. Мои штанишки и рубашка висели на задней спинке кровати рядом с ситцевым платьем Лаймы. Я повернул голову и увидел ее золотистые волосы на подушке у самого своего лица.

Лайма проспала всю ночь со мной под одной простыней. Я этого даже не заметил. Так же, как и она. До того нас укачало в пути.

Потом закричал во дворе петух, и Лайма проснулась. Увидев меня рядом, скривила презрительную гримасу и, явно подражая взрослым, велела отвернуться. Одевались мы, стоя по обе стороны кровати спинами друг к другу.

Без ботинок, босиком выбежал я наружу и замер от восторга. Лес, вековой, дремучий, тесно обступал хутор, который состоял из двух домов: того, в котором я спал, и сарая. И дом и сарай были крыты потемневшей соломой, и казалось, что вместо крыш на них нахлобучили шапки. На сарае, на самом острие крыши, было положено плашмя тяжелое колесо, на колесо — хворост и солома, и в этом гнезде стоял на тонких красных ногах белый аист и длинным, как штык, клювом поводил из стороны в сторону, неотрывно наблюдая, как я ношусь по двору.

Посреди двора устремил к небу корявое бревно колодезный журавль с подвешенным на длинном шесте и цепи деревянным ведром. А под ведром стоял четырехугольный бревенчатый сруб, позеленевший от сырости и обросший мхом. Если перегнуться через скользкий край, то глубоко внизу, откуда тянуло холодом даже в полдень, тускло мерцала вода, и щепка, брошенная туда, издавала плеск, и круги расходились по сторонам.

В сарае мычала корова. Пегая, в пятнах, с одним лишь рогом, и то задранным не вверх, как у других коров, а почему-то вниз. В дальнем углу, отгороженном грязными досками, повизгивали поросята, припав к розовому животу огромной свиньи, свалившейся на бок и дышавшей глубоко и с прихрюкиваньем, отчего открывался торчавший из-за губы кривой клык. Старуха Анеле выносила в поднятом подоле корм и звала:

— Пиль, пиль, пиль.

На ее зов отовсюду: из-за сарая, из-за сруба колодца, даже из лесу — со всех ног неслись к ней желтыми комочками цыплята и серыми — утята. Неслись, путаясь в траве и опрокидываясь на бок. А за ними вперевалку спешили мамаши — курица и утка, квохча и крякая и глядя по сторонам, не отстал ли кто из малышей.

Когда мы обжились на новом месте, Лайма переняла у Анеле эту работу и выносила, как и старуха, корм в подоле своего платьица и так же звала:

— Пиль, пиль, пиль, пиль.

Анеле жила на хуторе одна. Винцасу, отцу Лаймы, она приходилась теткой, а Лайме, как мы вычислили,— двоюродной бабушкой.

Я ни разу не видел Анеле без платка и поэтому даже не знаю цвета ее волос: причесывалась она, должно быть, когда мы спали. Платок нависал уголком надо лбом и торчал двумя концами узла на шее. А между этим было лицо, состоявшее из одних морщин, глубоких, извилистых, словно всю кожу пропахали плугом. Один нос был гладкий и лоснился, как ранний картофель. Губ совсем не было. Они были втянуты в рот. И морщинки от этой щели шли во все стороны. От ушей и до кончика острого подбородка. А глаз Анеле я не запомнил. Такие они были маленькие и невыразительные, как мышки, и, как в норе, спрятаны глубоко под серыми бровями.

Она не улыбалась. Острое лицо всегда озабочено, брови нахмурены. Станешь таким, живя в одиночестве на хуторе, среди дремучего леса, и делая всю тяжелую работу по хозяйству.

И одета всегда в одно и то же. Платок, серая кофта и темная, из грубой ткани, юбка почти до полу. Из-под юбки виднелись лишь пятки в глубоких и темных трещинах. Обуви Анеле не носила.

Муж у нее, конечно, был, потому что она имела детей. Но, видимо, он умер давно, и в доме чувствовалось отсутствие мужской руки: в соломе на крыше зияли дыры, в сарае осела одна стена, и ее подпирал столб. И оба сына разъехались по свету. Старший, еще до войны, укатил в Америку, и от него ни писем, ни приветов Анеле не имела уже который год. Второй сын тоже жил на стороне, и все время, что я провел на хуторе, он туда ни разу не заявлялся. Я видел его размытую фотографию на стене в раме: мальчик в гимназической шапочке.

— Теперь он вдвое старше,— прокомментировала за моей спиной Анеле, пронося из печи чугун с дымящейся картошкой, обдавшей мой затылок теплым паром.

И больше ни слова. Ни о своих детях, ни о муже. Анеле была немногословной. Зато как оживала она, когда я доставал из пузатого футляра свой маленький, красный, с перламутровым отливом, аккордеон и, присев на лавку под распятием, растягивал его шелковистые меха. Анеле бросала любое дело, даже растопленную печь, присаживалась напротив меня, туже стягивала узел платка на шее, тыльной стороной ладони вытирала сухой рот, собрав губы в куриную гузку, ее маленькие глазки-мышки начинали светиться в своих норках под бровями, а морщинки на пергаментном лице становились глубже, пускали новые отростки и разбегались за уши. Это значило, что Анеле улыбается.

Моим коронным номером, которым я ублажал гостей в нашем доме на Зеленой горе еще до войны, были попурри из мелодий венских оперетт — предмет гордости моего отца, терпеливо обучавшего меня играть этот винегрет с виртуозным блеском. Анеле сладкая венская музыка трогала мало. Она терпеливо, не мигая, дожидалась, когда я доведу до конца попурри, и, как только стихал аккордеон и я спрессовывал меха на своей груди, тихо изрекала:

— «Мяргужеле».

Это был ее заказ. «Мяргужеле» — старинная литовская песенка о любви с незамысловатой мелодией и текстом, которую пели на хуторах веками из поколения в поколение. Как я понимаю теперь, эта песня напоминала Анеле ее юность, девичьи посиделки, танцы с парнями на лугу под луной или в чьем-нибудь доме при свете керосиновых ламп, а то и лучины. Ее любовь. Недолгую. Завершившуюся ранним вдовством.

Я начинал «Мяргужеле» не в танцевальном ритме, а медленно, лирично, и глазки Анеле туманились и уходили в глубь своих норок, а запавший рот начинал шевелиться, выползая и втягиваясь, как гузка курицы, когда она снесет яйцо: Анеле пела в уме, не решаясь подать голос.

И тогда начинала подпевать Лайма. У нее был прелестный голосок и тонкий музыкальный слух. Я считал так совершенно объективно, а не потому, что был в нее влюблен.

Каждый раз, когда я начинал играть, Лайма проявляла демонстративное равнодушие. Не подсаживалась к нам с Анеле, а прогуливалась по комнате, пожимая плечами и скрипя половицами при каждом шаге. Она вышагивала в ритме мелодий венских оперетт, грациозно ставя свои стрекозиные ножки. И в мою сторону даже не глядела.

— Ты бы спела, — оборачивалась к ней Анеле, когда я уже по второму кругу проходил «Мяргужеле».

— Ну, если вы так просите, — неохотно соглашалась Лайма и, кончиками пальцев приподняв подол платьица, присаживалась на край лавки подальше от меня, всем своим видом подчеркивая, что она никак не разделяет восторгов Анеле от моей игры.

Запев, она увлекалась и забывала свою неприязнь ко мне. И уж остановить ее было трудно. Она заказывала все новые песни, и я играл, а она пела. Когда я не знал мелодии, Лайма пододвигалась совсем близко ко мне, вполголоса напевала, а я быстро подбирал мелодию на аккордеоне, бегая пальцами по клавишам, и в такие моменты в глазах ее вспыхивали искорки восторга и пренебрежительное высокомерное выражение исчезало с пухлых, бантиком, губ.

Анеле подпирала щеку морщинистой ладонью и наслаждалась, любуясь нами обоими. Нам всем троим было хорошо. До того хорошо, что я забывал о своем горе, о том, что дальше за лесом лежит враждебный мне мир, где убивают невинных людей, а из детей, таких, как моя сестра Лия, выкачивают всю кровь, пока они не синеют и не умирают.

Весь мир замкнулся для меня на этом бревенчатом ветхом доме под соломенной крышей, вокруг которого так уютно гудит вершинами лес и то и дело подает снаружи голос моя Сильва, словно стараясь убедить меня, чтобы я не беспокоился, все, мол, в порядке, она зорко охраняет мою безопасность.

За печкой поцвикивал сверчок, керосиновая лампа мигала язычком пламени, пуская в стеклянную трубку синюю струйку копоти, до щекотания в носу пахло луком и сушеными травами, на меня с любовью были устремлены из-под густых бровей маленькие глазки Анеле, а рядом, так, что я локтем касался ее, когда растягивал мехи, пела, подняв к потолку короткий носик с веснушками, Лайма, и мне становилось так хорошо, что хотелось, чтобы это никогда не кончалось и всю жизнь вот так быть втроем на этом лесном хуторе.

Анеле давала себе поблажку, оттаивала в такие вечера, а чаще всего была замкнута и вся в хлопотах. Главной заботой в ее мозгу был я. Не разбираясь в политике, не очень отличая, кто такие фашисты, а кто такие коммунисты, она бабьим материнским инстинктом чуяла, какая грозит мне опасность, и зорко оберегала от чужого глаза. Анеле не доверяла никому. Стоило под лай Сильвы кому-нибудь приблизиться к хутору, и она, побросав все, со всех ног кидалась домой, за железное кольцо поднимала крышку погреба, — погреб был под полом кухни, а крышка его у самой печи, — и, схватив меня, как котенка, за шиворот, грубо сталкивала вниз в темноту, и со стуком захлопывала крышку над моей головой.

Я стоял на шаткой деревянной лесенке в полной тьме. Внизу валялась прошлогодняя картошка, пустившая бледные побеги, и оттого в погребе пахло сыростью и гнилью. Я, напрягшись, слушал, что происходит в доме.

Если Анеле удавалось задержать гостя во дворе и не пустить в дом, я оставался на лесенке, пока со скрипом не открывался светлый квадрат над моей головой и над краем пола не появлялся платок Анеле:

— Ну, герой, жив?

Лайма обычно в таких случаях подпускала ядовитую шпильку насчет того, что придется стирать мои штанишки, ибо я от страха... и так далее. Анеле это раздражало, и она шлепала Лайму по спине и прогоняла от открытого входа в погреб. А я сам, без ее помощи, вылезал наверх, и вдвоем с Анеле мы опускали крышку и застилали сверху куском мешка, заменявшим половик.

На случай, если все же чужие войдут в дом, на хуторе имелось убежище, где меня даже с собакой-ищейкой не смогли бы найти. Там можно было укрыть не одного меня, а десять и даже двадцать человек. Это был целый дом под землей. Две комнаты, где взрослый человек мог стоять не сгибаясь, с мебелью: столом, стульями и с деревянными, сделанными, как в каюте корабля, в два этажа койками. Мебель была не деревенской, а довольно дорогой, явно привезенной из города.

Впервые я узнал об этом бункере, когда на второй день после нашего приезда Анеле попросила меня и Лайму помочь ей перетащить приехавший на одной телеге с нами комод. Тот самый, что стоял в нашем доме на Зеленой горе всю мою жизнь и теперь за ненадобностью отправленный Винцасом на хутор к Анеле.

Мы вынули ящики из комода и переносили каждую штуку отдельно. Сначала в погреб. Там при свете керосинового фонаря, который Анеле попросила меня подержать, она открыла в стене потайную дверь, так здорово замаскированную, что я бы никогда не догадался о ее существовании, не нащупай Анеле щель между досок и не потяни на себя. Осыпая с шорохом песок, часть стены погреба отъехала, открыв темный вход в туннель. Я пошел первым, замирая от страха: я нес в руке фонарь, а Анеле и Лайма вслед за мной волокли ящики от комода.

По туннелю можно было идти во весь рост, не задевая головой дощатого потолка. Доски были темные, кое-где подгнили, и это наводило на мысль, что и туннель и бункер вырыты давно, задолго до моего рождения, а возможно, еще и раньше, чем Анеле появилась на свет.

Туннель был длинный. Я хоть и сбился несколько раз со счета, но приблизительно прикинул его длину: примерно в триста шагов. Следовательно, он уводил в лес. Потом я убедился, что моя догадка была верной.

Из двухкомнатного бункера, куда мы заволокли комод, был другой выход, почти отвесно вверх, со ступенями. Восемнадцать серых дощатых ступеней, крошившихся под ногами от ветхости, — на такой глубине был бункер, — выводили в лес, и выход был хитро замаскирован вывороченным с корнями старым пнем. Оттуда вниз поступал свежий воздух, пропахший хвоей и смолой.

Бункер был неплохо приспособлен для жилья. На двухъярусных койках лежали набитые сеном мешки-матрасы, в шкафу на полках стояла посуда. В углу на табуретке стоял закопченный примус, а на стене висели на гвоздиках кастрюли и сковороды. И для полного сходства с обитаемым жильем над кастрюлями висел деревянный, ручной работы Иисус Христос, раскинув руки на всю длину перекладины креста. Руки и ноги его были прибиты к кресту настоящими железными гвоздиками, и там, где гвоздики вошли в дерево, были нарисованы красной краской капли крови, тоже потемневшие от времени.

Когда неожиданные гости заявлялись на хутор и Анеле не удавалось удержать их во дворе, я кидался в погреб и по туннелю убегал в бункер, где в темноте нащупывал спички и дрожащей рукой зажигал керосиновую лампу. Чтобы я не боялся сидеть под землей в одиночестве, Анеле приказала Лайме сопровождать меня.

Глубоко под землей, замирая от жути, мы играли с Лаймой, переговариваясь шепотом и стараясь то и дело касаться друг друга, чтобы не было так страшно. Таинственный бункер распалял наше воображение. Нам чудились черепа и человеческие кости на земляном полу. Каждый блестящий предмет казался клинком кинжала или сабли. Не сговариваясь, мы оба предположили, что где-то здесь зарыт клад.

Я спросил у Анеле, кто вырыл этот бункер, и она, насупясь, прошепелявила своим беззубым ртом:

— Много знать будешь — скоро состаришься.

А когда увидела мое огорченное лицо, добавила:

— Мало ли худых людей бродит по лесу.

И это все. Больше сведений ни я, ни Лайма из нее выжать не сумели.

Лето подходило к концу. По утрам роса на траве была холодной и щипала ступни босых ног. В воздухе носились седые нити паутины. Ночами ветер шумел вершинами сосен, и они качались под бегущими безостановочно облаками.

Приезжали на двух телегах какие-то мужчины. Я их не видел, а только слышал голоса из бункера, куда меня загнала Анеле, и два дня пилили сосновые стволы, которые приволакивали лошадьми из глубины леса, кололи топорами на мелкие поленья, и когда они уехали и я вылез наружу, то кроме щепок обнаружил прислоненную к стене сарая высокую поленницу дров — запас на всю зиму.

Лайма собиралась вернуться домой, в Каунас. Для нее эти дни на хуторе были каникулами. Скоро ей снова в школу. А я оставался на зиму с Анеле. Без школы. Я уже три года не учился и начинал забывать то, что знал.

И вот тогда я заболел и чуть не умер. То ли от тоски, которая сжимала мое сердце при мысли, что Лайма скоро уедет и я останусь один со старухой, похожей на ведьму, то ли простудился.

Я свалился с высокой температурой и воспаленным горлом. Бредил. Плакал в бреду и звал маму и Лию. Не помню, как меня стащили в бункер, чем поили и кормили и сколько дней я там провалялся. В те редкие минуты, когда я приходил в себя, всегда на одном и том же месте, у моего изголовья, я видел уголок головного платка, нависшего над спрятанными в норки глазами-мышками, и рот Анеле, куриной гузкой ходивший взад-вперед. Из-за ее плеча выглядывала золотая головка Лаймы, и в глазах ее я читал уже не злорадство, как всегда, а жалость и страх, что я умру.

При мерцающем свете лампы кроваво переливался перламутр моего аккордеона. Его притащили в бункер и поставили так, чтобы я видел, — невинная хитрость Анеле, считавшей, что вид аккордеона даст мне силы бороться за жизнь.

Только тогда, на грани между жизнью и смертью, я убедился, как привязалась ко мне одинокая старуха с лесного хутора и сколько доброты и любви скрывалось за ее угрюмой, озабоченной внешностью.

Стоило мне открыть глаза, и рот Анеле расплывался полумесяцем в улыбке, обнажая пустые оголенные десны с несколькими желтыми и очень длинными зубами.

— Вот и очнулся, — шептала она, — вот и молодец. А то совсем нас с Лаймой напугал.

И кивала на аккордеон, стоявший, выгнувшись растянутыми мехами, на стуле.

— И он тебя дожидается. Где, говорит, мой хозяин? Уж больно играть охота. А я ему в ответ: занемог наш хозяин, но скоро встанет крепче прежнего и возьмет тебя на колени и заиграет за милую душу. А мы послушаем и порадуемся вместе.

Чем меня лечила Анеле — я до сих пор не пойму. Лайма потом говорила, что старуха за десять километров бегала к знахарке и принесла каких-то трав сушеных и кореньев, варила это в горшке и, когда варево остывало, давала мне пить, ложечкой просовывая в мои посиневшие губы. А чтобы я не задохнулся, паром размягчала мое горло. Ставила у кровати примус, на нем кипел чайник, а круглое стекло от лампы она одним концом надевала на пышущий паром носик чайника, а другой конец втыкала в рот. Я кашлял, обжигался, но начинал дышать, и опухоль в горле понемногу опадала. Лайма клялась мне, что старуха держала горячее стекло руками и даже не чувствовала ожогов. А пока я спал, постанывая и всхлипывая, старуха стояла на коленях перед распятием и просила Бога за меня.

Я выжил. Ко мне понемногу возвращались силы. Но мне не хотелось окончательно выздоравливать. Я боялся, что, став здоровым, я лишусь любви, какой меня окружила в дни болезни Анеле. Мне было так хорошо при мысли, что в этом страшном мире я наконец не один, у меня есть заступник, есть существо, которому дорога моя жизнь, что я не хотел вставать с постели, расставаться с болезнью, вернувшей мне детство, ласку и любовь.

Больше года прожил я на хуторе. А когда немцы отступили и пришли русские, за мной приехал Винцас и отвез в Каунас, в наш дом на Зеленой горе. Он вернул мне дом, а сам с семьей перебрался обратно в Шанцы, где жил до войны. О нем написали в газете, как он, рискуя жизнью, спас во время оккупации еврейского ребенка, и поместили мой портрет. Сам Винцас фотографироваться не хотел, сколько его ни уговаривали. И кое-кто был склонен приписать это его скромности. Подлинную причину я узнал значительно позже.

Анеле осталась на хуторе. Одна. Но я ее не забыл. Я ездил к ней, привозил подарки, и она поила меня парным молоком, и закармливала ягодами, собранными в лесу, и не могла нарадоваться, глядя, как я быстро расту и мужаю.

Я уже был не мальчиком. Зарабатывал на жизнь игрой на аккордеоне. В ресторане «Версаль». И, подкопив денег, уломал Анеле покинуть на недельку хутор и пожить у меня в гостях.

В моем доме на Зеленой горе она с утра до ночи мыла, скребла, наводя порядок в холостяцком запустении, а я ежедневно водил ее, как маленькую, за руку к фуникулеру, а оттуда на главную улицу — Лайсвес алеяс. К дантисту. Лучшему в городе. Анеле мычала и дергалась в его кресле. Я держал ее за плечи, а дантист ковырялся под жужжание бормашины в ее раскрытом рту.

Дантист соорудил Анеле прекрасные зубные протезы, сверкающие мраморной белизной, затолкал ей в рот, и она, ощерясь, пучила свои маленькие глазки, вылезшие далеко из своих норок.

Но долго носить новые зубы у Анеле не хватало сил. Она ходила с пустым ртом, а протезы таскала в кармане кофты, завернув в чистую марлю. Лишь когда я навещал ее, она впихивала протезы в рот, чтобы меня не обидеть, и маялась с ними, пока я из сострадания не разрешал ей избавиться от них. И тогда она оживала, морщинки собирали лицо гармошкой, а губы пустого рта ходили взад-вперед, как гузка курицы, когда она снесет яйцо.

* * *

Литва — страна очень маленькая. На глобусе ее совсем не сыскать, и даже на картах Европы не сразу разглядишь. На велосипеде ее можно за день проехать с севера на юг, а с востока на запад нетрудно уложиться в два дня. Что-то вроде Израиля. Чуть-чуть побольше.

В Литве трудно разминуться. Обязательно столкнешься. Даже если и избегаешь встречи. Так и вышло с рыжим Антанасом.

Я знал, что его ищут, за ним охотятся. Среди «лесных братьев» он прославился как террорист-одиночка. На его счету было много убитых коммунистов, сожженных колхозных усадеб и даже отчаянные налеты на советские воинские склады, завершавшиеся угоном автомобилей, груженных оружием и боеприпасами. У него был особый почерк. Лихой и хладнокровный. Он был убийца и авантюрист. Играл со смертью, как карточный игрок, как актер, филигранно и элегантно, обставляя каждый свой подвиг эффектными, запоминающимися трюками. Поэтому о его похождениях шла молва по всей Литве, обрастая неимоверными фантастическими подробностями, приобретая характер легендарный.

Для меня никакого нимба вокруг его рыжей головы не существовало. Я знал его как бывшего немецкого полицая, на чьей совести множество невинных душ, и среди них — зияющей раной в моем сердце — маленькая девочка по имени Лия. Моя сестренка. У меня был личный счет к нему. И камень, который я носил за пазухой, стучал в моем сердце, как пепел Клааса.

На железнодорожной станции Радвилишкис, недалеко от Шяуляя, сошлись наши дорожки. Я туда заехал не помню по какому поводу и зашел в кафе поприличней на Центральной улице, чтобы подкрепиться. Время еще было не обеденное, и поэтому довольно большой зал был почти пуст. В самой глубине зала, один за столиком, обедал рыжий Антанас. Я его узнал сразу, с первого взгляда, еще стоя на пороге кафе и оглядывая зал, примериваясь, куда бы присесть.

Передняя часть зала была свободна от столов — их сдвинули к стенам, поставив на них стулья кверху ножками. Толстая икрастая баба, раскорячившись, домывала тряпкой полы, гоняя впереди себя лужи мыльной воды. Ленивая официантка в несвежем переднике несла Антанасу, придерживая обеими руками, тарелку с мясом и картошкой и чуть не упала, поскользнувшись на мокром полу.

Антанас рассмеялся, открыв щербатый рот со сломанным

передним зубом. Я бы узнал его не только по этой примете. Он был сфотографирован в моей памяти, выжжен в ней раскаленной печатью.

Меня он узнать не мог. Я вырос за это время, изменился. Да и сохранись я таким, каким был, когда нас, детей, везли на смерть, свалив кучей в кузове грузовика, он бы тоже меня не запомнил. Он тогда крепко поработал, не одну сотню маленьких смертников перевез.

Сердце мое лихорадочно забилось. Ноги буквально приросли к полу. Я так и застрял в дверях кафе, мучительно соображая, что следует сделать, чтобы Антанас не ускользнул из моих рук. Он был в западне. И попал в нее по своей воле, из-за страсти к эффектной позе. Пообедать в городе среди бела дня на Центральной улице, когда тебя ищут по всей Литве и приметы твои известны каждому милиционеру. А уж что более приметно, чем рыжая шевелюра и щербатый рот? Антанас, играя со смертью в кошки-мышки, даже не утруждал себя прикрыть рыжие кудри шапкой и надеть коронку на сломанный зуб. Он, видно, чуял, что ему остались считанные дни на этой земле, и отводил душу напоследок.

Обедать он уселся у стены не только для того, чтобы иметь прикрытый тыл, а в первую очередь, как я полагаю, потому, что на стене висел большой портрет Сталина, и Антанасу особенно импонировало пообедать под портретом своего главного врага.

Не скрою, при всей моей нелюбви к Антанасу я не мог не восхититься его отчаянной, вызывающей храбростью. Будь я литовцем, несомненно пришел бы в восторг. Но я был евреем. И упустить такой удобный случай расквитаться с ним я не мог. Мне до жжения в ладонях хотелось собственными руками самому расправиться с ним. Но я был безоружен. А он, вне сомнения, имел кое-что при себе. Такой малый с пустыми руками не разгуливает.

Я выскочил из кафе на улицу. Еще когда я заходил туда, заметил военный патруль — двух русских солдат с автоматами за спинами, медленно прогуливавшихся по Центральной улице. Они далеко не ушли, и я в несколько прыжков догнал их. Горячась и сбиваясь, объяснил солдатам, кто сидит в кафе, и они, два курносых, явно крестьянских парня, до того мирно щелкавших семечки, вытерли ладонями губы и стали серьезными и хмурыми.

— Под портретом Сталина сидит, — добавил я последнюю подробность уже в спины повернувшихся к кафе солдат.

Я последовал за ними.

Когда мы вошли в кафе, Антанас снова дал мне повод восхититься им. Он и не подал виду, что внезапное появление в кафе вооруженных солдат могло встревожить его. Продолжал спокойно есть, с усмешкой поглядывая на направляющихся к нему солдат. Они почему-то не сняли со спин автоматы. Должно быть, не хотели этим насторожить Антанаса. В своих кирзовых сапогах они протопали по мокрому полу, оставляя следы ребристых резиновых подошв, и баба с тряпкой ругнулась им вслед.

Подошли к столу. Антанас устремил на них нисколько не встревоженный взгляд и, явно поддразнивая их, ни слова не понимавших по-литовски, ухмыляясь, спросил на литовском языке:

— Чем могу служить?

— Ваши документы! — по-русски сказал один солдат, а второй добавил:

— И чтоб никаких глупостей.

Антанас рассмеялся и тоже перешел на русский язык:

— Зачем нам делать глупости? Мы же взрослые люди. Какой документ вас интересует? Паспорт? Или партийный билет?

— Вы что... коммунист? — удивился первый солдат.

— А почему бы и нет? — фамильярно подмигнул ему Антанас.— Ладно, перебили вы мне обед. Но я не в обиде — у вас служба. Время тревожное, кругом — враг, надо быть бдительным...

И, так приговаривая, как бы балагуря, он небрежно полез во внутренний нагрудный карман пиджака и резко выдернул руку. В руке чернел пистолет.

В упор, не вставая, он дважды выстрелил в грудь солдату слева. Тот рухнул, не издав даже стона, и растянулся спиной на полу, раскинув в стороны руки. Второй солдат успел пригнуться, и потому третий выстрел не достиг цели.

Антанас кошкой выскочил из-за стола и большими прыжками устремился к выходу. Он бежал мимо меня. Я хотел было преградить ему дорогу, метнулся наперерез, но поскользнулся на мокром полу и упал. Он перемахнул через мое распростертое тело и выскочил в дверь. Вторым перепрыгнул через меня солдат.

Я еще не успел подняться с полу, как наступила окончательная развязка. Антанас проявил удивительное хладнокровие и выдержку и уложил второго солдата эффектным, мастерским приемом. Он выскочил наружу, но не побежал дальше, ибо стал бы мишенью для солдата. Он укрылся тут же, за дверью, и дождался, когда выбежит солдат. И тогда с расстояния в один метр он всадил ему пулю в затылок.

Расправившись с обоими солдатами, Антанас выскочил на Центральную улицу, не на тротуар, а на проезжую часть, по которой двигались крестьянские телеги, груженные сеном, и побежал. На выстрелы к месту происшествия сбежались милиционеры и солдаты из других военных патрулей. Началась беспорядочная стрельба вдоль улицы. Прохожие на тротуарах подняли крик и визг, бросились спасаться в ворота, прыгать через заборы. Выстрелы испугали лошадей. Одни вскочили на дыбы, другие ринулись вскачь, опрокидывая телеги, рассыпая холмами сено. В короткое время улица была перегорожена, стала непроезжей, и солдатам и милиционерам пришлось лезть через телеги, продолжая стрелять стоя и с колена.

А Антанас уходил ровным, тренированным бегом. Центральная улица была недлинной. Дальше начинались поля, а за ними темнел лес.

Сколько ни стреляли ему вслед, не смогли уложить. Он пересек поле и ушел в лес. Правда, последние метры до леса он бежал прихрамывая, и следы в этом месте были окрашены темными пятнами. Это была кровь. Ему, видать, попали в ногу. Но он и раненым сумел уйти от погони.

Я еще оставался несколько дней в Радвилишкисе, и все эти дни маленький городок бурлил. Дерзкий побег Антанаса среди бела дня через весь город на глазах у милиции и солдат, его бесстрашие и неуязвимость взбудоражили умы. Антанас был героем. А власти и вместе с ними я были посрамлены.

Я был огорчен, и в голове моей неотступно роились догадки, куда мог уйти Антанас. И наконец меня осенило: раненный в ногу, недееспособный, он вряд ли захотел стать обузой своим товарищам, «лесным братьям», которым и без инвалида на шее приходилось туго, отбивая беспрерывные атаки советской милиции и военных частей. У него был один выход, единственное спасение, самое верное и надежное. Ху-

тор матери под Алитусом. С тайным бункером, имевшим
подземный ход прямо в лес. Только там, в родной берлоге, он
мог в относительной безопасности отлежаться, как зверь, за-
лизать рану, согретый лаской и заботой всегда верного ему
человека — старухи Анеле.

Рыжий Антанас был сыном Анеле, тем мальчиком в гимназической шапочке, чей неясный размытый портрет висел
на стене в домике под соломенной крышей в глубине алитус-
ских лесов. Я догадался об этом в свой первый приезд на хутор, когда Винцас меня сплавил вместе с Лаймой к старухе
Анеле, подальше от чужих глаз.

Не фотография мальчика в гимназической шапочке
открыла мне эту истину. Совсем другой случай, щемящий и
горький, после которого я долго дичился и сторонился Анеле, хотя и не открывал причины.

С наступлением первых примет осени, когда Лайма собиралась нас покинуть, чтобы пойти в школу в Каунасе, старуха расщедрилась и, порывшись в сундуке, извлекла бриллн-
ант старинной огранки на тонкой серебряной цепочке и долго своими негибкими, корявыми пальцами надевала его Лайме на шею.

Я сразу узнал бриллиант. На нем была примета — тонкая
трещинка по диагонали, которую моя мать все собиралась за-
шлифовать, да так и не собралась. Этим бриллиантом — последним фамильным сокровищем — пыталась она выкупить
меня и сестричку Лию у рыжего Антанаса. Я отчётливо помнил, как он держал бриллиант с цепочкой на своей ладони,
сидя с винтовкой за спиной на заднем борту грузовика, в кузове которого, как раки в корзине, копошились мы, еврейские дети из каунасского гетто, увозимые на смерть. И также
запомнил я, что бриллиант он не вернул матери, когда грузовик тронул с места, а сунул его в боковой карман своего суконного кителя.

Затем бриллиант очутился на хуторе в сундуке Анеле. Я
спросил у старухи, как зовут ее младшего сына, того, что на
фотографии, и она, не подозревая подвоха, произнесла имя
Антанас.

Сомнений больше не оставалось.

Я ничего не сказал Анеле. Не хотел ее огорчать, да и мне
тогда оставался лишь один путь: покинуть хутор и... погибнуть. Но в моем отношении к старухе, к которой я успел при-

вязаться и полюбить, примешалась терпкая горечь и уж не рассасывалась никогда. А она, ничего не ведая, все больше и больше любила меня, горячей и неистовей, чем своих собственных сыновей, которые были далеко, давно выросли, и она от них со временем совсем отвыкла. Я же был маленьким, я нуждался в ее опеке и защите, и мне она щедро отдала все, что осталось в душе от неутоленного материнства.

Об Антанасе мы с ней никогда не говорили. Ни до конца войны, ни после. Его как будто и не существовало. Хотя я понимал, что старуха поддерживает с ним связь и, несомненно, видится тайком.

Теперь мне предстояло нанести Анеле страшный удар — подвести под гибель ее сына. Привести его убийц к родному крову, где он, раненный, а потому беспомощный, нашел укрытие у матери. Нашел укрытие там же, где некогда нашел и я. И оттого, что Анеле взяла меня под свое крыло, приютила, когда мне угрожала смерть, когда за мной охотились, как сейчас гоняются за ее сыном, ей предстояло заплатить страшную цену. Выходило так, что, спасая меня тогда, она рыла яму своему сыну. Она пригрела его будущего убийцу, открыла ему тайник, в котором найдет последнее убежище ее сын и куда я приведу вооруженных людей, и они с охотничьей страстью, как медведя в берлоге, безжалостно обложат его.

На хутор со мной отправили неполный взвод: человек двадцать солдат, вооруженных автоматами, гранатами и ручным пулеметом. Я от оружия отказался. Почему-то не хотелось предстать перед Анеле вооруженным.

Мы вышли на рассвете к хутору. Солдат я оставил в лесу — они на расстоянии цепью залегли вокруг домика с соломенной крышей. Наша Сильва, уже постаревшая и полуслепая, так и оставшаяся доживать свой век здесь, почуяла мое приближение лишь тогда, когда я был в нескольких шагах от будки под сараем. Она вылезла, сонная, с явным желанием залаять, но я подал голос, и она, узнав меня, стала кататься на спине по росной траве, радостно поскуливая.

Я уже давно не бывал на хуторе и с волнением оглядывался вокруг. Воздух был сырой, пропитан туманом, и вся трава перед домом серебрилась от росы. Соломенная крыша еще больше потемнела. На окне висела одна створка ставней, вторая валялась на земле. Стена сарая еще больше осела и грозила рухнуть, хоть ее по-прежнему косо подпирало бревно. На острие крыши темнело гнездо аистов, но самих птиц не было. То ли они с утра пораньше улетели на болото покормиться, то ли своим птичьим чутьем угадали нависшую над хутором беду и заблаговременно покинули свое гнездо, чтобы не быть свидетелями трагической развязки.

Пустое гнездо аистов с жуткой ясностью показало мне, какое несчастье я несу в дом Анеле. Мне стало страшно. Я чуть было не повернул назад. Но вспомнил, что это ничего не изменит. Хутор оцеплен, а у вывороченного пня, маскирующего запасной выход из бункера в лес, залегли солдаты. Антанасу никак не спастись. И следовательно, мне не отвести беды от его матери. Минутное малодушие было лишь стоном моей совести, которая разрывалась между стремлением отомстить за свою сестренку и жалостью к Анеле, кому я наносил удар рикошетом, но такой удар, от которого трудно оправиться.

Невзирая на рань, старуха уже была на ногах, и мне не пришлось стучать — она выглянула на визг Сильвы. В том же сером платочке, повязанном под подбородком, и с совсем провалившимся ртом, Анеле никак не ожидала меня. И потому не всунула в рот зубные протезы. Обычно я приезжал с вечера. Утром не было ни поезда, ни автобуса. И поэтому на лице Анеле я прочел недоумение и испуг. Она испугалась, что со мной что-то приключилось, и я в неурочный час явился к ней... Возможно, снова искать укрытия.

Я быстро успокоил ее, сказав, что со мной все в порядке. Просто соскучился и вот на попутной машине прикатил. Это растрогало старуху. Глубокие морщины поползли во все стороны от улыбки. Она обняла меня и ткнулась лбом в мою ключицу. Угол ее головного платка щекотал мою шею, и глаза мои внезапно наполнились слезами.

Но она этого не заметила. Ее отвлекло другое. Анеле всегда встречала меня, предварительно надев зубные протезы, чтобы не огорчать меня из-за напрасно потраченных на эти зубы больших денег. Она никак не могла привыкнуть к протезам, давилась, когда надевала их, поэтому не носила и лишь совала в рот в исключительных случаях, к моему приезду.

— Что это я без зубов? — смущенно прошамкала она и, прикрыв рот рукой, побежала в дом.

Меня она не позвала в дом, а оставила во дворе дожидаться. Это было необычно и подтверждало мою догадку, что Антанас прячется здесь. По всей видимости, в бункере.

Анеле вернулась с полным ртом искусственных зубов, еле захлопнув рот, с трудом сводя вместе непослушные челюсти.

— Да вынь ты их, — сказал я. — Не мучайся.

Анеле тут же с облегчением вытащила пальцами изо рта оба протеза и спрятала их в карман вязаной кофты — тоже моего подарка. Лицо ее сразу уменьшилось вдвое, словно его сплющили нажимом сверху и снизу, и кончик носа лег на острый подбородок, закрыв щелочку запавшего рта.

— Почему в дом не приглашаешь? — невинно спросил я.

Анеле, пересиливая тревогу, заулыбалась, закивала:

— Совсем рехнулась. От радости... Идем в дом, родной. Молочка поставлю. Картошечки сварю. С укропом... Как ты любишь. Господи, до чего я бестолковая стала. Как старый пень.

В доме явственно пахло лекарствами, лазаретом. Антанаса лечили всеми доступными медицинскими средствами. И еще один запах уловили мои ноздри. Острый дух отвара сушеных кореньев и трав, каким некогда Анеле отпаивала меня, беспамятного. Этот запах мне врезался в память на всю жизнь! И теперь она бегала за много километров к знахарке и от нее приносила тайком те же снадобья своему сыну. Значит, Антанас, как я когда-то, температурит и мечется в бункере в горячке.

Собирая на кухне завтрак, старуха вынула из кармана свои челюсти и забыла их на краю стола. Она быстро, суетливей, чем обычно, затопила печь, начистила картошки, слазив за ней в погреб, и поставила горшок к огню. Затем, взяв подойник, ушла в сарай доить корову, оставив мне, чтобы не томился, намазанный маслом кусок пахучего ржаного хлеба домашней выпечки.

Я хотел было откусить, но не смог. Мой взгляд застрял на зубных протезах, забытых Анеле на столе. Эти протезы, словно часть черепа Анеле, уже мертвой и истлевшей, с укором смотрели на меня, виновника этой смерти.

По двору протопали бегущие люди. Я удивился, что не расслышал лая Сильвы — собака никак не среагировала на этот топот. Распахнулись настежь двери, и в дом вбежали три солдата с автоматами наперевес и лейтенант из немолодых, давних служак, с мятым от бессонной ночи, небритым лицом. Быстро оглядев кухню, освещенную пламенем из темного горла печи, где уже шипела вода в горшке с картошкой, он сунул пистолет в карман и подсел ко мне на деревянную лавку у стола.

— Со старухой — порядок, — устанавливая после бега ровное дыхание, сказал он. — Сидит в сарае под охраной. А он где?

Он имел в виду Антанаса.

Я показал глазами на пол у печи.

Солдаты по молчаливому знаку лейтенанта сапогами сдвинули половик из мешковины, нашарили железное кольцо и, дернув, подняли квадрат пола. Из темного отверстия потянуло сыростью и гнилью.

Дальше все пошло быстро.

Мы спустились в погреб, осветив его карманными фонариками, открыли потайную дверь в туннель, и я, хоронясь от возможной пули за выступом этой двери, крикнул в гулкую тьму:

— Антанас! Сдавайся! Сопротивление бессмысленно! Ты — в западне!

Мой голос повторило слабое эхо, словно я кричал в глубокий колодец. Но ответа не последовало. Туннель зловеще молчал. И у меня даже закралась мысль, что бункер необитаем и Антанас укрывается совсем в другом месте.

Лейтенант несколько раз выстрелил в глубь туннеля, видимо надеясь спровоцировать ответный огонь. Выстрелы в тесном погребе бухнули по барабанным перепонкам, и у меня заложило уши. Поэтому я не сразу расслышал слова лейтенанта:

— Молчит, гад. Хочет заманить нас и в упор расстрелять, как цыплят. Не будем рисковать жизнью солдат. Ну его к лешему, брать живьем. Притащим дохлого — тоже спасибо скажут.

Он оставил солдат в погребе сторожить выход, а мы с ним выбрались из дому и бегом углубились в лес, где у оттащенного в сторону трухлявого пня залегла вокруг открывшейся ямы засада.

К краю ямы никто не подходил — оттуда мог последовать выстрел. Я потянул ноздрями воздух. Из глубины подземелья слабо пахло лекарствами.

— Он там,— сказал я лейтенанту.

— А где ему еще быть! — уверенно кивнул лейтенант, связывая синим проводом две пузатые противотанковые гранаты армейского зеленого цвета.— Сейчас спровадим на небо.

— Эй, Антанас! — крикнул он, легши плашмя на мшистую землю головой к отверстию бункера.— Даю минуту на размышление! Или ты выползешь и останешься жив, или сам знаешь.

Я напрягся, как охотничий пес, почуявший дичь. Сейчас свершится возмездие. Сестричка моя, если это верно, что душа не умирает, то ты увидишь смерть твоего убийцы. Ты отомщена!

Из глубины не последовало ни звука.

— Хрен с тобой, падла! — сплюнул лейтенант, осторожно по мху подтянул тяжелую связку гранат, установил ее у самого края отверстия, дернул чеку и столкнул вниз. Послышался многократный стук падающего со ступени на ступень тяжелого предмета. Лейтенант вскочил на ноги и побежал за деревья. Я тоже бросился бежать и видел, как несутся во все стороны от входа в бункер притаившиеся за деревьями солдаты.

Потом последовал глухой взрыв. Земля под моими ногами дрогнула, и деревья, толстые корявые сосны, закачались из стороны в сторону. Дым и копоть вырвались из отверстия у замшелого пня, а во дворе хутора по всей длине туннеля осела глубокой траншеей земля.

Спустя какое-то время солдаты спустились в бункер, расчищая путь лопатами, и вытащили закопченный труп с еще дымящейся марлевой повязкой на правой ноге. Волосы обгорели, но я узнал рыжего Антанаса по этой повязке и по оскаленному щербатому рту.

Солдаты снова полезли в бункер и подняли еще два обугленных трупа. И на них были остатки марлевых повязок, у одного на руке, у другого — через всю грудь.

Старуха Анеле держала в своем бункере партизанский лазарет.

Трупы, как трофеи, положили в один ряд на траве у сарая, и солдаты присели вокруг, закурили, как после тяжелой работы. Скоро должны были подъехать автомашины.

Чуть поодаль я увидел в траве распластанную Сильву. Я подошел. Со старой мохнатой морды моего пса на меня уставились мертвые выпученные, вылезшие из орбит круглые, как шары, глаза. Ее задушили солдаты, когда подкрались к хутору.

Из сарая вывели Анеле. Платок был сбит с головы на спину, и во все стороны торчали седые космы волос. Пустой сжатый рот пучился и западал. Два солдата держали ее за руки. Она каким-то отсутствующим взглядом оглядела дом, осевшую во дворе землю, задержалась на выложенных в ряд трех трупах, от которых тянуло дымком и неприятным запахом горелого мяса, затем уставилась на меня. Я стоял рядом с лейтенантом и нервно курил.

Старуха сделала шаг ко мне. Еще один. Солдаты, державшие ее, последовали за ней. Проваленный рот задвигался из стороны в сторону, и я понял, что она набирает как можно больше слюны, чтобы плюнуть мне в лицо. Но, видно, у нее пересохло во рту, и тогда она вдруг распахнула его, открыв пустые десны с двумя длинными зубами, безумно округлила глаза, став окончательно похожей на ведьму, не закричала, а завыла волчьим лесным воем.

Мороз прошел по моей спине.

— Убери ее! — нервно крикнул лейтенант.

Солдаты потащили ее со двора. Она не упиралась, как переломленная повисла на их руках и продолжала выть низким, с подвизгом голосом.

Из дома выбежал солдат, держа на ладони вставные челюсти Анеле, и протянул лейтенанту.

— Выбрось к чертовой матери! — рявкнул он.

Солдат швырнул челюсти туда, где лежали темными свертками трупы, и они исчезли в траве.

* * *

«Дорогой папа!

Не сомневаюсь, что ты осудишь меня. Я уж сама корю себя за горячность. Конечно, надо быть сдержанной и не вспыхивать всякий раз как порох, когда что-то не по мне. Но такие благонамеренные и разумные мысли приходят ко мне постфактум, когда уже дело сделано и исправить что-нибудь не представляется возможным.

Но все же, если честно признаться, я не раскаиваюсь в своем поступке, потому что по большому счету была абсолютно права.

Суди сам.

Я стояла в парном патруле у подходов к Стене Плача. Это место, как ты знаешь, святыня для евреев всего мира, и там всегда полно народу: молящихся и просто пришедших поглазеть туристов. Лакомый объект для террористов. Поэтому охранять все подходы к Стене Плача приходится очень тщательно. Наши солдаты прочесывают толпу, проверяют содержимое сумок — нет ли там взрывчатки, иногда обыскивают кого-нибудь, вызвавшего подозрение.

Туристы, и особенно американские евреи, обожают фотографировать наших солдат. Тем более если это израильские девушки в военной форме. Фотографируют нас и фотографируются с ними. На память. Об Израиле. Чтобы у себя дома в Нью-Йорке или в Майами при взгляде на фотографию испытать прилив гордости и перестать стыдиться быть евреем.

Я в этом не вижу ничего предосудительного. Каждый тешит себя чем может. Одни, почувствовав себя евреями, переселяются в Израиль, строят его своими руками и своей кровью защищают его от врагов. Другие откупаются деньгами и умильно любуются нашими достижениями издали. Что ж, хоть деньги не кровь, но деньги нашему государству нужны позарез, хотя бы для того, чтобы покупать оружие, и мы с благодарностью принимаем такую помощь.

Поэтому я не отказываюсь, когда меня просят попозировать перед камерой в окружении пестро одетых, чрезмерно упитанных иностранных туристов, и, если это не мешает моим служебным делам, в сотый раз скалю зубы в стандартной улыбке в объектив.

Так было и на сей раз. Семейство американских евреев: слоноподобная мама в обширнейших бордовых брюках и готовой лопнуть под напором грудей кофточке, короткий очкастый папа и куча детей, все в очках, все толстозадые, и у всех на зубах металлические цепи — потуги убрать неправильный прикус, попросили меня сфотографироваться с ними. И, отщелкав камерами, еще долго рассматривали меня, как музейный экспонат, даже щупали, не доверяя своим глазам, и засыпали комплиментами насчет моей женственности и как, мол, идет мне военная форма. Я хотела было сказать им, что военная форма была бы не менее к лицу их сыновьям, правда, пришлось бы расширить казенные штаны, чтобы они туда всунулись. Но не сказала. Сдержалась. Нельзя же кидаться на людей, как собака. Они ведь искренне восхищались мной. И несомненно, любят Израиль — иначе зачем было лететь так далеко? И вообще славные люди. Особым умом и манерами не блистающие, но вполне добропорядочные. И вернее всего, не особенно скупы, когда приходится раскошеливаться на помощь Израилю. Даже обменялись адресами. Когда пришла смена и я вернулась в расположение части, меня там ожидал сюрприз. Дежурный сержант вручил мне объемистый пакет и, ухмыляясь, пояснил, что это завезли сюда какие-то американцы.

Я сразу почуяла неладное. Я терпеть не могу подарков. Да еще от чужих людей. Мои опасения были не напрасны. В пакете была груда каких-то вещей: кофты, рубашки, юбки и даже нижнее белье. И все не новое, а ношеное, с заметными следами от неоднократных стирок.

Кровь ударила мне в голову. Трудно было придумать оскорбление похлестче. Швырнуть мне, как нищей, подачку. Свои обноски. Тряпье, которому место на свалке. Даже не моих размеров.

Я была готова взорваться от унижения и злости.

В пакете лежала записка, и в ней адрес отеля, где остановилась эта семейка и теперь, несомненно, дожидалась от меня проявлений благодарности. И дождалась. Я ворвалась к ним в отель. Они были в сборе и встретили меня блеском стекол очков и металла на зубах.

Можешь представить, что там происходило. Ты знаешь, какой я бываю во гневе. Я их честила на чем свет стоит. И не только по-английски. В запале орала ни них и на иврите и по-литовски. И даже ругалась русским матом.

А они сидели ошарашенные. И не сопротивлялись, а только испуганно пучили на меня свои бараньи глаза.

Им и невдомек, что они меня жестоко оскорбили своим так называемым подарком. Они были уверены, что поступили добропорядочно, даже благородно.

И тогда меня поразила мысль, что все эти люди по своей природе беженцы. Беглецы. Гонимые по миру. Если не они, то их родители или деды бежали в Америку, искали в ней убежища от преследователей. А беженец всегда гол как сокол и благодарен любой подачке, любой милостыне. И когда те, что устроились и обжились на новом месте, с королевской щедростью раздают свои обноски тем, кто добрался до спасительных берегов после них. Это считается актом милосердия и филантропии.

Разница между такими, как я, и ими в том, что мы — не беженцы. Мы — бойцы. Мы вернулись к себе домой. А не искать убежища под чужим кровом. У нас есть гордость людей, не привыкших слоняться по чужим углам, у нас, а не у них, есть подлинное чувство человеческого достоинства.

И когда я это осознала, мой гнев иссяк. Мне стало их жаль. Но это случилось, уже когда я покинула отель, оставив их в со-

стоянии глубокого шока, искренне недоумевающих, ибо понять суть того, что произошло, им не дано — у них психология не нормальных людей, а вечных беженцев.

Поэтому я не вернулась в отель, чтобы извиниться и рассеять страх, который вызвала у этих бестолковых и жалких людей».

* * *

Когда оркестр уходил с эстрады на перерыв, включали радиолу, и танцы на медленно вертящемся круге продолжались. Нам, музыкантам, полагалось бесплатное питание, и, так как война кончилась всего пять лет назад и воспоминание о голоде все еще не улетучилось из голов, почти весь оркестр в перерывах пасся на кухне, мы ели все, что подносили повара, а те не скупились, ибо давали не свое, а то, что не докладывали в порции клиентам. На кухне было парно и душно, и я предпочитал выйти с тарелкой в зал и присесть на незанятое место.

Основную публику нашего ресторана составляли офицеры местного гарнизона, чаще всего молодые, неженатые, упивавшиеся до бесчувствия от тоски и одиночества в этом чужом литовском городе, где по-русски разговаривать отказывались даже самые последние проститутки. Это была одна из форм национального протеста оккупантам. Самая безобидная.

Помню, я сидел со шницелем за пустым столиком. На круге, под заунывное старое танго, тесно переминались пары. Ко мне неуверенной походкой направлялся русский офицер в давно не чищенных сапогах. Направлялся ко мне. Больше было не к кому. За моей спиной была стена.

Он остановился перед столиком, мутным взором уставился на меня и, неуклюже щелкнув каблуками и вытянув руки по швам, изрек:

— Разрешите... пригласить на танец.

Я чуть не подавился шницелем и, стараясь не улыбаться, чтобы не вызвать его гнева, серьезно объяснил ему, что я — не дама, а мужчина. Мои слова не произвели на него никакого впечатления.

— Все равно, — сказал он, но все же не стал повторять приглашения, а задом попятился и рухнул между столиками.

Коронным музыкальным номером, обожаемым нашей публикой, была «Африка». Во всем зале гасили свет, и лишь над вращающимся танцевальным кругом посверкивал, медленно поворачиваясь, шар из множества зеркальных осколков. На него было направлено из углов несколько разноцветных лучей. Вступал барабан. За ним — флейта. Потом гобой. В восточном ритме оркестр тихо затягивал заунывную мелодию, и через каждые двадцать тактов наш ударник, старый и лысый еврей с пропитым голосом, хрипел в микрофон:

— Африка... Африка.

Зал пустел во время «Африки». Все устремлялись на круг. Там становилось так тесно, что танцевать уже было невозможно, так как, подняв ногу, не всегда найдешь место, куда ее поставить. Танцевали в основном пожиманием плеч и шевелением ягодиц. Круг полз медленно, но все же ощутимо, и действие алкоголя на мозги от этого лишь усиливалось. Крайние то и дело падали с круга, у дам задирались юбки, офицеры цеплялись ремнями портупей за ножки опрокинутых стульев.

А по кругу, среди галифе и юбок, раздвигая их подвешенным на шею на ремнях лотком, проталкивался карлик, настоящий лилипут со старческим пергаментным лицом, как печеное яблоко, и с редкими белесыми волосами, зализанными на прямой пробор. Тонким детским голоском он предлагал свой товар на лотке:

— Угостите даму шоколадом.

А с нашей эстрады, откуда световые зайчики с вертящегося шара выхватывали из мрака то медный раструб саксофона, то длинный еврейский нос скрипача, ползла одуряющая тягучая мелодия и то и дело, словно рычание затаившегося в джунглях льва, хриплое:

— Африка... Африка...

Воздействие подобного искусства на проспиртованные мозги было настолько впечатляющим, что чуть не завершилось человеческими жертвоприношениями. Одного офицера так глубоко проняло, что он от избытка чувств выхватил пистолет и, рыдая, с грохотом разрядил всю обойму. Чудом никого не задев. Но пули разбили вдребезги зеркальный шар, и осколки стекла обрушились на головы и плечи танцующих.

Проституток в нашем городе, как и во всем СССР, не водилось. Проституция строжайше запрещена. Но в нашем ресторане к услугам пьяных офицеров всегда в изобилии были женщины. Одинокие литовки, чьих мужей русские сослали в Сибирь, или они, еще до прихода русских, бежали на Запад с немцами, позабыв впопыхах о своих семьях. Эти женщины днем где-то работали, получая жалкие гроши, а с наступлением темноты тянулись к освещенным подъездам ресторанов и уже вскоре под руку с офицером протискивались среди столиков в поисках свободного места. Денег они не брали с мужчин. Платой была выпивка и закуска. Спать мужчин женщины уводили к себе.

Но у них были в городе серьезные конкуренты. Девочки-подростки. Пятнадцати и даже двенадцати лет. Не литовки и не русские, а немки. Вечно голодные, одетые пестро, как паяцы, в случайные одежды с чужого плеча. Немецкие дети — одно из многих последствий недавно прошедшей войны.

Дело в том, что в Каунасе в военные годы базировалось управление железными дорогами оккупированных районов с большим штатом гражданских служащих, переведенных из Германии на место службы вместе с семьями. Когда немцы были выбиты русской армией из Литвы, этих людей не удалось эвакуировать. Взрослые мужчины и женщины были интернированы и приравнены к военнопленным. Их в эшелонах увезли из Литвы в Сибирь.

А о детях забыли. Их было несколько тысяч. Разных возрастов. Совсем крошечных приютили литовцы, и они уже давно взрослые люди, носят литовские имена и даже не подозревают о своем происхождении. А те, что постарше, стали бездомными голодными бродяжками. В осеннюю слякоть и в холодные вьюжные зимы они воробьиными стайками, кутаясь в тряпье и оттого еще больше похожие на взъерошенных воробышков, теснились по ночам в подъездах домов у теплых радиаторов паровых батарей, спали на каменных ступенях, согревая друг друга телами, и запоздалым жильцам приходилось, чертыхаясь, переступать через них, чтобы добраться до своей квартиры.

Чем кормились они — одному Богу известно. После войны еще несколько лет продукты распределялись по карточкам. Немецкие дети не состояли нигде на учете, вообще не замечались, будто они не существуют, и, естественно, нормированного продовольствия они не получали. Но как-то жили. Значит, кормились подаяниями и подворовывали. Иначе бы вымерли до единого. Была еще одна возможность продержаться, не умереть с голоду. Проституция. Торговля своим телом. Детским, еще не созревшим телом.

Маленькие, худенькие девочки с немытыми личиками,

на которых бледность проступала даже через многодневную грязь, теснились у подъездов ресторанов, разбегаясь по соседним дворам при виде милиционера, и снова собираясь стайками, как только опасность миновала. С детской непосредственностью они пытались подражать взрослым женщинам в своих попытках привлечь внимание мужчин. Надевали на головы какие-то чудовищные мятые шляпки, подобранные на помойках, шейки кутали в лоскутья меховых воротников и манжетов, споротых с тряпья, и даже красили губы. Ярко, кричаще. Более жалкое и страшное зрелище трудно было придумать. И тем не менее их упорно не замечали. Не хотели замечать. Не до немецких детей было разоренному войной городу, из одной оккупации попавшему в другую.

Девочки выходили из своих нор к ресторанам на промысел с наступлением темноты. Офицеры были их почти единственными клиентами, потому что чаще всего пребывали в сильном опьянении и оттого были весьма неразборчивы, но зато щедры.

— Пан официр, — на какой-то жуткой смеси языков обращались они к нему с жалкой улыбкой на накрашенных детских губках.

Слово «офицер» они произносили по-немецки, а «господин» — по-польски. По-литовски «господин» не «пан», а «понас». Они не знали ни одного языка.

И когда офицер кивал, что означало «идем со мной», девочка устремлялась вслед за ним к освещенному входу мимо строгого усатого швейцара, который в таких случаях не отваживался преградить ей дорогу.

В ресторане она ела, давясь, как можно больше, впрок, про запас, а также рассовывала по карманам куски мяса и колбасы, ломти хлеба, надкусанные пирожные. Это она утаивала для братишек, которые ждали с голодным нетерпением ее возвращения в ближних подъездах.

С оркестровой эстрады поверх мехов своего аккордеона оглядывал я зал и всегда примечал в нем двух-трех немецких воробышков, с волчьим аппетитом голодных детей подъедающих все, что приносил официант, и при этом не забывая кокетливо улыбаться своим пьяным благодетелям в погонах, точь-в-точь как это делали взрослые проститутки. Я играл привычные мелодии нашего репертуара, а мысли мои все возвращались к этим детям. Я не мог оставаться равнодушным к их судьбе. Они были одного со мной племени — сироты войны. Они голодали, как голодал я совсем недавно. Они были бесприютны, каким был я, когда брел один по Каунасу и не знал, куда приткнуться, пока не добрел до нашего дома, некогда бывшего нашим, и единственным существом, узнавшим меня и обрадовавшимся мне, был наш дворовый пес, уже тоже имевший новых хозяев.

Но эти дети были немцами. Детьми тех самых людей, лишивших меня матери и увезших мою младшую сестренку Лию неизвестно куда, чтобы выкачать из нее всю кровь до капельки и перелить эту кровь своим раненым солдатам.

Когда я заговаривал с кем-нибудь об этих детях, то в лучшем случае встречал равнодушный взгляд, а чаще всего иронично-насмешливый:

— Уж тебе ли, еврею, печалиться о судьбе немецких детей?

И я соглашался. Это было логично. Спорить с этим было нелепо. И глаза мои, сталкиваясь с этими девчонками в ресторане, старались скорей скользнуть в сторону, сосредоточиться на чем-нибудь более спокойном, не бередящем душу.

Снова, как всегда, угасал свет в зале. Из углов устремлялись лучи к вертящемуся шару под потолком, и сотни зеркальных осколков на нем нестерпимо ярко отсвечивали, и если зайчик попадал мне в глаза, я чувствовал неприятную резь.

Я растягивал меха аккордеона и, вторя флейте и гобою, тянул дремотно-сладкую восточную мелодию, и пропитый голос ударника хрипел над моим ухом:

— Африка... Африка...

На вращающемся танцевальном кругу в отблесках зеркального шара то вспыхивал золотом офицерский погон, то серебряной искрой женская сережка. Сжатые, как сельди в бочке, размерами круга, танцующие представляли одно многоголовое шевелящееся тело, и среди этих головок, как я ни старался отвлечь себя, мой взгляд находил, вырывал из месива детское личико немецкой девочки-сироты с накрашенным ротиком и запавшими от голода щеками.

— Угостите даму шоколадом, — пищал лилипут, проталкиваясь со своим лотком среди ног в юбках и офицерских галифе, и единственные лица, доступные его взгляду, были бледные детские личики немецких проституток, ибо чаще всего они лишь не намного высились над его напомаженной и расчесанной на прямой пробор сморщенной голов-

394   Эфраим Севела

кой. Из всех дам в первую очередь они по-детски облизывались на шоколад.

Однажды зимой, поздно ночью, когда ресторан опустел и сонные официанты ставили стулья на столы кверху ножками, я, выходя, увидел на тротуаре у стены двух девчонок. У одной от холода верхняя губа была мокрая, как у ребенка. Свет над входом в ресторан уже погасили, но я разглядел оба лица — отсвечивал снег, густо посыпавший улицу к ночи.

Лайсвес алеяс была пуста. Ни прохожих, ни автомобилей. Голые деревца посреди проспекта зябко дергали ветвями на сыром и холодном ветру.

— Пан официр, — хором в два голоса и безо всякой надежды на ответ произнесли девочки и тут же простуженно шмыгнули носами.

Офицерами они называли всех. Даже сугубо гражданского человека, как я. Они находились на дне, на самом низу общественной лестницы, а все остальные люди стояли выше и потому вполне заслуживали такого обращения.

Я хотел было привычно отмахнуться от них и пройти мимо. Благо для утешения моей совести дул холодный сырой ветер, а я был без шарфа и шапки, и задерживаться на таком сквозняке, какой продувал Лайсвес алеяс, давало полную гарантию заболеть. Но именно это-то и сковало мои ноги, задержало меня, не дало пройти. Если я могу заболеть, взрослый и крепкий мужчина, то что же станется с этими воробышками, шмыгающими посиневшими носами девчушками, одетыми в бог весть какое тряпье?

Называйте меня сентиментальным, называйте мягкотелым, называйте размазней. Так меня часто именовала моя будущая жена. Называйте как хотите. Но не остановиться я не смог.

Боже, какая робкая надежда вспыхнула и засветилась на этих двух очень похожих личиках. Они и оказались сестрами, Лизелотте и Ханнелоре. Младшей, как выяснилось позже, уже у меня дома, было всего двенадцать лет.

— Пошли, — кивнул я.

Кто? — спросила старшая, Ханнелоре. — Пан официр хочет меня или ее?

— Обе ступайте за мной.

Они тут же отклеились от стены и вприпрыжку, чтобы согреться, побежали за мной, обтекая с обеих сторон и стараясь не отстать, а идти в ногу со мной.

Ветер дул встречный, и, чтобы преодолеть его, приходилось наклоняться. Лохмотья на девочках трепыхались, распахивая голое тело. Я вначале дал им руки, чтобы они, держась за меня, не отставали. Потом не выдержал, расстегнул пальто, распахнул обе полы, и они, не дожидаясь приглашения, юркнули с двух сторон ко мне, прижались к моим бокам, просунув руки под пальто за мою спину, а я запахнул края и придерживал их руками. Мы превратились в один живой ком и так двигались навстречу холодному, пронизывающему ветру. Из-под моего пальто торчало и семенило шесть ног, а над пальто — лишь одна голова, моя. Их головки были в тепле, у меня под мышками, и я кожей ощущал горячие толчки их дыхания.

Я вначале и не заметил, что еще кто-то увязался за нами. Из подъезда какого-то дома вынырнула третья фигурка, закутанная в тряпки, держась на почтительном от нас расстоянии, продвигалась, согнувшись чуть не пополам против ветра и стараясь не терять нас из виду.

Третьего я заметил уже на фуникулере. Чтобы подняться из центра Каунаса на Зеленую гору, обычно садятся в вагончик, который увлекается по рельсам вверх толстым металлическим канатом. Один вагончик ползет вверх, а второй ему навстречу, вниз. Фуникулер работает до полуночи. Потом вагончики замирают до утра. Один — внизу, другой — на самом верху, на Зеленой горе. И запоздалым путникам приходится топать пешком по бесконечной лестнице с деревянными ступенями, задыхаясь от усталости и останавливаясь отдышаться на промежуточных площадках. Ступеней двести или триста. Никогда не считал. Хоть взбирался по ним часто — моя работа в ресторане кончалась далеко за полночь.

Лестница с деревянными перилами зигзагом вилась по почти отвесному склону холма, пустынному, поросшему кустарником, голому в это время года. Мы втроем поднимались со ступени на ступень, и, когда добрались до самого верха, я оглянулся и увидел внизу крошечную фигурку, ступившую на первый марш лестницы. Это был не взрослый, а ребенок. Даже на таком расстоянии легко угадывался возраст. Первая мысль, пришедшая мне в голову: кто это умудрился выпустить из дома ребенка в такой поздний час? И в такой холод? Да еще одного, без провожатого?

Но долго раздумывать не было времени. Со мной были двое полузамерзших детей, и я теперь чувствовал ответственность за них. На всех детей моей жалости все равно не хватит. И я тут же выбросил из головы маленькую фигурку внизу лестницы.

Во дворе нас встретила заливистым лаем Сильва. Новая собака, которую я завел и назвал тем же именем. Дети, которых я привел, подозрительно пахли, и я долго не мог успокоить собаку, объясняя ей, что это никакие не преступники и не воришки, а несчастные сиротки, каким совсем недавно был и я. Не знаю, поняла ли Сильва все из того, что я ей нашептывал, поглаживая ее лобастую голову, но обе девчонки после этих слов окончательно успокоились, и в их глазах заискивающий и тревожный взгляд вечно гонимых понемногу растаял и исчез.

Собака все еще нервно поскуливала на цепи, когда мы вошли в дом. Я зажег свет в комнатах. Сначала в передней, потом в столовой, а затем уже в гостиной.

Дети нерешительно стояли на пороге прихожей, не решаясь ступить в своей мокрой и рваной обуви на начищенный паркет. Они щурились на хрустальную люстру, отсвечивавшую множеством огоньков, разглядывали во все глаза старинную мебель красного дерева, фарфор за стеклом буфета, картины в резных рамах на стенах, словно видели такое впервые. А может быть, их память восстановила, узнала обстановку их раннего детства, при родителях, когда для них такая, а возможно, и лучшая, квартира была привычным жильем, а вот для меня в ту пору такое казалось диковинкой. Мы поменялись местами. Только и всего. Извечный суровый итог войны: горе побежденному.

Чтобы покончить с их смущением, я предложил обеим разуться и оставить все в прихожей. А сам поднялся наверх, в спальню, поискать какие-нибудь домашние тапочки или, на худой конец, шерстяные носки, чтобы они не ходили по дому босиком. Когда я спускался в прихожую, то невольно застыл на верхних ступенях лестницы.

Девочки поняли мое предложение по-своему. Пока я искал, что им дать обуться, они быстренько сбросили с себя все тряпье, мокрое и рваное, и стояли на паркете гостиной совершенно голыми. Белея бледной нечистой кожей, сквозь которую выпирали ребра на груди и ключицы под тоненькими шейками. У обеих были худые голенастые, неуклюжие ноги, какие бывают у девчонок в переходном возрасте. И никаких признаков грудей. Плоско. Лишь ребра проступают. У старшей ниже пупка курчавились светлые волосики, у младшей — лишь золотистый пушок на лобке. А их русые головки были мокрыми от стаявшего снега, и волосы жалкими жгутиками липли ко лбу и вокруг ушей.

Они стояли, заложив руки за спины и расставив ноги. Смотрели на меня, не стесняясь, запрокинув головы — привычно демонстрировали товар лицом. Как это, вероятно, должны делать, по их мнению, те, что торгуют своим телом.

Я с трудом сдержался, чтобы не закричать на них, не обругать самыми последними словами.

— Очень хорошо, что вы разделись, — как можно спокойней сказал я. — Умницы. Сейчас я вас искупаю. Помоетесь горячей водой с мылом. А когда будем головы мыть, обязательно зажмурьте глазки, а то мыло будет щипаться. Вот только согрею воды.

Они кивали. И незаметно поменяли позы. Сдвинули ноги, вынули руки из-за спины, и старшая, Ханнелоре, неуловимым движением скрестила ладони пониже живота, как это делают обычно женщины, когда их застают голыми.

— А можно сначала что-нибудь скушать? — робко спросила младшая, Лизелотте.

— Конечно! — всплеснул я руками, точь-в-точь как это делала моя мать, когда приходила в возбуждение. — Как это я забыл, что вы голодны и вас надо в первую очередь накормить. Марш за мной!

Я ринулся на кухню. Девочки зашлепали босыми ногами за мной. На кухне царил привычный беспорядок: грязная посуда громоздилась в раковине. На столе было полно хлебных крошек и объедков. На полу валялось жгутом грязное кухонное полотенце.

В настенном шкафчике (холодильников в ту пору в Каунасе не было и в помине) я нашел полбуханки засохшего крошащегося хлеба, банку рыбных консервов «Лещ в томате» и полкруга ветчинной колбасы.

У девчонок при виде такого богатства загорелись глаза. По-прежнему нагие, они уселись на табуреты возле кухонного столика, куда я вывалил в беспорядке все съестные припасы, и принялись есть, без ножей и вилок, разрывая колбасу и хлеб руками. Консервы они ели, макая куски хлеба в откры-

тую банку с густым соусом и вылавливая оттуда пальцами
рыбную мякоть.

В ванной я включил газ, чтобы согреть достаточно воды
для двоих, и, пока вода грелась, рылся в шкафу, подыскивая
среди своих пижам и рубашек хоть что-нибудь, что пришлось
бы впору моим ночным гостям.

На дворе захлебывалась лаем Сильва и бегала по проводу,
гремя цепью. Кто-то чужой беспокоил собаку. И беспокоил
уже давно. Кто-то бродил вокруг нашего дома и не уходил.
Сильва — умная собака. Она зря лаять не станет.

Я выглянул на кухню. Девочки доели консервы, а кусок
колбасы и ломоть хлеба отложили в сторону и даже прикрыли обрывком газетного листа.

— Для кого вы это оставили? — удивился я.

— Для Генриха, — сказала Ханнелоре и улыбнулась мне,
словно извиняясь за то, что они без спросу сами распоряди-
лись моими съестными припасами.

— А кто такой Генрих?

— Наш брат, — хором ответили девочки и обернулись к
окну, за которым все не унималась Сильва.

— Ваш брат ждет на улице?

— Да. Он шел за нами всю дорогу и теперь ждет, чтобы мы
вынесли ему поесть.

— Немедленно зовите его в дом! — всполошился я, пред-
ставив замерзающего на улице мальчика. — Что же вы мне
раньше не сказали?

— А мы боялись, что вы нас выгоните... к нему. А он... тоже голодный.

— Так. Кончили трепаться. Зовите его!

Но я тут же понял нелепость своего приказа. Обе девочки
были голыми. Куда им лезть на улицу!

— Как его звать? — переспросил я и метнулся в прихожую. Распахнул дверь на улицу. Сильва, завидев меня, залая-
ла еще громче, кидаясь на натянутой цепи к забору.

За забором, даже не на тротуаре, а посреди пустынной заснеженной улицы, скорчилась маленькая фигурка, устремив
лицо к освещенным окнам моего дома.

Я схватил Сильву за ошейник и оттащил от забора. Она
перестала лаять, лишь злобно и недоумевающе скулила.

— Генрих! — позвал я. — Иди в дом! Не бойся! Я держу собаку. Твои сестры ждут тебя!

Генрих был самым старшим в этой троице, на год старше Ханнелоре. Но он совсем не походил на своих сестер. Они были светловолосыми, круглолицыми, а он — брюнет, с карими глазами, худым втянутым лицом и не коротким, а довольно длинным носом, отчего сильно смахивал на еврея. И первое, о чем я подумал, разглядывая его, это то, что в те времена, когда я пробирался, держась за руку ксендза, через весь Каунас до Зеленой горы, очутись Генрих вместе со мной — еще неизвестно, кто бы из нас вызвал большее подозрение у литовской полиции, и, уж без всякого сомнения, нас бы загребли обоих и отвезли в гетто.

Девочки выразили бурную радость, когда я ввел Генриха в дом, и тут же сунули ему кусок колбасы с хлебом, и он стал жевать, стоя на пороге кухни, и вокруг его рваных башмаков расползалась по паркету лужа. Он не выразил никакого удивления, застав своих сестер голыми в чужом доме в присутствии взрослого мужчины.

Когда и он утолил немного голод, доев все, что осталось на столе, я велел ему тоже раздеться, раз уж он здесь, и помыться горячей водой и с мылом.

Я думал, он будет мыться после сестер, но он разделся тут же и тоже догола, совсем не стесняясь девочек. Так же, как они не стеснялись его.

У него на шее на тонкой цепочке висел овальный закрытый медальон. Залезая в курившуюся паром ванну, где уже сидели и плескались в мыльной пене его сестры, Генрих снял через голову цепочку и протянул мне медальон.

— Здесь мама, — сказал он, и, когда мое лицо выразило недоумение, обе девочки закивали, а младшая, Лизелотте, пояснила:

— Мамина карточка в медальоне. Единственная память.

Я попросил взглянуть, и Генрих мокрыми пальцами нажал на край медальона, и створки его разошлись, как в раковине, и из глубины медальона на меня глянула темноволосая молодая женщина, очень похожая на Генриха и в то же время чем-то неуловимым напоминая обеих сестер.

— Мама в Сибири, — сказала Лизелотте.

— Откуда тебе это известно? — спросил я.

— Так говорят, — ответила старшая.

— Значит, жива, — сказал я. — И когда-нибудь вы встретитесь.

— И с отцом тоже, — мечтательно протянула Ханнелоре.

— Конечно. Все будет хорошо.

— Если мы до той поры не умрем с голоду... — угрюмо произнес мальчик, намыливая себе шею и грудь. Лизелотте плескалась рядом, а Ханнелоре терла ей спину губчатым мочалом.

Они развеселились и шалили в воде, как и подобает детям в их возрасте. Мыльные брызги иногда обдавали меня. Я сидел на табурете рядом с ванной, держа на ладони раскрытый медальон, и лицо мое, вероятно, настолько заметно опечалилось, что дети притихли в ванне, а мальчик осторожно спросил:

— Ваша мать где?

— Нет у меня матери, — сказал я и захлопнул створки медальона.

— Умерла?

Это спросила с сочувствием младшая, Лизелотте.

— Нет, ее убили.

— Кто? — сорвалось у Генриха, и он тут же пожалел, что спросил, потому что предугадал ответ.

— Да, Генрих, ваши.

— За что? — упавшим голосом спросил он.

— За то, что она еврейка.

— Вы — еврей? — искренне удивилась Ханнелоре.

— А что? Странно видеть живого еврея... после войны? И моя младшая сестренка, которой было меньше лет, чем тебе, Лизелотте, тоже погибла. Из нее, из живой, высосали всю кровь.

— Как? — ахнула, не поверив, Лизелотте.

— Очень просто. Раненым немецким солдатам нужна была кровь, чтобы восполнить ту, которую они потеряли на поле брани. Вот эту кровь выкачали из моей сестренки и еще сотен других еврейских мальчиков и девочек Каунаса и перелили солдатам. Много вы видели на улицах Каунаса еврейских детей? То-то. Они умерли, потому что из них высосали всю кровь до капельки.

Они сидели, не шевелясь, по плечи в мыльной воде и смотрели на меня виновато, словно на них лежала вся тяжесть совершенного фашистами преступления.

— Нам уйти? — отведя глаза, спросил Генрих.

— Зачем? — вскочил я. — Вы — мои гости. Вы такие же

жертвы войны, как и я. Мы — братья по несчастью, и я вас не выставлю на улицу. Сейчас вы ляжете спать. А утро вечера мудренее. Придумаем что-нибудь.

Осуществить это мне помешали автомобильные гудки с улицы. Я узнал гудки. Так гудел трофейный черный «хорьх», на котором разъезжал с двумя автоматчиками на заднем сиденье военный комендант Каунаса, некоронованный король бывшей литовской столицы майор Григорий Иванович Таратута.

Гроза Каунаса, комендант города майор Таратута считал меня своим другом. Меня, заурядного музыканта из ресторанного оркестра. Правда, дружеские чувства ко мне пробуждались в коменданте обычно когда он пребывал в состоянии сильного опьянения. Но так как в этом состоянии он пребывал большую часть суток, то можно считать, что его приязнь ко мне носила характер постоянный.

Нынешний поздний визит означал, что Григория Ивановича снова потянуло на сольное пение и он нуждается в моем аккомпанементе. Я никогда ему не отказывал. Даже не из страха перед его всесильной властью, а скорее из симпатии к этому очень непростому и неглупому человеку, которого я знал ближе, чем все те, кто составлял его окружение. Но в эту ночь отказал. Комендантскому шоферу Васе, которого Таратута послал вызвать меня из дома, я сказал, что, к сожалению, не могу отлучиться из дому, у меня, мол, гости. Вася, чубатый сержант, носивший офицерское обмундирование и имевший по этой причине высокое мнение о своей особе и, как подобает холую, отмеченный хозяйской лаской, меня откровенно презирал и как штатского, и как еврея.

Комендант был большим любителем музыки. Сам неплохо играл на аккордеоне и обладал довольно сильным, но неотшлифованным голосом. Меня он считал виртуозом в игре на аккордеоне и, как только урывал часок-другой от служебных дел по наведению порядка в городе, тут же посылал за мной или заезжал сам в сопровождении охраны. Когда он бывал особенно пьян, его излюбленным занятием был выезд подальше из города, на берег Немана, где он распевал под луной и звездами во всю мощь своих прокуренных легких украинские песни под аккомпанемент моего аккордеона.

— Так и передать Григорию Ивановичу? — предвкушая скандал, вежливо спросил он.

— Так и передай, — сказал я, стоя в дверях и не пропуская его в дом.

— Григорий Иванович этого не любит, — нараспев протянул Вася, лихим щелчком сдвигая меховую кубанку с затылка на лоб.

— А уж это не твоего ума дело, — отрезал я и захлопнул перед ним дверь.

Через окно я видел, как сержант докладывал хозяину, подобострастно склонившись к открытому боковому стеклу автомобиля. Большие пушистые хлопья снега быстро покрыли черную крышу автомобиля, запорошили жирную грязь улицы, побелили дощатую ограду.

Вася распахнул дверь автомобиля, и оттуда вылез, согнувшись и затем распрямив плечи с золотыми погонами, майор Таратута. Он был в серой каракулевой шапке-ушанке. Шинель туго стянута ремнем и портупеей. На боку «парабеллум» в кожаной кобуре. Из-под длинных пол шинели чернели хромовые сапоги. Даже на расстоянии было видно, как пьян комендант. Лицо багровое, черные пушистые усы топорщатся, как у кота. Разговор с ним в таком состоянии не предвещал ничего хорошего, и я, не дожидаясь стука, пошел отворять дверь.

— Значит, гости у тебя? — не здороваясь, дыхнул на меня спиртным перегаром комендант и переступил порог, предварительно сбив на крыльце налипший на сапоги снег. — Тогда познакомь... что ли? Раз эти гости тебе поважней моей дружбы.

Я не стал вступать с ним в объяснения и молча повел к ванной. Когда я распахнул двери, на меня и майора уставились три пары испуганных глаз. Из мыльной пены торчали лишь мокрые головы.

— Это что за детский сад? — удивился майор. — Родня, что ли?

— Нет, — ответил я. — Это — немецкие дети. Беспризорные... Которые ночуют в подъездах и за кусок хлеба торгуют своим телом.

— Немцы? — переспросил майор и громко рявкнул на немецком языке, пожалуй, единственное, что он запомнил на войне: — Хенде хох!

И, подчиняясь его приказному тону, над ванной взметнулись выпростанные из-под воды три пары мокрых детских рук.

— Отставить, — рассмеялся майор. — Шуток не понимают.

Потом снова помрачнел и оглядел меня с ног до головы.

— Почему они... здесь... у тебя?

— Потому что я — человек, — тихо, не повышая голоса, ответил я.

— Вот оно что! — даже присвистнул майор. — А мы, выходит, не люди? Ты один добренький. Любишь деток... А они?.. Что с твоей сестрой сделали? Сам рассказывал... Легко прощаешь.

— Не они убили мою сестру. Они — такие же дети, как и она, и такие же жертвы войны.

— Ну, кончай трепаться, — прервал меня майор. — Мне с тобой некогда да и неохота дискутировать на эту тему. Одно скажу, отходчивое у вас, у евреев, сердце. А таких... всегда соблазн снова ударить. Заруби это на носу. А теперь собирайся. Петь мне охота.

— Я не могу их оставить.

— Верно, — согласился майор. — Очистят тебе квартиру... оставят голеньким.

— Да я не о том.

— Оставим солдата. Пусть посторожит их. А ты давай, собирайся. Гляди, какая ночь! Снежок свежий. Грех в доме сидеть.

Я велел детям вылезть из ванны, дал полотенца вытереться и нагишом повел их гуськом за собой по лестнице на второй этаж. Там, в спальне, на широкой, некогда родительской кровати, я приподнял край стеганого одеяла, и они один за другим юркнули под него. Я натянул им одеяло до подбородков, велел не дожидаться меня, а спать, и выключил свет.

Майор оставил на кухне солдата с автоматом и строго наказал следить, чтобы мои гости ничего не натворили. В автомобиле я уселся на заднее сиденье, рядом с молчаливым автоматчиком, разлученным со своим напарником. Аккордеон в футляре стоял на сиденье между нами. Шофер Вася, недружелюбно поглядывая на меня в зеркальце, мягко тронул «хорьх». Перед моими глазами качнулась багровая, в две складки, шея майора Таратуты.

Черный «хорьх», шелестя шинами по хрупкому снежному покрову, неслышно плыл по пустынным забеленным улицам Каунаса. Одинокие прохожие встречались редко. Значительно чаще попадались парные солдатские патрули, месившие сапогами снежное месиво. Еще издали заметив знакомый автомобиль коменданта, солдаты застывали у края тротуара и держали пальцы у виска еще долго после того, как мы их миновали.

— Солдату важно знать, что и начальство не спит, когда он бодрствует, — удовлетворенно прокомментировал комендант.

Мы выехали за город, миновали лесок, и черный «хорьх» выкатил на заснеженный высокий берег Немана. Темная вода внизу дымилась, поглощая сеющий с неба снег. Вася выключил мотор. Майор вылез наружу. За ним я. Автоматчик передал мне вынутый из футляра аккордеон.

— С чего начнем? — буркнул я, надевая на плечи ремни.

— Как обычно, — кивнул мне майор. Он расставил ноги, словно собирался прыгнуть, расстегнул шинель на груди, отцепил крючки на вороте кителя, расправил плечи, откашлялся в кулак и кивнул мне, как это делают певцы на сцене.

Я растянул меха, и пустынный берег огласили звуки аккордеона. Майор сразу взял с высокой ноты, и у меня закралось опасение, что он не вытянет, сорвет голос.

> Дывлюсь я на небо, —

пел майор, напрягая на шее выпуклые жгуты жил, —

> Тай думку гадаю:
> Чому я нэ сокил,
> Чому нэ литаю.

Шофер и автоматчик стояли позади, как в почетном карауле, без улыбок и с почтением внимали пению начальства.

Майор исходил криком, напрягал голос до немыслимого предела, и, когда он завершил, так и не сорвавшись, я облегченно вздохнул, словно свалил тяжесть с плеч.

На сей раз майор удовлетворился лишь одной песней.

— Поехали домой, — сказал он. — Заберем солдата.

Прощаясь у моего дома, сказал мне, не глядя в глаза:

— А этих... немцев... завтра приведи в комендатуру... Что-нибудь придумаем.

— Их ведь не трое, — сказал я. — По городу их сотни, а может, и тысяча шатаются.

— Ты приведи твоих. Ясно? А что до остальных... не тебе решать.

Через неделю во всем Каунасе не осталось ни одного немецкого ребенка. Военные патрули вылавливали их в подъездах домов, на чердаках. Их толпами пригоняли в казармы местного гарнизона. Отмывали в бане, одевали в наспех подобранную чистую одежонку, кормили из солдатского котла. И все под личным наблюдением майора Таратуты. Потом их погрузили в товарные вагоны и несколькими эшелонами отправили на Запад, в советскую зону оккупации Германии.

О дальнейшей судьбе этих детей я ничего не знаю. Сейчас им уже за сорок. Сами имеют детей. А то и внуков. Нынче рано женятся. Возможно, кое-кто из них живёт в Западном Берлине. И даже преуспевает. Не исключено, что мы сталкиваемся лицом к лицу на Кудаме и не узнаем друг друга. Даже если это Генрих, или Лизелотте, или Ханнелоре. И конечно, я для них иностранец, чужой человек, протянувший руку к их жирному немецкому пирогу. Я льщу себя надеждой, что при этом они порой испытывают то чувство, какое испытал я, когда привел холодной ночью в свой дом в Каунасе трех голодных и грязных немецких детей.

* * *

Майор Таратута, военный комендант Каунаса, сыграл немалую роль в моей жизни, хотя я был человеком штатским и, казалось бы, не имел никакого отношения ни к армии, ни к военным властям нашего города. Нас связала с майором какой-то странной дружбой не только его любовь к музыке, но и сходство судеб. Как и я, майор вырос сиротой. Он потерял родителей еще в гражданскую войну в России и с тех пор скитался то по чужим углам, то по детским домам, где было не намного слаще. Подросши, он ушел в армию и с тех пор не расставался с военной формой.

Он был высок и строен. Немножко полноват для своих лет. Это из-за избыточного употребления алкоголя. Волосы на голове вились и лежали, когда он их зачесывал, двумя застывшими волнами, на удивление каунасским парикмахерам. Ото лба, высокого и выпуклого, через обе волны пролегала, как пена прибоя, серебристая седая прядь, и это делало его неотразимым в глазах у слабого пола. Каунасские дамы заглядывались на него, и майор в короткие промежутки между запоями был любвеобилен и неутомим.

У него была жена. И даже дети. Но я их никогда не видел. Майор нигде не появлялся с ними, и его семейная жизнь долго оставалась тайной для окружающих.

Он был умен и жесток. От скуки нагонял страх на весь город. Не ленился сам на своем черном «хорьхе» объезжать полупустынные улицы в любое время суток. Каунасские обыватели, завидев черный «хорьх», убегали с тротуаров в подъезды, зеваки, обозревавшие улицу из окон, задергивали шторы, чтобы не попасться на глаза грозному майору.

Но по-настоящему доставалось от него военным. Офицеры местного гарнизона в часы, свободные от службы, пребывали в беспробудном пьянстве. И, упившись, не всегда были в состоянии добраться до своих квартир. Комендант, объезжая город, останавливал свой «хорьх» возле спящего, разметавшегося на тротуаре офицера и, сам обычно в сильном подпитии, вершил суд на месте. На правой руке он носил компас и по его подрагивающей стрелке решал судьбу задержанного. Если офицер рухнул на землю головой в сторону своей воинской части, он заслуживал снисхождения, и Таратута приказывал сопровождающим его солдатам бережно занести тело в автомобиль и сам довозил бедолагу до дому. Но если пьяный офицер лежал головой в другом направлении, а это означало, что из последних сил он не стремился доползти в расположение своей части, его ожидало самое строгое наказание. Гауптвахта, домашний арест. Взыскания по служебной и партийной линии.

Комендант настолько выдрессировал гарнизонное офицерство, что как бы ни напился какой-нибудь лейтенант, он, прежде чем рухнуть, последними вспышками сознания пытался определить направление в сторону своего дома и долго качался и переступал нетвердыми ногами, прежде чем стукался головой о тротуар.

В нашем ресторане майор появлялся всегда внезапно и театрально застывал в дверях, как кот, хищно шевеля пушистыми кисточками усов. Перепившиеся офицеры замирали на стульях с непрожеванными и непроглоченными кусками за щеками. А у танцующих деревенели ноги, и они еле переступали, повернув разгоряченные лица в сторону коменданта, и преданно пожирали его глазами. Даже наш оркестр сбивался с ритма, музыканты начинали играть вразнобой.

— По какому случаю паника? — грозно вопрошал, продолжая стоять в дверях, майор Таратута, и оркестр при первом же звуке его голоса немедленно умолкал, а все офицеры на танцевальном кругу принимали стойку «смирно», оттолкнув своих дам и вытянув руки по швам, — круг же при этом продолжал медленно вращаться и напоминал застывшими на нем фигурами карусель.

— Оркестру продолжать! Офицерам желаю культурного досуга!

Наши музыканты, как сорвавшись с цепи, приникали к инструментам. Танцы на кругу возобновлялись с новой силой.

Суетливые офицеры немедленно освобождали для коменданта столик перед эстрадой. Он садился за этот стол один. За соседний, позади, тоже очищенный от публики, усаживались его охрана и шофер Вася, прислонив автоматы к стульям. Охране выставлялся ужин без напитков. Майору никаких закусок. Лишь графинчик водки и граненый стакан.

Оркестр знал музыкальные вкусы коменданта, и с той минуты, как он усаживался за столик, менялся соответственно весь репертуар. Я со своим аккордеоном выходил вперед, к микрофону, и исполнял танцевальную мелодию, которая, по мнению коменданта, была под силу лишь виртуозу. И каждый раз это завершалось одним и тем же. Комендант пальцем подзывал к себе официанта, сам наливал из графинчика полный, до краев, стакан водки и кивком головы отправлял официанта с этим стаканом ко мне. Я должен был залпом опрокинуть стакан себе в горло под аплодисменты всего зала и, не закусив, раскланяться и вернуться на свое место. Частые посещения ресторана меценатом-комендантом грозили сделать меня заправским алкоголиком. Поначалу после этого традиционного стакана водки мне было трудно играть. Пальцы деревенели, не слушались. Но потом я привык и даже не чувствовал особых перемен в своем самочувствии после выпитого. Как определил Григорий Иванович Таратута, я понемногу становился русским человеком.

Он оставался для меня загадкой. Никогда не поймешь, шутит он или говорит всерьез. Рассказывает что-нибудь смешное, а серые глаза холодны как лед и прощупывают слушателя, словно иголками протыкают насквозь. А когда говорит о страшном, от чего мороз по коже дерет, глаза его смотрят насмешливо.

Однажды, когда мы с ним были вдвоем, без свидетелей, он придвинулся близко ко мне и спросил, лукаво усмехаясь глазами:

— Ты любишь советскую власть?

Я растерялся. Советская власть не щадила даже тех, кто

открыто, на всех углах изъяснялся в любви к ней, а уж таких, какие проявляли хоть видимость недовольства ею, уничтожала беспощадно. Вопрос майора, который сам являлся этим орудием расправы, был провокационным, и я долго подыскивал слова, чтобы ответить ему убедительно и не теряя собственного достоинства. Но он не дал мне ответить.

— А за что любить-то? — насмешливо уставился он мне в глаза. — Народ живет впроголодь... всех держат в страхе... изолгались, как последние подонки... Ну, так неужели ты, умный человек, ее любишь... эту власть?

Я счел за благо промолчать и даже отвел глаза.

— Молодец! — хлопнул меня по плечу Таратута. — Советская власть и тебя научила быть умным.

Майор был, конечно же, коммунистом и вскормлен этой властью и поставлен на высокий пост с правом единолично решать судьбы людей в отданном ему на расправу оккупированном городе. Он был всем обязан этой власти и при этом боялся ее и ненавидел.

Его ненависть выражалась в какой-то изощренной диковатой форме.

Свою жену майор, видать, уж давно не любил и, даже изменяя ей, находил возможность язвительно поиздеваться. Жена его, тоже коммунистка, чтобы не скучать дома, пошла работать директором фабрики. Какой из нее был директор, одному Богу известно, но возможность командовать людьми ей, видать, доставляла удовольствие, и она всласть распоряжалась судьбами сотен литовских женщин-работниц, тратя на это все свое время, и оставляла в покое супруга. Майор этой свободой пользовался вовсю.

На фабрике у жены работала одна прехорошенькая литовка. Лет двадцати. Стройна. Красива. Танцует. Поет. Ее обряжали в литовский национальный костюм и выставляли на сцену по любому торжественному поводу, демонстрируя расцвет в Литве национальной культуры под благотворным влиянием советской власти рабочих и крестьян. Звали ее Гражиной. Фамилию не помню. Хотя она потом добилась высоких постов в Литве. И не без содействия своего покровителя, коменданта города майора Таратуты. Когда она возвысилась и стала важной партийной дамой, я старался ей пореже на глаза попадаться, потому что знал, что никто не испытывает большой любви к свидетелям своих унижений. А я видел многое. И пожалуй, был единственным свидетелем забав майора с Гражиной, потому что больше никому, кроме меня, он не доверял, а развлекаться в одиночку не любил и, будучи натурой несомненно артистичной, нуждался в публике, хотя бы представленной мною в единственном числе.

Происходило все в его кабинете, в городской комендатуре. Я сидел на диване, а он за столом, уставленным черными городскими и зелеными в ящиках военными полевыми телефонами. Над его головой висел на стене в раме большой портрет Сталина в форме генералиссимуса, а справа на тумбе белый гипсовый бюст Ленина. Кабинет был скучным, казенным. Еще большую тоску нагоняли одинаковые темно-красные корешки книг многотомных сочинений Ленина и Сталина за стеклом книжного шкафа. Такие ряды темно-красных корешков были в те времена непременным атрибутом всех кабинетов советского начальства.

Майор размашисто подписал одну за другой кипу бумаг, которые ему, подобострастно выгнувшись, клал на стол молоденький дежурный офицер, поскрипывая новыми ремнями портупеи. Кивком головы отпустив офицера с бумагами, майор поднял трубку черного городского телефона и лукаво скосил на меня серый глаз под изогнутой бровью:

— Самое время пошалить.

Он велел телефонисту связать его с фабрикой, где работала жена, и, пока его соединяли, откашливался и хмурился, нагоняя на себя официальный казенный вид.

— Таратута? — сухо спросил он. — Привет. Это я.

Жену он имел обыкновение называть по фамилии. Без имени-отчества и без обычного в таких случаях слова «товарищ» перед фамилией. Просто Таратута. Словно он обращался к своему ординарцу. Даже шофера он называл по имени, Васей.

— Слушай, Таратута, — наморщил лоб комендант. — Тут у нас затевается... кое-что торжественное. Для молодых солдат. Нужны артисты. Нет, нет. Одной достаточно. Пошли вашу... эту... как ее звать?.. вот-вот... Гражину.

Гражина уже давно была любовницей майора, и всякий раз, когда у него возникало желание переспать с ней, он звонил жене и просил срочно прислать ее в комендатуру.

— Никаких отговорок, — как с подчиненным, казенно разговаривал с женой майор, — разыскать и доставить. Чтобы через полчаса была здесь, в комендатуре, как штык. Конечно, в национальном костюме, и все как полагается. Ясно? Это тебе партийное задание. Небось знаешь наше советское правило? Если партия говорит: надо, народ отвечает... Что народ отвечает, Таратута? Народ отвечает: есть! Все! Задание ясно, приступай к исполнению.

Через полчаса на фабричном легковом автомобиле приезжала в комендатуру Гражина. В многоцветном национальном костюме, метя домотканым подолом нечистый пол. С шитым бисером кикасом на голове — головным убором наподобие русского кокошника. Сверкая серьгами, нитками кораллов на шее и слепящей белизной крепких крестьянских зубов.

Часовые знали ее и пропускали без слов, вытянувшись по стойке «смирно». Шурша тяжелыми волнистыми юбками и сияя греховной хмельной улыбкой, входила Гражина в дверь кабинета, услужливо распахнутую перед ней дежурным офицером.

— Приступим к культурному досугу! — объявлял майор, вставая из-за стола, и в телефонную трубку отдавал распоряжение: — Ко мне никого не впускать! Тревожить лишь в одном случае: если американские империалисты нападут на нашу страну. Ясно? Меня нет.

Гражина по-мужски здоровалась за руку с майором, потом со мной и лишь спрашивала:

— Как обычно?

Майор кивал.

Гражина открывала книжный шкаф и одну за другой складывала стопкой, как поленья, на согнутую кисть руки, тома сочинений Ленина в темно-красных твердых переплетах.

— Мужчина, — обращалась она ко мне. — Могли бы помочь женщине.

Я приходил ей на помощь. Толстые одинаковые книги мы раскладывали на полу рядами. Сначала сочинения Ленина, потом — Сталина.

Майор с серьезным лицом восседал за своим письменным столом и наблюдал.

— Соблюдайте субординацию, — деловито хмурился он. — Вождя мирового пролетариата в изголовье (он имел в виду Ленина), а его верного ученика и продолжателя — к ногам (подразумевались сочинения Сталина).

Мы выкладывали на бетонном полу нечто вроде ложа, на котором вполне мог разместиться человек. Верхние ряды бугрились на обложках тисненным барельефом Ленина, нижние таким же — Сталина.

Дальнейшая процедура была несложной и всегда одинаковой: майор был человеком стойких привычек и не разнообразил своих развлечений. Гражина поднимала юбки до груди, прижав край подбородком, и открывала стройные белые ноги, завершавшиеся узкой полоской шелковых трусиков. Обеими руками она сдвигала трусики вниз по бедрам, пока они не сваливались на пол, и переступала через них своими изящными туфельками на высоких каблуках.

Майор снимал с себя китель с орденами и вешал на спинку стула. Синие галифе лишь расстегивал в поясе и опускал до колен, вместе с казенными армейскими трусами.

Гражина ложилась на подстилку из книг, раскинув обнаженные крепкие ноги, майор опускался на колени между ее ног, выставив портрету Сталина свой голый зад.

Я оставался на диване, деликатно отводил глаза, смотрел то на гипсового Ленина, то на Сталина в форме генералиссимуса и думал о том, что когда-нибудь майор обязательно погорит на своих проделках. Все это была не блажь воспаленного алкоголем ума. В эксцентрических и опасных выходках майора проявлялось его неприятие всеобщей лжи, его протест, что ли. Это, конечно, был кукиш в кармане. Но опасный кукиш. Если бы его застукали за этим занятием, кто-нибудь из начальства узнал о кощунственном прелюбодеянии на подстилке из книг классиков марксизма-ленинизма, это бы стоило коменданту города не только его карьеры, но и головы. В те суровые беспощадные годы военный трибунал вынес бы ему высшую меру наказания — расстрел.

Майор рисковал, как рискует азартный игрок. Да еще при двух свидетелях. Я и Гражина. А вдруг кто-то из нас донесет, выдаст его? Но тем азартней становилась игра.

Он отводил душу, разложив бабу на сочинениях классиков марксизма, объявленных советской пропагандой чуть ли не священным писанием, кладезем мудрости, истиной в последней инстанции. А баба была облачена в национальный костюм, своего рода символ последних крох национального достоинства покоренного народа, и майор издевался над этим символом, который в его глазах был лишь шутовским нарядом на обесчещенном и поруганном теле Литвы.

Не знаю, какие чувства испытывала Гражина к майору.

Любила ли она его? Навряд ли. Она была слишком практичной и дальновидной особой. И авантюристичной. Ей импонировал цинизм майора, ей доставляло несомненную радость зрелище того, как он издевался над всем и вся, перед чем другие стояли навытяжку, изображая на постных лицах преданность и восторг.

Ей нравился лихой разбойничий характер майора, и она с несомненным удовольствием принимала участие в его опасных забавах.

А я сидел как на иголках и нетерпеливо дожидался, когда все это кончится и я смогу уйти домой и постараться забыть все, что видел, потому что был уверен: даже память о виденном в комендатуре была достаточной уликой для расправы со мной как со свидетелем, не донесшим вовремя властям.

Гражина извлекала несомненную пользу из своей связи с комендантом города. Она вступила в партию и быстро пошла вверх, грациозно перескакивая через ступеньки шаткой лестницы, ведущей к высотам власти, которую надежно подпирал майор, пока сам не рухнул. Но когда он полетел со своего поста, был изгнан из армии и партии, Гражина уже была настолько высоко, что больше в его поддержке не нуждалась. И легко забыла своего чудного и жуткого любовника и благодетеля.

Григорий Иванович преподал мне однажды урок политического цинизма, сделал меня свидетелем зрелища, которое тоже повлияло на мою дальнейшую судьбу.

Из Литвы в ту пору угоняли в Сибирь ту часть населения, какую советская власть считала, по причинам, ведомым только ей, нелояльной. По ночам врывались в дома, поднимали людей из постелей, давали час на сборы и в крытых грузовиках увозили к железной дороге, где уже стояли наготове длинные эшелоны товарных вагонов. По утрам соседи без удивления, потому что привыкли ко всему, обнаруживали, что дома слева и справа от них стоят пустыми, с наспех заколоченными дверьми и окнами. Они украдкой вздыхали и продолжали жить в ожидании, когда настанет их черед и на рассвете тревожный сон будет прерван громким и властным стуком в дверь. Порой в одну ночь пустели целые кварталы домов.

В Каунасе операциями по отправке нелояльного литовского элемента в Сибирь руководил не кто иной, как комендант города, майор Таратута. Власть его была неограниченной. Он мог по своему усмотрению вычеркнуть из страшного списка чью-то фамилию, и целая семья спасалась от разорения и возможной гибели в сибирской стуже. Ему ничего не стоило и приписать кого-нибудь, кто ему чем-то не понравился, к этому списку. И при этом оставался по-своему честным человеком. Ему пытались давать взятки, чтобы откупиться от высылки, предлагали, зная его слабость к женскому полу, своих несовершеннолетних дочерей. Майор ничего не брал и оставался непоколебимым.

Но все же кое-кому от высылки удалось откупиться. Взятки брала Гражина. Втайне от майора. Себе брала. А майора потом просила за этих людей, клянясь в их лояльности и без особого труда убеждая всегда полупьяного коменданта, что попали эти люди в списки случайно, по чьей-то оплошности. Майор кряхтел, морщился, как от зубной боли. Гражина для пущей убедительности пускала слезу, и тогда одним росчерком дрожащего после похмелья пера решалась судьба людей.

Я тоже не без греха. Но попытался воспользоваться его могуществом лишь один раз. И то неудачно.

В одну из операций по очистке Каунаса от ненужного советской власти элемента замели близкого мне человека. Отца Лаймы. Винцаса. Того самого рыжего литовца из Шанцев, который вселился в наш дом на Зеленой горе и не вышвырнул меня на улицу, когда я тайком вернулся домой из гетто. Винцас, с добрым или худым умыслом — это сути дела не меняет, — спас мне жизнь, и я был в первую очередь ему обязан тем, что хожу по земле, а не валяюсь в безвестной общей могиле обескровленных еврейских детей.

К тому времени я уже понимал, что Винцас спас меня не из человеколюбия и милосердия. Заглядывая вперед, он, еще когда немцы одерживали победы, своим практичным крестьянским умом сумел предвидеть их поражение в конечном итоге, и я был для него индульгенцией безгрешности перед русской советской властью, которая сменит немецкую оккупацию. У Винцаса, должно быть, имелись основания искать себе алиби. Его поведение при немецкой оккупации не было совсем уж безгрешным. Я не знал, чем он в те годы занимался, но жил он хорошо, даже нажился на еврейском добре, вроде нашего дома и имущества, а это надо было заслужить у немцев. Чем он заслужил их благосклонность — я не знал. Он куда-то уезжал, пропадал неделями, возвращался поздно ночью, когда я уже спал в своем убежище, с кем-то пил, не таясь, шумно гулял, и потом я обнаруживал в доме новые дорогие вещи, вроде каминных часов, столового серебра, бронзовых статуэток. Я думал, что Винцас занимается спекуляцией.

После войны он беспрекословно сам отдал мне дом и вернулся с женой и дочерью в свой старый, в Шанцы. Он не тронул ничего из нашей мебели. Все в целости и сохранности передал мне. Стал работать на той же фабрике «Дробе», где был кочегаром в котельной и до войны. В центре появлялся редко. А ко мне, на Зеленую гору, зашел всего два-три раза. Приносил гостинцы, домашние пироги, пил со мной чай в столовой, озирая знакомые стены, к которым успел привыкнуть, живя здесь в годы войны. И осторожно, как бы между делом, выпытывая, не интересовался ли кто им, не наводили ли справок. Я с чистой совестью убеждал Винцаса, что все в порядке, я, мол, изложил властям в письменном виде, какую роль сыграл он в моем спасении, и этим полностью удовлетворил их любопытство. Винцас благодарил, несмело трепал меня по плечу и просил не забывать его, заходить запросто. И при этом, не без лукавой усмешки, добавлял, что и жена и Лайма всегда мне рады. Лайма часто спрашивает обо мне. Когда я узнал, что Винцас арестован и что он вместе с женой увезен из Каунаса в Сибирь, я сразу же побежал к коменданту Таратуте — просить его за моего спасителя.

Григорий Иванович молча, не перебивая, выслушал мою взволнованную речь в защиту Винцаса и, когда я, выдохшись, умолк, насмешливо спросил:

— У тебя все? Так вот, дорогой, теперь я тебе отвечу. Ты славный и доверчивый парень. За это я тебя люблю. Другом своим сделал. Ты честен. Ни разу не поддался соблазну за взятку просить меня за кого-нибудь. А теперь примчался, с дымом из ноздрей, просить за этого... Винцаса, словно за отца родного. Твоей наивной душе непременно нужно рассчитаться с ним за то, что он тебя приютил. Так ведь? Это твой долг. И ты не будешь спать спокойно, если не вытянешь из беды человека, помогшего когда-то тебе. Все правильно, дорогой мой, и я бы не отказал в твоей просьбе и вытащил бы из-за решетки твоего спасителя, если бы не одно «но»...

Майор через письменный стол загадочно уставился на меня, сдерживая насмешливую улыбку. Я почуял, что у него в запасе сюрприз для меня. И сюрприз неприятный, жуткий. Я знал, что у него появлялась эта усмешка, когда он собирался сказать какую-нибудь омерзительную гадость.

Майор выдвинул ящик из боковой тумбы письменного стола и, порывшись, извлек оттуда серую картонную папку. Полистал и положил передо мной в развернутом виде.

Мне сразу бросилась в глаза большая, увеличенная, тусклая фотография. На земле, лицом вниз, тесно лежали рядами люди. Мужчины и женщины. Судя по одежде. Были ли они живы или это уже лежали трупы, угадать было трудно. Между рядами по узкой полоске каменной брусчатки, отделявшей ноги одного ряда от голов другого, расхаживал мужчина в галифе и сапогах и в белой нижней рубахе с закатанными рукавами и высоко над светловолосой головой держал толстую деревянную палку, настоящую дубину. Глаз фотоаппарата зафиксировал ее в замахе, вот-вот готовой обрушиться на затылок распростертого на земле человека.

Хоть фотография и была тусклой и неясной, не узнать в этом человеке с дубиной Винцаса было трудно. Это был, вне всякого сомнения, он. И я все понял сразу, и пояснения майора Таратуты были излишни.

— Я знал, что ты придешь просить меня за этого душегуба, — сказал он, выйдя из-за стола, и стал расхаживать по кабинету взад и вперед, заложив за спину руки и с той же усмешкой на губах косясь на меня. — И поэтому запросил его дело. Твой Винцас служил у немцев... карателем. И особенно отличился при ликвидации каунасского гетто. Кто знает, возможно, этой дубиной он раскроил череп твоей матери. Вероятность большая. Хотя таких негодяев там было немало. Не он один убивал. Видишь, на снимке стоят сзади кучкой молодцы с такими же дубинками в руках? Кое-кого мы нашли. А другие сбежали... на Запад. Вот теперь мы добрались и до Винцаса.

Я сидел как оглушенный и не мог оторвать взгляда от страшной фотографии, глянцевито поблескивавшей на развернутой папке. Я поймал себя на том, что рыскаю глазами по рядам лежащих ничком людей и по прическе, по мне одному известным приметам ищу свою мать.

— Вопросы будут? — вывел меня из оцепенения голос коменданта.

Я встал и, не попрощавшись, вышел.

Как-то Григорий Иванович привез меня в комендатуру.

Увидав меня из своего черного «хорька» на Лайсвес алеяс, называвшейся тогда проспектом Сталина, велел остановиться и чуть не силой втащил в машину. Не спросив, куда я иду, есть ли у меня время. Коменданту было скучно, ему был нужен собеседник. А уж лучше меня собеседника не придумаешь. Я молча слушаю и киваю. Майору нужен был не я, а мои уши.

А в комендатуре разыгралась следующая сцена. Военный патруль обнаружил и арестовал давно разыскиваемого молодого литовца, ускользнувшего от высылки в Сибирь. Этот малый по имени Алоизас, фамилии по причинам, которые станут понятны позже, я называть не хочу, был студентом политехнического института, вступил в партию, стал активным коммунистом, драл глотку на собраниях, разоблачал скрытых врагов советской власти и уже стоял на пороге большой карьеры, как вдруг все лопнуло как мыльный пузырь. Выяснилось, что в его анкетах был подлог. Алоизас выдавал себя за сына бедного крестьянина, еле кормившегося на своих жалких трех гектарах песчаной земли. Из таких людей советская власть вербовала своих верных помощников и назначала их на руководящие посты.

Но кто-то донес, что семья Алоизаса владела десятью гектарами земли и числилась в зажиточных. Даже нанимала на работу на свой хутор батраков. Следовательно, они были эксплуататорами и подлежали репрессиям. К моменту, когда на хутор приехали солдаты, чтобы увезти всю семью на железнодорожную станцию, отца Алоизаса уже не было в живых. Он умер незадолго от страха перед неумолимо надвигавшимся разорением и высылкой в Сибирь. Взяли мать и двух несовершеннолетних сестренок Алоизаса, да еще старую полуслепую бабку и заперли в товарный вагон эшелона, маршрут которого был известен — в далекую холодную Сибирь, откуда редко кому удавалось вернуться живым.

Мать все же умудрилась дать знать сыну о беде, и Алоизас, не дожидаясь публичного разоблачения, сбежал из общежития, скрылся, и на него был объявлен розыск.

И вот он, пойманный патрулем, сидит, как арестант, посреди кабинета коменданта города, небритый, со всклокоченными, немытыми волосами, в грязной рубахе, и заискивающе ловит в холодных серых глазах майора Таратуты малейший проблеск милосердия. Алоизас был известен в городе как комсомольский активист, и майор пригласил в комендатуру всю верхушку городского комитета комсомола, чтобы с ними вершить суд над замаскировавшимся и пролезшим в доверие врагом.

Я не по своей воле присутствовал при сем, сидя сбоку на диване и слушая гневные разоблачительные речи комсомольских вождей, таких же молодых литовцев и таких же карьеристов, как и Алоизас, но с той лишь разницей, что их родители были действительно бедны, и поэтому им не пришлось привирать в анкетах. Как они топтали своего недавнего коллегу! Как они выслуживались перед майором!

Мне было стыдно. Не знаю, что испытывал майор. Полагаю, чувство брезгливости. Он сидел с каменным лицом и давал литовцам расправляться со своим братом, протянувшим, как и они, руку к сладкому пирогу власти.

Алоизас был обречен. Ему, вне всякого сомнения, предстоял путь в Сибирь, вслед за своей семьей.

— Почему ты скрыл, что у отца десять гектаров земли? — с издевкой спрашивали его.

— У меня нет отца. Он умер, — уронив голову, отвечал он.

— Ну, мать. Она владела хутором.

И вдруг Алоизас соскользнул со стула на серый бетонный пол, стал на колени и умоляюще протянул руки к письменному столу, за которым под портретом Сталина сидел майор Таратута. К литовцам он не обращался, их он, как пешек, не принимал в расчет.

— Я готов публично отречься от своей буржуазной матери! — взвыл он. — От своей семьи! Я не хочу в Сибирь! Оставьте меня в Литве! Прошу вас! Я буду служить верой и правдой советской власти...

Речь его захлебнулась в рыданиях. Он закрыл лицо руками, продолжая стоять на коленях.

Никто не проронил ни слова. Всем, видать, было стыдно и за него и за себя. Я не знал, куда глаза девать от неловкости.

— Ну что, товарищи? — обвел всех холодными глазами майор. — Какое примем решение? Что с ним будем делать?

— Гнать! — визгливо закричал городской комсомольский вождь, худой болезненный литовец. — В Сибирь!

— Никакой пощады! — загалдели остальные. — Вырвать с корнем вражье семя! Очистить наши ряды от случайных людей!

Они всласть топтали Алоизаса, подчеркивая тем самым свою безгрешность и пролетарскую чистоту.

— Так, — вздохнул Таратута, когда наконец они умолкли
и только всхлипывания Алоизаса нарушали тишину кабинета. — А я с вами не согласен.

С дивана и со стульев на майора сразу вскинулись удивленные непонимающие глаза. Алоизас тоже отнял ладони от
зареванного лица и перестал всхлипывать.

— Я полагаю, что его нужно оставить, — медленно, будто диктуя, произнес майор. — Человек, способный продать
свою мать, будет верно служить нам. У него другого пути
нет. А здесь, в Литве, мало на кого можно положиться.
Пусть остается там же, где был, и своим рвением докажет,
что советская власть не зря простила ему его прегрешения.
Встать с колен!

Алоизас вскочил как безумный и бросился к письменному столу с протянутой рукой, желая, видимо, то ли пожать, то
ли поцеловать руку майору. Таратута отдернул свою и зало-
жил ее за спину.

— Вытри сопли, — брезгливо поморщил свой короткий
нос майор. — А руки я тебе не подам. Матерью не торгуют.
Ни под каким предлогом! Ты свободен. Вон отсюда.

Мне врезалось в память выражение лица Алоизаса. Словно сердце мое чуяло, не избежать мне еще столкновений с
ним. Был ли он благодарен майору за то, что тот одним мано-
вением руки спас его от несомненной гибели? Конечно, был.
И на лице его отразилась биологическая радость существа,
которому даровали жизнь. Резкая перемена в его судьбе, в
один миг извлекшая его с самого дна, куда он рухнул без всякой надежды выбраться, выползти наверх, к свету, к солнцу,
к жизни, так и распирала его бурным ликованием, граничив-
шим с безумием.

И в то же время в узких, с припухшими веками глазах
Алоизаса не светилась, а сверкала ненависть униженного, за-
гнанного зверя к своему мучителю. Он был не в силах пода-
вить, пригасить это чувство, рвавшееся из его нутра. И наце-
лена эта ненависть была на майора Таратуту, его спасителя,
на молодых карьеристов из городского комитета комсомола,
только что дружно топивших его, а теперь озадаченных и
растерянных, но не смеющих возразить начальству, на всех,
кто присутствовал в комендатуре в этот час и был свидетелем
самых страшных минут в жизни Алоизаса, о которых он до
конца своих дней будет вспоминать с содроганием. Не обош-

ла его ненависть и меня, человека совершенно постороннего, очутившегося в комендатуре случайно, по прихоти майора Таратуты.

Алоизас был из той породы, что и его истязатели. Карьерист, интриган, демагог. Увидавший в новой власти, под метелку снявшей с Литвы верхний слой, всю верхушку нации, ее элиту, верный шанс выскочить наверх, на вакантные теплые места, с помощью чужих штыков сесть на шею своему порабощенному народу. И он добился своего.

Скоро он уже был в городском комитете комсомола, заставив потесниться своих недавних судей. Видать, он был талантливее их, ловчее, и они не успели оглянуться, как он обошел их, стал партийным руководителем города, а через какое-то время перебрался в столицу Литвы Вильнюс, в аппарат Центрального комитета партии. Там он тоже не засиделся на одном месте и добрался до самой вершины пирамиды, стал одним из вершителей судеб Литвы.

Вот тогда-то он дал волю своей затаенной ненависти — отыгрался на тех, кто его унижал и топтал. Одного за другим он убрал всех, кого злой рок привел в тот день в кабинет коменданта города Каунаса. Все эти члены городского комитета комсомола, что так измывались над ним, коленопреклоненным, исчезли со своих постов, до которых они успели с той поры дотянуться, и вообще куда-то испарились. Я больше их никогда не встречал. Даже упоминания их имен.

С особым наслаждением расправился Алоизас с самим комендантом. Григорий Иванович пил. Как и почти все начальство. Особого греха в этом никто не видел. Майор питал чрезмерную склонность к слабому полу. Так кто же из мужчин, наделенных властью, безгрешен? Кто устоял перед соблазном положить под бочок смазливую секретаршу или аппетитную просительницу, готовую на все?

Но поплатился за это Григорий Иванович. Потому что он по своей безалаберности и, я бы сказал, доверчивости не заметал следов, не убирал опасных свидетелей. Гражина, его послушная соучастница в любовных проказах, которой он щедро открыл путь наверх, к вершинам власти, нанесла ему самый точный и неспортивный удар — ниже пояса. К тому времени она, со свойственным ей звериным чутьем уловила, на чьей стороне сила, и стала послушным орудием в руках Алоизаса. Гражина дала свидетельские показания против майора. Она не рассказала все, что знала. Боже упаси! Иначе бы и ей не выйти из воды сухой. Ни слова о томах сочинений Ленина и Сталина, на которых, как на подстилке, отдавалась она коменданту. Больше того — она ему не отдавалась. А лишь была объектом его гнусных приставаний, чуть ли не попыток изнасиловать в своем служебном кабинете. Только ее коммунистическая стойкость и моральная чистота помогли ей отбить этот натиск вечно пьяного самца с партийным билетом в кармане.

У Григория Ивановича отняли партийный билет. А изгнанный из партии уже не человек, а ноль. Его снимают с работы и не дают никакой другой. Он становится абсолютно бесправным и гонимым. Он остается один-одинешенек, от него, как от чумы, шарахаются недавние знакомые и подхалимы.

Майора уволили из армии и не дали положенной пенсии. От него ушла жена, выбросив на порог старый чемодан с его личными вещами. Он остался на улице без гроша в кармане.

Я не отвернулся от него. Предложил поселиться у меня. Он отказался, не объяснив почему. Единственный вид помощи, который он согласился принять, — это стаканчик водки, который ему подносил по моей просьбе официант, когда он иногда появлялся в нашем ресторане.

Это уже был не гроза города комендант Таратута. Он входил в зал бочком, с застенчивой улыбкой под седыми усами. Он сразу поседел весь. Голова стала серебряной с редкой прочернью. Усы тоже. Лишь брови оставались жгуче черными, и под ними еще больше выделялись голубизной его глаза. Ушедшие глубоко под набухшие веки. Как у затравленного зверя.

У него выпали два передних зуба, и на их месте чернела дыра, когда он размыкал губы. Лицо сморщилось, съежилось, и вместо прежней холодной усмешки теперь на нем возникала жалкая улыбка.

Он донашивал выцветший и мятый, со следами от споротых погон военный костюм, сапоги со сбитыми каблуками и отставшей подошвой, которую он стягивал куском проволоки.

Первое время посетители ресторана еще реагировали на его появление в зале. Его уже, конечно, не пугались, а, наоборот, отводили душу, встречая громким хохотом. Он проходил между столиками, гордо неся седую, все еще красивую голову и высокомерно не замечая ни наглых усмешек, ни злых шуточек, отпускаемых ему вслед.

Он подходил к эстраде, и наш оркестр переставал играть. Как и тогда, когда он был всесилен и внезапно появлялся у нас. Одни лишь евреи-музыканты сохранили остатки почтения к поверженному льву. Они вопросительно оглядывались на меня, и я с аккордеоном выходил вперед к микрофону.

Таратута стоял перед эстрадой, скрестив на груди руки, и улыбался мне. Я растягивал меха, и в зал лилась любимая песня былого коменданта. Оркестр играл старательно, как на похоронах. По дряблым щекам Григория Ивановича текли слезы, и он их не вытирал.

Потом я кивал официанту, и тот подносил ему (за мой счет, конечно) полный до краев стакан водки. Майор принимал стакан с достоинством, хрипло изрекая:

— Благодарствую.

И выливал в распахнутый рот, запрокинув назад седую шевелюру.

Возвращал стакан официанту и кивал оркестру:

— Продолжайте в том же духе!

И покидал зал, стараясь твердо шагать между столиками. Вслед ему неслись едкие шуточки и смешки подвыпивших офицеров, по-прежнему составлявших большинство нашей публики.

Вскоре сверху пришло распоряжение — в ресторан его не пускать, и наш швейцар стал загораживать перед ним вход, когда он появлялся. Таратута обиделся и перестал приходить.

Я встречал его на проспекте Ленина — бывшая Лайсвес алеяс после смерти Сталина была снова переименована и уже носила имя другого вождя. Мы останавливались и болтали, как старые приятели, словно никаких перемен не произошло. На прощание я смущенно совал ему в карман несколько смятых червонцев, и он смущенно кряхтел, делая вид, что не замечает.

Последним из свидетелей унижений Алоизаса был я, и меня он тоже не оставил в покое. Не сам, а через своих холуев. Меня уволили из оркестра. Я долго нигде не находил другой работы и кормился только заработками жены. Потом мне удалось устроиться в другой ресторан, в «Метрополис». Взяли лишь потому, что остались без аккордеониста и никак не могли найти ему замены.

В этом ресторане был банкетный зал, куда рядовой посетитель не мог проникнуть. Там гуляли лишь именитые гости. И в старой Литве, и нынче, при советской власти. На стене этого зала висели в дубовых резных рамах портреты трех великих князей в железных шлемах, кольчугах и латах, основателей литовской державы, некогда доходившей своей восточной границей почти до самой Москвы. Зал так и назывался: «Три князя».

Вот туда меня однажды с таинственным видом на сытом бульдожьем лице позвал наш метрдотель, велев прихватить аккордеон. Под дубовыми рамами один за огромным столом ужинал Алоизас. Располневший и заметно постаревший с той поры, как я видел его на коленях в кабинете коменданта города. Он жевал мокрыми губами, то и дело вытирая их смятой в кулаке салфеткой.

— Узнаешь меня? — спросил он, когда метрдотель, почтительно пятясь задом, покинул зал и плотно притворил за собой двери.

Я кивнул, усилием воли стараясь не прятать глаз и смотреть ему в лицо.

— И я тебя помню. — Он положил салфетку на стол. — У обоих у нас хорошая память.

Мне ничего не оставалось, как снова кивнуть.

— Сыграй мне. Ты же любил когда-то играть начальнику.

Он имел в виду мою дружбу с комендантом города. Ничего хорошего этот намек не предвещал. Я понимал, что он наконец добрался и до меня и моя судьба решится в этом банкетном зале под грозными взглядами из-под железных шлемов трех великих литовских князей. Властью Алоизас обладал не меньшей, чем некогда эти князья.

— Что вам сыграть? — пересохшими губами спросил я.

— М-м... на твое усмотрение... Э-э-э... что-нибудь еврейское.

Это была издевка. Еврейские мелодии уже давно были исключены из репертуаров ресторанных оркестров.

— Ладно, — махнул он рукой. — Ты сегодня не в форме. У тебя подбородок дрожит. Не надо играть. Поговорим без музыки. Ты в Израиль не собираешься?

— Нет. А почему вы спрашиваете?

— Просто так. Много вашего брата туда сейчас уезжает. Почему бы и тебе не поехать?

— А чего я там не видел?

— Ну, хотя бы... сможешь играть свои еврейские песни...

которые здесь тебе не позволено играть. Да и вообще там тебе будет лучше. Поверь мне.

— Как это понимать? — уже совсем похолодев, спросил я. — Вы настаиваете, чтобы я уехал?

Алоизас улыбнулся и, как сытый удав, прикрыл глаза.

— Советую. Препятствий твоему отъезду мы чинить не будем. Подумай хорошенько на досуге. У меня — все. Можешь идти.

Так совершился резкий поворот в моей судьбе, и я подал документы на выезд из СССР.

Прослышав о моем предстоящем отъезде, ко мне ночью ввалился Григорий Иванович Таратута. Пришел проститься. Сидел среди раскиданных вещей, незакрытых чемоданов и грустно подергивал серебряной головой.

— Сделай мне на прощанье одолжение, — попросил он, когда мы с ним выпили на кухне по рюмке. — Я спою мою любимую, а ты подыграй. Как когда-то... в лучшие годы.

Глаза его слезились, а голова дергалась.

Я не отказал ему. Вынул аккордеон из футляра, натянул ремни на плечи. Григорий Иванович запел вполголоса. Я тихо аккомпанировал.

Дывлюсь я на небо,
Тай думку гадаю:
Чому я нэ сокил,
Чому ж нэ литаю.
Чому ж мэни, боже,
Ты крылец не дал?
Я б землю покинув
Тай у нэбо злитав.

Потом умолк. Посидел, понурив голову, и тихо сказал:

— Вот вы, евреи, уезжаете... А куда нам, православным, податься?

Он уставился на меня слезящимися, все еще голубыми глазами, и серебряная голова его мелко задергалась, словно его душили рыдания.

* * *

Лайма стала моей женой.

Та самая золотоволосая Лайма, Лаймуте, дочь Винцаса, занявшего при немцах наш дом на Зеленой горе, но впустившего меня туда, когда мне больше некуда было деваться. Та самая Лайма, с которой мы провели лето под соломенной крышей лесного хутора у старой Анеле, тетки Винцаса. Та самая яркая блондинка, стройная, как богиня, при виде которой каждый раз помрачался мой рассудок, и я шел за ней, как сомнамбула, осыпаемый градом насмешек и оскорблений.

С того памятного лета на хуторе у Анеле и до самой женитьбы наша связь с Лаймой не прерывалась. Это была связь раба и госпожи. Лайма, не скрывая, презирала меня, подтрунивала и издевалась, на людях и когда мы оставались одни. Все во мне вызывало у нее иронию, насмешку. Но порывать со мной она не хотела, и когда мы долго не виделись, она начинала томиться и, встретив, проявляла даже признаки радости.

Она была антисемиткой. От рождения, по крови. Встретив на улице человека с еврейской внешностью, она морщилась, словно разжевала кислую ягоду, и делала это не напоказ, скажем, чтобы меня поддразнить, а даже когда шла одна и никто за ее реакцией не следил. Я однажды наблюдал из окна кафе, как Лайма, не зная, что я за ней слежу, обходила громко болтавших на тротуаре двух евреек. Боже, как ее всю перекосило, и ее прелестное лицо стало некрасивым и злым. На лице была написана какая-то смесь брезгливости и ненависти. А стой на тротуаре не две еврейки, а две литовки и даже перегороди они ей дорогу, я уверен, Лайма обошла бы их с привычной улыбкой на губах.

В ее антисемитизме была заметная доля садизма. Она была по натуре садисткой. Скрытой. Закамуфлированной вежливой, обаятельной, чарующей улыбкой. И лишь на евреях она давала себе волю, выпускала когти, отводила душу как могла. Я думаю, родись она пораньше, будь она в годы войны взрослой, лучшего кандидата в надзиратели над заключенными еврейскими женщинами немцы навряд ли нашли бы. Ни ее отец Винцас, весьма возможно, собственноручно убивший мою мать, ни ее двоюродный дядя Антанас, на чьей совести гибель моей младшей сестренки Лии, не могли бы с ней сравниться. Те убивали по долгу службы, на которую поступили, выполняли, так сказать, работу, не испытывая при этом ни радости, ни печали, а только скуку и усталость, какая обычно остается после выполнения неинтересной, рутинной работы.

Лайма же извлекала бы наслаждение из надругательств над своими бесправными и беззащитными жертвами. Ее садистские наклонности получили бы полное удовлетворение.

Малочисленные евреи Каунаса, уцелевшие в эвакуации или укрытые сердобольными литовцами и после войны снова вернувшиеся в свой родной город, смотрели на меня как на умалишенного. Связь еврея с Лаймой казалась им кощунственной и противоестественной. Даже наши музыканты в оркестре, где Лайма не без моей помощи стала певицей, только плечами пожимали и закатывали глаза.

А с меня как с гуся вода. Как теленок на веревочке, брел я за своей мучительницей, не только покорно, но и с непонятной сладкой радостью сносил ее пренебрежительные насмешки и оскорбления. Главным для меня было, чтобы она на меня реагировала, не оставалась равнодушной. И я уже был счастлив.

— У тебя откровенно выраженный комплекс СС, — сказала мне однажды Лайма, имея в виду СС — головорезов из отборных войск Гитлера, которым поручалась расправа над мирным населением, и, в первую очередь, над евреями. — Понимаешь, дорогой, ты во мне видишь дочь своего убийцы. Белокурую арийскую женщину. И тебе мучительно хочется обладать мной, распластать под собой мое белое стройное тело и рвать его и терзать, насколько позволит тебе твоя половая потенция. Это своего рода месть, реванш.

— Я уже давно заметила, — продолжала она, — что чем безобразней еврей, чем больше он похож на карикатуру с плакатов Геббельса, тем с большим вожделением он глядит на меня и до одурения жаждет обладать мною. Готов жизнь отдать, лишь бы заслюнявить мой рот своими вислыми мокрыми губами, безжалостно раздвинуть мои гладкие упругие бедра кривыми волосатыми ногами и вонзить свой обрезанный член в мое белое чистое тело. Верно ведь? Чего смотришь в сторону? Стыдно признаться в своей слабости? У тебя этот комплекс, как и у всех других безобразных евреев. Ты не спишь со мной. Ты мстишь. Ты пытаешься взять реванш. И не можешь. Потому что сколько бы ты ни поганил мое тело, стоит мне принять душ, и я снова чиста и снова тебе недоступна. Вот так и истечешь семенем и желчью, а не растопчешь моей белой арийской красоты.

И улыбалась при этом пьянящей призывной улыбкой, вызывая во мне такую вспышку желания, что я терял голову, со стоном бросался на нее, а она, хохоча, отбивалась, оскорбляла меня, обзывая самыми грязными кличками, и, измотав, доведя до исступления, наконец уступала, с ленивой грацией раскидывала красивые сильные ноги и отдавала мне свое тело на поругание, оставаясь холодной и равнодушной и терпя меня на себе лишь из жалости.

Вот такие муки были ценой за любовь, которую я питал, вернее, которой я пылал к этой холодной и злой особе. Она третировала меня еще задолго до нашей женитьбы. Ведь я влюбился в нее подростком. Собственно говоря, с того момента, как впервые увидел ее. А увидел ее я в ту ночь, когда ксендз за руку привел меня к калитке нашего дома на Зеленой горе и к нам вышел новый хозяин дома, Винцас, отец золотоволосой Лаймы. С той поры для меня других женщин не существовало. Из-за моей любви к Лайме я до самой женитьбы сохранил невинность. Работая в ресторане, я мог каждую ночь спать с новой женщиной, благо женщин после войны было намного больше, чем мужчин, и они сами искали случая перехватить крохи мужской ласки. Я оставался чист. Я не представлял себе, как можно лечь в постель с кем-нибудь, целовать ее, обнимать, если это не Лайма.

Лайма же меня к себе близко не подпускала. Да я и не посмел бы ее обнять. Мне было достаточно смотреть на нее. А когда видел в ответ какое-то подобие улыбки, я чувствовал себя на седьмом небе.

Я жил один в нашем доме на Зеленой горе, а Лайма в Шанцах с отцом и матерью. К тому времени я уже подрабатывал ночами игрой на аккордеоне в ресторане «Версаль», а по утрам бегал в музыкальную школу, где занимался по классу фортепиано у довоенного приятеля моего отца. В школе был и вокальный класс.

Я уговорил Винцаса позволить Лайме попытать счастья на вступительных экзаменах, расхвалив ему голос дочери и предрекая ей блестящую карьеру. И большие деньги. Последний аргумент повлиял на Винцаса. Лайма прошла по конкурсу и стала студенткой. Теперь я мог ее видеть каждый день на переменах. Найти ее в толпе студентов было делом несложным. Вокруг Лаймы всегда увивались влюбленные мальчики. До дюжины сразу. Она ходила по коридору, как королева, в сопровождении свиты, ослепительно красивая и надменная. Другие девчонки умирали от зависти и втайне люто ее ненавидели.

Пробиться к Лайме через эскорт ухажеров было делом нелегким, и чаще всего на переменах я удостаивался лишь издали ее кивка. Я довольствовался этим, на расстоянии следя за ее золотой головкой, пока ее не заслоняли головы более рослых мальчишек. И проводить домой ее мне тоже никогда не удавалось. Кто-то обязательно плелся за ней в Шанцы и бережно нес ее черную папку с нотами.

Я нашел выход. Чего греха таить, это было скорее данью моему эгоизму, чем стремлением помочь Лайме. Наш оркестр остался без певицы. Прежнюю, немолодую толстую литовку, некогда певшую в опере, арестовали и с очередным эшелоном увезли в Сибирь. Никто этому не удивился. Не явился человек на работу одну ночь, другую. Пошли к ней домой, а на дверях — сургучная печать. Квартира опечатана. Следовательно, хозяйка или в тюрьме, или по пути в Сибирь. Все ясно. Никаких вопросов. В оркестре даже не обсуждали это событие. Привыкли. Это уже был третий человек, которого недосчитывался оркестр. И кто был следующим на очереди, знал один лишь Бог да комендант города, майор Таратута.

Я предложил попробовать Лайму. Чтобы она выглядела поэффектней, чтобы, так сказать, подать товар лицом, я раскопал в оставшихся от матери вещах вечернее платье. Парчовое, в блестках. С большим декольте. Как раз то, что нужно. Лайма сама ушила его в боках и, когда надела при мне, нисколько не стесняясь своей наготы, словно я был существом неодушевленным, сама загляделась на себя в зеркало. В этом платье она была ослепительно хороша. И выглядела совершенно взрослой, эдакой салонной львицей, покорительницей мужских сердец.

В оркестр ее взяли еще до того, как она разложила ноты, чтобы спеть. Ее вид покорил и дирекцию ресторана и наших музыкантов. А потом и публику. На нее, как на магнит, перли в наш ресторан гарнизонные офицеры, сразу забыв дорогу в другие рестораны, завсегдатаями которых они были прежде. Каждый ее номер требовали повторить на «бис» и при этом делали оркестру и ей щедрые подношения. Иной загулявший офицерик, совершенно ошалев от ее красоты, бросал к ее ногам кошелек с месячным жалованьем. И это лишь за то, чтобы она спела что-нибудь по его просьбе.

Деньги Лайма отдавала отцу и этим затыкала ему рот и покупала себе свободу. Она могла являться домой под утро крепко пьяной и не объяснять, где была. Обычно ее привозили на военных джипах офицеры.

Я уж и сам не рад был, что устроил ее к нам работать, пытался остановить ее, объяснял, что это плохо кончится, что она себя погубит, но Лайма лишь презрительно кривила свои густо накрашенные губы и насмешливо смотрела на меня сквозь полуопущенные веки:

— Глупенький! Я же провожу ночи не с одним, а каждый раз с новым. Так что нет опасности, что я влюблюсь. Будь спокоен.

Я спал один в нашем пустом доме на Зеленой горе и исходил от ревности и тоски. Ко мне в дом она не наведывалась. Что-то удерживало ее. Возможно, опасалась, что я начну приставать к ней, оставшись наедине. Пока не случилась беда.

Лайма забеременела. Это должно было случиться рано или поздно. В те годы аборты были запрещены законом, советская власть пыталась восполнить убыль в народонаселении после войны. Нужно было за большие деньги ложиться под нож нелегально, в примитивных антисанитарных условиях, и такие подпольные аборты часто уносили на тот свет вместе с неродившимся младенцем и его незадачливую мать.

К кому обратилась Лайма в трудную минуту? Конечно, ко мне. Не к отцу же идти. Винцас мог в гневе убить ее. Я же, как заботливая мать, как курица-наседка, захлопотал вокруг Лаймы, пытался успокоить ее, уверить, что все обойдется и через день-другой она посмеется над своими страхами.

Я разыскал внушавшую доверие акушерку, щедро уплатил вперед и, крепко держа под руку, с ноющим от любви и обиды сердцем, отвел ее туда, бледную, с синими кругами под глазами. Страдание и страх делали ее еще красивей, и встречные заглядывались на нее и долго смотрели нам вслед, принимая за очень молодых супругов. Лайме в ту пору было восемнадцать лет, а мне — девятнадцать.

Акушерка, пожилая, с усталым интеллигентным лицом женщина, жила в глубине двора в одноэтажном домике, где они с мужем занимали две комнатки и кухню. Аборты она делала в спальне с занавешенным окном, а инструменты кипятила на кухне в алюминиевой кастрюле на газовой плите. Первое, о чем я подумал, была мысль, что аборты она делает на своей супружеской кровати, потому что другой кровати там не было, и от этой мысли мне стало зябко и неуютно.

Мне было велено пойти погулять часок, а лучше всего посидеть в кафе за углом и потом явиться, чтобы забрать Лайму.

— Все будет в лучшем виде, — успокоила меня, похлопав по плечу, акушерка, она тоже приняла меня за юного супруга Лаймы. — Не придется тратиться на извозчика. Своими ногами до дому дойдет.

Когда я открыл дверь, чтобы выйти, Лайма бросилась ко мне с лицом, искаженным страхом, прижалась, уткнувшись носом мне в шею, и я стал гладить её по плечам и спине, совсем как маленькую девочку, отчего она перестала дрожать, подняла ко мне лицо, долго, словно прощаясь навсегда, смотрела и вдруг поцеловала холодными губами. Не в губы, а в глаза. Сначала в левый, потом в правый. Потерлась, как щенок, щекой о щеку и, оттолкнув меня, пошла в спальню.

Я чуть не захлебнулся от нежности. В пустом кафе, где я нервно сидел за столом, так и не пригубив заказанный чай, буфетчица, толстая, с большими грудями еврейка, долго смотрела на меня из-за прилавка с никелированной кофеваркой.

— Вы плачете, — вздохнула она. — Когда мужчина плачет, значит, у него большое горе. У вас умерла мама?

Я кивнул. И ладонью провел по мокрым щекам.

— Выпейте сто граммов водки, — посоветовала буфетчица, продолжая протирать несвежим полотенцем стаканы. — Это укрепляет нервы.

Я глянул на часы — уже прошел час — и, бросив на стол горсть мелочи, стремглав выбежал из кафе.

Лайма ждала меня в кухне, укутанная в пальто, с лицом белым, какое бывает у сильно напудренного клоуна. Она сидела на табурете рядом с плитой, на которой все еще кипела вода в кастрюльке, полной никелированного металла. В помойном ведре у самой двери кроваво алели клочья ваты.

Она не только не могла дойти до дома своими ногами, как обещала акушерка, ей было трудно стоять на ногах. Я побежал за извозчиком — такси в те годы еще были редкостью, и повез ее, крепко прижав к себе и велев кучеру поднять кожаный верх фаэтона, чтобы не наткнуться на любопытствующие взгляды прохожих, легко узнававших и Лайму и меня. Ресторанные музыканты были знакомы в лицо почти всему городу.

Я повез ее к себе, на Зеленую гору. Чтобы отлежалась, пришла в себя. Ей было очень плохо. Она истекала кровью, часто теряла сознание, и я, как нянька, ухаживал за ней, менял простыни, мокрым полотенцем обмывал ее обнаженное, окровавленное тело. Тело, о котором я мечтал одинокими ночами, было бесстыдно заголено передо мной, и я прижимал влажную ткань к углублению между ног, впитывал в нее кровь и затем отжимал в лохань.

На третий день она стала поправляться, но все еще была слаба. Посланцу из ресторана, где музыканты встревожились нашим отсутствием, я наврал с три короба, сказав, что у нас обоих пищевое отравление, съели чего-то несвежего в гостях и скоро выйдем на работу. Еще предстояло успокоить Винцаса и его жену. Телефона не было ни у них, ни у меня. Я пошел в Шанцы, заперев дом снаружи и велев Лайме не откликаться, если кто постучит.

В Шанцах меня ждал удар. Я был настолько озабочен тем, чтобы такое правдоподобное соврать родителям Лаймы, чтобы, не вызывая подозрений, объяснить столь долгое невозвращение в отчий дом, что долго стучал в дверь старой покосившейся хибары Винцаса, не замечая сургучной печати, висевшей на веревочках прямо перед моим носом. Дом был опечатан и заперт.

Окна наглухо закрыты ставнями. Напуганные соседи шепотом объяснили мне, что Винцаса и жену взяли прошлой ночью, и солдаты ходили по соседним домам, искали Лайму.

Вот тогда-то я помчался в комендатуру, к майору Таратуте. Тогда же он предъявил мне увеличенную фотографию с рядами распростертых ниц евреев и Винцасом в галифе и нижней рубахе, занесшим над головами здоровенную дубину, способный одним ударом расплющить, расколоть на куски череп человека.

Лайме я ничего не сказал. Ни о том, что узнал в комендатуре о делах ее отца в годы войны, ни об опечатанном пустом доме ее родителей. Отложил до той поры, когда она окрепнет.

Комендант города проявил свое расположение ко мне тем, что пошел на явное нарушение закона и, собственноручно сорвав с дверей хибары Винцаса сургучную печать, впустил меня туда, чтобы я забрал кое-что из одежды и всякой мелочи Лаймы. Я набил чемодан, и майор на своем черном «хорьхе» довез меня до Зеленой горы. В дом не вошел. Видимо, не хотел встречаться глазами с Лаймой.

Она уже все знала и, выздоровев, сидела в моем доме взаперти, как прищибленная. Ей было опасно выходить на улицу. По крайней мере, до тех пор, пока майор, как обещал мне, не добьется снятия с нее розыска. А пока она была скрывающейся преступницей. Дважды преступницей. И уголовной и политической. За нелегальный аборт грозило несколько лет тюрьмы, а как дочери Винцаса ее место было в Сибири, куда увезли мать. Самого Винцаса военный трибунал приговорил к смертной казни, позже замененной двадцатью пятью годами каторжных работ. Он отсидел лишь десять лет.

Целые дни я проводил с ней, заперев двери и затянув шторы на окнах. Если кто-нибудь стучал, Лайма стремглав убегала в чулан и закрывалась там изнутри, точно как это проделывал некогда я, когда ее отец укрывал меня в доме от чужих глаз. Мы, так сказать, поменялись ролями. Я от этого не испытывал ни злорадства, ни удовлетворения. Она же воспринимала все как проявление злого рока, проклятия, нависшего над ней и ее семьей.

— Нас проклял Господь, — сказала она мне как-то, — когда мой отец впустил тебя в дом.

Я тут же взорвался:

— А не кажется ли тебе, что прокляты вы за то, что твой отец и дядя губили невинных людей и, как мародеры, обирали еще теплые трупы?

Она испугалась моей вспышки. Забилась в угол и сидела на полу, обняв колени. В глазах ее был страх. Страх, что мне надоело с ней возиться и я вышвырну ее на улицу или, еще лучше, сам отведу куда следует и сдам властям.

Вдруг она произнесла слова, от которых я вздрогнул:

— Женись на мне.

Я замер и уставился на нее, пытаясь определить, не шутит ли она. На ее бескровных губах появилось подобие улыбки, жалкой, вымученной. И я понял, чего стоили ей эти слова.

— Не хочешь? — спросила она. — Теперь уж и ты не хочешь?

— Почему? — закричал я. — Я всегда мечтал о тебе. Ничего не изменилось. Оттого, что ты в беде, ты еще дороже мне. Хоть завтра! Хорошо?

— Ты дашь мне твою фамилию.

Вот оно что! Ей нужна была моя фамилия, чтобы укрыться за ней, пересидеть лихое время. Если уж бывают браки по расчету, то трудно придумать какой-нибудь порасчетливей этого.

— Я дам тебе свою фамилию, — сказал я.

— И не раздумаешь до завтра?

— Не раздумаю. Ни завтра. Ни через год. Ни через сто лет.

— Ты — замечательный... если бы только...

— Я не был евреем? — подсказал я ей.

Она кивнула и улыбнулась.

— Как ты можешь на мне жениться, зная, как я не люблю... всех... ваших?

— Это не вина твоя. Это — твоя беда.

— Но ведь тебе жить со мной... А я... тебя не люблю.

— Но я люблю тебя. Моей любви хватит на нас обоих.

Мы спали отдельно. Не только в разных комнатах, но и
на разных этажах. Она — наверху, в спальне, а я — внизу, на
диване в столовой.

В эту ночь мы просидели с ней вместе почти до утра. Сидели за столом, друг против друга. И молчали.

— У тебя есть что выпить? — Она впервые за все эти дни
вспомнила о спиртном, к которому пристрастилась, работая
в ресторане. — Напиться бы до чертиков!

В буфете оказалась непочатая бутылка армянского коньяка и полбутылки нашей литовской водки «Дар по вена»
(«Еще по одной»). Вдвоем, на равных, мы вылакали обе бутылки, и потом Лайма, еле держась на ногах, шарила по пол-
кам кухонного столика и нашла еще две бутылки пива.

Мы упились. Но и в почти невменяемом состоянии я не
коснулся ее. Уложив спать на диване в столовой, уступив ей
мое место. Наверх, в спальню, подняться по лестнице было делом немыслимым, и мы, после первой попытки, от этого отказались. Сам же я уснул на полу, рядом с диваном, откуда свеси-
лась бледная худая рука Лаймы. Я уснул, держа в руке ее руку.

Комендант города сдержал свое обещание. Лайму
вычеркнули из списков лиц, подлежащих высылке. Это была
реабилитация. Возвращение в жизнь. В новых документах,
выданных ей, она уже носила мою еврейскую фамилию. И
когда в ресторане «Версаль» впервые представили ее публике
под этой фамилией, в зале грянул дружный смех. Наши зав-
сегдатаи офицеры приняли это как остроумную шутку. Настолько не вязалась еврейская фамилия с ее нордической
арийской, как она ее называла, внешностью.

Музыканты, официанты и повара, прослышав о нашей
женитьбе, решили отметить это событие, не спрашивая наше-

го согласия. И ее и меня в ресторане любили. Повара испекли большой торт, из утаенных продуктов наготовили отличной закуски, буфет расщедрился и всю выпивку взял на себя. Поздно ночью, когда удалось вытолкать за двери последнего посетителя, в зале погасили верхний свет, сдвинули несколько столиков, застелили их свежими крахмальными скатертями и зажгли припасенные к этому случаю свечи. На эстраду поставили горшки с живыми цветами. По букету фиалок преподнес Лайме и мне наш лилипут, разносчик сладостей, которого весь Каунас знал по кличке «Угостите даму шоколадом». Чтобы поцеловать нас, он встал на стул, и мы по очереди подходили к нему и подставляли щеки к его сморщенным сизым губкам.

Из кухни понесли блюда, которые никогда не готовились для публики. Повара постарались на славу. И мы оба вдруг почувствовали себя тепло и уютно, мы больше не были одиноки в этом мире, у нас были друзья, и это вполне заменяло семью и родных.

Испортил праздник комендант города майор Таратута. Пронюхав неизвестно от кого, что в ресторане затевается нечто вроде нашей свадьбы, он ввалился нежданно-негаданно, как раз к первому тосту.

Все засуетились, неестественно оживились, выбежали из-за стола, наперебой стали предлагать майору свои стулья. Лишь мы с Лаймой остались на своих местах. Я видел, как покрывалось бледностью ее лицо, и, зная ее характер, понял, что скандала не миновать.

В дверях топтались, ухмыляясь, автоматчики из личной охраны коменданта и его чубатый шофер Вася. Когда наконец майора усадили во главе стола и все снова вернулись на свои места, тамада, лысый еврей из нашего оркестра, льстиво предложил Григорию Ивановичу сказать первый тост.

Майор встал, распушил пальцами концы усов, откашлялся, прочищая горло, и, не поворачивая головы, взмахом руки велел охране покинуть помещение. Автоматчики и шофер тут же исчезли за дверью, плотно притворив ее за собой.

— Говорить тосты я не мастак, — начал майор. — Я человек грубый, так сказать, солдафон...

— Что вы, что вы, — замахал руками, загудел, льстиво протестуя, весь стол. — Вы нам, Григорий Иванович, как отец родной. ·

— Кому как, — хмыкнул майор. — Кое-кто меня хотел бы в гробу видеть, а не на этой свадьбе. Хотя этот кое-кто мне кое-чем обязан.

Он исподлобья уставился своими холодными серыми глазами на Лайму. Она не отвела взгляда. Только рука, державшая бокал, задрожала, и вино плеснулось через край на скатерть. Лилипут, сидевший по левую сторону от нас, завертел своей маленькой головкой с прямым пробором на зализанных волосиках, и на его сморщенном старом лице отразилась тревога. Он поднялся на стул с ногами и салфеткой стал промокать расползавшееся по скатерти пятно от пролитого вина.

— Да, комендант, — сказала Лайма по-русски, но от волнения с сильным литовским акцентом. — Я вам обязана. Я у вас в долгу. За то, что осталась сиротой. За то, что Литва потеряла независимость. За то, что я должна говорить не на своем, а на вашем, чужом мне языке. Чем я смогу с вами за это все рассчитаться? А, комендант? Как мне вернуть вам долг?

Я от Лаймы мог ожидать чего угодно. С нее станет. Но такой речи я от нее не ожидал и остался сидеть, как пригвожденный к стулу, а в моей голове, как удары метронома, повторялась одна и та же мысль:

«Это конец. Мы оба погибли. Это конец. Мы оба погибли...»

Наши гости: музыканты, повара, официанты, весь так называемый дружный коллектив работников ресторана «Версаль», замерли, не шевелясь, словно им зачитывали результаты ревизии, за которой последует длительное тюремное заключение для всех без исключения.

По лицу майора, сразу побагровевшему, поползла язвительная хищная улыбка, приподняв пушистые кончики усов и открыв прокуренные желтые зубы.

— Я тебе скажу, как вернуть долг, — медленно, с оттяжкой произнес он и с бокалом в руке двинулся вдоль стола к Лайме на своих массивных ногах, затянутых в широкие синие галифе. Стало так тихо, что явственно был слышен скрип его сапог, хоть он ступал по мягкому ковру.

— Поцелуй меня... вот мы и будем квиты!

Глаза его смеялись прямо перед бледным, с подрагивающими губами лицом Лаймы, но смеялись жестоко и угрожающе. Для меня не оставалось никакого сомнения, что все это завершится плевком ему в лицо, и я, спасая Лайму и себя, шагнул вперед, стал между ними и срывающимся голосом прокричал:

— Все! Хватит! Уйдите, Григорий Иванович! Никто вас сюда не приглашал!

Комендант отступил на шаг, смерил меня недоумевающим взглядом — его самого удивила моя прыть — и мягко, беззлобно сказал:

— Вот выпью и... уйду.

Он опрокинул себе в глотку все содержимое бокала — граммов двести водки, швырнул бокал об пол. Но, упав на ковер, бокал не разбился.

— Плохая примета, — печально произнес майор. — Не будет вам счастья.

И, поглядев на меня, ободряюще усмехнулся:

— Впрочем, у кого оно, счастье-то, бывает?

Затем повернулся по-военному, отдал всему столу честь, приложив руку к фуражке, и, грузно шагая, направился к выходу.

Так началась наша семейная жизнь.

Лайма ничего не делала в доме. Валялась в постели до полудня. Потом мы обедали и уходили в музыкальную школу. Оба продолжали учиться. Из школы — в ресторан. Домой возвращались во втором, а то и в третьем часу ночи.

Я убирал квартиру, стирал, бегал в магазин, готовил обед. Лайма все это принимала как должное. Мне порой казалось, что она вообще не замечает меня. Лишь испытывала неудобство в постели оттого, что я лежал рядом и стеснял ее, мешал свободно раскинуться во всю ширину кровати.

Потом она снова стала пить. Сначала таясь от меня. В перерывах, когда оркестр делал паузу, перехватывая, воровато отвернувшись, рюмку, которую ей подносил, прикрывая ладонью, официант. Потом открыто. Подсаживаясь к столам, где ее щедро спаивали офицеры. Иногда она уезжала с ними. И уж не являлась домой. А приходила в ресторан на другой день к вечеру с кругами под глазами, а иногда и с тщательно припудренным синяком на шее.

— Можешь меня поздравить, — сказала она как-то поздней ночью, когда мы, не поймав такси, задыхаясь, поднимались по бесчисленным ступеням лестницы вдоль тускло поблескивавших рельсов неработающего фуникулера. — Я снова беременна.

— Поздравляю, — выдохнул я и почувствовал, как мне вдруг стало легче идти в гору.

— Чему радуешься-то? — остановилась, задохнувшись, Лайма и спиной привалилась к наклонным перилам. — Не от тебя.

Тут я почувствовал, что у меня остановилось сердце.

— От кого? — схватил я ее за плечи и стал трясти.

— Тебе что, легче будет, если узнаешь?

— От кого? — продолжал я трясти ее и чувствовал: если толкнуть, она полетит через перила вниз по склону горы, между тусклыми линиями рельсов и зигзагами маршей деревянной лестницы. Вниз, до самой станции фуникулера, где ночует, высунув застекленный нос, красный вагон.

— По крайней мере, не от еврея, — бросила она мне в лицо, как плевок, и я отшатнулся, выпустив из рук ее плечи. И побрел вверх. Ступень за ступенью.

Домой она не пришла. Я не спал до утра и держал двери открытыми. И в школе ее не было на следующий день. Не явилась она и в ресторан. Оркестр играл без певицы. Недоумевающей публике объяснили, что Лайма больна.

На другой день в ресторан пришла какая-то женщина и через официанта вызвала меня с эстрады в коридор. Я понял, что это от Лаймы. Женщина представилась ее школьной подругой и сказала, что Лайма лежит у нее, в Шанцах. После аборта. Который прошел удачно. Ничто здоровью Лаймы не угрожает.

Затем, помявшись, она сказала, что Лайма просила денег. Уплатить за аборт. Я спросил, сколько? Она назвала сумму. У меня с собой таких денег не оказалось. Я попросил ее подождать. Вернулся в оркестр, попросил у коллег. Они скинулись, и я вручил женщине деньги.

— Запишите адрес, если хотите, — сказала она на прощанье.

Дома, на Зеленой горе, Лайма пролежала еще два дня. Мы оба молчали. Не было сказано ни слова. Я спал внизу, на диване.

На третий день она поднялась, оделась, села к зеркалу, стала приводить лицо в порядок. Я сзади наблюдал за ней в зеркале. Она по-прежнему была хороша. Какой-то злой, ядовитой красотой, от которой исходил дурман, опьянявший меня и лишавший воли, словно большая доза алкоголя.

Она перехватила в зеркале мой взгляд и отняла от ресницы щеточку с черной краской.

— У меня для тебя сюрприз, — усмехнулась она.

— Какой? — после долгой паузы спросил я пересохшими губами, чуя, что меня ждет новый удар.

— Беременна-то я была от тебя.

— Врешь.

— Чего мне врать? Женщина всегда знает, от кого она понесла.

— Зачем же тогда ты напраслину на себя возвела?

— Иначе ты не позволил бы сделать аборт.

Я в изнеможении упал на кровать и закрыл лицо руками.

— Ты убила нашего ребенка.

— Да. Убила.

— Почему? Ты не любишь детей?

— Я не люблю евреев. Зачем их плодить?

И тут я сорвался. Прыгнул к ней и стал бить наотмашь. По голове, по плечам. Она свалилась на пол, свернувшись калачиком, и я нанес ей удар ногой. Не помню куда. Кажется, попал в шею, в подбородок. Это отрезвило меня. Я побежал из спальни, чуть не кубарем скатился с лестницы и в столовой лег на свой диван, уставившись глазами в его бордовую плюшевую обивку.

Я слышал, чуял спиной, что Лайма спускается по лестнице. Вернее, сползает. Потом на всех ступенях я замывал кровь, капавшую с ее разбитых губ. Я не обернулся. За моими плечами слышалось ее трудное, прокуренное дыхание. Она уткнулась лбом в мою спину, стоя на коленях у дивана, и стала тереться лицом, размазывая по моей рубашке кровь.

— Хочешь, я рожу тебе? — хрипела она. — Не одного еврея... а много... Целое гетто.

Через месяц она снова понесла. И этого ребенка сохранила. Так появилась на свет моя дочь. Рута.

Внучка убийцы и его жертвы.

Девочка с такой гремучей смесью кровей, что у меня не вызвал удивления ее взрывчатый, как заряд динамита, характер.

Но еще до рождения Руты разыгрались события, снова резко повернувшие мою жизнь. И не в лучшую сторону.

К тому времени рухнула карьера коменданта города майора Таратуты, и я лишился единственного влиятельного покровителя. Зато быстро пошел в гору его питомец и лютый недруг Алоизас, чью судьбу он некогда решил в одну минуту на моих глазах. Алоизас, встав на ноги и набрав силу, не забыл того унижения, каким были куплены его спасение и нынешняя карьера, безжалостно и подло расправлялся со всеми, кого злой рок привел в кабинет коменданта города.

Он уничтожил Григория Ивановича. И комсомольских работников, которых пригласил в комендатуру на расправу с Алоизасом майор Таратута. Уцелел лишь я один. И я, по своей наивности, уже полагал, что меня минует злобная мстительность нового всемогущего вельможи по той причине, что я был свидетелем случайным и фигурой настолько мизерной и незначительной, что разумней всего было сделать вид, будто он меня и не заметил.

Я недооценил этого оборотня, с такой легкостью отрекшегося тогда от своей матери. Его месть была педантично рассчитана до мелочей. Он не останавливался на полпути и тщательно прикрывал свой тыл. Даже я казался ему опасным. И он смахнул меня. Как сухую крошку хлеба смахивают со стола.

Это было незадолго до смерти Сталина. По всей России бушевала антисемитская кампания, разжигаемая газетами и радио. Все грехи советского государства, все его провалы и недостатки приписывали еврейским козням и евреев изгоняли с работы, предварительно на общих собраниях на потеху толпе поглумившись над ними и заставив каяться в несодеянных поступках. Изгнание с работы — «волчий билет», перед обладателем которого закрывались все двери, и его семья получала перспективу протянуть ноги с голоду, но это было еще далеко не худшим вариантом для еврея. Многих арестовывали, обвинив в диверсиях и сотрудничестве с иностранными разведками. Евреев объявили антипатриотами и космополитами. В любом учреждении, где в штате числился хотя бы один еврей, проводились собрания, на которых этого еврея разоблачали и, вдоволь надругавшись, изгоняли.

В Литве евреям было легче. Здесь весь накал ненависти сосредоточился между литовцами и русскими, преследуемыми были литовцы, ненавидимыми — русские. Евреи оставались как бы в стороне.

Но когда по всей стране началась кампания борьбы с космополитизмом и низкопоклонством перед Западом, то и в Литве решили слегка намять бока своим евреям. Неприязнь к евреям объединила недавних врагов: русских и литовцев.

В нашем ресторане евреи составляли примерно половину работников. В основном за счет оркестра. Еще были кладовщик и буфетчица. У нас тоже стали искать своих космополитов и диверсантов. По указанию сверху.

Днем нас собрали в малом банкетном зале, под страхом увольнения запретив покидать собрание до самого конца. Выходить из зала разрешалось только в туалет. Это сразу настроило всех на тревожный лад.

Мы сидели с Лаймой в углу и слушали скучный доклад о космополитах, который по бумажке читал, запинаясь и кашляя, не совсем грамотный литовец из городского комитета партии.

— И у вас в коллективе космополиты свили свое гнездо, — оторвался он от бумажки и обвел глазами зал, словно выискивая среди нас кандидата на заклание.

Он не знал никого из нас в лицо и поэтому лишь нагнал страху, скользя взглядом от одной физиономии к другой и так ни на ком и не остановившись. Я уж полагал, что отделался лишь легким испугом, но горько ошибся. Докладчик передал слово представителю нашего коллектива. Из-под его руки высунул маленькую головку наш лилипут по кличке «Купите даме шоколаду». Он встал, и, когда сполз со стула, над краем стола высилась лишь верхняя половина его головы с прямым пробором посередине зализанных жидких волос. Я и не знал, что наш лилипут партийный. Его представили нам как неподкупного коммуниста, который выследил и вывел на чистую воду всю шайку безродных космополитов, окопавшихся в ресторане «Версаль» под видом безобидных музыкантов, как волки, натянувшие на себя овечьи шкуры.

Меня стало поташнивать. Лайма скосила свои большие серые глаза на меня и прикусила нижнюю губу. Она сразу поняла, что я обречен.

Все выглядело нереальным. Темный, с дубовыми панелями зал. Красный, кровавый бархат штор на окнах. Длинный овальный стол, за которым мы сидели на мягких стульях с резными дубовыми спинками. На одной стене, в позолоченной раме, висела картина, изображающая битву под Грюнвальдом: месиво конских крупов, сверкающих мечей, выпученных глаз и лежащих под копытами тел в кольчугах.

Шторы были опущены, и свет, проникавший сквозь толстую ткань, был оранжево-красным. И, словно мы находились на сеансе циркового иллюзиониста и фокусника, над краем стола, как отрезанная, виднелась лишь верхушка головы оратора-лилипута, писклявым детским голоском выносившего мне приговор.

Я был объявлен космополитом номер один. Мне инкриминировалось, что я засорил наш репертуар упадническими западными мелодиями, как пример приводилась пресловутая «Африка» — коронный номер ресторанного оркестра, в основном и привлекавший публику в наш зал.

Я хотел было возразить, что не я ввел в репертуар этот номер. «Африка» исполнялась в ресторане задолго до моего прихода в оркестр. Но мне не дали говорить. И когда я нервно вскочил, требуя слова, Лайма дернула меня сзади за пиджак и, вернув на место, прошипела в ухо:

— Сиди, идиот. Не видишь, что делается? Молчи!

Я плохо слышал, что говорилось дальше. Лилипут назвал подряд всех евреев, но лишь меня он требовал изгнать из коллектива, чтобы очистить атмосферу. Мне стало все ясно. Как во сне, я увидел за половинкой головы со сморщенным лобиком ухмыляющееся лицо Алоизаса. Он, как фокусник, был в черной мантии и черном цилиндре и рукою в белой перчатке дергал ниточки — они вели к лилипуту, и тот детским голоском пищал страшные слова.

Колесо жуткой комедии продолжало вертеться. Лилипут поставил на голосование — изгнать меня из оркестра. И все покорно подняли руки. И мои коллеги-музыканты, и повара, совсем недавно изготовившие чудо-торт к моей свадьбе, и официанты, и еврей-кладовщик, и еврейка-буфетчица.

Лишь один человек не поднял руки. Лайма. Все смотрели на нее, а она, с презрительной улыбкой на красивых губах, рассматривала кровавую штору поверх половинки головы лилипута.

— Решение принято единогласно, — проскрипел «Купите даме шоколаду» и, после паузы, добавил: — А вы, Лайма, останетесь в нашем коллективе. Вы — хорошая литовская певица. И вам совсем не к лицу еврейская фамилия. Вернитесь к своей добрачной девичьей фамилии.

— Вы предлагаете мне развестись? — спокойно спросила Лайма.

— Зачем так заострять? — вмешался представитель горкома, высившийся рядом с макушкой лилипута. — Просто ваша девичья фамилия теперь больше... ну, скажем... в моде.

— Я никогда не следила за модой, — ответила Лайма. —

Тем более за вашей. За ней не успеваешь угнаться. С вашего разрешения, я себе оставлю немодную фамилию.

Я был готов зарыдать. Лайма казалась мне в этот момент Жанной д'Арк, античной богиней, самым мужественным и честным человеком из тех, кого я знал. Встретив мой восхищенный взгляд, она остудила мой пыл злым шепотом:

— Чему ты радуешься, еврей несчастный?

Меня уволили в тот же день. Лайму оставили. В эту ночь дома, на Зеленой горе, я напился как свинья, и Лайма, вытирая тряпкой загаженный мною пол, сама тоже пьяная, жаловалась неизвестно кому:

— Мало мне того, что у меня муж — еврей, так он еще и алкоголик.

* * *

«Папа, у меня горе. Может быть, самое большое горе после расставания с мамой. Но маму я, возможно, еще увижу. А его — никогда.

Ты его не знал, папа. Я не хотела тебе писать до поры до времени, а теперь уже все постфактум. Бог ты мой, ничего не нужно откладывать.

Мы с ним хотели пожениться. Строили планы. И отложили до лучших времен. А когда эти лучшие времена наступают? Чаще всего, когда уже поздно. Мы собирались пожениться, когда он и я завершим службу в армии. Ему еще оставалось всего три месяца служить. А мне — пять. Через полгода мы бы сочетались браком, и я понесла бы под сердцем ребенка от него.

Не будет от него ребенка. Ничего не останется на земле после него.

А каких красивых людей он мог породить! Он был красив, как Бог. Как наш еврейский Бог, которого никто не видел и чей облик пытаться изобразить строго возбраняется еврейской религией. Но я всегда, когда думала о Боге, представляла его таким же красивым, как наши библейские цари. Соломон. Давид.

Его и звали Давид. Давид Левин. Двадцати трех лет. Старше он никогда не будет.

Антисемиты изображают наш народ маленькими плюгавыми человечками с крючковатыми носами, оттопыренными ушами и вислой, как у старой клячи, нижней губой.

Ах, какой костью в горле у антисемитов застревал мой Давид! Рядом с ним они выглядели плюгавыми и ничтожными. Давид был породистым евреем. Стройным и красивым той удивительной древней библейской красотой, какую сейчас редко сыщешь. Глаза, как миндалины. Губы крепкие, чуть припухшие. Подбородок широкий, упрямый. С крохотной впадинкой посередине. Нос прямой и ноздри враздет. Волосы черные и мягкие, с чуть заметной волной. Таков портрет моего бога. Добавь к этому высокий рост. Атлетическую шею. Развернутые плечи. И узкую, стянутую мышцами, как пружина, талию.

От него, папа, должны были пойти твои внуки. Этих внуков у тебя не будет. Они не родятся на свет божий, чтобы своим присутствием украсить его. Они убиты в зародыше. Они насильственно умерщвлены вместе со своим предполагаемым отцом.

Я знаю, чем ты постараешься утешить: мол, страна воюет и жертвы неизбежны. Так бывает во всех войнах.

И ты будешь прав, отец, и неправ. Да, жертвы бывают во всех войнах, но мы, евреи, несем еще и дополнительные потери из-за того, что законы войны для нас иные, чем для всех других народов. Что позволено другим, не позволено нам. Нам не позволено побеждать.

В войну Судного дня, когда наши танки пересекли Суэцкий канал и дорога на Каир — каких-нибудь сто с лишним километров — была открыта, когда на севере сирийская армия была разгромлена и Дамаск уже был досягаем для нашей дальнобойной артиллерии, весь мир, и СССР и США, дружно накинулись на нас с увещеваниями и угрозами, скрутили нам руки и заставили остановиться. У нас вырвали из рук победу, доставшуюся немалой кровью, и арабы, которые уже складывали чемоданы, чтобы бежать куда глаза глядят из Каира и Дамаска, ошалели от этого подарка и, не краснея, заорали, что они одержали победу над нами.

А ведь в первые дни войны, когда противник действительно нанес нам несколько чувствительных ударов, напав внезапно и в такой день, когда все евреи находятся в синагогах и даже движение транспорта запрещено по всей стране, в день Йом-Кипур, — вот тогда ни один народ мира не бросился останавливать нашего врага, Организация Объединенных Наций набрала в рот воды, и по всей земле антисемиты, скрытые и открытые, со злорадством ожидали нашего конца.

Мы выстояли назло всему миру. Но еще раз убедились, что то, что позволено другим, не позволено нам. Нам не позволяют окончательно разгромить врага. Нам не дают пользоваться плодами победы.

Русские после войны присоединили к себе Бог весть сколько чужих территорий, выселив под метелку все население оккупированных земель, и весь мир это съел, и даже сами пострадавшие молчат и стараются делать вид, что так и надо. Франция присоединила к себе, оторвав от Германии, Эльзас и Лотарингию. Румыния отняла у Венгрии Трансильванию. Россия у Румынии — Бессарабию. Примеров можно еще привести сколько угодно.

А теперь я тебя спрашиваю, отец, ты где-нибудь слышал, чтобы потребовали возвращения этих земель? Тишина. Все молчат в тряпочку. Победителей не судят.

Но стоило нам, евреям, отбить у арабов древние библейские земли Иудею и Самарию, занять эти районы не потому, что мы напали, а потому, что, отбив вероломное нападение Иордании, разгромили ее наголову и как трофей получили эти земли. И тут просвещенное человечество нарушило молчание. Весь мир взорвался от негодования. Как мы посмели? Занять Иудею? И даже в гневе не заметили, что само название территории говорит о том, что она издревле наша, иудейская, и ни у кого мы ее не отнимали, а лишь вернули в лоно еврейского государства. А вот Кенигсберг никогда не был русским. Это — оплот пруссачества, символ немецкого тевтонского духа. Этот город уже тридцать лет как переименован в Калининград, и там с тех пор не встретишь ни единого немца, и это никого не удивляет.

Но мы, евреи, тоже хороши. Вместо того чтобы плюнуть на мир, который к нам откровенно недружелюбен и несправедлив, послать к чертовой матери так называемое мировое общественное мнение, мы сами помогаем им, извинительными улыбочками оправдываемся за каждый свой шаг, который считается нормальным у других народов.

Вот теперь я возвращаюсь к гибели Давида. Тебе станет понятно, почему к моему страстному горю примешивается еще и чувство раздражения и злости против наших еврейских «голубей», которые, как и антисемиты, считают, что то, что позволено другим народам, не позволено нам.

Мы держим под своим контролем территории, заселенные арабами. Наши военные патрули курсируют по дорогам, и это естественно. Так поступает любая оккупационная армия. Арабы нас не любят. И это тоже естественно. Побежденные не испытывают любви к победителю. Неестественно другое. Солдат любой оккупационной армии ведет себя с побежденным населением так, чтобы его боялись. Оккупант есть оккупант.

*Попробуй подними против него руку — расправа будет корот-
кой. Можешь ли ты себе представить, что советского солдата забросали на оккупированной территории камнями? Что
осталось бы от тех, кто посмел поднять руку на советского
оккупанта? Ответ знает каждый, кто имел возможность на-
блюдать советскую армию в действии. Например, литовцы.
От замахнувшегося осталось бы мокрое место. И не только от
него. Но и от всей его родни. И даже соседей. Чтобы другим неповадно было впредь.*

*На наших израильских солдат можно не только замахивать-
ся. Их можно закидывать среди бела дня камнями, а им категорически возбраняется делать что-нибудь в ответ. Не дай Бог, в
мире прослышат о жестокости еврея! Какой поднимется скандал! Нам, мол, потом не оправдаться. Да и к лицу ли еврею упо-
добляться другим. Мы — мягкий, мы — добрый, мы — мудрый народ. Мы не можем себе такого позволить.*

*Арабы хорошенько изучили эту нашу слабость и превосходно
пользуются ею. Сами они, взрослые, не отваживаются приблизиться к израильским солдатам и посылают детей, несовершеннолетних мальчиков и девочек, швырять камни в проезжающие
по дороге израильские военные грузовики и бронетранспортеры.*

*Командование строго запретило солдатам реагировать на
это. Не воевать же, мол, с детьми.*

*Зачем воевать с детьми? Разве нельзя каждого, бросившего
камень, взять за ухо и вежливо-вежливо предложить ему показать дом, где живут родители и не нарадуются, глядя в окошко
на «проказы» своего отпрыска? И вытащить из дома папашу и
повесить его тут же перед домом на глазах у сынка?*

*Вот и будет наука. Вот и замрет рука с камнем. Вот и за-
уважают израильского солдата. Когда поймут, что с ним хитрые шутки плохи.*

*Нет, отвечают нам. Мы так никогда не поступим. Мы —
самая гуманная армия в мире.*

*Но ведь так считаем лишь мы, израильтяне. А весь осталь-
ной мир, даже наши так называемые друзья не верят этому. Не
хотят верить. Вопреки всем фактам. Нас обзывают на всех ми-
ровых перекрестках агрессорами, убийцами, палачами. Сравни-
вают с гитлеровцами, нацистами. Вешают на нас всех собак.*

*Когда мой Давид сказал своему командиру, что, если в него
угодит камень, он не ручается за жизнь того, кто бросил этот
камень, ему было велено вынуть из автомата магазин с патро-*

нами и отдать командиру. То есть его обезоружили. Чтобы не вздумал постоять за себя.

Вот они каковы, наши «голуби»! И вот чем мы заплатили за их голубиную кротость и смирение.

Джип, в котором находился Давид, подорвался на подложенной арабами мине. Все, кроме него, погибли. А он, раненный, выбрался из-под горящих обломков автомобиля и пополз в сторону. Там его окружили арабы. Давид не смог оказать сопротивления. Магазин его автомата был пуст. И его, безоружного, добили палками и ударами каблуков по лицу.

Так мы, евреи, платим за свою беспросветную глупость, за веками укоренившуюся в нас привычку оправдываться перед всем миром за каждый свой шаг, даже сам факт нашего существования.

Ты назовешь меня жестокой. Ты назовешь меня бессердечной. Ты сделаешь для себя вывод, что мое сердце огрубело и зачерствело. Что девушке, тем более еврейке, так рассуждать не подобает, и будешь сокрушаться о моей судьбе, исковерканной жизнью в Израиле, и службой в армии, которая постоянно находится в состоянии войны.

И ты снова будешь неправ. Я та же, какую ты знал. С той лишь разницей, что ближе к сердцу принимаю все происходящее вокруг, задаю недоуменные вопросы и ищу ответы. В том числе и у тебя. Кроме того, что ты — мой отец, ты еще и еврей. А евреев принято считать мудрым народом. Ответь мне, отец.

Мне очень и очень тяжко».

* * *

У нас родилась дочь.

Полуеврейка, полулитовка.

Назвали ее Рутой. Весьма распространенным и весьма заурядным литовским именем по названию неяркого цветка, который в Литве тоже весьма распространен.

На этом имени настояла Лайма. Она категорически отказалась, и я понял, что в этом ее переубедить не удастся, дать дочери имя моей покойной мамы. По древней еврейской традиции, согласно которой имена в семье передаются через поколение, сохраняя ощущение бессмертия и нескончаемости рода.

Лайма, как разъяренная тигрица, защитила свое дитя от

еврейского имени, которое, и я с этим спорить не мог, как клеймо, мешало бы ей в жизни.

— Достаточно ей твоей фамилии, чтобы быть несчастной! — кричала Лайма. — Но, слава Богу, она женщина, и выход замуж принесет ей новую фамилию, и, будем надеяться, более... удобную.

Появление на свет Руты изменило Лайму до неузнаваемости. Она совершенно перестала пить. Слегка пополнела, и это еще больше усилило ее красоту, добавив к прежней яркой женственности мягкую грацию материнства. Она перестала быть рассеянной и отрешенной, какой была все эти годы, и вся сосредоточилась на маленьком существе, попискивающем в кроватке.

Рута стала источником ее тихой радости и глубоко запрятанного горя. Радости, которую испытывает любая нормальная мать. А вот горе шло от антисемитизма Лаймы. Ее дочь родилась абсолютной еврейкой. В ней ничего литовского не угадывалось. У девочки были типичные еврейские черты, да еще при этом утрированные, окарикатуренные. Рута родилась некрасивой, уродливой еврейкой. С большим, да еще придавленным носом, вислыми губами, торчащими, как лопухи, оттопыренными ушами и жгуче-черными глазами.

Только глаза были хороши у младенца. Черные, как зрелые вишни, радужки и белки с синевой. Разрез глаз был узкий, восточный. Точь-в-точь как у моей покойной матери. За эти глаза она слыла красавицей. У моей младшей сестренки тоже были подобные глаза.

Этим сходство с красивыми женщинами нашего рода ограничивалось. В остальном моя дочь была каким-то пугающим уродцем, и я, млея от впервые познанного щемяще-сладкого чувства отцовства, должен был с горечью признать, что природа сыграла со мной и Лаймой злую шутку. Рута была некрасива раздражающей еврейской некрасивостью.

Лайма страдала. Молчала. Затаенно. А оттого еще тяжелей. Она катила по улице коляску с маленькой Рутой и, пока никого не встречала, светилась тихой материнской радостью. Но стоило кому-нибудь из ее знакомых остановиться и с притворно-восторженными восклицаниями заглянуть под кружевную накидку, Лайма напрягалась, деревенела, глаза ее становились как у затравленного зверя, словно ее уличили в жуткой непристойности, за что нет ни оправдания, ни прощения.

девшись, могла подолгу не разговаривать то со мной, то с матерью, и нам, чтобы восстановить хоть какой-то мир в доме, приходилось просить у нее прощения, и она долго, неделями остывала и оттаивала, пока ей не удавалось перебороть неприязнь к нам.

Она росла натурой увлекающейся, романтичной и, поверив во что-то, отдавалась этому увлечению до конца, без остатка. Лайма, в нечастые минуты трезвости наблюдая свою дочь, говорила с восторгом и даже с завистью, что в прежние времена из Руты вышла бы идеальная монахиня, аскетичная и исступленная в своей вере. Я же полагал, что, придись ее юность на годы революции и гражданской войны в России, с ее романтичностью и самопожертвованием, какие нынче сохранились лишь в песнях той поры, стала бы Рута комиссаром в кожаной тужурке и с маузером в кожаной кобуре и была бы беспощадна к врагам похлестче самого жестокого мужчины.

В школе она вступила в комсомол и сразу же повесила над кроватью в своей комнате портрет Николая Островского, слепого инвалида гражданской войны, фанатичного коммуниста, автора книги «Как закалялась сталь». Эту книгу советская власть умело использовала в пропагандных целях, давая юным, жаждущим романтики и подвигов умам увлекательный пример для подражания. Книга воспитала несколько поколений молодых коммунистов. Она стала своего рода библией для моей Руты.

В присутствии дочери мы уже не рисковали критиковать советскую власть. Она мгновенно вскидывала свои темные мохнатые ресницы и устремляла на нас недобро сверкающий взгляд. Мы умолкали под этим взглядом, нам порой становилось даже жутковато.

Рута из той породы людей, которые не могут жить без веры, идеала. Религию и Бога атеистическая советская власть ей не дала. Взамен предложив себя, сладко-заманчивые идеалы коммунизма, который, по предвидению Карла Маркса и Владимира Ленина, должен принести счастье человечеству, сделав всех людей равными и свободными.

Однако где-то в тайниках души она оставалась нежной и ласковой девочкой и часто, оставаясь со мной наедине, обнимала меня, целовала и нашептывала на ухо по-детски наивные и трогательные признания в любви.

Матери она сторонилась с самых ранних лет. Ее отпугивал острый запах спиртного, который часто исходил от Лаймы, и она морщилась и кривилась, когда та обнимала ее, и старалась вырваться из объятий и убежать. Лайма страдала, видя, как дочь чуждается ее, но бросить пить не могла, а, наоборот, пила еще больше, заливая свое горе. Ссориться с дочерью, прикрикнуть на нее, оскорбить обидным словом, как она это позволяла со мной, Лайма не смела. Она боялась Руты. Боялась ее решительного, не знающего компромиссов характера и понимала, что первая же открытая ссора сделает их окончательно чужими людьми и на примирение не будет никакой надежды.

Я не раз видел, как Лайма, простоволосая, неумытая, с тяжелой с похмелья головой, наблюдает из своей спальни, как я одеваю девочку, кормлю ее завтраком и провожаю в школу. Потом она прилипала к оконному стеклу, когда Рута выходила из дому, и украдкой любовалась своей дочерью.

Рута меня расспрашивала о войне, о гетто, о гибели моей матери и сестренки Лии, о том, как я спасся и скрывался в нашем доме, где тогда жила ее мать Лайма с родителями. Мои рассказы она слушала с горящими глазами, переживая все с такой остротой, словно это происходило с ней и ее убивали дубинкой по голове, как бабушку, из нее выкачивали кровь до последней капли, как из ее тети Лии, которая так и не стала старше семи лет. О родителях Лаймы я не распространялся и лишь говорил девочке, что эти ее дедушка с бабушкой погибли во время войны, а подробности их гибели никому не известны.

Рута настояла, чтобы я с маленьких фотографий своей матери и сестры, которые я случайно нашел после войны в бумажном хламе, сделал увеличенные портреты, и она сама склеила из картона рамки и повесила в своей комнате по обе стороны портрета своего слепого кумира — Николая Островского.

Фотографий же Винцаса и его жены она в своей комнате не повесила. Они висели в спальне у Лаймы, и Рута, интуитивно чуя какую-то жуткую тайну за этими крестьянскими лицами, больше о них не расспрашивала.

Но утаить правды от нее не удалось. Кто-то, — я так и не добился у Руты, кто это сделал, — рассказал ей, чем занимался во время войны Винцас и что он жив до сих пор и отбывает за свои преступления пожизненный срок в Сибири.

Она не устроила ни истерик, ни сцен. Пришла ко мне бледная, кусая, как это делала, волнуясь, Лайма, губы и тихим, безжизненным голосом рассказала обо всем, что узнала. Я молчал. Что мог я ей сказать? Возражать было нелепо, лгать дальше бессмысленно.

— Папа, как жить после этого? — спросила она, опустившись на колени и обняв мои ноги.

— Я ведь живу, — пожал плечами я.

— Он убил мою бабушку! И считается моим дедом? — Ее сверкающие глаза были снизу устремлены на меня.

— Можешь не считать его дедом, — сказал я.

— Но во мне же его кровь! Кровь убийцы и палача!

— В тебе же и кровь бабушки. Невинной жертвы. Доброго и честного человека. И от тебя зависит, чтобы именно эта кровь в тебе победила.

— Я должна пойти в комитет комсомола и все рассказать... Какого я происхождения...

— Они и без тебя это знают.

— Почему же молчат?

— Потому что сын за отца не в ответе, тем более за грехи дедушки.

— Я все же пойду и все выложу. А то еще решат, что я знала и скрывала.

В том учреждении, куда она явилась каяться, ей действительно сказали, что о ее деде Винцасе им все известно, и весь дальнейший разговор был почему-то обо мне, ее отце, который в свое время был обвинен в космополитизме и низкопоклонстве перед Западом — больших грехах перед советской властью.

Совершенно растерянной пришла ко мне Рута. В ту ночь мы проговорили очень долго, почти до рассвета. Я объяснил ей в очень осторожных выражениях обстановку того времени и гонения, которым я подвергался лишь за то, что был евреем.

— Так чем же отличаются коммунисты от фашистов? — вскинула она на меня свои темные, как вишни, глаза.

Когда я не нахожу ответа, я пожимаю плечами.

И тогда Рута заплакала.

— Бедный мой папочка... — всхлипывала она. — Бедная бабушка, бедная тетя Лия... бедные мы все... кроме мамы.

— Твоя мама — несчастный человек.

— Она не еврейка. Почему ей плохо?

— Думаешь, только евреям бывает худо?

— Евреям всегда хуже всех... И в войну... и после войны... И при фашистах... и при коммунистах... Папа, скажи мне, кто я?

— Когда подрастешь и будешь получать паспорт, сможешь сделать выбор. Ты в равной степени и с равным правом можешь считать себя литовкой и можешь...

Она не дала мне договорить:

— Я запишусь еврейкой!

— Не знаю, — покачал я головой. — Зачем тебе ненужные страдания?

— Как зачем? Я ведь твоя дочь! Твоя! И если тебе худо, я разделю с тобой все... все то, что нам, евреям, на нашу долю придется.

Она еще тогда не подозревала, какое нелегкое испытание выпадет вскоре на ее долю.

А пока мы продолжали жить втроем: я, Лайма и Рута в нашем доме на Зеленой горе. Лайма уже больше не пела в ресторане. Из-за того, что окончательно спилась и потеряла голос. Никакой оркестр не стал бы держать певицу, после первого же антракта умудряющуюся напиться так, что стоять на эстраде не может и раскачивается, опрокидывая пюпитры с нотами, и музыкантам приходится поддерживать ее сзади, чтобы не рухнула на пол.

Мне удалось устроить ее в лечебницу. Но она оттуда сбежала и вернулась домой в больничном халате и в тапочках. Зимой. Она кричала, что я хочу от нее избавиться, кидалась на меня с кухонным ножом и грозилась покончить с собой, если я еще раз попытаюсь сбыть ее в лечебницу.

Мне везло с алкоголиками. Григорий Иванович Таратута, бывший комендант города, изгоняемый отовсюду, куда бы его ни пытались пристроить сердобольные прежние собутыльники, спился окончательно. Он бы и умер где-нибудь в канаве, не подбери его наша буфетчица Соня — худая, как ведьма, с металлическими зубами, не первой молодости вдова. Майор безропотно принял ее опеку, поселился у нее и стоически спал с ней, оговорив себе за это право пить в меру и только дома то, что буфетчица приносила из ресторана. Денег карманных ему Соня не давала, и он бродил по городу, довольно опрятно одетый и ухоженный, и искал старых приятелей, которые не откажут поставить ему хоть сто граммов водки и выслушать его новую догадку о том, почему почти все руководители СССР — антисемиты: они почти все жена- ты на еврейках. Только теперь Таратута их стал понимать.

Своим самым близким приятелем Григорий Иванович считал меня. И мне он тоже жаловался на свою кормилицу, буфетчицу Соню, на ее скупость, крикливость, и говорил, что если и не был антисемитом, то теперь им становится. Я успокоил его, сказав, что он и прежде не очень жаловал ев- реев, и он не стал спорить со мной. Потому что не желал меня сердить до того, как я поставлю ему выпить. Когда Григорий Иванович испытывал жажду, он становился очень покладистым.

Но стоило ему выпить, а ему много не требовалось, что- бы впасть в состояние сильного опьянения, и передо мной уже сидел не жалкий сожитель буфетчицы Сони, а грозный комендант города майор Таратута. Взгляд склеротических воспаленных глаз становился твердым и решительным, усы расправлялись на морщинистом и дряблом лице, и в голосе появлялись зычные нотки.

И вот тогда он начинал поучать меня, что мы, евреи, са- ми виноваты в своей злосчастной судьбе. Потому что лезем вперед других. До всего нам дело. Повсюду суем свой нос. И я с горечью сознавал, что в его суждениях, невзирая на то, что он пьян, было немало логики.

— Посуди сам, — рассуждал он, не обращая внимания на то, что нас слышат чужие уши за соседними столиками, хулить евреев в открытую тогда уже не считалось преступ- лением в государстве, провозгласившем основой своей по- литики интернационализм и дружбу народов. — Кто такие евреи? Сказки про распятие Христа мы отметаем, как атеи- сты, но народ-то, простой народ, а его большинство, он — масса, этого евреям до сих пор простить не может. Есть у вас своя земля? Есть у вас свой язык? Ни хрена нету. Толь- ко длинные еврейские носы и мировая скорбь в глазах. Жи- вете на чужой земле... и коверкаете чужой язык. Ну, сидели бы себе тихо и не рыпались. Не лезли к другим, которых большинство, с поучениями, как жить. И тогда, ручаюсь, куда реже бы били вашего брата. Вас бы просто не за- мечали. И в этом для вас, поверь мне, было бы спасение. Ниже травы, тише воды. Не высовываться! А как на самом деле вышло? В России революция, кровь течет рекой. Кто ходит в зачинщиках, кто в Чека рубит головы? Евреи. Эх, и разыгрались на русской кровушке. Даже своей жизни не щадят. На самых верхах позиции заняли. Что в армии, что в правительстве. Я не скажу, что среди них было мало толковых и честных коммунистов, скажем, Яков Свердлов, наш первый президент. Или тот же Троцкий... — При этом имени он понизил голос и оглянулся по сторонам. — Или, скажем, герой гражданской войны Иона Якир. Революция дело такое: кто был ничем, тот станет всем, и наоборот. Так вот те-то, что стали ничем, проигравшая сторона, белая Россия, всю вину за свое поражение на евреев свалила и так их возненавидела, как никогда прежде. Им мерещилось, что все коммунисты — сплошные евреи.

А победители? Рабочий класс и крестьянство? Они, думаешь, полюбили евреев? Вот то-то. Им тоже евреи глаза намозолили, проели плешь. Строится новая Россия, а куда ни сунься — в руководстве еврейские носы. Литвинов, понимаешь, заправляет внешними делами России, министр иностранных дел, Ягода — внутренними, народный комиссар внутренних дел, рубит головы налево и направо, учит русский народ любить советскую власть. А народ-то невзлюбил. И в первую очередь кого? Тех же евреев.

А почему? Потому что на евреев легче всего валить все беды. И свои и чужие. Евреи испокон веку при всех властях были козлами отпущения. А советская власть, думаешь, глупее других? Откажется от такого удобного козыря? Дудки! Нема дурных!

Спроси людей, они тебе скажут, евреи — хитрый народ, их на мякине не проведешь. А спроси меня, и я тебе скажу — дурни твои евреи. Даже глупее нас, славян. Гляди, какую шутку Сталин с ними сыграл? Во всех странах, куда коммунисты пришли, он евреев посадил во главе. Из местных. Которые до нужной поры в Москве отсиживались. В Чехословакии этот, как его... Рудольф Сланский. В Венгрии — Матиас Ракоши. В Польше — ну, как его?.. Берман... и еще другие... в Румынии, в Болгарии. Еврейскими руками всякое сопротивление местного населения было сломлено, а как порядок навели, евреев — под метелочку. Объявили шпионами и сионистами... Кого — в петлю, кого — в тюрьму. А главное, чего добились, — население-то не коммунистов винит в своих бедах, а евреев... хоть их уж в этих странах нет и в помине. Понял?

Он уставился на меня склеротическими, в паутине красных прожилок, глазами и облизал усы.

— Понял? Ты не обижайся за правду. А лучше поставь мне еще сто грамм. Выпьем за то, чтобы мои слова тебе наукой были... чтобы я мог при случае похвалиться знакомством... с единственным умным евреем...

Я заказал ему еще сто граммов водки. И напрасно. Он еле выцедил ее. Кашлял, давился. Но ни капельки не оставил на дне стакана. И сразу впал в буйство. Выскочил на улицу, в гневе огляделся вокруг и, как в былые комендантские годы, напустился на армейского капитана, шедшего под руку с женщиной.

— Как стоишь? — гаркнул отставной комендант, загородив ему дорогу. — Смирно! Руки по швам! Доложить по форме! Кто таков? По какому заданию прибыл... во вверенный мне город.

Вокруг них быстро росла толпа.

Капитан не обладал чувством юмора и, не долго думая, ударил его. Таратута плюнул кровью ему в лицо, а потом и его спутнице. Послышались милицейские свистки. Подъехал на джипе комендантский патруль. Григория Ивановича в городе знали и давно всерьез не принимали, считая городским посмешищем, и поэтому патруль, заломив ему назад руки и добавив пару зуботычин, увез в городской вытрезвитель. Я требовал, чтобы и меня взяли. Чтобы там рассказать, как все было, и попытаться вызволить бедолагу. Но меня из джипа вытолкали. И последнее, что я слышал, были слова Григория Ивановича, кричащего через плечи солдат:

— Будь умным евреем! Понял? Майор Таратута тебе не враг!

Но, странное дело, другой человек, которого никем иным, как врагом, и притом даже моим личным, я не мог не считать, высказал примерно такое же мнение о евреях и причинах их бед. Этим человеком был мой тесть, отец Лаймы, военный преступник, участвовавший в массовых убийствах евреев и, весьма возможно, своими руками умертвивший мою мать.

Мигая своими белесыми поросячьими ресницами, он смотрел мне в глаза и говорил жемайтийской скороговоркой:

— Сами евреи себе петлю на шею накинули. Сами. Разве плохо им жилось в Литве при Сметоне, до самого прихода русских? Кто их трогал? Кто обижал? Куда лучше других литовцев жили. Сравни ваш дом на Зеленой горе и мой, в Шанцах. Кому было быть недовольным? Мне? Или евреям? А на деле что вышло? Как пришел трудный час для Литвы, я свою голову под удар подставил, а ваши... то есть евреи... над моей головой топор занесли. Бросились служить нашим врагам, оккупантам. А тем только этого и надо. Где возьмешь лучших лакеев, чем местные евреи? И язык литовский знают, и кто кем был, где живет, у кого скрывается.

Чьими руками проводились аресты? Кто угонял литовцев в Сибирь? Кто сразу вылез в начальство, стал командовать? Таких подонков среди литовцев нашлось всего лишь пара десятков... не больше. Мы — народ маленький, но сплоченный. Не привыкли лизать чужой сапог. Будь он хоть русским, хоть немецким. И черта с два русским удалось бы так легко нас придушить, не пойди к ним в услужение наша пятая колонна — литовские евреи.

Вот почему, дорогой мой, когда немцы вышибли русских, — а уж как Гитлер евреев не терпел, рассказывать нечего, — гнев литовцев направился в одну сторону — против собственных евреев. Мы сами сделали всю работу. Это было отмщением. За наши слезы, за нашу кровь, за наше унижение.

Так вот, считай, мы квиты. А то, что теперь русские гоняют вашего брата, то это не только насмешка судьбы, но и весьма и весьма логично. Запомни, нельзя долго танцевать на чужих свадьбах. Протрезвятся и выгонят взашей. Так вот сейчас и с евреями.

Винцаса, приговоренного к пожизненной каторге, выпустили из лагеря через десять лет. То ли за примерное поведение, то ли потому, что к тому времени во всей России так загулял антисемитизм, что убийство евреев во время войны уже не считалось таким уж большим преступлением.

Винцас вернулся из Сибири в Каунас. Вернулся один. Жена умерла в ссылке. Он постарел, как-то усох. Но не очень изменился. Волосы на голове оставались густыми, как в молодости. Лишь кое-где пробивалась незаметная среди рыжины седина. И зубов не потерял. Сохранил свои. Правда, пожелтели они, как у лошади. От крутой сибирской махорки.

Он нажил на каторге туберкулез. И кашлял по ночам, сплевывая в ладонь.

Он явился без предупреждения к нам. На Зеленую гору. Его хибару в Шанцах давно снесли, и на том месте теперь был стадион. Винцас остался без жилья. И естественно, пошел к дочери. Кроме Лаймы, у него никого родных в Каунасе не осталось в живых.

Лайма, конечно же, не отказала отцу в гостеприимстве и предоставила ему кров в том самом доме, который он занял во время войны, когда евреев угнали в гетто, и из которого ему пришлось съехать после войны. Из-за меня. Единственного законного наследника оставшейся после гибели нашей семьи недвижимости.

Я не стал возражать Лайме и даже не проявил никакой враждебности к Винцасу. Он был болен и жалок. А лежачего не бьют. Раз уж мы снова очутились под одной крышей, то надо научиться ладить и не толкаться. Ненависть, дай ей только волю, совсем отравит нашу жизнь.

Винцасу не простило лишь одно существо в нашей семье. Рута. Она не знала своего литовского деда и выросла без него. Но она все знала о его прошлом. И затаила в душе даже не ненависть, а брезгливое презрение. Как к ядовитому насекомому.

Рута отказалась даже пожать ему руку, когда он поздней ночью явился в наш дом и зареванная Лайма разбудила дочь и повела ее вниз представить деду. Рута назвала его палачом и убийцей и потребовала, чтобы немедленно покинул дом и чтобы никогда его ноги здесь больше не было.

— В противном случае я покину дом! — сверкая черными, как вишни, глазами, заключила Рута и убежала по лестнице наверх, в свою комнату, и там заперлась.

Такая встреча с единственной внучкой была, пожалуй, самым горьким наказанием за все содеянное им. Горше каторги. Он стоял посреди гостиной как оплеванный. В лагерном грязном ватнике и латаных штанах, в растоптанных кирзовых сапогах. По его задубленному от морозов и ветра бурому лицу ползли, извиваясь по неровным морщинам, мутные старческие слезы. Он кашлял взахлеб и сплевывал в руку, машинально вытирая ладонь о полу ватника.

Лайма растерялась. Она не знала, что делать. Она боялась ослушаться дочери. Тогда вмешался я и сказал, что он может остаться у нас, я разрешаю, а чтобы не сталкиваться с Рутой, лучше всего ему ночевать в чулане и с утра пораньше уходить в город и возвращаться уже тогда, когда она будет спать. Денег на питание я ему дам.

Винцас занял место в чулане, где некогда прятал меня.

Я-то скрывался в чулане от немцев, а он? От собственной внучки. Бескомпромиссно вычеркнувшей его из списков своей родни, из памяти.

Так мы и жили. Винцас по ночам глухо кашлял в чулане. Лайма стала пить пуще прежнего. Я не давал ей денег. Она стала уносить из дому вещи и отдавать их по дешевке спекулянтам. Рута, придя домой из школы, старалась не выходить из своей комнаты и как можно меньше общаться с нами. Кашель деда по ночам доходил до ее слуха, но она молчала, делала вид, будто Винцас навсегда покинул наш дом. Я же работал. Как вол. И в ресторане и на свадьбах. Куда ни позовут. Разрывался на части. Выбивался из сил. И все заработанное волок в дом и сам готовил обеды и сам убирал в комнатах. Рута, прежде помогавшая мне, больше этого не делала, видимо опасаясь столкнуться нечаянно с дедом.

Со временем положение Винцаса в нашем доме легализовалось. Он уже не убегал по утрам в город, а сидел на кухне, и Рута, собираясь в школу, проходила мимо него, не замечая, словно он был неживым. А он моргал и не сводил с нее глаз. С застывшей жалкой улыбкой дед любовался своей красавицей внучкой, и я догадывался, что Рута — единственное живое существо на земле, к которому он питает искреннюю любовь и немое молитвенное почтение. Это можно было прочесть в его слезящихся глазах, когда она, высокая и стройная, проходила мимо, гордо и отчужденно неся красивую голову на длинной тонкой шее, и ни разу даже не взглянула на него.

А потом я официально переписал дом на Винцаса. Наконец он стал законным владельцем дома на Зеленой горе с железным флюгером на крыше, который давным-давно привез из Клайпеды мой отец.

Я отдал Винцасу дом не из филантропии. Я покидал дом навсегда.

Мы уезжали в Израиль.

Вдвоем. Я и Рута.

Лайма с нами не ехала.

Я и не питал никаких иллюзий относительно ее выбора. Она уже настолько спилась, что мысль вывезти ее куда-нибудь, а тем более за границу, казалась нелепой. Что ей было делать в Израиле? Ей, ярой антисемитке, да еще хронической алкоголичке, в которой до сих пор при виде евреев разгоралась глухая ярость.

В вихре предотъездных волнений, в которые погрузился наш дом, Лайма отошла как бы на второй план, ничем нам с Рутой не помогая, но и не мешая. Она механически и бездумно соглашалась со всем, что мы ей говорили. Подписала, не читая, все бумаги, нужные для оформления нашего развода в суде. Дала письменное согласие на отъезд дочери и отказалась от всяческих материальных претензий к ней. Эти бумаги Лайма писала собственноручно. Под нашу диктовку. Перо дрожало в ее руке, а лицо было неживым, как маска. Рута глотала слезы, диктуя ей казенные фразы канцелярских заявлений, за которыми стояла жуткая, еще не вполне осознанная трагедия: дочь и мать расставались навсегда и оформляли этот чудовищный акт казенными неживыми словами сухого документа.

Лайма подписала каждую бумажку, сложила их стопкой и протянула мне, устремив на меня тусклый отсутствующий взгляд:

— Что еще от меня требуется?

Рута кусала губы, отвернувшись к окну. Я смотрел Лайме в лицо. Все еще красивое. Хоть и обрюзгшее, в сетке морщин, с нездоровой желтизной на дряблой коже.

— Не пей, пожалуйста, — попросил я. — Воздержись. Хотя бы до нашего отъезда.

— Ну, ты слишком много хочешь от меня, — криво усмехнулась Лайма. — Как же не выпить... при расставании. Мы же люди, а не... звери.

Я не видел ее трезвой ни одного дня. До самого отъезда. Порой она напивалась до того, что еле приползала домой, не узнавала ни меня, ни Руты, ни Винцаса, заваливалась спать прямо на полу в гостиной, и мы втроем тащили на руках ее тяжелое безвольное тело по лестнице на второй этаж, в спальню, укладывали в кровать, и я с Винцасом молча выходили, затворив за собой дверь, а Рута оставалась с матерью и уже одна раздевала ее и укрывала одеялом.

Лишь иногда наступало просветление. Обычно по утрам. До выхода из дому. Она бродила, мрачная, непричесанная, в мятом халате, по комнатам, где все вещи были сдвинуты с привычных мест и раскрытые чемоданы и картонные коробки валялись на креслах, на полу, на столах. Лайма бродила среди этого предотъездного хаоса, нещадно дымя сигаретой, натыкаясь на мебель и тихо матерясь по-русски. В гостиной

нанятые мной плотники сколачивали из свежих досок ящики для громоздкого багажа. Стук молотков, повизгивание
пилы, острый спиртной запах свежих опилок напоминали
похороны и заколачивание гроба.

Лайма долго терла ладонью лоб, словно силясь что-то
вспомнить, и действительно вспомнила и даже улыбнулась
при этом. Помчалась к себе в спальню, чуть не упав на ступенях лестницы, и скоро вернулась, непривычно блестя глазами.

— Доченька, — хрипло позвала она.

Рута, укладывавшая вещи в чемодан, подняла голову и с
удивлением посмотрела на мать. В глазах у Лаймы, внезапно
оживших, стояли слезы. Рута встревоженно подошла к ней.

— Нагни голову, — попросила Лайма.

— Зачем? — удивилась Рута.

— Я хочу тебе сделать подарок.

— Какой подарок? — продолжала недоумевать Рута, принимая все это за очередной пьяный бред матери.

— Закрой глаза и подставь свою шейку, — мягко и жалко
улыбнулась Лайма.

— Не понимаю, — нахмурила брови Рута.

— Не задавай вопросов, — вмешался я. — Сделай так, как
мать просит.

— Ну ладно, — неохотно согласилась Рута и закрыла глаза.

Лайма разжала кулак. На ее ладони лежала цепочка и что-
то ярко поблескивало. Настолько нестерпимо ярко, что я
почувствовал жжение в глазах. Я сразу узнал и эту цепочку, и
источник яркого блеска на ладони у Лаймы.

Это был бриллиант моей матери. Тот самый, что она утаила на черный день от всех обысков и сохраняла в гетто до
того самого дня, который она посчитала черным. Когда меня
и мою младшую сестренку погрузили в кузов автомобиля, где
кучей лежали друг на друге и шевелились, как раки в корзине, много еврейских детей нашего возраста. Нас всех отправляли на смерть.

Из нас, детей, должны были взять кровь, всю кровь до капли, чтобы перелить ее в вены раненых солдат, а наши обес-
кровленные трупики зарыть где-нибудь поблизости от госпиталя. Мать пыталась выкупить у конвоира меня и мою сестру за этот бриллиант. Он взял бриллиант. Этим конвоиром
был рыжий Антанас, родственник Лаймы. Его мать Анеле
потом отдала бриллиант Лайме, и Лайма его никогда не но-

сила.. Она знала историю бриллианта. И я был уверен, что, она постаралась его сбыть куда-нибудь подальше. Мы с ней об этом бриллианте не заговаривали. Теперь она извлекла его из тайника и надела на шею Руте.

Когда та открыла глаза, Лайма торжественно подвела ее к зеркалу и облегченно улыбнулась, увидев, как засияли от радости глаза дочери.

— Откуда это у тебя? — ахнула Рута. — Ты никогда не носила.

— Ну и что? — глубоко затянулась дымом и встряхнула свалявшимися седыми волосами Лайма. — Берегла на черный день. Как когда-то твоя бабушка его хранила. Теперь наступил мой черный день. Я остаюсь одна... А ты будешь жить где-то далеко-далеко... И когда у тебя будет дочь и она вырастет и пошлет тебя к черту, отдашь ей этот бриллиант. Как эстафету... В мире все повторяется...

Мы уезжали из Каунаса дождливым осенним днем. Лайма с утра так напилась, что на вокзал ее взять не было никакой возможности. Она валялась в пальто на кровати с запекшимися серыми губами и глубоко запавшими глазами, закрытыми восковыми веками с черной пыльцой краски на ресницах. И только хриплое, булькающее дыхание отличало ее от трупа. Мы и попрощались с ней, как с покойницей. И я и Рута. Поцеловали спящую в восковой лоб и быстро вышли, вытирая пальцами глаза.

Нас провожали несколько моих старых друзей: евреи-музыканты из ресторанных оркестров, еще не решившие сами, ехать или не ехать. Они волновались, пожалуй, больше, чем мы, в душе примеривая на себя наш отъезд, и по их взвинченным нервным лицам я понял, что они не намного дольше моего засидятся в Каунасе. Они без толку суетились, многократно обнимались и целовались со мной и плакали, не стыдясь слез.

Лишь два человека из провожавших вели себя спокойно и деловито: таскали чемоданы, погрузили их в вагон, оформили квитанции на багаж, купили мне с Рутой на дорогу поесть в вокзальном буфете. Это были два нееврея. Винцас, дедушка Руты, и совсем опустившийся Григорий Иванович Таратута, в грязном, замызганном пиджаке и рваных ботинках. Он снова не имел жилья. Буфетчица Соня вытолкала его взашей и отобрала ключи от квартиры. В этот день он не взял ни капли в рот и, распоряжаясь погрузкой, по старой привычке зычно

гаркал на железнодорожных служащих, распекая их за нера-
дивость, как он это делал во времена своего комендантства.

Два врага. Антикоммунист и палач Винцас, отсидевший в
Сибири десять лет, куда его спровадил комендант Каунаса
майор Таратута, и сам Таратута, уже бывший комендант и
бывший коммунист. Теперь они оба, постаревшие и какие-то
усохшие, стали бывшими людьми, доживавшими свой век. И
провожали меня, еврея, уже лишенного советского граждан-
ства и, следовательно, тоже бывшего их соотечественника, в
загадочное, нелюбимое СССР государство Израиль, к которому ни тот, ни другой особых симпатий тоже не питали по
причине своей нелюбви к евреям.

Таратута, лобызаясь со мной, всхлипнул и, чтобы пода-
вить слезы, громко изматерился. Рута обозвала его негодяем
и не позволила ему себя обнять. Винцас со мной расцеловал-
ся и прошептал на ухо:

— Прости меня, если можешь... Скоро помру...

Рута и ему не дала себя поцеловать. Только пожала руку,
не глядя в глаза. Она Винцаса не простила.

— Не называй меня Рутой, — со злостью сказала она
ему. — У меня есть имя... еврейское имя... Ривка... Как бабушку звали...

— Эх, Рута... Ривка... — горько покачал седой спутанной
шевелюрой Винцас. — Оставила ты меня совсем одного... как
собаку... без никого.

— С тобой остается твоя дочь... — строго сказала Рута. —
Позаботься о ней... За ней нет твоих грехов... Она страдает
безвинно.

Уже когда загудел локомотив и мы уже были отгорожены
от провожающих мокрым слезящимся стеклом вагонного окна, я через косые витые струйки воды все смотрел почему-то
не на своих еврейских друзей, а на этих двух рано состарив-
шихся людей. Винцаса и Григория Ивановича. Они и стояли
рядышком, как два мокрых взъерошенных воробья. Евреи
теснились в стороне от них, под черными зонтами, и никто
не подумал прикрыть от сеющей с неба влаги кого-нибудь из
них краем своего зонта.

Винцас и Таратута, два нееврея, были чужими на этих еврейских проводах. Теперь они пытались плясать на чужой
свадьбе. Вернее, на похоронах. И их, естественно, сторони-
лись и старались не замечать.

Для меня они не были чужими. Слишком тесно переплелись наши судьбы. И всех нас советская власть хорошенько перемолола, с хрустом костей, и выплюнула за ненадобностью. И Таратуту, который сам был частью этой власти и верно ей служил, и Винцаса, своего врага, пытавшегося ей противостоять и сломленного ею. И меня. Который был ни тем, ни другим. А лишь только хотел мало-мальски прилично жить. И больше ничего. Меня она выплюнула за свои пределы. А их — себе под ноги.

У меня сжалось сердце от жалости к ним обоим. Я рванул раму окна вниз, в лицо мне хлестнул дождь.

— Послушай, Винцас! — закричал я. — Возьми его... Григория Ивановича к себе в дом. Я тебя прошу. Там места хватит. Слышишь?

Винцас закивал и что то прокричал в ответ. Но я не расслышал, потому что рама с сухим стуком рванулась вверх, и окно захлопнулось. Это сделала Рута.

— У тебя больше нет забот, — гневно сказала она, — как беспокоиться об этих двух подонках.

Что я мог ей ответить? По-своему она была права. Но у меня нет ее категоричности и бескомпромиссности. И я страдаю. Порой за других больше, чем за себя.

Поезд тронулся. Мой родной город, где я родился дважды и пережил больше, чем отпущено одному человеку, уплывал в серой дождливой мгле. Словно он плакал. Кого он оплакивал? Меня? Своего незадачливого сына, покидавшего его навсегда? Или себя, остающегося хиреть и стариться в неволе?

* * *

«Дорогая моя дочь!

Пишу тебе и не знаю, огорчит ли тебя это письмо или ты позлорадствуешь, с удовлетворением признав, что я получил по заслугам, ибо своими руками вырыл яму, в которую свалился.

Я пишу тебе это письмо из тюрьмы. Из немецкой тюрьмы. Называется эта тюрьма «Моабит», и она была печально известна даже у нас, в Советском Союзе. Если ты помнишь, вы это изучали в школе, здесь сидел, дожидаясь смертной казни, татарский поэт Муса Джалиль, взятый немцами в плен в годы второй мировой войны. Он написал поэму «Моабитская тетрадь». И еще много героев и мучеников сидело здесь при Гит-

*лере, и красные кирпичные стены мрачных корпусов были пос-
ледним, что они видели в жизни*

*Сейчас здесь сидят евреи. Русские евреи. Те, кто фабрикова-
ли поддельные советские документы с целью быстрей получить
немецкое гражданство.*

*Нас не казнят. Не обезглавят. Худшее, что нас ожидает, —
принудительная высылка из Германии. Куда? Адрес один: на историческую родину, в Израиль. Куда нас, возможно, доставят в
наручниках и под конвоем. В объятия не очень счастливых соплеменников.*

*Я не оправдываюсь и не ищу у тебя сочувствия. Впервые в
жизни я стал на нечестный путь и наказан за это. Вполне заслу-
женно. Судьба зло посмеялась надо мной. Помрачив мой ум, поставив в один ряд с не лучшими представителями нашего народа,
ринувшимися в Германию, чтобы урвать свой кусок от жирного
пирога, которым немцы, все еще переживающие комплекс вины,
готовы расплатиться с евреями за свои прошлые грехи перед ними. Я стал одним из этого алчного, бессовестного и нечисто-
плотного стада, в поисках кормушки зацокавшего копытами по
немецким мостовым. Под недружелюбными взглядами абориге-
нов и трудно сдерживаемыми за формальными улыбками презрением и неприязнью властей предержащих.*

*Наши соплеменники, почуяв слабину у немцев, их осторож-
ность и щепетильность в отношениях с евреями, совсем перестали стесняться и распоясались вовсю. Наглое вымогательст-
во бесконечных субсидий и финансовой помощи в немецких учре-
ждениях, карманное воровство и даже вооруженные грабежи.
Евреи, какая-то жалкая горсточка, всего лишь несколько тысяч,
такого задали жару этой большой богатой стране, что сколько
немцы ни крепились, сколько ни старались закрывать глаза на
уголовные проделки своих новых сограждан, дабы не бередить
старые раны и не вызвать нежелательного шума в мировой прессе, все же, наконец, не выдержали и дали команду полиции.*

*Сейчас мы сидим в тюрьме «Моабит». У нас аккуратные,
чистые камеры. Нас кормят питательно и вкусно. Даже предлагают кошерную пищу, кто пожелает. Мы смотрим цветной телевизор. И ждем судьи.*

*На прогулках в тюремном дворе я имею возможность ближе
сойтись с моими товарищами по несчастью, евреями, затеявши-
ми авантюру — по фальшивым документам сделаться немцами.*

Не у каждого из тех, кто попал вместе со мной в эту тюрь-

му, есть повод для невеселых аналогий, какой имею я. Я уже раз был в немецком заключении, и немецкие часовые уже охраняли меня. В раннем детстве. В каунасском гетто.

Теперь снова, уже под старость, меня охраняют вооруженные немцы. И снова они решают мою дальнейшую судьбу.

По немецким, да и по всяким иным законам, подделка, фальсификация документов является уголовным преступлением и строго наказуется. Нас поймали за руку. Отпираться бессмысленно. Купленные нами, и за немалые деньги, липовые метрики, советские выездные визы и даже дипломы не выдерживали серьезной проверки. Пока немцы не хотели с нами связываться, все сходило с рук, но стоило им пристальней приглядеться к нам, как все сразу всплыло.

Они даже не поленились пригласить советских русских экспертов из Восточного Берлина, и те без труда определили подделку. И тогда немцы публично ахнули, пришли в изумление. Кого они впустили в страну? А газеты стали смаковать и расписывать делишки русских евреев.

Германия сама же и наказала себя, закрыв перед русскими евреями двери легальной иммиграции. Нелегальный въезд в страну, ложные клятвы и поддельные, фальшивые документы, без которых не стать еврею германским гражданином, произвели печальный отбор: в Германию хлынул в массе своей изворотливый, бесчестный и даже преступный элемент из потока русских эмигрантов. Талантливые и трудолюбивые люди чаще всего брезгливы к уловкам и лжи. Поэтому их-то Германия и не получила. Они осели в Америке, Австралии, где угодно, но не в Германии. А здесь замелькали зубные врачи с поддельными метриками и даже дипломами карманные воры, не вылезавшие в СССР из тюрем и лагерей, торговцы иконами, фальшивомонетчики и даже мастера мокрых дел.

И их раскормленные, чрезмерно толстые жены, увешанные бриллиантами, как рождественские елки блестками.

А какая-то жиденькая струйка нормальных людей с профессиями и настоящими, а не липовыми дипломами бесследно растворилась, затерялась в толпе.

Немецкими паспортами первыми завладели ловкачи без совести и чести, не желающие работать и прочно севшие на шею германскому государству. Они получают за счет этого государства квартиры и даже мебель, пособия по безработице и социальную помощь. И еще умудряются ежегодно бесплатно ездить

на курорты, чтобы развеяться после долгого безделья дома. Им
очень нравится в этой стране. Где можно жить припеваючи,
ничего не делая. Совершать преступления и не садиться в тюрьму — немецкая полиция сквозь пальцы смотрит на проделки еврейских воришек. А если какой-нибудь дотошный немецкий
чиновник проявит излишнее любопытство, то на него можно ра-
зинуть пасть и напомнить нацистское прошлое его самого или
кого-нибудь из его родни, и он быстро заткнется и другому зака-
жет связываться с русскими евреями.

Я никогда не думал, что в нашем народе столько наглецов и
бездельников, воров и лжецов. Здесь, в Германии, я с этим столкнулся. Получается неверная, искривленная картина. Потому что
здесь в концентрированном виде осела вся муть, вся зловонная гу-
ща из советского мусоропровода, направленного выходным
отверстием на Запад.

По этим людям, к великому сожалению, окружающие составляют мнение о евреях вообще. Можешь себе представить,
какое это прелестное горючее для нового взрыва германского
антисемитизма, тихо и стыдливо тлевшего под обломками
Третьего рейха! Как, сталкиваясь с этими людьми, читая в газетах об их скандальных делишках, уцелевшие убийцы евреев,
бывшие гестаповцы перестают испытывать угрызения совести за свое прошлое.

Особенно нестерпимо режет глаз и слух своим бесстыдством
и цинизмом разгул дезертиров и разъевшихся на чужих хлебах до-
мочадцев на праздновании Дня независимости Израиля, который
торжественно, чуть ли не со слезой отмечают ежегодно кро-
хотные еврейские общины в немецких городах. И вот те, что бежали из Израиля, не прослужив ни одного дня в его армии или вообще туда не доехав из опасения, что их или их подрастающих
сыновей призовут на военную службу, собираются в украшенных
израильскими флагами залах, во всю глотку упоенно врут на дурном иврите израильские песни, обжираются даровой кошерной
пищей, незаметно потягивая из горлышек бутылок, припрятан-
ных в карманах, русскую водку. А на сцене их упитанные детки
на уже недурно освоенном немецком языке декламируют стихи о
катастрофе европейского еврейства и о том, что больше эта
трагедия не повторится, потому что существует Израиль. В
заключение весь зал при мерцающем свете зажженных свечей на
меноре громко скандирует:

— В будущем году в Иерусалиме!

Дальше идти некуда. Я один раз присутствовал при таком коллективном лицемерии и безмолвии зала, не досидев до конца. Хотя оснований стыдиться я имел меньше других. У меня, по крайней мере, дочь служит в израильской армии, и это хоть как-то смягчает чувство вины, которое я испытываю с того самого дня, как покинул Израиль.

Поверь мне, я покинул Израиль не из трусости. Мне уже давно не дорога моя жизнь, и перспектива умереть от арабской пули не так уж и страшила меня. Скажу тебе больше, глубоко в душе я был готов умереть за Израиль. Такая смерть куда предпочтительней, чем долгое и нудное умирание на чужбине. Я свое прожил. И достаточно перенес. Даже больше, чем положено одному человеку. Конец не за горами. Мы уже едем не на ярмарку, а с ярмарки, как писал Шолом-Алейхем. В этом я не заблуждаюсь.

Но, как сказал один мой знакомый, воевавший в войне Судного дня, а потом укативший из Тель-Авива в Нью-Йорк:

— Я готов умереть за Израиль, но жить в нем не могу.

Почему? Ведь я еврей до мозга костей. И за свою принадлежность к еврейству страдал не единожды и еле-еле уцелел. Израиль — еврейское государство, единственное место на земле, где принадлежность к еврейству считается не позором, а, наоборот, предметом гордости и где, как ты остроумно писала мне однажды, если уж меня назовут грязным евреем, то это будет означать лишь то, что мне следует пойти и умыться.

Я не оправдываюсь. Я хочу объяснить, почему я не остался в Израиле и ценой немалых унижений пытался зацепиться на чужой и неласковой земле.

Потому что и в Израиле я не почувствовал себя дома. Винить в этом Израиль легче всего. Возможно, я сам виноват и не смог адаптироваться в новой среде.

Израиль мне показался одним большим гетто. Я оказался неготовым к встрече лицом к лицу с таким скоплением евреев. Во мне еще слишком свежа память о каунасском гетто, где мы были скучены на крохотном пятачке и должны были в этой тесноте дожидаться, когда нас прикончат.

И Израиль выглядит пятачком, крохотным островком во враждебном арабском море, и его грозят уничтожить, как уничтожили каунасское гетто. Разница лишь в том, что тогда мы были безоружны и покорно подставляли шеи под ножи, а теперь умело отбиваем атаки наших палачей и будем с ними драться до последнего вздоха.

Но это дела не меняет. На меня в Израиле до жути знакомо пахнуло гетто. Я почувствовал себя так неуютно, что плохо спал по ночам и просыпался от жутких сновидений. А днем меня донимала непривычная жара и пыльное дыхание близких пустынь. Поначалу я терпел, ожидая, что это пройдет. Я привыкну, вживусь. Мои нервы натянулись до предела.

Я — европеец, как ни крути. Литва — это Европа, хоть и Восточная. Не одно поколение моих предков выросло в этом холодном и вьюжном, почти северном краю, и это наложило свой отпечаток на наш характер и на весь наш организм. Я плохо переношу жару и еще хуже — сухой зной. Я задыхаюсь. Мне трудно дышать. Моя голова становится перегретым котлом, который вот-вот лопнет. Я не совру, если скажу, что меня вытолкнул из Израиля климат этой страны.

Но только ли климат?

Израиль — восточная страна. Это хоть и Ближний, но все же Восток. С кривыми улочками, маленькими и грязными лавчонками, шумными, крикливыми базарами и заунывным подвывом муэдзинов из радиорупоров на минаретах мечетей. Изобилие автомобилей, бетон автострад, небоскребы отелей и многоцветный неон ивритских букв рекламы картины не меняют.

Для меня, европейца, а я, как ни крути, все же европеец, и именно в Израиле особенно остро почувствовал себя им, это — экзотическая, красочная страна, куда хорошо приехать туристом. И только. Но никак не на всю жизнь.

И еще одно обстоятельство, возможно, самое серьезное, побудившее меня бежать из этой страны. В Израиле строят социализм. С маниакальным упрямством, в ущерб экономике и здравому смыслу. Да еще и не на свои, а на чужие деньги. На подачки еврейских капиталистов со всего мира.

Это в моей голове никак не смогло уложиться. После стольких экспериментов с социализмом в разных странах, всегда завершавшихся одним и тем же: кровью невинных людей, террором, голодом и нищетой, нашему народу, считающемуся мудрым, следовало бы извлечь для себя урок! Но нет! Даже преследование евреев, погромы, чем почти повсеместно отмечено победное шествие социализма, не охладили пыла израильских борцов за счастье человечества.

Среди причин, побудивших меня покинуть свою прежнюю родину, одной из важнейших я считаю полное неприятие ее социалистических потуг насильственно осчастливить свой народ и все человечество. В значительной мере по этой же причине я ударился в бега и из Израиля. Мой жизненный опыт, как безошибочный рефлекс, отвращает меня от любого вида социализма, каким бы лицом он ни обращался ко мне, человеческим или откровенно бесчеловечным. Я сыт социализмом по горло. Вернее, именно благодаря ему я большую часть своей жизни недоедал и жил почти как нищий. Мне захотелось провести остаток своих дней при старом, руганом-переруганом капитализме, который хоть и эксплуатирует человека, но кормит досыта и одевает прилично и даже позволяет каждому драть глотку на митингах и демонстрациях, выражая свое несогласие и неприязнь к власть имущим. При социализме же — бьют и плакать не дают.

Теперь я имею достаточно времени, чтобы хорошенько обдумать свою жизнь, покопаться в ней, поискать истоки своих несчастий. Выводы, к которым я прихожу, невеселые.

Один лихой еврей, вор и грабитель из Киева, так же, как и я, по тому же делу отсиживающий в «Моабите» до суда, человек эмоциональный и непосредственный, как-то воскликнул:

— И надо же было мне вылезать из маминой утробы евреем! А почему не русским? Или украинцем? На худой конец, даже китайцем! И не было б моих несчастий!

В его искреннем вопле не очень много логики. Будь он кем угодно, он оставался бы вором и грабителем и сидел бы в тюрьме в любом государстве, как исправно отбывал сроки в СССР и теперь дожидается срока в Германии.

Но есть и жестокая правда в его словах. Мы от рождения несем на себе крест еврейства, взваленный на наши плечи не нами. И страдаем и платим дорогую цену за принадлежность к народу, который мы не избирали, и получили в наследство от своих предков, вместе с тысячелетней давности счетами, которые человечество не устает предъявлять каждому поколению евреев. Многие из нас несут на себе еврейство как горб, от которого не избавит даже нож хирурга.

Ну какие же мы евреи?

В Бога не верим. Еврейских традиций не соблюдаем. Языка своего не знаем.

Мы — евреи только лишь потому, что мир нас так называет, и хоть регулярно, из века в век бьет и режет нас, все же убивает не всех, по-хозяйски оставляет немножко на развод, чтобы следующие поколения имели на ком душу отвести, когда начнут чесаться руки и душа взалкает крови.

Мы — бездомный народ, рассеянный по всей планете, среди чужих племен и рас, и те то и дело толкают нас, изгоняют, и мы с котомкой пускаемся в путь искать пристанища там, куда, сжалившись, пустят. На время. Какими бы сроками это время ни исчислялось — десятилетиями или веками, всегда наступает час, когда хозяева предлагают нам, засидевшимся гостям, убираться подобру-поздорову. И если мы, не дай Бог, замешкаемся, начинает обильно течь кровь. Наша, еврейская. И мы не уходим, а убегаем. Оставив на ставшей нам снова чужой земле незахороненными своих детей и родителей.

Мои злоключения привели меня к малоутешительному выводу: Израиль, нравится он нам или не нравится, — наше единственное убежище, где, если жить не совсем уютно и радостно, то хоть смерть свою можно принять с достоинством. Ты это определила с самого начала и раз и навсегда, и я склоняюсь перед твоей ранней мудростью и благородством. Эти качества — увы! — ты унаследовала не от меня.

Скоро мы увидимся. Немцы недолго продержат нас в тюрьме. Меня отсюда вышлют в Израиль.

Любопытно, кто нас будет конвоировать на историческую родину? Неужели немецкие полицейские? Злодейка судьба похохочет над нами вволю.

А может быть, Израиль пришлет свой конвой? Смуглых красоток в военной форме, с изящным автоматом «узи» на плечах. И среди них я узнаю тебя, моя дочь. Увижу твои сурово сдвинутые брови, встречу строгий взгляд и зарыдаю оттого, что не могу по своему положению заключенного броситься тебе на шею. Тебе, моя дочь, посланной нашей страной вернуть домой с чужбины блудного отца».

СОДЕРЖАНИЕ

ЭФРАИМ СЕВЕЛА
Собрание сочинений

Том второй

Ответственный за выпуск: *К. Беляков*
Гл. редактор: *Г. Вартапетян*
Корректоры: *С. Бредис, А. Чебурина*
Компьютерная верстка: *М. Солдатенкова*
Оформление: *В. Зорин*

Л.Р. № 061962 от 18.12.1992г.
Подписано в печать 5.02.96г. Формат 84х108/32.
Гарнитура Ньютон. Печать офсетная.
Усл. печ. л. 15,5. Тираж 10 000 экз.
Заказ № 139

Отпечатано с оригинал-макета издательства
«Грамма» по заказу фирмы «Экобизнес»
Марийским полиграфическо-издательским
комбинатом республики Марий Эл. 424000,
г. Йошкар-Ола, ул. Комсомольская, 112

Издательство выражает благодарность всем, кто оказал помощь в подготовке Собрания сочинений Э. Севелы. Особо благодарим И. Раскина и издательство «Стэнфорд Трайдент-Ориент» за большой вклад в работу над проектом.

Уважаемый читатель!

Издательство «Грамма» предлагает Вашему вниманию первое в мире полное собрание сочинений классика современной литературы Эфраима Севелы.

В **Том первый** включены два замечательных произведения, неоднократно издававшихся у нас в стране и за рубежом: «Легенды Инвалидной улицы» и «Тойота Королла».

Том второй познакомит Вас с тремя неменее интересными произведениями:

«Моня Цацкес — знаменосец» — шедевр еврейского юмора в экстремальных условиях войны.

«Остановите самолет — я слезу» — история жизни целого народа в истории жизни одного человека.

«Продай твою мать» — две страны: Литва и Израиль, две войны: Великая Отечественная и арабо-израильская, два поколения: отец и дочь.

Уже подготовлены к печати и в ближайшее время выходят следующие книги:

Том третий: «Мужской разговор в русской бане», «Попугай, говорящий на идиш».

Том четвертый: «Почему нет рая на земле», «Зуб мудрости» и «Викинг».

Том пятый: «Все не как у людей», «Мама».

Впервые увидят свет «Сказки Брайтон Бич».

Наша серия удовлетворит самые взыскательные вкусы и коллекционеров, и читателей, желающих ознакомиться лишь с отдельными произведениями, хотя по своему опыту знаем, что прочтя лишь одну книгу, хочется и дальше жить удивительной жизнью героев Севелы, участвовать в событиях, мастерски воссозданных автором.

По вопросам
приобретения и распространения
Собрания сочинений Э. Севелы
обращаться по телефонам:
(095) 912 1868 и 911 3338.
НПО «ГОЛОГРАМ»
(оптовые партии)

(095) 235 4641,
Москва, ул. Бахрушина 28
(ст. м. «Павелецкая»)
Литературный клуб «ГРАФОМАН»
(розница)

Для заметок